Britannica®

ENCICLOPEDIA UNIVERSAL ILUSTRADA

hidroterapia
jesuita

Britannica
ENCICLOPEDIA UNIVERSAL ILUSTRADA

Edición en español de BRITANNICA CONCISE ENCYCLOPEDIA

Edición promocional para América Latina desarrollada, diseñada y publicada por Sociedad Comercial y Editorial Santiago Ltda., Avda. Apoquindo 3650, Santiago, Chile.

ISBN 956-8402-79-9 (Obra completa)
ISBN 956-8402-89-6 (Volumen 10)

Impreso en Chile, Printed in Chile.
Código de barras 978 956840289 - 1

hidroterapia Uso externo del agua para tratamiento médico. El calor húmedo alivia el dolor, mejora la circulación y promueve la relajación. El frío húmedo cierra los vasos sanguíneos y reduce así la hinchazón y el dolor de las lesiones. Los ejercicios subacuáticos fortalecen los músculos debilitados por lesiones, restablecen el movimiento de las articulaciones lesionadas, limpian y curan los tejidos quemados, recuperan la función muscular después de accidentes vasculares cerebrales, y tratan las deformidades y el dolor de la artritis. También se usan baños de hidromasaje y duchas. La hidroterapia la emplean habitualmente los especialistas en MEDICINA FÍSICA Y REHABILITACIÓN.

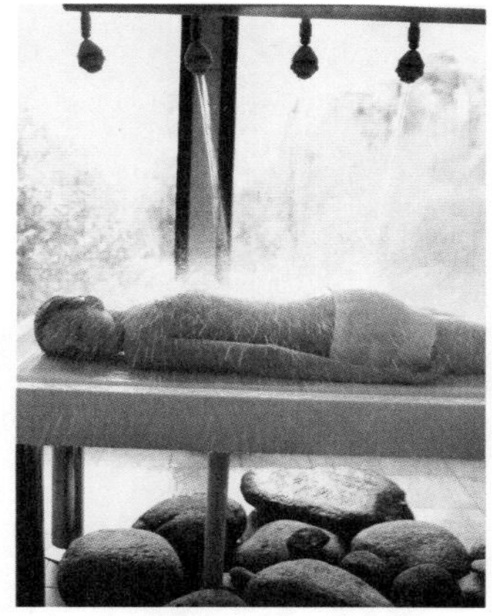
Hidroterapia aplicada en medicina física y rehabilitación.
BLASIUS ERLINGER/THE IMAGE BANK/GETTY IMAGES

hidrotermal, yacimiento Cualquier concentración de minerales metálicos formados por la deposición de sólidos provenientes de agua caliente cargada de minerales (solución hidrotermal). Se piensa que en la mayoría de los casos las soluciones surgen por la acción de agua que circula a gran profundidad y es calentada por el MAGMA. Otra fuente de calentamiento que puede estar involucrada es la energía liberada por desintegración radiactiva.

hidróxido Cualquier compuesto con uno o más GRUPOS FUNCIONALES, cada uno constituido por un ÁTOMO de HIDRÓGENO y uno de OXÍGENO, unidos, y que actúan como el ANIÓN hidróxido (OH^-). Los hidróxidos comprenden los ÁLCALIS tan usados en procesos de laboratorio e industriales. Las BASES más fuertes, como aquellas de los METALES ALCALINOS (LITIO, SODIO, POTASIO, rubidio y CESIO), son también las más estables y solubles; aquellas de los METALES ALCALINOTÉRREOS (CALCIO, BARIO y ESTRONCIO) también constituyen bases fuertes solubles, pero menos estables. Los hidróxidos de la mayoría de otros metales son sólo ligeramente solubles, pero neutralizan los ÁCIDOS; algunos son "anfotéricos", es decir, reaccionan tanto con los ácidos como con las bases. En compuestos en los cuales el OH está no ionizado y unido en forma covalente (p. ej., en el METANOL, CH_3OH), se conoce como un grupo hidroxilo.

hidruro Compuesto inorgánico de HIDRÓGENO con otro ELEMENTO QUÍMICO. Hay tres tipos comunes que se diferencian por su ENLACE. En los hidruros salinos (iónico) (ver ENLACE IÓNICO), el hidrógeno es un ANIÓN, H^-, y se comporta como un HALÓGENO. Los hidruros salinos, como el hidruro sódico (NaH) y el hidruro de calcio (CaH_2), reaccionan enérgicamente con agua desprendiendo gas hidrógeno (H_2), y se utilizan como fuentes portátiles de hidrógeno. Los hidruros metálicos, como el hidruro de titanio (TiH_2), constituyen materiales del tipo ALEACIONES con algunas propiedades de los METALES, como el brillo y la conductividad eléctrica. Los hidruros covalentes (ver ENLACE COVALENTE) son en su mayor parte compuestos de hidrógeno y elementos no metálicos; comprenden AGUA, AMONÍACO, sulfuro de hidrógeno (H_2S) y METANO. En los hidruros poliméricos, el hidrógeno forma puentes entre otros átomos (p. ej., en los hidruros de boro y aluminio). Aquellos hidruros emiten grandes cantidades de energía cuando se queman y pueden ser útiles como combustibles de cohetes.

hidruro de silicio ver SILANO

hiedra Cualquiera de unas cinco especies de trepadoras leñosas, siempreverdes (rara vez arbustos), que forman el género *Hedera* de la familia de las Araliáceas (ver GINSENG), comúnmente cultivadas como cubresuelos y sobre muros de piedra, en especial la hiedra inglesa (*H. helix*), la cual trepa mediante raíces aéreas con discos adhesivos que se desarrollan en los tallos. Las hojas duras verde oscuro de la hiedra inglesa son trilobadas o pentalobadas y tienden a caer horizontalmente del tallo. Las plantas no emparentadas, llamadas hiedras, comprenden la hiedra de Boston (*Parthenocissus tricuspidata* o *Ampelopsis tricuspidata*), una trepadora leñosa, adherente, de la familia de las Vitáceas (ver UVA), cuyas hojas se vuelven de un color escarlata brillante en otoño; y la HIEDRA VENENOSA.

hiedra venenosa Cualquiera de dos especies de Norteamérica de arbustos o trepadoras leñosas de fruto blanco, de la familia de las Anacardiáceas (ver ZUMAQUE). La especie que se encuentra en el este de Norteamérica (*Toxicodendron radicans*) es abundante; en tanto, otra especie del oeste, conocida como ROBLE VENENOSO, es menos común. A veces, ambas se clasifican en el género *Rhus*. Un identificador clave son las hojas de tres folíolos con forma de mitón. El contacto con el urushiol, un aceite producido por la planta, puede causar inflamaciones y ampollas graves en la piel humana. El urushiol puede impregnarse en la ropa, los zapatos, las herramientas o el suelo; asimismo, puede ser transportado por animales o por el humo de las plantas que se queman. Como el urushiol no es volátil, es posible que produzca una reacción cutánea después de un año o más, al volver a usar la ropa que tuvo contacto con la planta.

hielo Forma SÓLIDA del AGUA líquida y del vapor de agua. A menos de 0 °C (32 °F), el agua líquida forma un sólido duro, y el vapor de agua forma escarcha sobre las superficies y copos de NIEVE en las nubes. A diferencia de la mayoría de los líquidos, el agua se expande al congelarse, de manera que el hielo es menos denso que el agua líquida y por consiguiente flota. Está compuesto de agregados compactos de muchos CRISTALES (con simetría hexagonal), a pesar de que el hielo formado a partir de una masa líquida normalmente no tiene caras cristalinas. Las moléculas en el cristal se mantienen unidas por enlaces de HIDRÓGENO. Al tener una constante DIELÉCTRICA muy alta, el hielo conduce la electricidad mucho mejor que la mayoría de los cristales no metálicos. A presiones muy altas pueden presentarse al menos otras cinco formas cristalinas del hielo.

hielo, formación de Cualquier masa de hielo que aparece en los continentes o en las aguas superficiales de la Tierra. Dichas masas se forman donde existan cantidades importantes de agua líquida que se congela y permanece en estado sólido por cierto período de tiempo. Ejemplos son los glaciares, icebergs, hielo marino y hielo de tierra asociado al PERMAFROST.

Especies de hiedra.
© ENCYCLOPÆDIA BRITANNICA, INC.

hielo marino Hielo formado en las regiones polares a partir de agua de mar congelada. El hielo marino se presenta mayormente como banquisas flotando a la deriva por la superficie oceánica; otros tipos comprenden el hielo rápido, que se adhiere a la costa y a veces al suelo marino o entre icebergs encallados; y el hielo que se forma en el fondo de barreras de hielo en la Antártida. En el hemisferio norte el hielo marino cubre cerca de 8 millones de km² (3 millones de mi²) en septiembre y alrededor de 15 millones de km² (6 millones de mi²) en marzo. En el hemisferio sur el hielo marino varía entre 4 millones de km² (1,5 millones de mi²) en febrero y cerca de 20 millones de km² (8 millones de mi²) en septiembre.

Rompehielos ruso *Yamal* abriéndose camino entre banquisas del océano Ártico.
FOTOBANCO

hielo seco DIÓXIDO DE CARBONO en forma de SÓLIDO. Es una sustancia compacta, incolora, parecida a la nieve comprimida, que a presión atmosférica normal pasa directo de sólido a vapor (ver SUBLIMACIÓN) a una temperatura de –78,5 °C (–109,3 °F). Comúnmente disponible en bloques, se utiliza para conservar en frío alimentos, vacunas y otros productos perecibles durante su transporte o almacenamiento.

hiena Cualquiera de tres especies de CARNÍVOROS caninos de piel gruesa (familia Hyaenidae) que se encuentran en Asia y África. En realidad, más emparentados con los felinos que con los caninos, tienen cuatro dedos en cada pie, patas delanteras largas, garras no retráctiles y mandíbula y dientes formidables. Viven solas o en manadas, y pueden ser activas de noche o de día. Las hienas son conocidas como carroñeras, pero también pueden atacar presas vivas. La hiena manchada o reidora, cuya llamada asemeja alternadamente un lamento y una risa enloquecida, se extiende por gran parte del África subsahariana. Amarillenta o grisácea con manchas oscuras, mide 1,8 m (6,5 pies) aprox. de largo, incluida la cola, de 30 cm (12 pulg.), y pesa hasta 80 kg (175 lb). Se sabe que ha atacado personas, y en algunos casos hecho presas.

Hiena manchada o reidora (*Hyaena crocuta*).
© ENCYCLOPÆDIA BRITANNICA, INC.

Hieracium Género compuesto por unas 200 especies de malezas, de la familia de las COMPUESTAS, originarias de regiones templadas. La hierba de la salud (*H. pilosella*), la vellosilla anaranjada (*H. aurantiacum*) y la vellosilla común (*H. vulgatum*) son malezas de amplia distribución. Algunas especies se cultivan como plantas ornamentales de jardín por sus atractivos ramos florales.

Hieracónpolis Antigua ciudad del Alto Egipto. Situada al sur de TEBAS, fue la residencia prehistórica de los reyes del Alto Egipto. En la actualidad es un yacimiento arqueológico que ha revelado los inicios del período histórico de Egipto. Alcanzó su apogeo a partir de 3400 AC hasta el Antiguo Reino (c. 2575 AC). Siglos más tarde, TUTMOSIS III reconstruyó completamente el templo arcaico. Durante el Nuevo Reino, la ciudad de el-Kab, situada al otro lado del Nilo, adquirió mayor importancia económica, pero Hieracónpolis retuvo su lugar como centro religioso e histórico.

Hierápolis Antigua ciudad de la actual Siria. Sus ruinas se encuentran al nordeste de ALEPO. Centro de culto de la diosa siria ATARGATIS, los griegos la llamaron Ciudad Sagrada (Hierápolis). Fue una de las grandes ciudades sirias del s. III DC, pero después cayó en decadencia. El califa ʿAbbāsid HĀRŪN AL-RASHĪD la restauró a fines del s. VIII. Capturada por los cruzados en el s. XII y recuperada por SALADINO en 1175, fue más tarde cuartel general de los MONGOLES, quienes completaron su ruina.

hierba Cualquiera de numerosas plantas verdes, pequeñas, no leñosas, que pertenecen a las familias Poaceae (o Gramineae), Cyperaceae (CIPERÁCEAS) y Juncaceae (JUNCOS). Sólo las especies de la familia Poaceae, unas 8.000–10.000, son hierbas genuinas. Desde un punto de vista económico, son las ANGIOSPERMAS más importantes, debido al contenido nutricional de sus granos y su función formadora de suelos; constituyen las especies más difundidas y numerosas. Las hierbas CEREALES son trigo, maíz, arroz, centeno, avena, cebada y mijo. Las hierbas proporcionan forraje para los animales de pastoreo, refugio para la vida silvestre y son materia prima para la construcción, mobiliario, utensilios y alimentos. Algunas especies se cultivan como plantas ornamentales de jardín, como CÉSPED para prados y áreas de recreación, o como plantas de cobertura para combatir la erosión. La mayoría tiene tallos redondos, huecos y segmentados, hojas laminadas y sistemas radiculares fibrosos muy ramificados.

hierba carmín Planta arbustiforme de olor intenso (*Phytolacca americana*) con una raíz venenosa en forma de rábano picante, originaria de zonas húmedas o arenosas del este de Norteamérica. Tiene flores de color blanco, bayas negra rojiza y hojas verde oscuro, que a menudo presentan nervadura rojiza o se dan en pecíolos de color rojo. Las bayas contienen un colorante rojo usado para teñir vino, caramelos, telas y papel. Como las raíces, los tallos maduros, rojo o purpúreo, también son venenosos. Sin embargo, los brotes muy jóvenes y tiernos (hasta unos 15 cm [6 pulg.]) son comestibles.

hierba centella Planta herbácea perenne (*Caltha palustris*) de la familia de las Ranunculáceas (ver RANÚNCULO), originaria de las tierras pantanosas de Europa y Norteamérica. Crece en jardines silvestres cenagosos. Tiene un tallo hueco, hojas redondas o acorazonadas, y flores apétalas (compuestas sólo de sépalos) de color rosado, blanco o amarillo brillante. A veces, los tallos, las hojas y las raíces se cuecen y se comen como hortalizas, aunque la planta fresca es venenosa. Ver también PRIMAVERA.

hierba de la mariposa Planta de Norteamérica (*Asclepias tuberosa*) de la familia de las ASCLEPIADÁCEAS, perenne, vigorosa, con pelillos ásperos y raíces horizontales largas. El tallo frondoso, erecto y algo ramificado, mide 0,3–0,9 m (1–3 pies) de alto. A mediados del verano da numerosas inflorescencias anaranjadas brillantes. A diferencia de la mayoría de las especies de esta familia, su jugo lechoso es escaso. Es originaria de los campos áridos y generalmente se planta en jardines silvestres o se cultiva como planta de arriate.

hierba de san Juan Nombre común de plantas de la familia Hypericaceae, que contiene 350 especies de hierbas o arbustos bajos, distribuidos en ocho géneros. A veces, esta familia se considera parte de la familia de las Guttiferae. La mayoría de las especies (alrededor de 300) pertenece al género *Hypericum*.

Tiene hojas opuestas o en verticilo, moteadas con glándulas, y generalmente de bordes lisos. En las regiones templadas se cultivan varias especies por la belleza de sus flores; a *H. perforatum*, especie de flor dorada y llamativa que crece en el Viejo y Nuevo Mundo, cuyos botones contienen un aceite rojo, se le atribuyen desde antaño poderes mágicos y medicinales; hoy se utiliza y estudia ampliamente por su posible eficacia contra la depresión.

hierba del platero ver COLA DE CABALLO

hierba gatera ver NÉBEDA

hierbabuena ver MENTA

hierbas ver ESPECIAS Y HIERBAS

hierofante Sumo sacerdote de los misterios ELEUSINOS en la antigua Grecia. Su tarea principal era presentar los objetos sagrados durante la celebración de los misterios y explicar su significado secreto a los iniciados. Generalmente, el sacerdote era un hombre anciano, célibe, con una voz vigorosa, elegido entre los Eumólpidas, uno de los clanes originales de Eleusis. Una vez elegido, desechaba su antiguo nombre y sólo era llamado *hierofante*.

hierogamia (griego: "matrimonio sagrado"). Relaciones sexuales entre deidades de la fertilidad practicadas en mitos y rituales, característica de sociedades basadas en una agricultura cerealista (p. ej., Mesopotamia, Fenicia y Canaán). Al menos una vez al año, personas vestidas como dioses tenían relaciones sexuales para garantizar la fertilidad de la Tierra. El festival comenzaba con una procesión hasta el lugar de celebración del matrimonio, seguida por un intercambio de regalos, un rito de purificación, el banquete de bodas, la preparación de la cámara nupcial y el acto sexual de carácter secreto y nocturno.

hierro ELEMENTO QUÍMICO metálico, uno de los elementos de TRANSICIÓN, de símbolo químico Fe y número atómico 26. El hierro es el METAL más utilizado y el de más bajo costo; constituye el segundo metal más abundante y el cuarto elemento con mayor presencia en la corteza terrestre. Rara vez se encuentra como un metal libre, ocasionalmente en ALEACIONES naturales (en especial en METEORITOS) y en cientos de minerales como la HEMATITA, la MAGNETITA, la LIMONITA y la SIDERITA. El cuerpo humano contiene alrededor de 4,5 g (un sexto de una onza) de hierro, en su mayor parte en la HEMOGLOBINA y en sus precursores; el hierro en la dieta es esencial para la salud. El hierro es ferromagnético (ver FERROMAGNETISMO) a temperaturas ordinarias y es el único metal que puede ser REVENIDO. Su uso en ACEROS de diversos tipos, así como también en HIERRO FUNDIDO y en HIERRO FORJADO (colectivamente, "metales ferrosos"), es múltiple. La alteración de sus propiedades por impurezas, especialmente carbono, es la base de la fabricación del acero. Casi siempre el hierro tiene VALENCIA 2 (ferroso) o 3 (férrico) en los compuestos. Los óxidos ferrosos y férricos (FeO y Fe_2O_3, respectivamente) se utilizan como pigmentos, y el férrico como tinte rojo en joyería. La herrumbre es óxido férrico que contiene agua; el óxido férrico se utiliza en forma extensa como material magnético de grabación en dispositivos de almacenamiento de datos de computadora y cintas magnéticas. Los sulfatos y cloruros ferrosos y férricos son todos de importancia industrial como mordientes, agentes reductores, agentes floculantes, o materias primas, así como en tintas y fertilizantes.

hierro de los pantanos MENA de hierro compuesta de óxidos de hierro hidratados, como la limonita y la goethita, que se forman por precipitación del agua freática que fluye en terrenos pantanosos. La acción bacteriana contribuye a la formación del mineral. Los yacimientos ya agotados se regeneran y son económicamente explotables después de unos 20 años. El hierro de los pantanos otrora fue muy utilizado como fuente de ese metal.

hierro forjado Una de las dos formas en que se obtiene HIERRO mediante la FUNDICIÓN DE MINERAL. El hierro forjado es un metal blando, fácil de trabajar y fibroso. Suele contener menos de un 0,1% de CARBONO y de 1 a 2% de ESCORIA. Para la mayoría de las finalidades, es superior al HIERRO FUNDIDO, que es duro y frágil a causa de su mayor contenido de carbono. En la antigüedad, el hierro se fundía directamente de su mena, calentándolo en una fragua con carbón vegetal, el cual servía de combustible y también de agente reductor. Mientras aún estaba caliente, se extraía la mezcla de hierro y escoria como un todo y se trabajaba (forjaba) con un martillo para remover la mayor parte de la escoria y se soldaba el hierro para darle la forma deseada. El hierro forjado empezó a ocupar el lugar del bronce en Asia Menor (había mayor disponibilidad de hierro), en el segundo milenio AC; su uso para herramientas y armas se estableció en China, India y en el Mediterráneo en el s. III AC. Más tarde, en Europa, el hierro forjado se obtuvo indirectamente a partir del hierro fundido (ver PUDELACIÓN). Con la invención del proceso BESSEMER y del proceso del horno SIEMENS-MARTIN, el ACERO reemplazó al hierro forjado para fines estructurales y desde el s. XX se ha destinado principalmente a fines decorativos.

hierro fundido ALEACIÓN de HIERRO que contiene 2 a 4% de CARBONO, junto con SILICIO, MANGANESO e impurezas como azufre y fósforo. Esta aleación se produce reduciendo la MENA de hierro en un ALTO HORNO (el hierro fundido es químicamente equivalente al hierro del alto horno) y luego vaciando (ver COLADA) el hierro líquido en moldes para obtener pequeños LINGOTES (lingotillos) de ARRABIO. El arrabio se refunde en hornos de cubilote, junto con chatarra y elementos de aleación, y se vuelve a vaciar en moldes para obtener una variedad de productos. En los s. XVIII y XIX, el hierro fundido era un material industrial más económico que el HIERRO FORJADO (ya que no requería de mayor refinación ni forja a martillo). Es más frágil y carece de resistencia a la tracción. Su resistencia a la compresión lo transformó en el primer metal estructural importante. En el s. XX, el ACERO tomó su lugar como material de construcción, pero el hierro fundido continúa teniendo aplicaciones industriales en los bloques de motores de automóviles, piezas agrícolas y de máquinas, tuberías, baterías de cocina, estufas y hornos. A la mayor parte del hierro fundido se le denomina fundición gris o fundición blanca, nombres dados por los colores que presentan al fracturarse; la fundición gris contiene más silicio, es menos dura y más maquinable que la blanca. Ambas formas son frágiles, pero pueden hacerse maleables con un TERMOTRATAMIENTO prolongado. El hierro fundido maleable fue obtenido por primera vez en Francia en el s. XVIII y luego desarrollado en EE.UU. como un producto industrial. El hierro fundido dúctil fue inventado en 1948 y hoy se usa ampliamente para engranajes, matrices, cigüeñales de automóviles y muchas otras piezas de maquinaria.

hierro magnético, mena de ver MAGNETITA

Cerca de hierro forjado con profusos motivos de tallos de maíz; Villa de Colonel Short, Nueva Orleans, 1859.

FOTOBANCO

Hierro, ley del *inglés* **Iron Act** (1750). Medida que adoptó el Parlamento británico para restringir la industria del hierro en las colonias americanas. Se podía exportar a Inglaterra arrabio y hierro en barras, libre de derechos de aduana, a fin de satisfacer las necesidades del país. Más tarde se prohibió un mayor desarrollo de la industria colonial para la producción de artículos de hierro manufacturados, así como la exportación de hierro a otros países.

hígado La más grande de las GLÁNDULAS del cuerpo, que cuenta con varios lóbulos. Secreta BILIS; metaboliza PROTEÍNAS, CARBOHIDRATOS y GRASAS; almacena GLUCÓGENO, VITAMINAS y otras sustancias; sintetiza factores de la COAGULACIÓN; remueve desechos y tóxicos de la sangre; regula el volumen sanguíneo y destruye los glóbulos rojos envejecidos. La vena porta lleva la sangre de los intestinos, la vesícula biliar, el páncreas y el bazo al hígado para ser procesada. Un sistema de conductos lleva la bilis del hígado a la VESÍCULA BILIAR y al duodeno. El tejido hepático consiste en una masa de células horadada por conductos biliares y vasos sanguíneos. Cerca del 60% son células hepáticas, que tienen más funciones metabólicas que cualquier otra célula. Un segundo tipo son las células de Kupffer, que participan en la formación de células sanguíneas, la producción de ANTICUERPOS y la ingestión de partículas extrañas y restos celulares. El hígado elabora proteínas plasmáticas, entre ellas, la ALBÚMINA y los factores de coagulación, y sintetiza las enzimas que modifican sustancias como nutrientes y toxinas filtrados desde la sangre. Entre los trastornos hepáticos figuran la ICTERICIA, la HEPATITIS, la CIRROSIS, los TUMORES, la obstrucción vascular, los ABSCESOS y las enfermedades por depósito de GLUCÓGENO.

Higgs, partícula de *o* **bosón de Higgs** Portadora de un campo universal que subyace a todo (campo de Higgs), se piensa que constituye un medio de asignar MASA a algunas partículas elementales a través de sus interacciones con ellas. Se le dio el nombre en honor a Peter W. Higgs (n. 1929) de la Universidad de Edimburgo, uno de los primeros que postuló la idea. El mecanismo de Higgs explica por qué las partículas portadoras de la FUERZA NUCLEAR DÉBIL son pesadas, mientras que el fotón, portador de la FUERZA ELECTROMAGNÉTICA, tiene masa cero. No hay evidencia experimental directa de la existencia tanto de la partícula como del campo de Higgs.

higiene mental Ciencia que se ocupa del mantenimiento de la salud mental y de la prevención de sus trastornos a fin de ayudar a las personas a funcionar con todo su potencial mental. Abarca todas las medidas destinadas a promover y preservar la salud mental: la rehabilitación del perturbado mental, la prevención de enfermedades mentales y la asistencia para enfrentar un mundo estresante. La salud mental comunitaria reconoce la relación entre la salud mental, las presiones demográficas y el malestar social. También se ocupa de problemas sociales, desde la drogadicción hasta la prevención del suicidio. El manejo de los enfermos mentales a través de los tiempos ha oscilado desde el abandono, el maltrato y el aislamiento hasta el tratamiento activo y su integración en la comunidad, a menudo gracias a cruzadas de reformadores. La prevención de las enfermedades mentales comprende cuidados prenatales, programas de concienciación sobre el abuso infantil y orientación a las víctimas de delitos. El tratamiento comprende PSICOTERAPIA, farmacoterapia y grupos de apoyo. Uno de los esfuerzos más importantes es la educación del público para combatir la estigmatización de las enfermedades mentales y el estímulo a los afectados para que busquen tratamiento.

higuera de Bengala ver BANIANO

Ḥijāz, Al- ver HEJAZ

higuera Cualquier planta del género *Ficus*, de la familia de las MORÁCEAS, especialmente *Ficus carica*, la higuera común. *F. carica*, que produce los conocidos higos que se comercializan, es originaria de una región que se extiende desde la Turquía asiática hasta el norte de India, pero algunas plántulas crecen, en forma natural, en la mayoría de los países mediterráneos, donde hay gran consumo de higos frescos y secos. Es un arbusto o arbolillo de hojas deciduas, anchas y ásperas (ver ÁRBOL DECIDUO). Cientos de variedades distintas se cultivan en diversas partes del mundo. La higuera fue uno de los primeros árboles frutales cultivados. Su fruto contiene cantidades considerables de calcio, potasio, fósforo y hierro.

Higuera común (*Ficus carica*).

hiladora MÁQUINA para trefilar (ver TREFILADO), torcer y bobinar HILO. Inventada en la década de 1730 por LEWIS PAUL y JOHN WYATT, la hiladora funcionaba haciendo pasar algodón o lana a través de pares de rodillos sucesivamente más rápidos. Con el tiempo fue reemplazada por la hiladora hidráulica de RICHARD ARKWRIGHT.

hiladora de algodón Máquina para hilar de husos múltiples inventada por SAMUEL CROMPTON (1779), la cual permitió la fabricación de HILO DE COSER de alta calidad a gran escala. La máquina de Crompton hizo posible que un solo operador se encargara de más de 1.000 husos en forma simultánea, y era capaz de producir HILO fino y grueso.

hiladora hidráulica En la industria textil, hiladora accionada por agua que producía un HILO de algodón apropiado para la urdimbre (hilos longitudinales de una tela). Patentada en 1770 por RICHARD ARKWRIGHT, esta hiladora constituyó un progreso respecto de la HILADORA MECÁNICA de JAMES HARGREAVES, que producía un hilo más débil, adecuado sólo para la trama (hilos transversales de una tela).

hiladora mecánica Antigua máquina de husos múltiples para hilar LANA O ALGODÓN. La hiladora mecánica manual fue patentada por JAMES HARGREAVES en 1770. La evolución de la RUEDA DE HILAR hasta convertirse en la hiladora mecánica constituyó un factor significativo en la industrialización de la rama TEXTIL, aun cuando su producto era inferior al de la HILADORA HIDRÁULICA de RICHARD ARKWRIGHT.

Hilbert, David (23 ene. 1862, Königsberg, Prusia–14 feb. 1943, Gotinga, Alemania). Matemático alemán cuyo trabajo se enfocó a establecer los fundamentos formales de la matemática. Obtuvo su Ph.D. en la Universidad de Königsberg (1884) y luego se mudó a la Universidad de Gotinga en 1895. En el Congreso Internacional de Matemática de 1900, en París, presentó 23 problemas de investigación como un desafío para el s. XX. Muchos de ellos ya han sido resueltos, con gran fanfarria en cada caso. El nombre de Hilbert está ligado de manera prominente a un espacio de infinitas dimensiones llamado espacio de Hilbert (ver espacio de PRODUCTO INTERNO), concepto muy usado en ANÁLISIS matemático y en MECÁNICA CUÁNTICA.

Hildebrand, Joel Henry (16 nov. 1881, Camden, N.J., EE.UU.–30 abr. 1983, Kensington, Cal.). Educador y químico estadounidense. Enseñó principalmente en las universidades de Pensilvania y de California, en Berkeley. En 1924 su monografía sobre la solubilidad de los no electrólitos, *Solubility*, fue la referencia bibliográfica clásica por casi medio siglo. Entre sus muchas publicaciones científicas y textos de química se cuentan *An Introduction to Molecular Kinetic Theory* [Una introducción a la teoría cinética molecular] (1963) y *Viscosity and Diffusivity* [Viscosidad y difusividad] (1977). Recibió en 1918 la Medalla por servicios distinguidos y en 1948 la Medalla del rey (británica).

Hildegarda *orig.* **Hildegard von Bingen** (1098, Böckelheim, Franconia occidental–17 sep. 1179, Rupertsberg, cerca de Bingen). Abadesa y mística visionaria alemana. Fue priora del convento benedictino de Disibodenberg en 1136. Como de niña había experimentado visiones, le fue permitido escribir sobre ello en *Conoce los caminos del Señor* (Scivias Domini, 1141–52), donde registra 26 visiones proféticas, simbólicas y apocalípticas; luego completaría otros dos volúmenes con sus visiones, *El libro de los méritos de la vida* (Liber vitae meritorum) y *El libro de las obras divinas* (Liber divinorum operum). La abadesa escribió asimismo un auto sacramental, hagiografías y tratados de medicina e historia natural, además de mantener una vasta correspondencia. Hacia 1147 fundó un convento en Rupertsberg, donde prosiguió con su labor profética; los consejos de "la Sibila del Rin" eran requeridos por las figuras más poderosas y eminentes de Europa. Por otra parte, se cree que Hildegarda fue, en la tradición occidental, la primera compositora cuya música llegó a difundirse: su *Sinfonía de la armonía de las revelaciones celestes* (Symphonia armonie celestium revelationum) consta de 77 poemas líricos, todos con melodías monofónicas. Considerada una santa desde antaño, jamás ha sido canonizada.

Hilgard, Ferdinand Heinrich Gustav ver Henry VILLARD

Hill, David Octavius y Robert Adamson (1802, Perth, Escocia–17 may. 1870, Newington) (1821, Berunside, Escocia–ene. 1848, St. Andrews). Fotógrafos escoceses. Hill, originalmente pintor, fue miembro fundador de la Academia Real Escocesa y su secretario durante 40 años. En 1843 obtuvo la ayuda de Adamson, un químico experimentado en fotografía, para fotografiar a los delegados de la convención fundacional de la Iglesia Libre de Escocia. Usaron el proceso de calitipia, mediante el cual una imagen se desarrolla a partir de un negativo de papel. En estos y otros retratos demostraron un magistral sentido de la forma y la composición, además de un teatral uso de la luz y la sombra. Su colaboración, que duró cinco años, produjo unas 3.000 fotografías, entre ellas, muchas de Edimburgo y de pequeñas aldeas de pescadores. Antes de que Adamson muriera a los 27 años de edad, realizaron algunos de los mejores retratos fotográficos del s. XIX.

Sir Edmund Hillary, 1956.
UPI

Hillary, Sir Edmund (Percival) (n. 20 jul. 1919, Auckland, Nueva Zelanda). Montañista y explorador neozelandés. Hillary era apicultor profesional, pero disfrutaba del montañismo en los Alpes neozelandeses. En 1951 integró una expedición de su país a los Himalaya centrales, y luego participó en un equipo de reconocimiento del flanco sur del monte EVEREST. En 1953 se unió a la expedición británica al monte Everest, y el 29 de mayo, él y TENZING NORGAY alcanzaron la cima. El logro le trajo fama mundial, y ese mismo año fue nombrado caballero. En 1958 participó en el primer cruce de la Antártida en vehículo. Desde la década de 1960 hasta el presente ha ayudado a construir escuelas y hospitales para la población SHERPA.

Hillel (c. siglo I AC–c. primer cuarto del s. I DC). Sabio judío y artífice del JUDAÍSMO RABÍNICO. Nacido en Babilonia, viajó a Palestina para completar sus estudios con los FARISEOS. Se convirtió en el jefe venerado de la escuela que llevó su nombre, la Casa de Hillel, y su riguroso método de exégesis llegó a ser conocido como las Siete Reglas de Hillel. Liberó los textos de una interpretación literal servil y procuró que la obediencia a la Ley fuese factible para todos los judíos. Sus escritos legales fueron muy influyentes en la compilación del TALMUD, el cual contiene además muchas historias y leyendas sobre su vida. Es recordado como erudito modelo y líder comunitario cuya brillantez, paciencia y bondad deberían emular todos los rabíes (ver RABINO).

Hilliard, Nicholas (1547, Exeter, Inglaterra–7 ene. 1619, Londres). Pintor británico. Hijo de un orfebre, se formó como joyero y comenzó a pintar miniaturas en su juventud. En 1570 fue nombrado pintor de miniaturas para la reina ISABEL I. Realizó muchos retratos de ella y de miembros de su corte, como FRANCIS DRAKE y WALTER RALEIGH. Mantuvo su nombramiento tras el ascenso al trono de JACOBO I (1603), desempeñándose, además, como orfebre y joyero. Fue el primer gran pintor del RENACIMIENTO de origen inglés. Elevó el arte de la MINIATURA a su máximo desarrollo e influyó en la pintura de retratos de principios del s. XVII.

Hilmand, río ver río HELMAND

hilo Hebra continua de fibras agrupadas o torcidas entre sí, que se usa para fabricar TEXTILES. Los hilos se hacen de fibras naturales o sintéticas, en forma de filamentos o de fibra corta. El filamento es una fibra muy larga, como la fibra de SEDA natural y las fibras sintéticas. La mayoría de las fibras que hay en la naturaleza son bastante cortas, y las fibras sintéticas se pueden cortar en longitudes uniformes para formar mechones de fibra corta. El hilado es el proceso de estirar y torcer una masa de fibras preparadas y limpias para formar un hilo. Los hilos de filamento generalmente requieren menos torsión que los de fibra corta. Una mayor torsión produce un hilo más resistente; una menor, uno más lustroso y más suave. Se pueden torcer juntas dos o más hebras para formar un hilo trenzado. Los hilos de tejido de punto son menos torcidos que los hilos para paño. El HILO DE COSER es un hilo torcido y trenzado, muy apretado.

hilo de coser HILO fuertemente torcido que se compone de varias hebras, de sección circular, usado en máquinas de COSER comerciales y domésticas y en la costura a mano. El hilo de coser suele estar enrollado en carretes, con el grosor del hilo (grado de finura) indicado en el extremo del carrete. El hilo de coser de ALGODÓN se puede utilizar con telas fabricadas de hilo de origen vegetal, como algodón y lino, y con rayón (hecho de celulosa, una sustancia vegetal). El hilo de coser de SEDA es apropiado para sedas y lanas, ambas de origen animal. Los hilos de coser de NAILON y de POLIÉSTER son aptos para telas sintéticas y para tejidos de punto con un alto grado de estiramiento.

hilomorfismo Concepción metafísica según la cual todo cuerpo natural está constituido por dos principios intrínsecos, uno potencial (la materia prima) y uno actual (la forma sustancial). Esta fue la doctrina central de la filosofía de la naturaleza de ARISTÓTELES, que basó su tesis del hilomorfismo principalmente en el análisis del cambio. Si un ser cambia (p. ej., de estar frío a estar caliente), debe existir algo permanente que perdure a lo largo del cambio; además, debe haber un principio genuino que diferencie el primer estado del segundo. El principio permanente es la materia; el principio genuino, la forma.

hilozoísmo Concepción según la cual toda la materia está viva, ya sea en sí misma o por participación en la operación del alma del mundo o algún principio semejante. El hilozoísmo es lógicamente distinto tanto de las primeras formas de ANIMISMO, que personifican a la naturaleza, como del pansiquismo, que atribuye alguna forma de conciencia o sensación a toda la materia. La palabra fue acuñada en el s. XVII por RALPH CUDWORTH, quien, junto con Henry More (n. 1614–m. 1687), hablaba de la "naturaleza plástica", una sustancia incorpórea e inconsciente que controla y organiza la materia, produciendo así los acontecimientos naturales como un instrumento divino de cambio.

Hilton, James (Glen Trevor) (9 sep. 1900, Leigh, Lancashire Inglaterra–20 dic. 1954, Long Beach, Cal., EE.UU.). Novelista británico. Educado en la Universidad de Cambridge, fue autor prolífico de novelas, aunque se lo recuerda principalmente por tres de ellas, *best sellers* que fueron adaptados al cine con gran éxito: *Horizontes perdidos* (1933; película, 1937), *Adiós, Mister Chips* (1934; película, 1939) y *Niebla en el pasado* (1941; película, 1942). Hilton acabó trasladándose a California, donde trabajó como guionista.

Himachal Pradesh Estado (pob., est. 2001: 6.077.248 hab.) del norte de India. Ubicado en los HIMALAYA occidentales, limita con el TÍBET (China) y los estados de UTTARANCHAL, HARYANA, PANJAB y JAMMU Y CACHEMIRA; tiene una superficie de 55.673 km² (21.495 mi²) y su capital es SIMLA. La historia de la región se remonta al VEDISMO; más tarde, los ARIOS asimilaron a los pueblos originarios de la región. Con el correr de los siglos estuvo expuesto a invasiones sucesivas, que culminaron con el dominio británico en el s. XIX. Entre 1948 y su designación como estado en 1971, experimentó diversos cambios en lo concerniente a tamaño y rango administrativo. Es uno de los estados menos urbanizados de India, y la mayoría de sus habitantes son labradores que practican la agricultura de subsistencia.

Himalaya Sistema montañoso del sur de Asia. Forma una barrera entre la meseta del Tíbet por el norte y las llanuras del subcontinente indio por el sur. Es el sistema montañoso más grande de la Tierra e incluye 30 montes que se elevan a más de 7.300 m (24.000 pies) de altura, entre ellos, el EVEREST. Este sistema se extiende unos 2.400 km (1.500 mi) en dirección este-oeste y cubre unos 595.000 km² (230.000 mi²) de territorio. Tradicionalmente se divide en cuatro cordilleras paralelas: de norte a sur, el Himalaya tibetano, el Gran Himalaya (con las cumbres más altas), el Himalaya inferior (con cumbres de 2.000–4.500 m o 7.000–15.000 pies) y el Himalaya exterior (con las cumbres más bajas). Entre los extremos oriental y occidental del ancho arco del Himalaya se encuentran varios estados de India y los reinos de Nepal y Bután. Actúa como un gran divisorio climático, que causa abundante lluvia y nieve en el lado indio, pero aridez en el TÍBET, y en muchos puntos constituye una barrera infranqueable, incluso por aire. De sus glaciares y nieves nacen 19 grandes ríos, entre ellos el INDO, el GANGES y el BRAHMAPUTRA.

Los montes Ama Dablam y Lhotse del sistema montañoso de los Himalaya, Namche Bazaar, Nepal.
MARCO SIMONI/ROBERT HARDING WORLD IMAGERY/GETTY IMAGES

Himeneo Dios griego del matrimonio. Generalmente, se pensaba que era hijo de APOLO y de una de las MUSAS, quizá CALÍOPE. Otros relatos lo presentan como hijo de DIONISO y AFRODITA. Según la leyenda ática, era un bello mozo que rescató a un grupo de mujeres jóvenes, entre ellas a su amada, de una banda de piratas. Obtuvo a la joven en matrimonio y la vida feliz de la pareja era evocada en muchas canciones nupciales.

Himera Antigua ciudad griega en la costa septentrional de SICILIA. Fue fundada por exiliados de Siracusa y calcidios de Zancle (ver MESSINA) c. 649 AC. La muerte de Amílcar durante la batalla de Himera, en 480 AC, puso fin a la infructuosa invasión cartaginense de Sicilia. ANÍBAL, nieto de Amílcar, destruyó finalmente la ciudad en 409 AC. La única reliquia que aún se conserva es un templo dórico (480 AC), aunque la mayoría de sus gárgolas con cabeza de león se encuentran en el Museo de Palermo.

Himmler, Heinrich (7 oct. 1900, Munich, Alemania–23 may. 1945, Lüneburg). Jefe de la policía alemana nazi que llegó a ser el segundo hombre más poderoso del Tercer Reich. Se unió al PARTIDO NAZI en 1925 y ascendió hasta convertirse en jefe de las SS de ADOLF HITLER. Puesto al mando de la mayor parte de las unidades policiales alemanas después de 1933, quedó a cargo de la GESTAPO en 1934 y estableció el primer campo de concentración del Tercer Reich en DACHAU. Pronto convirtió a las SS en una poderosa organización de terror estatal, y en 1936 estaba al mando de todas las fuerzas policiales del Reich. En la segunda guerra mundial expandió las Waffen-SS (SS militarizadas) hasta que entraron en conflicto con el ejército; después de 1941 organizó los campos de exterminio en Europa oriental. Desplazado por el séquito de Hitler y con la esperanza de suceder a este, negoció con los aliados en los meses finales respecto de la rendición de Alemania o su alianza con las potencias occidentales contra la Unión Soviética. Hitler ordenó su arresto, pero cuando intentó escapar fue capturado por los británicos y se suicidó ingiriendo veneno.

Heinrich Himmler.
CAMERA PRESS

himno En el culto cristiano, canto entonado generalmente por la congregación y escrito en estrofas con rima y metro. El término proviene del griego *hymnos* ("canto de alabanza"), pero cantos en honor a Dios o a los dioses existen en todas las civilizaciones. La himnodia cristiana emanó del canto de los SALMOS en el templo de JERUSALÉN. Del primero que se tiene conocimiento data de c. 200 DC. Los himnos fueron importantes en la liturgia bizantina desde sus comienzos, y en la Iglesia occidental eran cantados por las congregaciones hasta la Edad Media, cuando quedaron a cargo de los coros. El canto de las congregaciones se restableció durante la REFORMA. MARTÍN LUTERO y sus seguidores fueron grandes escritores de himnos, mientras que los calvinistas prefirieron musicalizar los salmos. En la himnodia inglesa destacaron las composiciones de Isaac Watts y JOHN WESLEY. La CONTRARREFORMA llevó a la composición de muchos himnos católicos y, en la década de 1960, con posterioridad al concilio VATICANO II, la Iglesia católica restableció el canto de himnos de las congregaciones

Ḥimṣ ver HOMS

hinayana Nombre dado a las escuelas más conservadoras del BUDISMO. Palabra sánscrita que significa "Pequeño vehículo" (ya que se ocupa de la salvación individual), fue aplicada primero peyorativamente a las escuelas budistas establecidas por los seguidores de la tradición más liberal MAHAYANA ("Gran vehículo", debido a que se ocupa de la salvación universal). Las antiguas escuelas hinayana continuaron prosperando después del surgimiento del mahayana en el s. I DC, pero el budismo THERAVADA fue la única escuela hinayana que mantuvo una posición fuerte tras el colapso del budismo indio en el s. XIII.

Hincmar de Reims (c. 806, ¿norte de Francia?–21 dic. 882, Epernay, cerca de Reims). Arzobispo y teólogo francés, eclesiástico más influyente del s. IX. Aconsejó a los emperadores

Luis I y Carlos II de la dinastía carolingia, y fue nombrado arzobispo de Reims en 845. Mantuvo su influencia a pesar de la hostilidad de Lotario I, a cuyo divorcio se opuso firmemente, y logró la ascensión de Carlos al trono de Lotaringia. También concitó el apoyo de la Iglesia en defensa de Carlos, cuando Luis el Germánico invadió el reino en 858. Sus escritos teológicos abarcan tratados sobre la predestinación, en los que argumentó que Dios no condena a un pecador de antemano, así como una defensa de la oposición cristiana al divorcio.

Hindemith, Paul (16 nov. 1895, Hanau, cerca de Francfort del Meno, Imperio alemán–28 dic. 1963, Francfort del Meno, Alemania Occidental). Compositor alemán. De talento precoz, recibió una formación acabada en viola, violín, clarinete y piano. Fue primer violín de la ópera de Francfort a la edad de 20 años y sus composiciones empezaron a llamar la atención en los festivales de "música nueva". Debido a que su esposa era judía y su música era considerada "degenerada" por los nazis, en 1938 abandonó Alemania y en 1940 se estableció en EE.UU. Partidario de la *Gebrauchsmusik* ("música útil"), escribió sonatas y conciertos para muchos instrumentos de la orquesta tradicional. *Matías el pintor* (1935) es la más conocida de sus seis óperas; la sinfonía basada en la misma y la *Metamorfosis sinfónica sobre temas de Weber* (1943) son presentadas con frecuencia.

Hindenburg, desastre del Explosión del *Hindenburg*, el dirigible rígido más grande que se haya construido. Puesto en servicio en 1936 en Alemania, inauguró el primer servicio aéreo comercial a través del Atlántico norte, realizando con éxito diez viajes ida y vuelta. El 6 de mayo de 1937, cuando aterrizaba en Lakehurst, N.J., EE.UU., su hidrógeno estalló en llamas, destruyendo el dirigible y dando muerte a 36 de las 97 personas a bordo. El desastre, del cual se tienen registros fílmicos y sonoros, puso término al uso de dirigibles rígidos en el transporte comercial.

Hindenburg, Paul von *p. ext.* **Paul Ludwig Hans Anton von Beneckendorff und von Hindenburg** (2 oct. 1847, Posen, Prusia–2 ago. 1934, Neudeck, Alemania). Mariscal de campo alemán y segundo presidente (1925–34) de la República de Weimar. Nacido en el seno de una familia aristocrática, se retiró del ejército prusiano con el grado de general en 1911. Llamado de vuelta al servicio en la primera guerra mundial, dirigió las fuerzas alemanas en Prusia Oriental y se convirtió en héroe nacional después de la batalla de Tannenberg (1914). Con Erich Ludendorff como su lugarteniente, comandó todas las fuerzas alemanas hasta el final de la guerra, y se retiró nuevamente en 1919. Apoyado por grupos conservadores, fue elegido presidente de Alemania en 1925. Cuando la Gran Depresión llevó a una crisis política, fue presionado para hacer más independiente al gobierno de los controles parlamentarios. En 1930 permitió al canciller Heinrich Brüning disolver el Reichstag (cámara legislativa), y en las elecciones siguientes el Partido Nazi emergió como el segundo más grande. Si bien en 1932 fue reelegido presidente por los adversarios del nazismo, sus asesores consideraron que los nazis podían ser útiles, por lo que en 1933 le convencieron de nombrar canciller a Adolf Hitler.

Paul von Hindenburg.
CULVER PICTURES

hindi Lengua indoaria de India, hablada o comprendida por más del 30% de la población de ese país. El hindi estándar moderno es una lingua franca (además de una lengua materna) de millones de personas en el norte de India y la lengua oficial de la Unión India. Es realmente una prolongación del indostaní o indostanés, lengua que evolucionó del khari boli, idioma de algunas clases y distritos de Delhi asociados con la corte de la dinastía mogol en los s. XVI–XVIII. Una variante del khari boli, fuertemente influida por el persa y utilizada por autores musulmanes, constituyó la base del urdu. El indostaní fue codificado por los británicos en el Fort William College de Calcuta (actualmente Kolkata). En ese lugar, a fines del s. XVIII y comienzos del s. XIX, los intelectuales indios fomentaron el uso de una forma del indostaní influida por el sánscrito, en el que se empleaba la escritura devanagari (ver sistemas de escritura índica). Esta forma dio origen al hindi literario moderno utilizado por autores hindúes. Durante el movimiento de independencia indio se consideró al indostaní factor de unificación nacional. Sin embargo, luego de la división de 1947, esta actitud cambió y el nombre indostaní ha sido prácticamente abandonado, en favor ya sea del hindi o el urdu. También los lingüistas, en especial Sir George Abraham Grierson, han utilizado el término hindi para referirse en forma colectiva a todos los dialectos y lenguas literarias regionales de la llanura india del norte. El hindi ha simplificado profundamente la compleja gramática del antiguo indoario, aunque manteniendo ciertos rasgos fonéticos.

Hindu Kush *latín* **Caucasus Indicus** Sistema montañoso del centro-sur de Asia. De longitud cercana a los 950 km (600 mi), forma una divisoria de aguas entre el valle del Amu Daryá (río Oxus) hacia el noroeste y el valle del río Indo hacia el sudeste. Se extiende desde la meseta del Pamir por el este, corre a través de Pakistán, cerca de la frontera entre Pakistán y China, y llega al oeste de Afganistán. A lo largo de la historia, sus pasos han tenido gran importancia militar, brindando acceso a las llanuras septentrionales del subcontinente indio. Posee cerca de 25 picos de más de 7.000 m (23.000 pies) de altura, siendo el más alto el de Tirich Mir, con 7.699 m (25.260 pies).

hinduismo La más antigua de las grandes religiones del mundo. Evolucionó del vedismo de la antigua India. Aunque cada una de las diversas sectas hindúes cuenta con su propio conjunto de escrituras, todas veneran los antiguos Vedas, que fueron llevados a India por los invasores arios después de 1200 AC. Los textos védicos filosóficos llamados Upanisad

Hinduismo, principales festividades

Fecha	Nombre	Significado
Caitra (mar.–abr.) Shukla ("quincena luminosa") 9	Ramanavami ("noveno de Rama")	celebra el nacimiento de Rama
Vaishakha (abr.–may.)		
Jyaistha (may.–jun.)		
Asadha (jun.–jul.) Sh. 2	Rathayatra ("peregrinaje del carro")	famoso festival del complejo del templo en Puri, Orissa, en honor del dios Jagannatha
Shravana (jul.–ago.) Krsna ("quincena oscura") 8	Janmastami ("octavo día del nacimiento")	aniversario del dios Krishna
Bhadrapada (ago.–sep.) Sh. 4	Ganesacaturthi ("cuarto de Ganesa")	en honor del dios Ganesa, gran favorito en Maharashtra
Ashvina (sep.–oct.) Sh. 7–10	Durga-puja ("homenaje a Durga")	especial de Bengala, en honor de la diosa Durga
Ashvina Sh. 7–10	Dashahra ("diez días") o Dussera	se celebra la victoria de Rama sobre Ravana; inicio tradicional del período beligerante
Ashvina Sh. 15	Lakshmipuja ("homenaje a Lakshmi")	fecha en que se cierran los libros contables y comienzan los nuevos registros anuales
Karttika (oct.–nov.) K. 15 y Sh. 1	Dipavali, Divali ("hileras de luces")	festival de las luces, en el que la luz es llevada de la quincena oscura a la luminosa
Margashirsa (nov.–dic.) K. 13	Maha-shivaratri ("gran noche de Shiva")	se honra a Shiva en la noche más oscura del mes
Pausa (dic.–ene.) Sh. 15	Guru Nanak Jayanti	aniversario de Nanak, fundador del sijismo
Magha (ene.–feb.)		
Phalguna (feb.–mar.) Sh. 14	Holi (nombre de una diablesa)	fertilidad y festival del cambio de roles, donde se hace gran mofa a los superiores
Phalguna Sh. 15	Dolayatra ("festival del balanceo")	escenas de famosos ritos de balanceo en ganchos de Orissa

tratan de la búsqueda del conocimiento que permitiría a la humanidad escapar del ciclo de la REENCARNACIÓN. Para el hinduismo es fundamental la creencia en un principio cósmico de realidad última llamado BRAHMAN y su identidad con el alma individual o ATMAN. Todas las criaturas pasan por un ciclo de renacimiento, o SAMSARA, que sólo puede romperse por la autorrealización espiritual, tras la cual se alcanza la liberación o MOKSHA. El principio del KARMA determina la posición de un ser en el ciclo de renacimiento. Las principales deidades hindúes son BRAHMA, VISNÚ y SHIVA. Existe una multiplicidad de otros dioses, que son considerados en su mayor parte encarnaciones o epifanías de las deidades principales, aunque algunos subsisten desde la época prearia. Las fuentes principales de la mitología clásica son el *Mahabharata* (en el cual está el BHAGAVADGITA, el texto religioso más importante del hinduismo), el *Ramayana* y los PURANAS. La estructura social jerárquica del sistema de CASTAS es importante en el hinduismo y se apoya en el principio del DHARMA. Sus principales ramas son el VISNUISMO y el SHIVAÍSMO, cada una de las cuales comprende muchas sectas diferentes. En el s. XX, el hinduismo se mezcló con el nacionalismo indio para convertirse en una poderosa fuerza política en India.

Hine, Lewis Wickes (26 sep. 1874, Oshkosh, Wis., EE.UU.–3 nov. 1940, Hastings-on-Hudson, N.Y.). Fotógrafo estadounidense. Se formó como sociólogo. En 1904 comenzó a fotografiar inmigrantes en la isla ELLIS, en los tugurios donde vivían y las fábricas donde se los explotaba. En 1911 fue contratado por el Comité nacional de trabajo infantil para registrar las condiciones del trabajo de los niños. Viajando por el este, tomó aterradoras imágenes de niños explotados. Durante la primera guerra mundial trabajó como fotógrafo para la Cruz Roja. A su regreso a Nueva York, fotografió la construcción del edificio EMPIRE STATE. Durante el resto de su vida, tomó fotografías de proyectos gubernamentales.

"The Sky-boy", por Lewis W. Hine, 1930–31.
INTERNATIONAL MUSEUM OF PHOTOGRAPHY, GEORGE EASTMAN HOUSE

Hines, Earl (Kenneth) (28 dic. 1905, Duquesne, Pa., EE.UU.–22 abr. 1983, Oakland, Cal.). Pianista y director de orquesta estadounidense que tuvo una profunda influencia en el desarrollo del piano jazzístico. Conocido como "Fatha" Hines, fue un pianista con un dominio técnico extraordinario y energía infatigable. Rompiendo con la tradición del piano *stride* (en el que ritmos regulares de dos tiempos de la mano izquierda acompañaban la melodía de la mano derecha), emulaba instrumentos monódicos (p. ej., la trompeta) en la creación de variaciones melódicas con la mano derecha. Entre 1928 y 1948 Hines dirigió una orquesta exitosa en Chicago. Fue influido por LOUIS ARMSTRONG y ambos tocaron juntos con frecuencia a lo largo de sus carreras. Las grabaciones que realizaron juntos a fines de la década de 1920, particularmente "Weather Bird", constituyen clásicos del JAZZ.

hinojo Hierba aromática, bienal o perenne (*Foeniculum vulgare*) de la familia de las Umbelíferas (ver PEREJIL), originaria de Europa meridional y Asia Menor, y cultivada ampliamente. Las semillas ovaladas, oblongas, de color marrón verdusco a marrón amarillento, tienen un olor y sabor parecido al ANÍS. Las semillas y el aceite extraído de ellas se utilizan para perfumes y jabones aromáticos y como saborizantes de confites, licores, medicinas y alimentos, particularmente en encurtidos dulces, pescados y pastelería. La base engrosada del hinojo de Florencia (*F. vulgare dulce*) se consume como hortaliza.

Hinojo (*Foeniculum vulgare*).
DEREK FELL

Hiparco de Nicea (Nicea, Anatolia–después de 127 AC ¿Rodas?). Astrónomo y matemático griego. Descubrió la precesión de los EQUINOCCIOS, calculó la duración del año con un error de 6,5 minutos, confeccionó el primer catálogo de estrellas que se conozca e hizo una formulación temprana de la TRIGONOMETRÍA. Sus observaciones fueron meticulosas y extremadamente precisas. Desechó toda la astrología, pero también la idea de un universo heliocéntrico; su manera de pensar tuvo una profunda influencia sobre TOLOMEO. Su catálogo estelar registraba la posición de las estrellas por medio de COORDENADAS CELESTES, incluía cerca de 850 estrellas y especificaba su brillo por medio de un sistema de seis MAGNITUDES, similar al que se usa hoy. Explicó en forma correcta las irregularidades de la órbita lunar por ser elíptica. Su principal contribución a la geografía fue la aplicación rigurosa de principios matemáticos para la determinación de las posiciones sobre la superficie terrestre, y fue el primero en hacerlo especificando LATITUD Y LONGITUD.

hiperactividad ver trastorno por DÉFICIT DE ATENCIÓN

hiperbárica, cámara *o* **cámara de descompresión** *o* **cámara de recompresión** Cámara sellada que proporciona una atmósfera de alta presión. Al respirar aire a alta presión, aumenta la concentración de oxígeno en los tejidos. Esta se usa para inhibir el crecimiento de bacterias anaeróbicas (como en el TÉTANOS o la GANGRENA gaseosa); para aumentar las posibilidades de supervivencia quirúrgica de lactantes con ciertas malformaciones cardíacas; o para volver a disolver las burbujas de aire (como en las EMBOLIAS aéreas y la enfermedad por DESCOMPRESIÓN), llevarlas a los pulmones y exhalarlas mientras la presión se normaliza gradualmente.

hipérbola Curva con dos ramas separadas, una de las SECCIONES CÓNICAS. En la GEOMETRÍA EUCLIDIANA, la intersección de un doble cono circular recto con un plano en un ángulo menor que el ángulo de generación del cono (ángulo de los lados del cono con su eje central), que forma las dos ramas de la hipérbola (una en el manto de cada cono). En la GEOMETRÍA ANALÍTICA, la ecuación estándar de una hipérbola es $x^2/a^2 - y^2/b^2 = 1$. Las hipérbolas tienen muchos atributos importantes para la física que las hace útiles en el diseño de LENTES y ANTENAS.

hiperenlace ver HIPERTEXTO

hipernefroma ver CARCINOMA RENAL

hipertensión *o* **presión sanguínea alta** Afección en que la PRESIÓN SANGUÍNEA arterial es anormalmente elevada. Con el tiempo se ven afectados los órganos como riñones, encéfalo, ojos y corazón. La hipertensión acelera la ATEROESCLEROSIS, la que aumenta el riesgo de ATAQUE CARDÍACO, ACCIDENTE VASCULAR ENCEFÁLICO e insuficiencia RENAL. Más común en edad avanzada, es habitualmente asintomática, pero puede ser detectada midiendo en forma rutinaria la presión sanguínea. La hipertensión secundaria es aquella causada por otro trastorno (más a menudo una enfermedad renal o un desequilibrio hormonal), y corresponde al 10% de los casos. El otro 90% no tiene una causa específica (hipertensión esencial). La hipertensión se puede prevenir o tratar, y es posible disminuir la cantidad de medicamento, cuando este es necesario, con una dieta baja en sal, adelgazando, dejando de fumar, limitando la ingesta de alcohol y practicando ejercicios. La hipertensión maligna es una forma grave, rápidamente progresiva, que requiere tratamiento de emergencia con drogas vasodilatadoras.

hipertexto *o* **hiperenlace** Enlace de información relacionada mediante conexiones electrónicas para permitir a un usuario el fácil acceso a ellas. Conceptualizado por VANNEVAR BUSH (1945) e inventado por DOUGLAS ENGELBART en la década de 1960, el hipertexto es una característica de algunos programas computacionales que permite al usuario seleccionar una palabra y recibir información adicional, tal como una definición o material relacionado. En los NAVEGADORES de internet, los enlaces hipertextos (enlaces calientes) por lo general se denotan resaltando una palabra o frase con un tipo de letra o color diferente. Los enlaces hipertextos crean una estructura ramificada o de red que permite saltos directos a la información relacionada. El hipertexto ha sido usado con mucho éxito como una característica esencial de la WWW (ver HTML; HTTP). Los hiperenlaces también pueden involucrar objetos distintos al texto (p. ej., seleccionar una imagen pequeña puede proporcionar un enlace a una versión más grande de la misma imagen).

hip-hop ver RAP

Hipias (m. 490 AC). Tirano de Atenas (528/527–510). Sucedió a su padre PISÍSTRATO como TIRANO. Amparó poetas y artesanos, y Atenas prosperó bajo su gobierno, pero se tornó represivo después del asesinato de su hermano Hiparco (514). Fue derrocado por los espartanos (510) y se marchó al exilio a Asia Menor. Se unió a los persas en su ataque contra los atenienses y en 490 aconsejó a DARÍO I que desembarcara en Maratón (ver batalla de MARATÓN), hecho que significó una gran derrota para Persia.

Jinetes corriendo el Derby de Kentucky, la carrera más importante en la hípica estadounidense.

FOTOBANCO

hípica Competencia de velocidad entre caballos de carrera. Las dos formas más comunes son las carreras de PURASANGRE montados por un jinete, y las carreras de sulky en que caballos ligeros (STANDARDBRED) tiran un carro en que va el conductor. Aunque la hípica es de antiguo linaje, las primeras carreras organizadas regularmente se instituyeron en Inglaterra durante el reinado de Carlos II (r. 1660–85), y las primeras de América del Norte se llevaron a cabo en Long Island, en 1665. En ellas competían dos o tres caballos y se corrían en mangas: un caballo debía completar a lo menos dos mangas para ser declarado ganador. A mediados del s. XVIII, la norma era ya la presencia de mayor número de caballos y la disputa de una sola carrera corta de velocidad. En la misma época surgieron las carreras con HANDICAP, a medida que las APUESTAS se convertían en parte habitual de la hípica. Las APUESTAS COMBINADAS se instituyeron en el s. XX. Las carreras de purasangre, realizadas en pistas planas, elípticas y de una milla de largo, son las que acumulan mayores premios, seguidas por las carreras de SULKY y las de caballos cuarto de milla. En EE.UU., las carreras más importantes de purasangre son el Derby de KENTUCKY, el PREAKNESS STAKES y el BELMONT STAKES. Ver también carrera de OBSTÁCULOS.

hipnosis Estado semejante al SUEÑO, pero inducido por una persona (hipnotizador), cuyas sugestiones son seguidas sin dilación por un sujeto. El hipnotizado parece responder de manera acrítica y automática, pasando por alto aspectos del medio (p. ej., percepciones, sonidos) no señalados por el hipnotizador. Incluso la memoria y la conciencia de sí mismo pueden ser modificadas mediante sugestión, y sus efectos pueden extenderse (poshipnóticamente) a la subsecuente actividad de vigilia del sujeto. La historia del hipnotismo es tan antigua como la de la brujería y la magia. Fue popularizada en el s. XVIII por FRANZ ANTON MESMER (como "mesmerismo") y en el s. XIX fue estudiada por el cirujano escocés James Braid (n. 1795–m. 1860). SIGMUND FREUD la utilizó para explorar el INCONSCIENTE, y con el tiempo llegó a ser reconocida en MEDICINA y PSICOLOGÍA como un procedimiento que contribuye a calmar o anestesiar a los pacientes, modificar conductas no deseadas y develar recuerdos reprimidos. Aunque no hay una explicación unánimemente aceptada de la hipnosis, una teoría destacada se centra en la posibilidad de que existan estados disociativos discretos que afectan a partes de la CONCIENCIA.

hipo Contracción espasmódica del DIAFRAGMA que produce una inspiración súbita, interrumpida por el cierre de golpe de las cuerdas vocales, lo que genera un ruido característico. Sus causas son distensión estomacal excesiva, irritación gástrica y espasmos nerviosos. Los numerosos remedios populares para el hipo interrumpen el ritmo de los espasmos. El tratamiento más común y eficaz es retener el aliento el mayor tiempo posible. El hipo cede habitualmente en pocos minutos, aunque puede durar días, semanas o más. El hipo prolongado se trata con bloqueo nervioso o con la sección de los nervios del diafragma.

hipocampo ver CABALLITO DE MAR

Hipocastanáceas Familia compuesta por los castaños de Ohio y los CASTAÑOS DE INDIAS (género *Aesculus*), originaria de la región templada del hemisferio norte. La especie más conocida de las Hipocastanáceas es el castaño de Indias (*A. hippocastanum*), originario del sudeste de Europa y cultivado ampliamente como un árbol grande de sombra y para ornar calles. Los Campos Elíseos en París están flanqueados por hileras de castaños de Indias.

hipocondría Trastorno mental en que un individuo se muestra excesivamente preocupado de su salud y tiende a interpretar incluso los signos o síntomas físicos más insignificantes como pruebas de una enfermedad grave. El hipocondríaco puede llegar a convencerse de que está enfermo pese a no presentar síntoma alguno, o puede exagerar la gravedad de molestias y dolores sin importancia hasta el límite de obsesionarse con el temor de haber contraído una enfermedad que ponga en peligro su vida. Con frecuencia, las palabras tranquilizadoras del médico sólo tienen un efecto leve o transitorio sobre sus ansiedades. Por lo general, la hipocondría se manifiesta inicialmente en la edad adulta temprana y tiene igual incidencia entre hombres y mujeres. En algunos casos puede representar un mecanismo psicológico adaptativo de que se vale el sujeto para enfrentar situaciones de vida estresantes.

Hipócrates (c. 460 AC, isla de Cos, Grecia– c. 377, Larissa, Tesalia). Médico griego considerado el padre de la medicina. PLATÓN, contemporáneo suyo, se refirió a él en dos oportunidades y dejó implícito que era famoso como médico. Meno, un discípulo de ARISTÓTELES, manifestó que Hipócrates creía que la enfermedad era causada por vapores emanados de los alimentos no digeridos. Su doctrina era considerar el cuerpo como un todo. Al parecer viajó extensamente por Grecia y Asia Menor, practicando y enseñando. Se supone que el "Corpus hipocrático" perteneció a la biblioteca de una escuela de medicina (probablemente en Cos) y luego a la BIBLIOTECA DE ALEJANDRÍA. Una proporción desconocida de los 60 y tantos

Hipócrates, busto romano copiado de un original griego, c. siglo III AC; colección de la Antichità Di Ostia, Italia.

GENTILEZA DE LA SOPRINTENDENZA ALLE ANTICHITÀ DI OSTIA, ITALIA manuscritos que se conservan, el más antiguo data del s. X DC, pertenecen realmente a Hipócrates. La colección trata de anatomía, temas clínicos, enfermedades ginecológicas e infantiles, pronóstico, tratamiento, cirugía y ética médica. El juramento de Hipócrates (que no fue en realidad escrito por Hipócrates), también forma parte del Corpus hipocrático y está dividido en dos partes principales: la primera establece las obligaciones del médico con sus estudiantes y de los discípulos con él; la segunda, lo compromete a prescribir sólo tratamientos beneficiosos, a abstenerse de causar perjuicio o daño y a vivir una vida ejemplar.

hipófisis *o* **pituitaria** GLÁNDULA endocrina situada en la cara inferior del cerebro. Desempeña un papel fundamental en la regulación del sistema ENDOCRINO. Su lóbulo anterior secreta la mayoría de las hormonas hipofisiarias, que estimulan el crecimiento (ver HORMONA DE CRECIMIENTO); el desarrollo de los óvulos y espermios; la secreción de leche; la liberación de otras hormonas por la TIROIDES, las GLÁNDULAS SUPRARRENALES y el sistema REPRODUCTOR HUMANO; y la producción de pigmentos. El lóbulo posterior almacena y libera hormonas del HIPOTÁLAMO que controlan la función hipofisiaria, las contracciones uterinas, la eyección de leche, la presión sanguínea y el equilibrio de los líquidos.

hipofosfatemia Baja concentración de los niveles de FOSFATO en la sangre. Ocurre habitualmente en conjunción con otros trastornos metabólicos, alterando el metabolismo energético y menoscabando el suministro de oxígeno a los tejidos. La hipofosfatemia aguda provoca síntomas neurológicos (debilidad, temblores y confusión). La hipofosfatemia crónica, por deficiencia prolongada, causa debilidad general e inapetencia. El tratamiento consiste en la corrección del problema metabólico y la administración de suplementos de fosfato. La hipofosfatemia familiar, un trastorno hereditario, es la causa principal de RAQUITISMO en naciones desarrolladas. Ver también ATP.

hipoglicemia Concentración de GLUCOSA en la sangre, inferior al nivel normal, que se revierte rápidamente después de la administración oral o intravenosa de glucosa. Incluso episodios breves pueden causar disfunción cerebral grave. La hipoglicemia de ayuno puede poner la vida en peligro; es más frecuente en pacientes con DIABETES MELLITUS que programan la terapia con INSULINA a deshora o se saltan las comidas. También puede ocurrir por insulinomas, inanición o trastornos metabólicos. La hipoglicemia reactiva es una producción excesiva de insulina en respuesta a la ingestión de azúcar. Los síntomas van de la irritabilidad a la confusión y las convulsiones, que conducen al coma y la muerte en casos graves.

hipopótamo Inmenso mamífero anfibio de África (*Hippopotamus amphibius*). Otrora presente en toda el África subsahariana, hoy su hábitat se reduce a las zonas oriental y sudoriental del continente. Tiene un cuerpo en forma de barril, una boca enorme, patas cortas y cuatro dedos en cada pie. Suele alcanzar una longitud de 3,5 m (11,5 pies), una alzada de 1,5 m (5 pies) y un peso de 3.200 kg (7.000 lb). Su piel es muy gruesa, casi sin pelo, marrón grisácea en el lomo, más clara y rosada en el vientre. Las orejas y narinas sobresalen del agua cuando el resto de su cuerpo está sumergido. Los hipopótamos viven cerca de ríos, lagos, pantanos u otros cuerpos de agua permanentes, con frecuencia en grupos de 7 a 15. Durante el día duermen y descansan en el agua o cerca de ella. De noche van a tierra para alimentarse de hierbas, que cortan con sus labios de bordes duros. En el agua pueden nadar rápidamente, caminar por el fondo y permanecer sumergidos (con las orejas y las narinas cerradas) por cinco minutos o más. El escaso hipopótamo pigmeo (*Hexaprotodon liberiensis*) es la única otra especie de la familia Hippopotamidae. Vive en los cursos de agua, bosques húmedos y pantanos del África occidental; su tamaño es cercano al de un cerdo doméstico.

Hipopótamo (*Hippopotamus amphibius*).

hiposensibilización ver DESENSIBILIZACIÓN

hipóstila, sala Espacio interior imponente con una techumbre plana que descansa en varias filas de columnas. Este diseño permite la construcción de amplios recintos sin la necesidad de usar arcos. Fue muy utilizado en el antiguo Egipto (p. ej., el templo de Amón en KARNAK) y en Persia. Los pilares, ricamente labrados, ocupaban gran parte de la planta y por lo tanto revestían gran importancia. Las salas hipóstilas se ven muy poco en la arquitectura más moderna debido a que existen medios más efectivos para soportar una techumbre.

hipotálamo Región del encéfalo que contiene un centro de control para muchas de las funciones del sistema NERVIOSO AUTÓNOMO. Por sus complejas interacciones con la HIPÓFISIS, constituye una parte importante del sistema ENDOCRINO. Como enlace esencial entre los dos sistemas de control corporal, el hipotálamo regula la HOMEOSTASIS. Las vías nerviosas y hormonales lo conectan con la hipófisis, a la cual estimula para liberar varias HORMONAS. El hipotálamo influye en la ingestión de alimentos, regulación del peso, ingestión y balance de líquidos, calor corporal y ciclo del SUEÑO. Sus alteraciones pueden causar disfunción hipofisiaria, DIABETES INSÍPIDA, INSOMNIO y fluctuaciones de temperatura.

hipoteca Sistema en virtud del cual el deudor hipotecario grava un bien raíz de su dominio en favor del acreedor como GARANTÍA del pago de una obligación de dinero. La hipoteca moderna tiene sus raíces en la Europa medieval. Originalmente, el deudor hipotecario entregaba a su acreedor el dominio de la tierra, a condición de que este se la devolviera una vez pagada la deuda. Con el tiempo, se hizo costumbre permitir que el deudor hipotecario conservara la posesión de la tierra; posteriormente, el deudor hipotecario tuvo derecho a conservar la posesión del inmueble mientras no incurriera en mora de pago de la deuda.

hipotensión *o* **presión sanguínea baja** Estado anormalmente bajo de la PRESIÓN SANGUÍNEA. Puede deberse a la disminución del volumen sanguíneo (p. ej., un sangramiento profuso o pérdida de PLASMA producto de quemaduras graves) o al aumento de la capacidad de los vasos sanguíneos (p. ej., en el SÍNCOPE). La hipotensión ortostática, o caída de la presión estando de pie, es causada por una falla de los reflejos que contraen los músculos y los vasos sanguíneos de las piernas para compensar la gravedad cuando uno se levanta. La hipotensión es también un factor presente en la POLIOMIELITIS, el CHOQUE y la intoxicación por BARBITÚRICOS.

hipotermia Temperatura corporal anormalmente baja, con lentificación de la actividad fisiológica. Se induce en forma artificial (por lo general con baños de hielo) para ciertos procedimientos quirúrgicos y tratamientos del cáncer. La hipotermia accidental puede ocurrir por caídas en aguas frías o sobreexposición a un clima frío. Ciertas afecciones subyacentes como las enfermedades vasculares cerebrales o las intoxicaciones aumentan los riesgos de la exposición. La hipotermia es grave cuando la temperatura corporal es inferior a 35 °C (95 °F) y constituye una emergencia bajo 32,2 °C (90 °F), punto en el cual cesan los escalofríos. El PULSO, la respiración y la PRESIÓN SANGUÍNEA se deprimen. Aunque la víctima parezca muerta, la reanimación puede ser posible con un recalentamiento pasivo muy gradual (p. ej., con frazadas). Ver también CONGELACIÓN.

hipótesis, test de En estadística, método para probar con qué precisión un modelo matemático basado en un conjunto de datos predice la naturaleza de otros conjuntos de datos generados por el mismo proceso. El test de hipótesis surgió a partir del control de calidad, en el que lotes completos de ítemes manufacturados son aceptados o rechazados sobre la base de ensayos de muestras relativamente pequeñas. Una hipótesis inicial (hipótesis nula) podría predecir, por ejemplo, que los anchos de una pieza de precisión fabricada en lotes se ajustarán a una DISTRIBUCIÓN NORMAL con una media dada (ver MEDIA, MEDIANA Y MODA). Muestras de nuevos lotes confirman o contradicen esta hipótesis, la cual es entonces afinada a base de estos nuevos resultados.

hipoxia Afección en que los tejidos son privados de oxígeno. El extremo es la anoxia (ausencia de oxígeno). Existen cuatro tipos: la hipoxémica, por bajo contenido de oxígeno en la sangre (p. ej., en el mal de ALTURA); la anémica, por baja capacidad de transporte de oxígeno en la sangre (p. ej., en la intoxicación por monóxido de carbono); la distributiva, por bajo flujo sanguíneo (p. ej., generalizado, en el CHOQUE, o local, en la ATEROESCLEROSIS); y la histotóxica, por envenenamiento (p. ej., con CIANURO) que impide a las células usar el oxígeno. Si no se revierte rápidamente, la hipoxia puede causar necrosis (muerte de los tejidos), como en el ATAQUE CARDÍACO.

Hira, reino de *árabe* **al-Ḥīrah** Antiguo reino del Medio Oriente. Ocupaba el valle del ÉUFRATES inferior y la zona alta del golfo PÉRSICO. Era gobernado por la dinastía lakhmida (s. III DC–602) que estaba subordinada a su vez a la dinastía SASÁNIDA de Persia. Su principal ciudad, también llamada Hira, era un centro diplomático, político y militar así como un lugar de paso importante de la ruta de caravanas entre Persia y Arabia. Según la tradición, en ella se desarrolló la escritura arábiga. Fue también sede de un obispado del cristianismo NESTORIANO, que promovía el monoteísmo cristiano en la península ARÁBIGA. La ciudad comenzó a decaer a principios del s. VII, cuando los sasánidas disolvieron el estado árabe allí asentado, y en 633 Hira fue capturada por los musulmanes.

Hirata Atsutane (25 sep. 1776, Akita, Japón–4 oct. 1843, Akita). Líder de la restauración japonesa de la escuela sintoísta (ver SINTOÍSMO). Se estableció en Edo (actual Tokio) a la edad de 20 años y se convirtió en discípulo de MOTOORI NORINAGA. Se propuso desarrollar un sistema teológico sintoísta que ofreciera principios para la acción social y política. Proclamó la superioridad natural de Japón y defendió la línea imperial. Por criticar el sogunado Tokugawa (ver período de los TOKUGAWA), que había reducido al emperador a un símbolo sin autoridad, fue castigado a permanecer confinado en su lugar de nacimiento por el resto de su vida. Sus teorías contribuyeron a provocar el derrocamiento del sogunado e influyó en el nacionalismo japonés y el sintoísmo del s. XX.

Hirayama Togo ver IHARA SAIKAKU

Hiro-Hito *o* **emperador Shōwa** (29 abr. 1901, Tokio, Japón–7 ene. 1989, Tokio). Emperador cuyo reinado fue el más extenso de los monarcas de Japón (1926–89). Este coincidió con el militarismo japonés de principios del s. XX y la agresión contra China, Asia sudoriental y otras regiones del océano Pacífico durante la segunda guerra mundial. Aunque la constitución MEIJI le otorgaba al emperador una autoridad suprema, en la práctica se limitó a ratificar las políticas elaboradas por sus ministros y consejeros. Los historiadores han debatido acerca de si él pudo haber apartado a Japón de su senda militarista y sobre la responsabilidad que le compete en las decisiones tomadas por el gobierno y los militares durante la guerra. En agosto de 1945 rompió el tradicional mutismo imperial cuando habló en una emisión radiofónica nacional para anunciar la rendición de Japón, y en 1946 habló por radio en una segunda ocasión para repudiar la tradicional condición cuasi divina que tenían los emperadores de Japón. Ver también era SHŌWA.

Hiroshige *p. ext.* **Andō Hiroshige** *llamado* **Utagawa Hiroshige** *o* **Ichiyūsai Hiroshige** (1797, Edo, Japón–12 oct. 1858, Edo). Artista y maestro japonés de la xilografía (grabado en madera) a color. Fue alumno de Utagawa Toyokuni, maestro del UKIYO-E, en Edo (actual Tokio) c. 1811. En 1833–34, una serie de 55 grabados de paisajes, *Tokaido gojusan-tsugi* [Cincuenta y tres estaciones del Tokaido], lo convirtieron en uno de los artistas del *Ukiyo-e* más populares de todos los tiempos. Fue tan grande la demanda por sus diseños de paisajes con figuras, que la sobreproducción disminuyó en calidad. Realizó más de 5.000 grabados y se hicieron 10.000 copias de algunas de sus xilografías. Su genialidad fue reconocida por primera vez en Occidente por los impresionistas (ver IMPRESIONISMO) y postimpresionistas (ver POSTIMPRESIONISMO), sobre los cuales ejerció gran influencia. Ver también cultura EDO.

Escena de la vida cotidiana en Kioto, xilografía en color de Hiroshige, maestro del *Ukiyo-e*.

FOTOBANCO

Hiroshima Ciudad (pop., est. 2000: 1.126.282 hab.) del sudoeste de HONSHU, Japón. Fundada en el s. XVI como pueblo fortificado, fue desde 1868 una base militar. En 1945 se transformó en la primera ciudad de la historia en ser impactada por una BOMBA ATÓMICA, lanzada por EE.UU. en los últimos días de la segunda guerra mundial. La reconstrucción comenzó en 1950, e Hiroshima es hoy la ciudad industrial más grande de la región. Se ha transformado en el centro espiritual del movimiento pacifista que busca prohibir las armas nucleares; el Parque de la Paz está dedicado a quienes murieron a causa de la bomba y los restos del único edificio que resistió a la explosión constituyen el monumento recordatorio llamado Cúpula de la bomba atómica.

Hirschfeld, Al(bert) (21 jun. 1903, St. Louis, Mo., EE.UU.–20 ene. 2003, Nueva York, N.Y.). Caricaturista estadounidense. Vivió principalmente en Nueva York. Estudió arte en Europa, y más tarde viajó a Asia oriental, donde el arte japonés y el javanés influyeron en su estilo gráfico. Fue especialmente conocido durante muchas décadas (a contar de 1929) por sus elegantes caricaturas en el *New York Times*, que retrataban a personalidades de la farándula, y en las que los lectores se divertían tratando de encontrar el nombre de su hija, Nina. Hirschfeld, además de ilustrar muchos libros, hizo acuarelas, litografías, aguafuertes y esculturas.

His, Wilhelm (29 dic. 1863, Basilea, Suiza–10 nov. 1934, Wiesental). Cardiólogo suizo. Su padre, Wilhelm His (n. 1831–m. 1904), fue el primero en percatarse de que cada fibra nerviosa proviene de una sola neurona, e inventó el microtomo, un instrumento empleado para obtener cortes finos de tejidos para el examen microscópico. A su vez, el hijo descubrió (1893) las fibras musculares especializadas (haz de His) que recorren el séptum del corazón entre sus cavidades derecha e izquierda. Observó que servían para transmitir un solo ritmo de contracción a todos los segmentos del corazón, y fue uno de los primeros en reconocer que el latido cardíaco se origina en determinadas células del miocardio.

hisopo Hierba de jardín, pequeña, perenne (*Hyssopus officinalis*), de la familia de las Labiadas (ver MENTA), originaria de la región que abarca desde Europa meridional hasta Asia central por el este, y naturalizada en Norteamérica. Sus flores y hojas perennes se han utilizado desde hace tiempo para sazonar alimentos y bebidas, y en medicina popular para afecciones nasales, pulmonares y de la garganta. La planta tiene un aroma dulce, y un sabor cálido, amargo. Se utiliza para condimentar alimentos dulces y salados, y aromatizar licores como el ajenjo. La miel de hisopo se considera un alimento refinado.

Hisopo (*Hyssopus officinalis*).
WALTER DAWN

Hispalis ver SEVILLA

hispano-estadounidense, guerra (1898). Conflicto armado entre EE.UU. y España que terminó con el dominio colonial español en el Nuevo Mundo. La guerra tuvo su origen en la lucha de Cuba por lograr la independencia de España. Los diarios de WILLIAM RANDOLPH HEARST avivaron la simpatía estadounidense por los rebeldes, la que aumentó luego de la inexplicable destrucción del barco de guerra estadounidense *MAINE*, el 15 de febrero de 1898. El congreso adoptó resoluciones en que se declaraba el derecho de Cuba a independizarse y además se exigía que España retirara sus fuerzas armadas. España le declaró la guerra a EE.UU. el 24 de abril. El comandante GEORGE DEWEY lideró el escuadrón naval que derrotó a la flota española en las Filipinas (ver combate de la bahía de MANILA) el 1 de mayo, y el general William Shafter guió a las tropas regulares y a los voluntarios (entre ellos, el futuro presidente de EE.UU., THEODORE ROOSEVELT y sus ROUGH RIDERS) en la destrucción de la flota naval caribeña de España, cerca de Santiago de Cuba (17 de julio). En el tratado de París (10 de diciembre), España renunció a todo derecho sobre Cuba y cedió Guam, Puerto Rico y las Filipinas a EE.UU., lo que marcó el surgimiento de este país como potencia mundial.

Hiss, Alger (11 nov. 1904, Baltimore, Md., EE.UU.–15 nov. 1996, Nueva York, N.Y.). Funcionario público estadounidense. Estudió en la escuela de derecho de Harvard y trabajó como escribiente con OLIVER WENDELL HOLMES, JR. En la década de 1930 ocupó un cargo en el Departamento de Estado, asistió a la Conferencia de Yalta (1945) como asesor del pdte. FRANKLIN D. ROOSEVELT, por breve lapso fue secretario general de la naciente ONU y dirigió la Carnegie Endowment for International Peace (Fundación Carnegie para la paz internacional en 1946–49). En 1949, WHITTAKER CHAMBERS declaró ante el COMITÉ DE ACTIVIDADES ANTINORTEAMERICANAS de la Cámara de Representantes que en la década de 1930 Hiss y él habían pertenecido a la misma camarilla comunista de espionaje. Cuando Chambers repitió la acusación en público, sin la protección del fuero parlamentario, Hiss lo demandó por difamación. En la investigación que hizo del caso un gran jurado federal, ambos prestaron declaración; Hiss fue encausado posteriormente por dos acusaciones de perjurio. El primer juicio (1949) terminó con el jurado en desacuerdo; en el segundo (1950), se le declaró culpable. Salió de la cárcel en 1954, siempre protestando que era inocente. En 1996, la publicación de cables soviéticos secretos interceptados por los servicios de inteligencia estadounidenses durante la segunda guerra mundial entregó pruebas sólidas de su culpabilidad. Este caso pareció corroborar las acusaciones del sen. Joseph McCarthy respecto de la infiltración comunista en el Departamento de Estado; también concitó la atención del país en torno a RICHARD NIXON, cuya hostilidad al interrogar a Hiss durante las audiencias del comité contribuyó en gran medida a establecer su fama de ferviente anticomunista.

histamina Compuesto orgánico que se encuentra en casi todos los tejidos animales, en los microorganismos y en algunas plantas. Su liberación estimula la contracción de muchos músculos lisos, como aquellos del tracto gastrointestinal, del útero y de los bronquios. Es la causa de que los vasos sanguíneos se dilaten y se vuelvan más permeables, ocasionando flujo nasal, ojos llorosos e inflamación del tejido debido a la FIEBRE DEL HENO y a algunas otras ALERGIAS. La histamina parece tener un rol fisiológico en las defensas del organismo contra un ambiente hostil, dado que puede ser liberada cuando el cuerpo es expuesto a trauma, infección o a algunas drogas. Bajo condiciones extremas, los efectos de la histamina conducen a respuestas exageradas con resultados preocupantes, como puede ocurrir en algunas condiciones alérgicas (ver ANAFILAXIS). Las ortigas que provocan escozor y el veneno de ciertos insectos (ver VENENO DE ANIMAL) contienen histamina. En los seres humanos, la histamina se forma por la eliminación de un grupo carboxilo de la HISTIDINA. Sus efectos se contrarrestan con ANTIHISTAMÍNICOS.

histerectomía Extirpación del ÚTERO, ya sea completa (histerectomía total) o conservando el cuello (histerectomía subtotal). Se practica si hay cáncer o un tumor benigno fibroide. Si este es grande o de crecimiento rápido, produce sangramiento excesivo o molestias, o parece estar descomponiéndose. La histerectomía también se puede practicar después de una CESÁREA en caso de complicaciones como sangramiento incontrolable, gran infección o cáncer pelviano.

histéresis Retraso en la magnetización de un material ferromagnético (ver FERROMAGNETISMO), como el HIERRO, en relación con las variaciones del campo magnetizador. Cuando tal material se coloca en una bobina de alambre portador de una CORRIENTE ELÉCTRICA, el CAMPO MAGNÉTICO así creado obliga a los átomos del material a alinearse con el campo. Esto aumenta el campo magnético total hasta un máximo cuando todos los átomos están alineados, aunque el campo total se retrasa respecto al magnetizador durante el proceso. Cuando la intensidad del campo magnetizador se reduce a cero, todavía permanece una magnetización en el material, y si el campo magnetizador se invierte, la magnetización total también se invierte, pero siempre con un retraso. El ciclo completo, conocido como ciclo de histéresis, disipa energía en forma de calor a medida que la magnetización se invierte.

histeria Término usado anteriormente en psicología para designar una NEUROSIS caracterizada por una marcada excitabilidad emocional y alteraciones de las funciones psíquicas, sensoriales, vasomotoras y viscerales. El concepto se utilizó con frecuencia en la primera mitad del s. XX para explicar una amplia variedad de síntomas y conductas presentes particularmente entre las mujeres. (El término deriva de la palabra griega correspondiente a *útero*, lo cual refleja la creencia griega de que la condición provenía de alteraciones de este órgano). Con el tiempo se suprimió del *Manual diagnóstico y estadístico de los desórdenes mentales* por ser demasiado amplio. Entre los trastornos con síntomas similares a los de la histeria tradicional se cuentan el de conversión, el facticio, el disociativo y el de PERSONALIDAD (de tipo histriónico).

histidina Uno de los AMINOÁCIDOS esenciales, aislado por primera vez en 1896. Se encuentra de manera abundante en la HEMOGLOBINA y puede ser aislado a partir de las células de la sangre. Se utiliza en la investigación médica y bioquímica, y como un suplemento de la dieta y aditivo en la alimentación animal.

histograma *o* **gráfico de barras** GRÁFICO que utiliza barras verticales u horizontales cuyas longitudes indican cantidades. Junto con el diagrama o gráfico de torta, el histograma es el formato más común para representar datos estadísticos. Su ventaja radica en que no sólo muestra claramente las categorías máxima y mínima, sino que da una impresión inmediata de la distribución de los datos. De hecho, un histograma es una representación de la DISTRIBUCIÓN DE FRECUENCIA.

histología Rama de la biología que se ocupa de la composición y estructura de los tejidos de plantas y animales en relación con sus funciones especializadas. Su propósito es determinar cómo se organizan los tejidos en todos los niveles estructurales, desde las células y las sustancias intercelulares hasta los órganos. Los histólogos examinan al microscopio cortes finísimos de tejidos humanos, empleando tinciones para aumentar el contraste entre los componentes celulares.

histona Cualquiera de una clase de PROTEÍNAS relativamente simples que se encuentran en los núcleos de las células y que, en combinación con el ADN, forman NUCLEOPROTEÍNAS. Pueden ser obtenidas tanto de plantas como de animales. A diferencia de la mayoría de las proteínas, se disuelve fácilmente en agua. Fueron descubiertas c. 1884.

historia de terror Relato destinado a provocar un miedo intenso. Las historias de terror existen desde antaño y ocupan un lugar importante en la literatura popular. Pueden contener elementos sobrenaturales como FANTASMAS, brujas o VAMPIROS, o bien apelar a temores psicológicos de índole más realista. En la literatura occidental, el desarrollo de este tipo de relato surge en el s. XVIII con la NOVELA GÓTICA. Los exponentes clásicos de los géneros gótico y de terror son, entre otros, HORACE WALPOLE, MARY WOLLSTONECRAFT SHELLEY, E.T.A. HOFFMANN, EDGAR ALLAN POE, Sheridan Le Fanu (n. 1814–m. 1873), WILKIE COLLINS, BRAM STOKER, AMBROSE BIERCE y STEPHEN KING.

historia, filosofía de la Rama de la filosofía que se ocupa del sentido de la historia y la naturaleza de la explicación histórica. La filosofía de la historia en sentido tradicional es concebida como una investigación de primer orden; su objeto de estudio es el proceso histórico en su conjunto y su objetivo final es ofrecer una elucidación general de su curso. Como investigación de segundo orden, la filosofía de la historia se centra en los métodos mediante los cuales los historiadores abordan el pasado humano. La primera modalidad, a menudo llamada filosofía especulativa de la historia, ha tenido una larga y variada carrera; la segunda, conocida como filosofía de la historia analítica o crítica, alcanzó relieve sólo en el s. XX.

historia social Rama de la historia que privilegia el estudio de las estructuras sociales y de la interacción de diversos grupos en la sociedad en lugar de los asuntos de Estado. Derivada de la historia económica, se expandió como disciplina en la década de 1960. Se concentró primero en los grupos sociales más postergados, pero después comenzó a prestar más atención a las clases media y alta. Su ámbito linda a menudo con la historia económica, por un lado, y la sociología y la etnología, por otro.

historiografía Arte de escribir la historia, especialmente aquella basada en el examen crítico de las fuentes y en la síntesis de aspectos particulares escogidos de estas mismas, con una narrativa capaz de pasar la prueba de los métodos críticos. Dos grandes tendencias historiográficas se han manifestado desde los albores de la tradición occidental: el concepto de historiografía como la acumulación de registros, y el concepto de historia como una narración llena de explicaciones de causa y efecto. En el s. V AC, los historiadores griegos HERÓDOTO y luego TUCÍDIDES hicieron hincapié en la investigación de primera mano como parte de su empeño por cimentar una narrativa de los hechos contemporáneos. El predominio de la historiografía cristiana en el s. IV introdujo la idea de una historia mundial como resultado de la intervención divina en los asuntos humanos, concepción que prevaleció durante la Edad Media en la labor de historiadores como san BEDA. El HUMANISMO y la secularización gradual del pensamiento crítico influyeron en el surgimiento de la historiografía europea moderna. Durante los s. XIX–XX se desarrollaron métodos modernos de investigación histórica, basados en el uso de materiales de las fuentes primarias. Los historiadores contemporáneos, con el fin de tener un cuadro más completo del pasado, han tratado de reconstruir un registro de las prácticas y actividades humanas habituales a través de la historia; la escuela de los ANNALES en Francia ha sido determinante en este sentido.

Hitchcock, Sir Alfred (13 ago. 1899, Londres, Inglaterra–29 abr. 1980, Bel Air, Cal., EE.UU.). Director de cine estadounidense de origen británico. A contar de 1920 comenzó a trabajar en la sucursal londinense de una compañía cinematográfica estadounidense, y en 1925 fue promovido a director. Su película *El enemigo de las rubias* (1926) discurre sobre una persona común que es atrapada en eventos extraordinarios, un tema recurrente en su cine. Su obra exhibió una fascinación por el voyerismo y el crimen, y probó ser el maestro del suspenso en películas como *El hombre que sabía demasiado* (1934; nueva versión 1956), *Treinta y nueve escalones* (1935) y *Alarma en el expreso* (1938). El tenso drama psicológico *Rebecca* (1940), fue su primera película producida en EE.UU., y evidenció su virtuosismo en filmes posteriores como *Náufragos* (1944), *Recuerda* (1945), *Encadenados* (1946), *La ventana indiscreta* (1954), *Vértigo* (1958), *Con la muerte en los talones* (1959), *Psicosis* (1960), *Los pájaros* (1963) y *Frenesí* (1972).

Alfred Hitchcock.
THE BETTMANN ARCHIVE

Hitchings, George Herbert (18 abr. 1905, Hoquiam, Wash., EE.UU.–27 feb. 1998, Chapel Hill, N.C.). Farmacólogo estadounidense. Obtuvo un Ph.D. en la Universidad de Harvard. Por casi 40 años, él y GERTRUDE ELION, diseñaron una variedad de drogas nuevas que operan obstaculizando la replicación y otras funciones vitales de agentes patógenos específicos; entre estos medicamentos figuran los destinados al tratamiento de enfermedades como leucemia, artritis reumatoide grave y otras autoinmunes (también útiles para suprimir el rechazo en los trasplantes de órganos), gota, paludismo, infecciones urinarias y respiratorias, y herpes simplex. En 1988 compartió el Premio Nobel con Gertrude Elion y JAMES BLACK.

hitita Miembro de un pueblo indoeuropeo cuyo imperio (Antiguo Reino c. 1700–1500 AC, Nuevo Reino c. 1400–1180 AC) se estableció en Anatolia y en el norte de Siria. Los registros del Antiguo Reino detallan la expansión territorial hitita; los documentos del Nuevo Reino contienen relatos de la batalla de KADESH, una de las más grandes de la antigüedad, librada contra Egipto. Los reyes hititas ejercían un poder absoluto y eran considerados representantes de los dioses; al morir se convertían ellos mismos en divinidades. La sociedad era feudal y agraria, y había desarrollado la metalurgia del hierro. El reino cayó en forma abrupta, posiblemente a causa de la inmigración en gran escala de los pueblos del MAR y de los frigios en partes del imperio.

Hitler, Adolf (20 abr. 1899, Braunau am Inn, Austria–30 abr. 1945, Berlín, Alemania). Dictador de la Alemania nazi (1933–45). Nacido en Austria, tuvo poco éxito como artista en Viena antes de trasladarse a Munich en 1913. Como militar del ejército alemán durante la primera guerra mundial fue herido y gaseado. Después de la guerra, resentido por la derrota y las condiciones de paz impuestas, se incorporó al Partido Obrero alemán en Munich (1919). En 1920 se convirtió en jefe de propaganda de su partido, redenominado Nacionalsocialista o PARTIDO NAZI, del cual fue su líder en 1921. Se propuso crear un movimiento de masas utilizando implacables técnicas de propaganda. El rápido crecimiento del partido alcanzó su clímax en el putsch de la CERVECERÍA DE MUNICH (1923), el cual le significó nueve meses en prisión; allí comenzó a escribir su virulenta autobiografía, *Mein Kampf* [Mi lucha]. Consideró la desigualdad racial parte del orden natural, exaltó la "raza aria" y defendió el antisemitismo, el anticomunismo y un nacionalismo alemán acérrimo. El colapso económico de 1929 renovó sus fuerzas. En las elecciones al Reichstag de 1930, los nazis se convirtieron en el segundo partido más grande del país y en 1932, en el primero. Compitió sin éxito por la presidencia en 1932, pero recurrió a intrigas para llegar al poder en forma legítima y en 1933 PAUL VON HINDENBURG le ofreció la cancillería. Adoptó el título de *Führer* ("Líder"), gozó de poderes dictatoriales por medio de la ley de HABILITACIÓN y eliminó la oposición con ayuda de HEINRICH HIMMLER y JOSEPH GOEBBELS. También comenzó a tomar medidas contra los judíos, que culminaron en el HOLOCAUSTO. Su agresiva política exterior le permitió firmar el acuerdo de MUNICH. Se alió con BENITO MUSSOLINI para crear el Eje Roma-Berlín (1936). El Pacto de NO AGRESIÓN GERMANO-SOVIÉTICO (1939) le permitió invadir Polonia, hecho que precipitó la segunda GUERRA MUNDIAL. Después de sus victorias iniciales en la guerra, con frecuencia hizo caso omiso de sus generales y enfrentó la disidencia sin piedad. Cuando la derrota se hizo inminente en 1945, se casó con EVA BRAUN en un búnker subterráneo en Berlín y al día siguiente ambos se suicidaron.

Adolf Hitler revistando tropas en el frente oriental, 1939.
HEINRICH HOFFMANN, MUNICH

Hitomaro ver Hitomaro KAKINOMOTO

Hito-no-michi Secta religiosa japonesa fundada por Miki Tokuharu (n. 1871–m. 1938). Se basaba en un movimiento religioso anterior fundado por Kanada Tokumitsu (n. 1863–m. 1919), quien enseñaba que los sufrimientos de sus seguidores podían transferírsele por mediación divina, de modo que él podía soportar sus aflicciones en forma vicaria. Aunque obligada por el gobierno a aliarse con el SINTOÍSMO, la secta prosiguió con sus enseñanzas heterodoxas y en 1934 tenía más de 600.000 seguidores. En 1937 se ordenó su disolución; Tokuharu y su hijo Miki Tokuchika fueron encarcelados y Tokuharu murió al año siguiente. En 1945, Miki Tokuchika fue liberado y refundó la secta con el nombre de KYODAN PL.

Hiwassee, río Río en el sudeste de EE.UU. Nace en las montañas BLUE RIDGE, en el norte del estado de Georgia, y recorre 213 km (132 mi) hacia Carolina del Norte y el sudeste de Tennessee hasta confluir en el río TENNESSEE, en el embalse de Chickamauga. Contiene tres represas importantes de TENNESSEE VALLEY AUTHORITY. La especie PEZ FLECHERO, en peligro de extinción, fue transplantada al río Hiwassee en la década de 1970.

Ḥizbullāh ver HEZBOLÁ

HMO *sigla de* **Health Maintenance Organization** (Organización para la mantención de la salud). Organización pública o privada que presta atención médica integral a sus afiliados, sobre la base de un contrato de prepago. Las HMO otorgan una amplia gama de servicios de salud por un monto fijo. En el modelo de prepago por agrupación médica, los médicos se organizan como agrupación con una agencia aseguradora. Una fundación de atención médica o una asociación de prácticas individuales habitualmente involucra a múltiples compañías aseguradoras que reembolsan a los miembros de una red dispersa de médicos particulares, los fondos que han prepagado los afiliados. Consideradas originalmente un medio para controlar los costos de la atención médica y satisfacer la demanda creciente de servicios de salud, las HMO se han tornado controversiales, puesto que algunas limitan la atención, rehusándose a pagar por ciertos exámenes y tratamientos, en contra de las indicaciones de sus propios médicos.

hmong *o* **miao** Pueblos montañeses de China, Vietnam, Laos y Tailandia que hablan lenguas HMONG-MIEN. Existen también comunidades de emigrantes en EE.UU. La agricultura es su principal medio de subsistencia en todos sus territorios tradicionales. Cultivan maíz y arroz para su consumo, además del opio como producto comercial. La mayoría de ellos venera a espíritus, demonios y almas de los ancestros, y el sacrificio de animales está muy difundido. Las viviendas familiares albergan a varias generaciones. En China, muchos de ellos han adoptado la costumbre china del matrimonio concertado. En el mundo, su población asciende a nueve millones de personas aproximadamente.

hmong-mien, lenguas o lenguas miao-yao Familia de lenguas del sur de China, el norte de Vietnam, Laos y el norte de Tailandia, con más de nueve millones de hablantes. El hmong (miao) se ha dividido en tres grupos dialectales: occidental, central y septentrional. Desde comienzos del s. XVIII, grupos de hablantes de dialectos occidentales emigraron al norte de Indochina. En las condiciones existentes tras las guerras de INDOCHINA, que terminaron en 1975, muchos hmong huyeron de Laos a Tailandia. Algunos de ellos fueron finalmente reasentados en EE.UU., donde se encuentran probablemente 150.000 hablantes de dialectos occidentales. El mien (yao) tiene tres dialectos principales; el más importante, también llamado mien, representa cerca del 85% de los hablantes del dialecto. Aun cuando estas lenguas son en estructura similares a otras de la región, principalmente el chino (ver lenguas CHINAS), no se ha demostrado ninguna relación genética entre la familia hmong-mien y alguna otra familia de lenguas.

Ho Chi Minh *orig.* **Nguyên That Thanh** (19 may. 1890, Hoang Tru, Vietnam–2 sep. 1969, Hanoi). Presidente (1945–69) de la República Democrática de Vietnam (Vietnam del Norte). Hijo de un erudito de escasos recursos, fue criado en una aldea rural. En 1911 consiguió trabajo en un barco de vapor francés y viajó por el mundo. Luego vivió durante seis años en Francia, donde se convirtió en socialista. En 1923 partió a la Unión Soviética, al año siguiente a China, y comenzó a organizar a los vietnamitas exiliados. En 1930 fundó el Partido Comunista de Indochina y, en 1941, el partido sucesor VIETMINH. En 1945, Japón invadió Indochina y expulsó al gobierno colonial francés; cuando los japoneses se rindieron a los aliados seis meses más tarde, Ho Chi Minh y sus fuerzas del Vietminh aprovecharon la oportunidad, ocuparon Hanoi y proclamaron la independencia vietnamita. Francia rehusó renunciar a su antigua colonia y en 1946 estalló la primera de las guerras de INDOCHINA. Derrotó a los franceses en 1954 en Dien Bien Phu, tras lo cual el país fue dividido en Vietnam del Norte y del Sur. Estableció su gobierno en el norte y pronto se enfrentó al régimen de NGO DINH DIEM, respaldado por EE.UU., en el sur, conflicto que llegó a conocerse como la guerra de VIETNAM. Los norvietnamitas vencieron a las fuerzas del sur seis años después de su muerte.

Ho Chi Minh, carretera Sistema de senderos que se extendían desde el norte hasta el sur de Vietnam. Abierto en 1959, era la principal ruta de abastecimiento de las tropas norvietnamitas durante la guerra de VIETNAM. Se iniciaba al sur de

HANOI; el sendero principal hacia Vietnam del sur atravesaba Laos y Camboya y requería más de un mes de marcha para completarlo. Con instalaciones de apoyo subterráneas, entre ellas hospitales y arsenales, fue la principal ruta para la invasión de Vietnam del Sur en 1975.

Ho Chi Minh, Ciudad *ant.* **Saigón** Ciudad (pob., est. 1999: 4.549.000 hab.) del sur de Vietnam. Está situada a orillas del río Saigón, al norte del delta del río MEKONG. Los vietnamitas ingresaron a la región en el s. XVII, cuando esta aún pertenecía al reino de Camboya. La región y su pueblo fueron cedidos a Francia en 1862. Después de la segunda guerra mundial, Vietnam declaró su independencia, pero las tropas francesas tomaron el control del país, marcando el comienzo de la primera guerra de INDOCHINA. La conferencia de Ginebra de 1954 decretó la división del país, y Saigón pasó a ser la capital de Vietnam del Sur. Durante la guerra de VIETNAM fue el cuartel general de las operaciones militares de EE.UU.; en 1975 fue capturada por tropas norvietnamitas y la ciudad cambió de nombre en honor de HO CHI MINH. Su importancia comercial ha aumentado gracias a la reconstrucción emprendida después de la guerra.

Avenida céntrica de Ho Chi Minh, ciudad vietnamita de intensa actividad comercial.

KEN GILLHAM/ROBERT HARDING WORLD IMAGERY/GETTY IMAGES

Hoang-Ho ver HUANG HE

Hoare, Sir Samuel (John Gurney), 2° baronet *también llamado (desde 1944)* **vizconde Templewood (de Chelsea)** (24 feb. 1880, Londres, Inglaterra–7 may. 1959, Londres). Estadista británico. Como secretario de Estado para India (1931–35), asumió la enorme tarea de elaborar y defender en el parlamento la nueva constitución de ese país y fue el principal artífice de la ley de gobierno de India (1935). Se desempeñó como ministro de asuntos exteriores (1935), pero fue obligado a renunciar por su papel en la negociación del impopular pacto HOARE-LAVAL. Como ministro del interior (1937–39), ayudó a formular el acuerdo de MUNICH, con lo cual se le identificó como partidario de la política de apaciguamiento, hecho que dañó su prestigio. Durante la segunda guerra mundial fue embajador en España (1940–44).

Hoare-Laval, pacto (1935). Plan secreto para ofrecer a BENITO MUSSOLINI la mayor parte de Etiopía (entonces llamada Abisinia) a cambio de una tregua en la guerra ítalo-etíope. Fue elaborado por el ministro británico de asuntos exteriores Sir SAMUEL HOARE y el primer ministro francés PIERRE LAVAL, quienes intentaron sin éxito lograr un acercamiento entre Francia e Italia. Cuando se filtró información sobre el plan, fue inmediata y ampliamente rechazado.

Hobart Ciudad (pob., 2001: 191.169 hab.), puerto principal y capital de TASMANIA, Australia. Situada en el estuario del río DERWENT, al pie del monte Wellington, es la ciudad más grande de Tasmania y la más meridional de Australia. Fundada en 1803, llegó a ser uno de los principales puertos para barcos balleneros de los mares australes. Su desarrollo se vio limitado por la carencia de recursos naturales. Actualmente cuenta con un puerto de gran calado, vías férreas y un aeropuerto, lo que la ha transformado en un centro de comunicaciones y de comercio. La ciudad es sede de una catedral anglicana y una católica, así como de la primera sinagoga de Australia (construida en 1843–45).

Hobbema, Meindert *orig.* **Meyndert Lubbertsz(oon)** (bautizado 31 oct. 1638, Amsterdam–7 dic. 1709, Amsterdam). Pintor paisajista holandés. Trabajó principalmente en Amsterdam, pintando tranquilas escenas rurales salpicadas de árboles, construcciones rústicas, pacíficos arroyos y molinos de agua. Sus idílicos paisajes están cuidadosamente compuestos; presentan meticulosas representaciones de follaje retorcido y terrenos suaves. En 1689 realizó su obra maestra, *La avenida de Middelharnis*. Aunque al parecer tuvo poco éxito durante su vida, su obra se hizo popular e influyente en Inglaterra durante el s. XIX. Un siglo después fue considerado uno de los grandes paisajistas holandeses, sólo superado por JACOB VAN RUISDAEL, uno de sus discípulos.

Hobbes, Thomas (5 abr. 1588, Westport, Wiltshire, Inglaterra–4 dic. 1679, Hardwick Hall, Derbyshire). Filósofo y teórico político inglés. Hijo de un vicario que abandonó su familia, fue criado por un tío. Después de graduarse en la Universidad de Oxford se convirtió en tutor y viajó con su pupilo por Europa, donde sostuvo discusiones filosóficas con GALILEO acerca de la naturaleza del movimiento. Más tarde se volcó hacia la teoría política, pero su apoyo al ABSOLUTISMO lo puso a contrapelo con el creciente sentimiento adverso a la monarquía de su época. Huyó a París en 1640, donde fue tutor del futuro rey CARLOS II de Inglaterra. En París escribió su obra más conocida, *Leviatán* (1651), en la que intentó justificar el poder absoluto del soberano sobre la base de un hipotético CONTRATO SOCIAL en el que las personas buscan protegerse unas de otras acordando obedecer al soberano en todo orden de cosas. Hobbes retornó a Gran Bretaña en 1651, después de la muerte de CARLOS I. En 1666, el parlamento amenazó con investigarlo por su ateísmo. Sus obras se consideran una importante exposición de las nacientes ideas del LIBERALISMO, así como de los antiguos supuestos del absolutismo característico de la época.

Thomas Hobbes, detalle de una pintura al óleo de John Michael Wright; National Portrait Gallery, Londres.

GENTILEZA DE LA NATIONAL PORTRAIT GALLERY, LONDRES

Hobby, Oveta Culp *orig.* **Oveta Culp** (19 ene. 1905, Killeen, Texas, EE.UU.–16 ago. 1995, Houston, Texas). Editora y funcionaria de gobierno estadounidense. Se tituló en la escuela de derecho de la Universidad de Texas y, en 1925–31, fue parlamentaria en el poder legislativo de Texas. En 1931 se casó con William P. Hobby, dueño del *Houston Post-Dispatch*, y entró a trabajar en el diario; llegó a ser su vicepresidenta ejecutiva en 1938. En 1942–45 encabezó el Cuerpo auxiliar femenino del ejército (más adelante WOMEN'S ARMY CORPS). En 1953 ocupó el cargo de directora del Federal Security Agency, que luego se reorganizó con el nombre de Departamento (ministerio) de salud, educación y asistencia social; como ministra (1953–55), fue la segunda mujer en ocupar un cargo ministerial en EE.UU. En 1965 asumió como presidenta del directorio del periódico *Post*.

Hobhouse, L(eonard) T(relawny) (8 sep. 1864, St. Ives, Cornualles, Inglaterra–21 jun.1929, Alençon, Francia). Sociólogo británico reconocido por sus estudios comparativos del desarrollo social. Trató de correlacionar el cambio social con el aporte que este hacía al progreso general de la comunidad, centrándose sobre todo en los aspectos intelectuales, morales y religiosos del cambio. Se integró al equipo de redacción del *Manchester Guardian* (1897) y continuó escribiendo para este periódico una vez que abandonó la docencia de sociología en la London School of Economics (1904–29). Entre sus obras se encuentran *Morals in Evolution* [La moral en evolución] (1906), *The Rational Good* [El bien racional] (1921) y *Elements of Social Justice* [Elementos de justicia social] (1922).

Pista típica de hockey sobre hielo profesional norteamericano. Las pistas universitarias suelen ser más anchas (30,48 m [100 pies]), y las internacionales varían en largo y ancho. Las líneas azules marcan las respectivas áreas en que la posición adelantada está prohibida; el espacio entre ellas se llama zona neutral. El tejo vulcanizado (*puck*) se pone en juego dejándolo caer entre dos jugadores ubicados en los puntos de saque; todos los jugadores, excepto los que participan en el saque, deben estar fuera del círculo de saque. Cuando un jugador comete una falta grave, debe quedarse cinco minutos en el banquillo de castigo, mientras su equipo permanece con un jugador menos.

hockey sobre hielo Deporte que se juega en una pista de hielo entre dos equipos de seis jugadores calzados con patines de cuchilla. El objetivo es introducir un tejo o *puck* (disco pequeño de goma vulcanizada) en la portería contraria, acción que vale un punto. Para ello se utilizan palos (con un extremo curvo) llamados *sticks*. Los partidos se disputan en tres períodos de 20 m. cada uno. El primer partido de hockey sobre hielo propiamente tal se jugó en 1875 en Montreal, entre dos equipos de estudiantes de la Universidad de McGill. La NATIONAL HOCKEY LEAGUE (NHL), que agrupa a los equipos profesionales de EE.UU. y Canadá, se organizó en 1917. En 1920, la especialidad pasó a formar parte de los Juegos Olímpicos de Invierno. Es un juego muy agresivo, y con frecuencia se le arrebata el tejo al rival mediante un golpe al cuerpo (*check*). Ciertos contactos físicos, como el *check* desde atrás o propinar golpes cortantes con el *stick*, son antirreglamentarios y se castigan con un penal. Ver también Copa STANLEY.

Jugadora del equipo de hockey sobre hielo de EE.UU. en los Juegos Olímpicos de Invierno, 2002.

FOTOBANCO

hockey sobre hierba Deporte que se juega con un palo (*stick*) de extremo curvo entre dos equipos de 11 jugadores, en un campo de 91,4 por 55 m (100 por 60 yd). El objetivo es maniobrar la pelota con el *stick* a fin de introducirla en el arco contrario. Este deporte nació en las escuelas inglesas a fines del s. XIX, y el ejército británico lo introdujo en India y el Lejano Oriente. En 1928 se había transformado ya en el deporte nacional de India. El hockey sobre hierba masculino ha formado parte de los Juegos Olímpicos desde 1908; el femenino, desde 1980. El deporte llegó a EE.UU. en 1901, y se hizo muy popular en colegios, universidades y clubes femeninos. Actualmente se celebran varios torneos internacionales al año, entre ellos el campeonato mundial.

Hockney, David (n. 9 jul. 1937, Bradford, Inglaterra). Pintor, dibujante, grabador, fotógrafo y diseñador de escenografías británico. Estudió en la Bradford College of Art, y en el Royal College of Art, en Londres. A mediados de la década de 1960 enseñó en las universidades de Iowa, Colorado y California, y en 1978 se estableció en Los Ángeles. Sus retratos, autorretratos, naturalezas muertas y tranquilas escenas de amigos se caracterizan por la economía técnica, la preocupación por la luz, los colores brillantes, y un realismo franco y ordinario derivado tanto del POP ART como de la fotografía. La piscina pública de California se convirtió en su tema predilecto. Fue un brillante grabador y dibujante; publicó una serie de aguafuertes, como las ilustraciones para *Seis cuentos de hadas de los hermanos Grimm* (1969). En la década de 1970 se destacó como escenógrafo para la ópera y el ballet. Más tarde experimentó con la fotografía y el fotocollage, y posteriormente con la tecnología computacional e impresoras.

Hodges, Johnny *orig.* **John Cornelius Hodges** (25 jul. 1906, Cambridge, Mass., EE.UU.–11 may. 1970, Nueva York, N.Y.). Saxofonista estadounidense, uno de los mejores estilistas de saxo alto del JAZZ. Apodado "Rabbit" Hodges, recibió el aliento y la influencia de SIDNEY BECHET a mediados de la década de 1920. En 1928 se incorporó a la orquesta de DUKE ELLINGTON y rápidamente se convirtió en su solista estelar. Salvo el período en que dirigió su propio grupo (1951–55), Hodges permaneció con Ellington toda su vida. Su sonido incomparable y conmovedor, así como su equilibrio rítmico hicieron de él un intérprete magistral de baladas y BLUES, tanto así, que Ellington y BILLY STRAYHORN compusieron piezas expresamente para él.

Hodgkin, Dorothy M(ary) *orig.* **Dorothy Mary Crowfoot** (12 may. 1910, El Cairo, Egipto–29 jul. 1994, Shipston-on-Stour, Warwickshire, Inglaterra). Química inglesa. Después de estudiar en Oxford y Cambridge, partió a trabajar a Oxford. De 1942–49 se dedicó al análisis estructural de la penicilina. En 1948, junto con sus colegas, obtuvo la primera fotografía con rayos X de la vitamina B_{12}, uno de los compuestos no proteicos más complejos, y finalmente determinó por completo la disposición de sus átomos. En 1969 completó un análisis tridimensional similar de la insulina. Gracias a su trabajo obtuvo el Premio Nobel en 1964. Fue canciller de la Universidad de Bristol (1970–88) y destacó por su trabajo por la paz y la cooperación internacional. En 1965 se convirtió en la segunda mujer en la historia a la que se le otorgaba la Orden al Mérito británica.

Hodgkin, enfermedad de *o* **linforreticuloma** El más común de los LINFOMAS malignos. Comienza con el aumento de los ganglios linfáticos de tamaño local e indoloro, y a veces del bazo, el hígado u otros órganos, seguido de baja de peso y debilidad. El diagnóstico sólo puede ser confirmado mediante biopsia, habitualmente de un ganglio afectado. La causa se desconoce. El tratamiento consiste en quimioterapia, radioterapia, o ambas, según la etapa de la enfermedad. Más del 90% de los pacientes con diagnóstico precoz puede curarse y muchos también con enfermedad avanzada.

Hoe, Robert y Hoe, Richard (March) (29 oct. 1784, Hoes, Leicestershire, Inglaterra–4 ene. 1833, Nueva York, N.Y., EE.UU.) (12 sep. 1812, Nueva York, N.Y., EE.UU.–7 jun. 1886, Florencia, Italia). Padre e hijo, ambos inventores. Robert emigró a EE.UU. en 1803. En Nueva York cofundó una empresa de equipos de impresión y en 1827 introdujo el marco de hierro fundido que pronto reemplazó a los marcos de madera usados hasta entonces en las prensas de impresión. Su versión mejorada de la prensa cilíndrica de IMPRESIÓN de Napier reemplazó todas las prensas de fabricación inglesa en EE.UU. Richard ingresó a la compañía en 1827 y se hizo cargo al morir su padre. Sustituyó la prensa plana por la primera prensa ROTATIVA que tuvo éxito (patentada en 1847). Siguió esta innovación con la prensa rotativa con bobina de papel (1865) y la prensa con bobina de papel perfeccionada (impresión simultánea de ambas caras) (1871), mejoramientos revolucionarios que hicieron posible los diarios de gran circulación.

Ho-fei ver HEFEI

Hoff, Jacobus van't ver Jacobus H. VAN'T HOFF

Hoffman, Abbie *orig.* **Abbott Hoffman** (30 nov. 1936, Worcester, Mass., EE.UU.–12 abr. 1989, New Hope, Pa.). Activista político estadounidense. Estudió en la Universidad Brandeis y en la Universidad de California, en Berkeley, e ingresó al movimiento de derechos civiles. En 1968 organizó el Partido Internacional Juvenil (*yippies*), que protestó contra la guerra de VIETNAM y contra el sistema político y económico de EE.UU. Los medios de comunicación informaron extensamente acerca de sus payasadas en los tribunales en el papel de demandado en el juicio conocido como los Siete de Chicago (1969), en el que se le condenó por cruzar de un estado a otro con la intención de causar desórdenes en la convención nacional del Partido Demócrata, celebrada en Chicago en 1968; el fallo fue revocado posteriormente. Más tarde fue detenido y acusado de vender cocaína (1973); pasó a la clandestinidad, se sometió a cirugía plástica y adoptó un nombre falso: "Barry Freed" con el fin de trabajar en el estado de Nueva York como ambientalista. Resurgió en 1980 y pasó un año en la cárcel antes de volver a su trabajo ambiental. Sus libros son *Revolution for the Hell of It* [Revolución por el puro gusto] (1968), *Steal This Book* [Hurten este libro] (1971) y una autobiografía, *Soon to Be a Major Motion Picture* [Pronto será una importante película](1980).

Dustin Hoffman, 1988.
FOTOBANCO

Hoffman, Dustin (n. 8 ago. 1937, Los Ángeles, Cal., EE.UU.). Actor estadounidense. En 1965 comenzó a actuar en el circuito Off-Broadway y dos años después debutó en las pantallas con *El graduado*, un éxito fenomenal. Interpretó una sorprendente gama de personajes en películas como *Cowboy de medianoche* (1969), *Pequeño gran hombre* (1970), *Todos los hombres del presidente* (1976), *Kramer contra Kramer* (1979, premio de la Academia), *Tootsie* (1982), *Rain Man* (1988, premio de la Academia) y *La cortina de humo* (1997). Regresó a los escenarios de Broadway en el reestreno de *Muerte de un viajante* (1984), que también protagonizó para la televisión (1985, premio Emmy), e interpretó a Shylock en *El mercader de Venecia* en Londres (1989) y Nueva York (1990).

Hoffman, Samuel (Kurtz) (15 abr. 1902, Williamsport, Pa., EE.UU.–26 jun. 1995, Santa Bárbara, Cal.). Ingeniero estadounidense en las áreas de diseño aeronáutico y propulsión de cohetes. Trabajó en la empresa North American Aviation (1949–70), donde consiguió aumentar enormemente la potencia de los motores de cohetes y completó el prototipo del motor para los vehículos de lanzamiento que pusieron en órbita el primer SATÉLITE (EXPLORER 1) de EE.UU. y llevó al espacio a sus primeros astronautas. Su trabajo fue esencial en las primeras etapas del desarrollo de los MISILES BALÍSTICOS INTERCONTINENTALES y de alcance intermedio. A partir de 1958 supervisó el desarrollo de los motores para los vehículos de lanzamiento del cohete SATURNO, que finalmente llevaron a los astronautas estadounidenses a la Luna.

Hoffmann, E(rnst) T(heodor) A(madeus) *orig.* **Ernst Theodor Wilhelm Hoffmann** (24 ene. 1776, Königsberg, Prusia–25 jun. 1822, Berlín, Alemania). Escritor y compositor alemán, una de las figuras más importantes del ROMANTICISMO de su país. De joven se ganó el sustento como oficial letrado (de hecho, el conflicto entre el mundo ideal del arte y la vida burocrática cotidiana es evidente en muchos de sus cuentos); después se dedicó a la música y la literatura, casi en forma simultánea. Los cuentos reunidos en *Fantasías al modo de Callot* (1814–15) establecieron su reputación como escritor. Escritos posteriores, como *Cuentos fantásticos* (1817) y *Cuentos de los hermanos Serapio* (1819–21), combinan una imaginación desatada con un examen minucioso de la psicología humana. Hoffmann fue también director de orquesta, crítico musical y director musical en teatro. De sus numerosas obras musicales originales, las que obtuvieron mayor reconocimiento fueron el ballet *Arlequín* (1811) y la ópera *Ondina* (estrenada en 1816). Murió a los 46 años, aquejado de parálisis progresiva. Sus relatos inspiraron notables óperas y ballets de JACQUES OFFENBACH (*Cuentos de Hoffmann*), LÉO DELIBES (*Coppélia*), PIOTR TCHAIKOVSKY (*Cascanueces*) y PAUL HINDEMITH (*Cardillac*).

Hoffmann, Josef (15 dic. 1870, Pirnitz, Moravia–7 may. 1956, Viena, Austria). Arquitecto y diseñador austríaco. Fue discípulo de OTTO WAGNER en Viena, sin embargo, en 1899 ayudó a fundar la SEZESSION de Viena, la cual marcó la liberación del clasicismo de Wagner. Cofundó y dirigió por 30 años (1903–33) la WIENER WERKSTÄTTE (Talleres de Viena), un importante centro para las artes y oficios. El palacio Stoclet (1905), en Bruselas, es considerado su obra maestra: el exterior de esta estructura opulenta alcanza una elegancia pocas veces vinculada a diseños rectilíneos sobre la base de cuadrados y rectángulos blancos. Diseñó los pabellones austríacos para la Exhibición Deutscher Werkbund en Colonia (1914) y para la Bienal de Venecia de 1934. En 1920 fue nombrado arquitecto oficial de la ciudad de Viena.

Hans Hofmann, fotografía de Arnold Newman, 1960.
©ARNOLD NEWMAN

Hofmann, Hans (21 mar. 1880, Weissenberg, Alemania–17 feb. 1966, Nueva York, N.Y., EE.UU.). Pintor y profesor de arte estadounidense de origen alemán. Desde 1898 estudió arte en Munich. En 1904 se mudó a París, donde se inspiró en la obra de HENRI MATISSE y ROBERT DELAUNAY. En 1915 abrió su primera escuela de pintura en Munich. Se trasladó a EE.UU. en 1930 y enseñó en la Art Students League de Nueva

York. En 1933 abrió la Escuela de Bellas Artes Hans Hofmann, donde ejerció notable influencia sobre pintores abstractos jóvenes de las décadas de 1930–40, entre ellos, WILLEM DE KOONING y JACKSON POLLOCK. Su estilo evolucionó hasta la abstracción total y fue el primero en practicar la técnica del chorreado de pintura (*dripping*), que luego sería asociada con Pollock. Cerró la escuela en 1958 para dedicar el resto de su vida a la pintura. Fue uno de los maestros más influyentes del s. XX, y una figura significativa en el desarrollo del EXPRESIONISMO ABSTRACTO.

Hofmannsthal, Hugo von (1 feb. 1874, Viena, Austria–15 jul. 1929, Rodaun, suburbio vienés). Poeta, dramaturgo y ensayista austríaco. Nacido en el seno de una aristocrática familia de banqueros, se destacó por su poesía lírica (publicó su primer poema a los 16 años de edad) y sus dramas en verso, entre ellos, *La muerte de Tiziano* (1892) y *El loco y la muerte* (1893). En un ensayo de 1902 renunció a la poesía lírica y en lo sucesivo se dedicó al teatro. Entre sus obras de madurez se cuentan *Christina's Journey Home* [Cristina regresa a casa] (1910), *Jedermann* (1911), *El irresoluto* (1921) y *La torre* (1925). En 1906 inició una exitosa colaboración con el compositor RICHARD STRAUSS, que dio como frutos las óperas *Electra* (1908), *El caballero de la rosa* (1910), *Ariadna en Naxos* (1912, revisada en 1916), *La mujer sin sombra* (1919) y otras. En 1920 fundó el Festival de Salzburgo con MAX REINHARDT.

Hogan, Ben *p. ext.* **William Benjamin Hogan** (13 ago. 1912, Dublin, Texas, EE.UU.–25 jul. 1997, Fort Worth, Texas). Golfista estadounidense. Profesional desde 1929, ganó el Campeonato de la Professional Golfers' Association (PGA) de EE.UU. (1946 y 1948), el Abierto de EE.UU. (1948, 1950, 1951 y 1953), el Masters (1951 y 1953) y el Abierto Británico (1953). Varios de sus triunfos los obtuvo tras haber sufrido en 1949 un accidente automovilístico en que resultó con heridas de tal gravedad que no se esperaba que volviera a caminar. Era conocido por su estricto régimen de entrenamiento, su tozuda determinación y la extraordinaria precisión de sus tiros.

hogar Abertura en la base de una chimenea donde se enciende y mantiene el fuego. La abertura se enmarca generalmente de manera ornamental y se corona con una repisa. Una innovación medieval que reemplazó al hogar abierto utilizado para calefacción y cocina fue el llamado *inglenook*, un espacio en ocasiones suficientemente grande como para dar cabida a un estar. Los primeros hogares eran de piedra; luego se utilizó el ladrillo. En 1624, el inventor francés Louis Savot diseñó un fogón en el cual se hacía pasar aire bajo él para calentarlo y se descargaba en la habitación a través de una parrilla, diseño que fue adaptado en el s. XX.

hogar de convalecencia Instalaciones para el cuidado (en general, prolongado) de pacientes no tan enfermos como para estar hospitalizados, pero que no pueden permanecer en sus casas. Históricamente, la mayoría de los residentes eran ancianos o tenían enfermedades crónicas, irreversibles o invalidantes, y la atención médica y de enfermería eran mínimas. Hoy los hogares de convalecencia juegan un papel más activo en la atención de salud, ayudando a los pacientes a prepararse para vivir en su residencia o, si es posible, con un miembro de su familia. Estos establecimientos permiten reservar las costosas instalaciones hospitalarias para los enfermos agudos y mejorar las perspectivas de los discapacitados crónicos. Sin embargo, la calidad de los cuidados que otorgan es muy variable, y existe un potencial para abusos.

"El pintor y su dogo", autorretrato de William Hogarth, óleo sobre tela, 1745.

GENTILEZA DEL DIRECTORIO DE LA TATE GALLERY, LONDRES

Hogarth, William (10 nov. 1697, Londres, Inglaterra–26 oct. 1764, Londres). Pintor y grabador británico. A los 15 años de edad fue aprendiz de orfebre y abrió su propio taller de grabado a los 22. Tomó lecciones privadas de dibujo mientras se ganaba la vida como grabador de ilustraciones de libros. Su primera gran obra, el grabado satírico *Mascaradas y óperas*, atacó el gusto contemporáneo y cuestionó el arte institucionalizado, lo que le ganó muchos enemigos. En 1728 se inició en la carrera pictórica con una obra que reveló su interés por los temas del teatro y la comedia, *A Scene from "The Beggar's Opera"*. También pintó "tertulias" (retratos colectivos informales) para clientes adinerados. Sus grabados de temas morales modernos, que solía realizar en serie, estaban dirigidos a un público amplio y tal fue su éxito, que le valieron su independencia económica. Para salvaguardar su medio de ganarse la vida contra ediciones piratas, luchó por una legislación que protegiera los derechos de autor de los artistas. La primera acta de derechos de autor británica fue aprobada en 1735, año en que publicó su serie satírica de ocho partes *Vida de un libertino*. Sus otras series satíricas incluyen *Vida de una cortesana* (1730–31) y *Casamiento a la moda* (1743–45). La academia de enseñanza que dirigió en St. Martin's Lane se convirtió en la precursora de la Royal Academy (1768).

James Hogg, detalle de una pintura al óleo de W. Nicholson; en préstamo a la Scottish National Portrait Gallery, Edimburgo.

GENTILEZA DE LA SEÑORA LAWRENCE MACEWEN; FOTOGRAFÍA, SCOTTISH NATIONAL PORTRAIT GALLERY, EDIMBURGO

Hogg, James (bautizado 9 dic. 1770, Ettrick, Selkirkshire, Escocia–21 nov. 1835, Altrive, Yarrow). Poeta escocés. Pastor de oficio, fue casi un autodidacta. WALTER SCOTT descubrió y reveló el talento de Hogg cuando este le aportó material para su obra *Minstrelsy of the Scottish Border* [Cancionero de la frontera escocesa], y la fama del "pastor de Ettrick" corrió paralela al renacimiento de la balada en el romanticismo temprano. Otros escritos de Hogg son el poemario *La velada de la reina* (1813) y *Confesiones de un pecador absuelto* (1824), novela sobre la manía religiosa con un héroe psicopático, precursora de la novela psicológica moderna.

Hoggar, montes ver montes AHAGGAR

Hohenlohe-Schillingsfürst, Chlodwig (Karl Viktor), príncipe de (31 mar. 1819, Rotenburg an der Fulda, Hesse-Nassau–6 jul. 1901, Bad Ragaz, Suiza). Canciller imperial alemán y primer ministro prusiano (1894–1900). Participó en la política bávara desde 1846 y fue primer ministro (1866–70) después de que Prusia derrotó a Baviera en la guerra de las SIETE SEMANAS. Favoreció la unificación de Alemania y en 1871 se puso al servicio del Imperio alemán. Fue nombrado canciller alemán en 1894. Su amplia experiencia y su relación paternal con el emperador GUILLERMO II no lograron impedir los excesos demagógicos del soberano. Gran parte de su influencia llegó a su fin en 1897 cuando BERNHARD VON BÜLOW asumió como secretario de relaciones exteriores.

Hohenstaufen, dinastía Dinastía germánica que gobernó el Sacro Imperio romano (1138–1208, 1212–54). Fue fundada por el conde Federico (m. 1105), quien construyó el castillo Staufen y fue nombrado duque de Suabia como Federico I (1079). Entre los emperadores Hohenstaufen se encuentran FEDERICO I Barbarroja (r. 1155–90), ENRIQUE VI (r. 1191–97) y FEDERICO II (r. 1220–50). La dinastía continuó la contienda con el papado iniciada por sus predecesores. Ver también GÜELFOS Y GIBELINOS.

Hohenzollern, dinastía Importante dinastía en la historia europea, principalmente como casa gobernante de Brandeburgo-Prusia (1415–1918) y del Imperio alemán (1871–1918).

El primer ancestro del que se tiene noticia, Burchard I, fue conde de Zollern en el s. XI. Se formaron dos ramas principales: la línea franconiana (que incluía a burgraves de Nuremberg, electores de Brandeburgo, reyes de Prusia y emperadores de Alemania) y la línea suaba (que incluía a los condes de Zollern, príncipes de Hohenzollern-Sigmaringen y príncipes, y luego reyes de Rumania). La rama franconiana fue luterana durante la REFORMA, pero se tornó calvinista en 1613 y adquirió considerable territorio en los s. XV–XVII. Perdió la soberanía sobre Prusia y Alemania a fines de la primera guerra mundial (1914–18). La línea suaba permaneció católica durante la Reforma y gobernó en Rumania hasta 1947. Entre los soberanos Hohenzollern se encuentran FEDERICO GUILLERMO I, FEDERICO II (el Grande), FEDERICO GUILLERMO II y FEDERICO GUILLERMO III de Prusia; GUILLERMO I y GUILLERMO II de Alemania; y CAROL I y CAROL II de Rumania.

Hohhot ver HUHHOT

Hohokam, cultura Complejo de pueblos indígenas norteamericanos que vivieron c. 300 AC–1400 DC en el desierto de Sonora (Arizona, EE.UU.), especialmente a lo largo de los ríos Gila y Salt. Crearon intrincadas redes de canales de regadío, hazaña de la ingeniería agrícola nunca superada en la América del Norte precolombina. Algunos canales del s. XIV han sido restaurados para su uso. El maíz era la principal cosecha; incorporaron frijoles y calabazas tras sus contactos con los indios ANASAZI. Por razones desconocidas, esta cultura se extinguió al comenzar el s. XV. Es probable que los pueblos PIMAS y PAPAGOS sean sus descendientes directos.

hoja Cualquier expansión aplanada verde que nace del tallo de una PLANTA VASCULAR. Las hojas elaboran oxígeno y GLUCOSA, la cual nutre y sustenta las plantas y los animales. Las hojas y el tejido del tallo crecen de la misma YEMA apical. Una hoja típica posee una lámina ancha, expandida (limbo), adherida al tallo mediante el pecíolo. La hoja puede ser simple (una sola lámina), compuesta (folíolos separados) o reducida a una espícula o escama. El borde puede ser liso o dentado. Los nervios transportan nutrientes hacia y desde el tejido foliar, los cuales irradian desde el pecíolo a través del limbo. En las hojas dicotiledóneas, la nervadura es reticulada y en las hojas monocotiledóneas es paralela (ver COTILEDÓN). La capa exterior de la hoja (epidermis) protege el interior (mesófilo), cuyas células verdes, no especializadas, de paredes blandas (parénquima), producen nutrientes de carbohidrato mediante la FOTOSÍNTESIS. En otoño, los pigmentos verdes de CLOROFILA de las hojas deciduas se descomponen, revelando pigmentos de otros colores (amarillo a rojo), y las hojas se caen del árbol. Las cicatrices foliares formadas durante la cicatrización de las heridas, después de la caída de las hojas, permiten identificar las ramillas invernales. En las CONÍFERAS, las agujas siempreverdes, que son un tipo de hojas, duran dos o tres años.

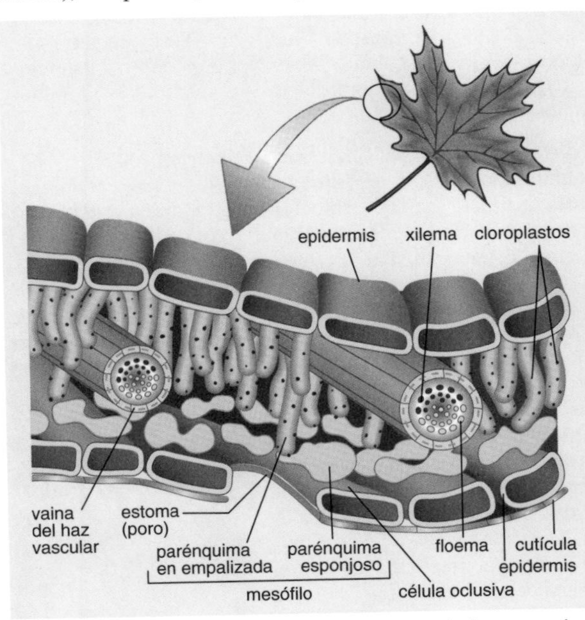

Estructura de una hoja. La epidermis está cubierta a menudo de una cutícula protectora cerosa que impide la pérdida de agua del interior de la hoja. El oxígeno, el dióxido de carbono y el agua entran a la hoja y salen de ella por los poros (estomas) diseminados casi todos en la epidermis inferior. Los tejidos vasculares o conductores se conocen como xilema y floema; el agua y los minerales circulan de las raíces a las hojas por el xilema, y los azúcares elaborados en la fotosíntesis son transportados a otras partes de la planta por el floema. La fotosíntesis ocurre dentro de la capa del mesófilo que contiene cloroplastos.

Hōjō, familia Familia de regentes hereditarios del sogunado de Japón que ejerció el poder real entre 1199 y 1333. Hōjō Tokimasa (n. 1138–m. 1215) se unió a MINAMOTO YORITOMO en su lucha contra TAIRA KIYOMORI, por entonces gobernante de Japón. Juntos alcanzaron la victoria, y Yoritomo se convirtió en el nuevo gobernante de Japón, con el título de SOGÚN. La hija de Tokimasa se casó con Yoritomo y cuando este último murió en 1199, Tokimasa se convirtió en regente del heredero de Yoritomo, quien era su propio nieto. El cargo de regente o sogún se volvió hereditario; su función consistía en supervisar a los policías y recaudadores de impuestos que el sogunado designaba en cada provincia. El sistema funcionó bien durante la primera mitad del s. XIII; comenzó a decaer debido al agotamiento de los recursos que se habían destinado a la defensa de Japón en contra de dos invasiones de los mongoles y a causa de los defectos personales del último regente Hōjō. El régimen llegó a su fin cuando Ashikaga Takauji capturó Kioto en nombre del emperador GO-DAIGO y la familia ASHIKAGA asumió el título de sogún. Ver también período KAMAKURA.

hoka, lenguas Hipotética gran familia de lenguas aborígenes de América del Norte. Abarca varios idiomas y familias de lenguas del oeste de EE.UU. y México. La hipótesis hoka fue propuesta por primera vez por Roland B. Dixon y ALFRED L. KROEBER en 1913 y perfeccionada por EDWARD SAPIR. En forma similar a la denominación de lenguas PENUTIAS, esta hipótesis procuró reducir el número de lenguas no emparentadas en una de las regiones del mundo lingüísticamente más heterogéneas. El núcleo de las lenguas hoka consistía en lenguas originarias de California y el sudoeste, con lenguas periféricas de Sonora y Oaxaca en México. Al comienzo del s. XXI, todas las lenguas hoka se han extinguido o son habladas solamente por adultos mayores, con la excepción de algunas lenguas yuma (habladas en el sur de California, Arizona y Baja California).

Cultivos en Hokkaido, Japón.

Hokkaido, isla *ant.* **Yezo** Isla (pob., est. 2000: 5.683.000 hab.) y provincia del norte de Japón. La más septentrional de las cuatro islas principales de Japón, está circundada por el mar de JAPÓN (mar Oriental), el mar de OJOTSK y el océano PACÍFICO, y tiene una superficie de 77.978 km² (30.107 mi²). Su capital es SAPPORO. La isla es montañosa; entre sus cumbres destaca Asahi-dake (2.290 m [7.513 pies]), también se encuentra el río más largo de Japón, el ISHIKARI. Fue durante mucho tiempo territorio del pueblo aborigen AINU. A partir de 1860, la isla comenzó a atraer la colonización sistemática de los japoneses.

Tiene una variada economía, sustentada en la producción de hierro y acero, además, tiene los yacimientos carboníferos más grandes del país. El túnel Seikan (1988), bajo el estrecho de TSUGARU, une a Hokkaido con la isla HONSHŪ.

Hokusai *orig.* **Katsushika Hokusai** (oct. 1760, Edo, Japón–10 may. 1849, Edo). Pintor, dibujante, grabador e ilustrador japonés. A los 15 años de edad fue aprendiz de un xilógrafo y después, en 1778, alumno del maestro líder de la escuela UKIYO-E, Katsukawa Shunsho. Sus primeras obras publicadas, grabados de actores kabuki, aparecieron al año siguiente. Luego se dedicó a temas históricos y paisajistas y a grabados de niños. Desarrolló un estilo ecléctico y logró éxito con ilustraciones para libros y grabados *surimono* ("cosas grabadas" para ocasiones especiales, como tarjetas o anuncios), libros ilustrados y novelas cortas, libros eróticos y álbumes de grabados, pinturas y dibujos a tinta. Experimentó con la perspectiva y el uso del color al estilo occidental y luego se concentró en temas samurai y chinos. Su serie de grabados *Fugaku samjurokkei* [Treinta y seis vistas del monte Fuji] (1826–33), marcaron el apogeo del grabado de paisaje japonés. En cuanto a grandeza conceptual y destreza en la ejecución hubo muy pocos antes que él que pudieran comparársele y ninguno que lo superara después. Tuvo numerosos seguidores, aunque nadie con su fuerza o versatilidad.

Holanda Región histórica de los Países Bajos que ocupó la parte noroccidental del actual país. Se originó a comienzos del s. XII como feudo del SACRO IMPERIO ROMANO. En 1299 se unificó con HAINAUT. Miembros de la casa de WITTELSBACH fueron condes de Holanda, Zelanda y Hainaut hasta 1433, cuando cedieron sus títulos a FELIPE III (el Bueno), duque de Borgoña. En 1482 pasó a manos de la dinastía HABSBURGO y en 1572 se transformó en el centro de la rebelión contra España. En 1579, Holanda y otras seis provincias septentrionales de los Países Bajos establecieron la Unión de Utrecht, una alianza antiespañola, en 1581 las provincias proclamaron su independencia. En el s. XVIII su capital, AMSTERDAM, se transformó en el centro comercial más importante de Europa. Más tarde, el territorio fue ocupado por el reino napoleónico de Holanda (1806–10). En 1840, la región se dividió en las provincias de Holanda Septentrional y Meridional.

Holanda ver PAÍSES BAJOS

holandés ver NEERLANDÉS

Holandesa, República *ofic.* **República Holandesa de las Provincias Unidas** Antiguo estado (1581–1795) cuya extensión corresponde aproximadamente a la del actual reino de los Países Bajos. Comprendía las siete provincias septentrionales de los Países Bajos que en 1579 formaron la Unión de Utrecht y proclamaron su independencia de España en 1581 (obtenida finalmente en 1648). El control político fluctuó entre la provincia de Holanda y los príncipes de Orange. En el s. XVII la República Holandesa se convirtió en un imperio colonial de dimensiones desproporcionadas en relación a sus recursos, surgiendo como el centro financiero internacional y la capital cultural de Europa. En el s. XVIII, este imperio colonial fue eclipsado por el de Inglaterra. La República Holandesa cayó en 1795 debido al impacto provocado por una revolución democrática interna y la invasión del ejército francés.

holandesas, guerras ver guerras ANGLO-HOLANDESAS

Holbein, Hans, el Joven (1497/98, Augsburgo, obispado de Augsburgo–1543, Londres, Inglaterra). Pintor, dibujante y diseñador alemán, reconocido por la precisa ejecución de sus dibujos y el vivo realismo de sus retratos, particularmente, aquellos que registran la corte de ENRIQUE VIII de Inglaterra. Su padre, Hans Holbein el Viejo, y su tío Sigmund fueron conocidos por sus ejemplos, en cierto modo conservadores, de la pintura gótica tardía alemana. Holbein el Joven, sin duda estudió con su padre en Augsburgo. Se mudó a Basilea c. 1515, ingresó a la corporación de pintores en 1519, y ya realizaba importantes murales en 1521. También diseñó ilustraciones de libros y xilografías para editores, sobresaliendo una serie de más de 40 escenas que ilustran la alegoría medieval de la "danza de la muerte" (1523–26). Sus retratos, incluido el de ERASMO DE ROTTERDAM (1523), muestran riqueza cromática, profundidad psicológica, accesorios detallados y siluetas dramáticas. En 1526 viajó a Inglaterra, donde pintó retratos de mercaderes alemanes y personalidades de la corte. En 1536 ya estaba al servicio de Enrique VIII. Durante sus últimos diez años pintó unos 150 retratos, a tamaño natural y en miniatura, de la realeza y nobleza. También diseñó trajes para la corte y túnicas de Estado para el soberano. Es uno de los grandes retratistas de todos los tiempos.

"Ana de Clèves", retrato de Hans Holbein el Joven, 1539; Museo del Louvre, París.

Holberg, Ludvig, barón (3 dic. 1684, Bergen, Noruega–28 ene. 1754, Copenhague, Dinamarca). Literato danés-escandinavo. Educado en Dinamarca e Inglaterra, viajó por varios países de Europa antes de ser académico de la Universidad de Copenhague. Desde allí sentó las bases del teatro escandinavo, y creó una clase nueva de literatura humorística. Su epopeya tragicómica *Peder Paars* (1719), parodia de la *Eneida* de VIRGILIO, es el primer clásico en lengua danesa. Le siguieron en rápida sucesión una serie de comedias, varias de las cuales aún se representan en los escenarios escandinavos. Entre ellas cabe señalar *El politicastro* (1723), *El cabeza de chorlito* (1723), *Jean de France* (1723), *Jeppe de la montaña* (1723), *El melindroso* (1731) y *Erasmus Montanus* (1731). Eminente figura literaria de la ILUSTRACIÓN, tanto Noruega como Dinamarca lo reclaman como el fundador de sus respectivas literaturas nacionales.

Hölderlin, (Johann Christian) Friedrich (20 mar. 1770, Lauffen am Neckar, Württemberg–7 jun. 1843, Tubinga). Poeta alemán. Estudió teología y pudo ordenarse clérigo, pero se sintió más inclinado por la mitología GRIEGA que por el dogma cristiano. En 1793 pasó a ser un protegido de FRIEDRICH SCHILLER, quien lo ayudó a publicar sus primeros poemas. Su obra –ya se trate de su única novela, *Hiperión* (1797–99), de la tragedia inconclusa *La muerte de Empédocles*, o de sus odas, elegías y traducciones de poesía– es siempre apasionada y de gran intensidad expresiva. Hölderlin naturalizó las formas del verso clásico griego, volcándolo al alemán en verso libre, al tiempo que lamentaba la pérdida de un idealizado mundo clásico griego. Su comportamiento se volvió errático, y en 1805 sucumbió de forma irreparable a la esquizofrenia; los últimos 36 años de su vida los pasó sumido en la locura en la residencia de un ebanista que lo tenía bajo su cuidado. Apenas reconocido en vida, cayó en el olvido hasta el s. XX, cuando se le consideró uno de los más grandes poetas líricos alemanes.

Friedrich Hölderlin, retrato a pastel de Franz Karl Hiemer, 1792; Schiller-Nationalmuseum, Marbach, Alemania.

Holi Festividad hindú de la primavera. Se celebra en el plenilunio de Phalguna (feb.–mar.) y se exalta el desenfreno. Se hace caso omiso de todas las diferencias de CASTA, edad, sexo y estatus. Los participantes se arrojan polvos de colores y las celebraciones callejeras son ruidosas y tumultuosas. La festividad está vinculada especialmente con el culto de KRISHNA y se considera una imitación de sus juegos con las esposas e hijas de los pastores de ganado.

Celebración de la primavera por Krishna y Radha, miniatura del s. XVIII; Musée Guimet, París (MS 1832).

GENTILEZA DEL MUSÉE GUIMET, PARÍS; FOTOGRAFÍA, LAVAUD

Holiday, Billie *orig.* **Eleanora Fagan** (7 abr. 1915, Baltimore, Md., EE.UU.–17 jul. 1959, Nueva York, N.Y.). Cantante de jazz estadounidense. Fue "descubierta" en 1933 mientras cantaba en un club nocturno de Harlem. De las grabaciones con BENNY GOODMAN y DUKE ELLINGTON pasó a grabar una serie de discos sobresalientes con conjuntos menores (1935–42) y músicos destacados, como LESTER YOUNG (quien la apodó Lady Day) y TEDDY WILSON. Sus actuaciones con las grandes orquestas de COUNT BASIE (1937) y ARTIE SHAW (1938) terminaron por consagrarla ante el público; por el resto de su vida se mantuvo como una de las cantantes de jazz más conocidas. Entre las canciones que la identifican destacan "Strange Fruit" y "God Bless the Child". Las crisis personales, la drogadicción y el alcoholismo malograron su carrera y en 1947 fue encarcelada por tenencia de drogas. Su voz podía revelar tanto una expresividad dulce y a menudo sensual, así como una inquietante amargura al servicio del texto de una canción; su clara proyección de la emoción representa un hito de la expresión personal.

Billie Holiday.

REIMPRESIÓN CON AUTORIZACIÓN DE LA REVISTA *DOWN BEAT*

Holinshed, Raphael (m. circa 1580). Cronista inglés. Desde c. 1560 vivió en Londres, donde Reginald Wolfe, que preparaba una historia universal, lo contrató como traductor. Se lo recuerda como autor de las *Crónicas de Inglaterra, Escocia e Irlanda* (1577), historia abreviada que publicó después de la muerte de Wolfe. La obra –una compilación indiscriminada de muchas fuentes con diversos grados de credibilidad– gozó de gran popularidad en su época y fue utilizada por los dramaturgos isabelinos, en especial por WILLIAM SHAKESPEARE, quien recurrió a la segunda edición (1587) para documentarse antes de escribir *Macbeth, El rey Lear, Cimbelino* y muchas otras de sus piezas teatrales históricas.

holismo En la filosofía de las ciencias sociales, concepción que niega que todos los acontecimientos y condiciones sociales a gran escala puedan explicarse, en última instancia, en términos de los individuos que participan en ellos, antepone en sus principios el todo a las partes. El holismo metodológico sostiene que al menos algunos fenómenos sociales deben estudiarse en su propio nivel autónomo y macroscópico de análisis, y que algunas "totalidades" sociales no son reducibles al comportamiento de los individuos o íntegramente explicables en esos términos (ver EMERGENCIA). El holismo semántico niega el postulado de que todos los enunciados significativos sobre fenómenos sociales a gran escala (p. ej., "La revolución industrial dio como resultado la urbanización") puedan traducirse sin residuo en enunciados sobre las acciones, actitudes, relaciones y circunstancias de los individuos.

Holland, Brian y Eddie *orig.* **Edward Holland** (n. 15 feb. 1941, Detroit, Mich., EE.UU.) (n. 30 oct. 1939, Detroit, Mich., EE.UU.). Productores y letristas estadounidenses. En 1962 ambos hermanos formaron un equipo con Lamont Dozier (n. 1941), el que después creó una serie de éxitos para casi todos los artistas del sello discográfico MOTOWN y ayudó así a definir su sonido característico, mezclando elementos de la música GOSPEL y del RHYTHM AND BLUES con arreglos acabados. Entre sus canciones figuran "Baby Love", "Stop! In the Name of Love" (dos de los siete éxitos que escribieron para The SUPREMES), "Heat Wave", "Baby, I Need Your Loving" y decenas de otros éxitos para artistas como MARVIN GAYE y The Temptations.

Holland (de Foxley y de Holanda), Henry Richard Vassall Fox, 3er barón (21 nov. 1773, Winterslow, Wiltshire, Inglaterra–22 oct. 1840, Londres). Político británico WHIG. Fue sobrino y discípulo de CHARLES JAMES FOX, cuyas ideas defendió en la Cámara de los Lores. Como lord del sello privado (1806–07) en la coalición de GEORGE GRENVILLE, contribuyó a lograr la abolición del comercio de esclavos en las colonias británicas. Más tarde fue canciller del ducado de Lancaster (1830–34, 1835–40).

Hollerith, Herman (29 feb. 1860, Buffalo, N.Y., EE.UU.–17 nov. 1929, Washington, D.C.). Inventor estadounidense. Asistió a la School of Mines de la Universidad de Columbia y posteriormente fue asesor para el censo de EE.UU. de 1880. Para el siguiente censo (1890), inventó una máquina para registrar estadísticas, que leía y ordenaba eléctricamente tarjetas perforadas, de modo que los resultados del censo fueron obtenidos en un tercio del tiempo requerido en 1880. En 1896 fundó la Tabulating Machine Co., que más tarde se convirtió en la IBM CORP. Los dispositivos de lectura y perforación electromecánicos de Hollerith fueron los precursores de las unidades de entrada/salida de las computadoras posteriores.

Holley, Robert William (28 ene. 1922, Urbana, Ill., EE.UU.–11 feb. 1993, Los Gatos, Cal.). Bioquímico estadounidense. Obtuvo un Ph.D. en la Universidad Cornell. Holley y otros demostraron que el ARN de transferencia participaba en el ensamblado de aminoácidos para formar proteínas. Fue el primero en determinar la secuencia de nucleótidos en un ácido NUCLEICO, proceso que precisaba digerir la molécula con enzimas, identificar los fragmentos resultantes y luego deducir cómo encajaban entre sí. A partir de entonces se ha demostrado que todos los ARN de transferencia tienen una estructura similar. En 1968 compartió el Premio Nobel con MARSHALL WARREN NIRENBERG y HAR GOBIND KHORANA.

Holly, Buddy *orig.* **Charles Hardin Holley** (7 sep. 1936, Lubbock, Texas, EE.UU.–3 feb. 1959, cerca de Clear Lake, Iowa). Cantautor estadounidense. Mientras cursaba la secundaria ya tocaba en grupos de música *country*. Después de volverse hacia el rock and roll (ver ROCK), Holly y su banda, The Crickets, triunfaron en 1957 con canciones como "That'll Be the Day", "Peggy Sue" y "Oh, Boy!". Holly murió a los 22 años en un accidente de aviación, junto con los cantantes Richie Valens (n. 1941) y The Big Bopper (Jape Richardson, n. 1930). Dejó varias grabaciones que fueron lanzadas póstumamente, consiguiendo en breve tiempo una estatura legendaria. Formó parte del primer grupo instituido en el Salón de la Fama del rock and roll.

Hollywood Ciudad (pob., 2000: 139.357 hab.) en el sudeste del estado de Florida, EE.UU. Se ubica en la costa atlántica. El lugar era una selva de palmitos cuando el urbanista Joseph W. Young diseñó la ciudad en 1921. En la actualidad es principalmente una ciudad residencial y centro vacacional, con algunas actividades económicas diversificadas. A poca distancia se encuentra Port Everglades (instalación portuaria y de almacenamiento) y una reserva de indios SEMINOLA.

Hollywood Distrito de la ciudad de LOS ÁNGELES en el estado de California, EE.UU. Su nombre es sinónimo de industria cinematográfica estadounidense. En 1887, Horace Wilcox, un prohibicionista que previó una comunidad basada en sus principios religiosos, planificó el lugar como una parcelación. Se fusionó con Los Ángeles en 1910, y en 1915 se convirtió en el centro de la industria cinematográfica. En la década de 1960 también se originó allí gran parte de la programación de las cadenas televisivas de EE.UU.

Hollywood, Diez de Grupo de productores, directores y guionistas cinematográficos estadounidenses, quienes en 1947 se negaron a responder las preguntas relacionadas con su afiliación comunista ante el COMITÉ DE ACTIVIDADES ANTINORTEAMERICANAS. A los diez: Alvah Bessie, Herbert Biberman, Lester Cole, Edward Dmytryk, Ring Lardner, Jr., John Howard Lawson, Albert Maltz, Samuel Ornitz, Adrian Scott y Dalton Trumbo, se les acusó de desacato al congreso y se les condenó a penas que iban desde seis meses hasta un año de cárcel. Una vez en libertad, por estar en la lista negra, no pudieron encontrar trabajo en Hollywood, aunque algunos de ellos escribieron guiones con seudónimos. Al iniciarse la década de 1960, la lista negra desapareció paulatinamente.

Hanya Holm, 1929.
GENTILEZA DE LA DANCE COLLECTION, BIBLIOTECA PÚBLICA DE NUEVA YORK DEL LINCOLN CENTER, HANYA HOLM COLLECTION

Holm, Hanya *orig.* **Johanna Eckert** (3 mar. 1893, Wormsam-Rhein, Alemania–3 nov. 1992, Nueva York, N.Y., EE.UU.). Coreógrafa estadounidense de danzamoderna y de musicales de Broadway de origen alemán. Después de formarse en Alemania, trabajó como bailarina, profesora, y más tarde fue codirectora de la Escuela Mary Wigman con sede en Dresde. En 1931 creó una escuela Wigman en Nueva York, que en 1936 se transformó en el Hanya Holm Studio. Además de las obras para su propia compañía, compuso la coreografía de musicales como *Mi bella dama* (1956) y *Camelot* (1960). Estimuló el uso de la NOTACIÓN COREOGRÁFICA y su coreografía para *Kiss Me, Kate* (1948) fue la primera en inscribirse en el registro de propiedad artística.

Holmes, Larry (n. 3 nov. 1949, Cuthbert, Ga., EE.UU.). Boxeador estadounidense, campeón mundial de peso pesado. Antes de hacerse profesional, ganó 19 de sus 23 combates como aficionado. En 1973–78 triunfó en 28 peleas consecutivas, racha que culminó con una victoria sobre el poseedor del título, Ken Norton. En 1978–83 defendió 17 veces el título, una de ellas (1980) contra MUHAMMAD ALÍ. Perdió la corona frente a Michael Spinks, en 1985. Sólo JOE LOUIS retuvo el título de los pesados más tiempo que Holmes.

Combate entre Larry Holmes (izquierda) y Michael Spinks (derecha) en la categoría de peso pesado, 1986.
FOTOBANCO

Holmes, Oliver Wendell (29 ago. 1809, Cambridge, Mass., EE.UU.–7 oct. 1894, Cambridge). Médico, poeta y humorista estadounidense. Ingresó como docente a la Universidad de Harvard en 1847 y llegó a ser decano de la facultad de medicina. Se hizo famoso en todo el país por su poema *Old Ironsides* [Viejo acorazado] (1830). A partir de 1857 publicó mensualmente sus ensayos "al desayuno" en la revista *The Atlantic Monthly*, recopilados posteriormente en *The Autocrat of the Breakfast-Table* [El autócrata al desayuno] (1858) y *The Professor at the Breakfast-Table* [El profesor al desayuno] (1860). También compuso el poema *The Chambered Nautilus* [El caracol en su concha] y la novela *Elsie Venner* (1861). Fue padre del juez de la Corte Suprema estadounidense OLIVER WENDELL HOLMES, JR.

Holmes, Oliver Wendell, Jr. (8 mar. 1841, Boston, Mass., EE.UU.–6 mar. 1935, Washington, D.C.). Jurista, historiador jurídico legal y filósofo estadounidense. Fue hijo de OLIVER WENDELL HOLMES y Amelia Lee Jackson, hija de un juez de la Corte Suprema de Massachusetts. Como oficial fue gravemente herido en tres ocasiones durante la guerra de Secesión. Ejerció la profesión de abogado en Boston desde 1867, se desempeñó posteriormente como juez asociado (1882–99) y luego como presidente (1899–1902) de la Corte Suprema del estado de Massachusetts. En *The Common Law* [El derecho consuetudinario] (1881), adelantó su concepto del derecho como experiencia acumulada más que como ciencia. Designado para ocupar un puesto en la Corte Suprema de los ESTADOS UNIDOS DE AMÉRICA por el pdte. THEODORE ROOSEVELT en 1902, Holmes abogó por la moderación de la judicatura, sosteniendo que la elaboración de leyes era una cuestión de competencia de los órganos legislativos más que de los tribunales. En el caso Schenk v. U.S. (1919), planteó la prueba del "peligro claro y actual" para las restricciones propuestas a la LIBERTAD DE EXPRESIÓN. Muchas de sus opiniones, vigorosas y lúcidas, como aquellas expresadas en votos de minoría (fue conocido como "el gran disidente"), se convirtieron en interpretaciones clásicas de la ley, por lo que es considerado uno de los más insignes juristas de los tiempos modernos. Se desempeñó en la corte hasta 1932.

holocausto *hebreo* **sho'ah** Exterminio sistemático de hombres, mujeres y niños judíos, y de otros grupos, promovido y ejecutado por el Estado alemán nazi y sus colaboradores durante la segunda guerra mundial. Los nazis no ocultaron su ANTISEMITISMO antes de llegar al poder en 1933. Una vez que lograron controlar el gobierno, su aversión por los judíos, a quienes consideraban subhumanos, los llevó a adoptar métodos cada vez más bárbaros en los crecientes territorios bajo dominio alemán. El holocausto alcanzó su clímax con la "solución final", intento de exterminio de los judíos europeos. La persecución emprendida por ADOLF HITLER en contra de los judíos en Alemania comenzó poco después de que asumió como canciller. Inicialmente, los nazis llamaron a boicotear los negocios de judíos y estos fueron despedidos de la administración pública. Bajo las leyes de NUREMBERG (1935), los judíos perdieron su ciudadanía. Casi todas las sinagogas de Alemania fueron destruidas en la matanza de la NOCHE DE LOS CRISTALES ROTOS en 1938 y a partir de entonces los judíos fueron encarcelados en CAMPOS DE CONCENTRACIÓN o forzados a vivir en guetos. Las victorias alemanas en los primeros años de la segunda GUERRA MUNDIAL (1939–45) dejaron a la mayoría de los judíos europeos bajo el control de los nazis y sus satélites. A medida que los ejércitos alemanes avanzaban hacia el este e invadían Polonia, los Balcanes y la Unión Soviética, unidades especiales móviles de exterminio, las *Einsatzgruppen*, acorralaban y mataban a judíos, gitanos y muchos eslavos no judíos;

otros grupos perseguidos por los nazis fueron los homosexuales, los retardados mentales y las personas con discapacidad física y problemas psicológicos. Después de la conferencia de WANNSEE (1942), los judíos de toda la Europa ocupada fueron sistemáticamente evacuados a campos de concentración y exterminio, en donde fueron asesinados u obligados a realizar trabajos forzados. Surgieron movimientos clandestinos de resistencia en varios países y hubo rebeliones judías, a pesar de tener todo en contra, en los guetos de Polonia (ver levantamiento del gueto de VARSOVIA). Gracias a los esfuerzos de personas como RAOUL WALLENBERG se salvaron miles de vidas; materia de larga controversia fue el tema de si los gobiernos aliados y el Vaticano pudieron haber intercedido más para ayudar a los judíos. Cuando terminó la guerra, alrededor de seis millones de judíos y millones de personas de otros grupos habían sido asesinados por la Alemania nazi y sus colaboradores.

Holocausto, Memoria del Conmemoración internacional de los millones de víctimas de las políticas de exterminio de la Alemania nazi. La conmemoración, que se observa en diversos países en diferentes días, recuerda a menudo los esfuerzos de resistencia de las víctimas y se concentra en los intentos contemporáneos para combatir el odio y el antisemitismo. A contar de 1951, los judíos han observado el Día de conmemoración del holocausto el 27 de Nisan, poco después de la Pascua, en el calendario judío. El Parlamento israelí declaró ese día Yom Hashoah ve Hagevurah (Día de conmemoración del holocausto y del heroísmo), que resalta no sólo la destrucción sino también la resistencia.

Memorial de las víctimas del holocausto en Buchenwald, Alemania.
FOTOBANCO

holoceno *ant.* **época reciente** La época geológica más reciente de las dos épocas que constituyen el período CUATERNARIO, se inició tras la última glaciación del PLEISTOCENO; abarca desde hace 10.000 años hasta el presente. Se caracteriza por condiciones climáticas relativamente cálidas. Durante esta época los seres humanos perfeccionaron las destrezas que los llevaron al nivel actual de la civilización.

holografía Método para registrar o reproducir una imagen tridimensional u holograma, mediante una estructura o reticulado de interferencias, usando un haz de luz LÁSER. Para crear un holograma, un haz de luz coherente (láser) se divide; la mitad del haz incide en un medio de registro virgen (como una placa fotográfica) y la otra mitad es reflejada primero por el objeto del que se quiere registrar la imagen holográfica. La incidencia conjunta de los dos haces produce en la placa una estructura de INTERFERENCIA que es un patrón de franjas y vórtices. Una vez revelada, la placa constituye el holograma. Cuando se hace incidir luz en el holograma se produce una imagen tridimensional del objeto original por la estructura de interferencia. Algunos hologramas requieren de luz láser para reproducir la imagen; otros, pueden ser vistos bajo la luz blanca ordinaria. La holografía fue inventada en 1947 por el físico húngaro-británico Dennis Gabor (n. 1900–m. 1979), quien obtuvo el Premio Nobel en 1971 por su invento.

Holst, Gustav(us Theodore von) (21 sep. 1874, Cheltenham, Gloucestershire, Inglaterra–25 may. 1934, Londres). Compositor británico. Hijo de un organista, estudió en el Royal College of Music. Ahí conoció a RALPH VAUGHAN WILLIAMS, quien se convirtió en su amigo de toda la vida. Empezó a ganarse la vida tocando el trombón y luego como profesor. Siempre enfermizo, después de un colapso en 1923 dejó la docencia para dedicarse definitivamente a la composición. Su pieza más popular es la brillante suite para orquesta *Los planetas* (1916); otras obras son *St. Paul's Suite* para cuerdas (1913), *Hymn of Jesus* (1917) y *Fantasía* (1930).

Holstein Raza lechera de GANADO BOVINO de talla grande, originaria del norte de Holanda y de Frisia. Sus características principales son su gran tamaño y su piel con manchas blanquinegras de borde definidos. Seleccionada probablemente hace 2.000 años por sus cualidades lecheras, la raza Holstein existe desde tiempos remotos, distribuida por las tierras bajas fértiles de Europa continental. En EE.UU., supera en número a todas las otras razas lecheras y produce el 90% del suministro. Su leche tiene un contenido relativamente bajo de materia grasa.

Vaca lechera Holstein, raza de gran talla y de piel manchada.
FOTOBANCO

Holstein ver SCHLESWIG-HOLSTEIN

Holstein, Friedrich (August) von (24 abr. 1837, Schwedt an der Oder, Pomerania–8 may. 1909, Berlín, Alemania). Diplomático alemán. Funcionario del ministerio de relaciones exteriores de Alemania desde 1876; nunca fue ministro de la cartera, pero ejerció el poder entre bambalinas y se ganó el apodo de "Eminencia gris". Rompió con OTTO VON BISMARCK por alinearse con Rusia, mientras que él defendía una firme alianza con Austria y Gran Bretaña. Después de la destitución de Bismarck en 1890, aconsejó no renovar el tratado de REASEGURO. Ocupó importantes cargos bajo los cancilleres Leo, conde von CAPRIVI; Chlodwig, príncipe de HOHENLOHE-SCHILLINGSFÜRST y Bernhard, príncipe von BÜLOW, pero no pudo oponerse a las políticas del emperador GUILLERMO II; fue destituido en 1906.

Holy Cross, College of the Institución de educación superior con sede en Worcester, Mass., EE.UU. Se encuentra afiliada a la orden JESUITA y fue fundada en 1843 como un *college* (colegio universitario) para varones. En 1972, las mujeres fueron admitidas por primera vez. Ofrece un programa tradicional de artes liberales, al igual que programas de posgrado, en cooperación con otras universidades, en ingeniería y administración de empresas. Entre sus ex alumnos más destacados se cuentan el basquetbolista Bob Cousy y el cirujano Joseph E. Murray, este último coganador del Premio Nobel de Fisiología y Medicina en 1990.

Holyfield, Evander (n. 19 oct. 1962, Atmore, Ala., EE.UU.). Boxeador estadounidense. Es el único que ha conseguido ganar el título de los pesos pesados en cuatro ocasiones (MUHAMMAD ALÍ lo hizo tres veces). Holyfield conquistó su primera corona en 1990, cuando logró el título unificado al derrotar a James "Buster" Douglas. Perdió la corona en 1992 contra Riddick Bowe, la recuperó el año siguiente, y la perdió una vez más en 1994 frente a Michael Moorer. Cuando peleó con MIKE TYSON, en 1996, recuperó sólo el título de la Asociación Mundial de Boxeo (AMB), una de las cuatro federaciones que otorga títulos mundiales. En 1997 derrotó a Moorer, y conquistó la corona de la Federación Internacional de Boxeo (FIB). En 1997, en la defensa del título contra Tyson, este fue descalificado por morderle una oreja a Holyfield. En 1999 perdió sus títulos AMB y FIB, ante el campeón del Consejo Mundial de Boxeo (CMB), LENNOX LEWIS, pero este fue después despojado del cinturón de la AMB, y cuando Holyfield venció a John Ruiz en 2000 en el combate por la corona vacante de la AMB, se convirtió en el primer hombre en ganar el título de la categoría de peso pesado en cuatro ocasiones distintas.

Holzer, Jenny (n. 29 jul. 1950, Gallipolis, Ohio, EE.UU.). Artista conceptual estadounidense. Estudió en la Universidad Duke, en la Universidad de Chicago y en la Rhode Island School of Design. A fines de la década de 1970 se dedicó al ARTE CONCEPTUAL y participó con artistas conocidos por su "arte de palabras", es decir, por la presentación de palabras y textos en lugar de imágenes visuales. A fines de la década de 1970 comenzó a presentar sus "truisms", ("verismos"), que eran consignas o declaraciones confrontacionales cortas, que solían contener crítica política o social, las que imprimía en carteles y volantes que pegaba en todo Manhattan. En las décadas de 1980–90 presentó sus imágenes en LED (diodos emisores de luz), que es el medio con el que más se la asocia, en espacios como Times Square. Al igual que la mayor parte de su obra, sus trabajos tenían la intención de confrontar a los espectadores y provocar debate o discusión.

hombre de Java ver hombre de JAVA

hombre de Pekín ver ZHOUKOUDIAN

hombre de Similaun ver hombre de SIMILAUN

Hombre elefante *orig.* **Joseph (Carey) Merrick** (5 ago. 1862, Leicester, Leicestershire, Inglaterra–11 abr. 1890, Londres). Hombre de nacionalidad inglesa, desfigurado por una enfermedad que le producía tumores en la piel y las superficies óseas. Su cabeza medía 90 cm (3 pies) de circunferencia, con grandes bolsas de piel que colgaban de ella. Su maxilar era tan deforme que le impedía hablar con claridad. Uno de sus brazos terminaba en una muñeca de 30 cm (12 pulg.) de diámetro, con una mano que parecía aleta. Sus piernas tenían deformidades similares y los defectos en sus caderas le causaban cojera. Escapó de un asilo a los 21 años de edad para incorporarse a un espectáculo de fenómenos, donde fue descubierto por el médico londinense Frederick Treves, quien lo ingresó al Hospital de Londres. Murió durante el sueño, sofocado de manera accidental, a la edad de 27 años. Su enfermedad era probablemente el rarísimo síndrome de Proteo. Una exitosa obra de teatro y una película se basaron en la vida de Merrick.

hombre lobo En el folclore europeo, un hombre que de noche se transforma en lobo y devora animales, personas o cadáveres, y retoma en el día su apariencia humana. Se dice que algunos hombres lobos cambian de forma a voluntad; otros, que heredan la facultad o la adquieren al ser mordidos por un hombre lobo, se transforman involuntariamente bajo la influencia de la luna llena. La creencia en ellos es universal y fue en especial común en la Francia del s. XVI. Las personas que creen ser lobos sufren de un trastorno mental llamado licantropía.

Lon Chaney, Jr., interpretando a un licántropo en *El hombre lobo* (1941).

GENTILEZA DE UNIVERSAL PICTURES; FOTOGRAFÍA, LINCOLN CENTER LIBRARY OF THE PERFORMING ARTS, BIBLIOTECA PÚBLICA DE NUEVA YORK.

Home Rule ver GOBIERNO AUTÓNOMO DE IRLANDA

homeopatía Sistema TERAPÉUTICO fundado en 1796 por SAMUEL HAHNEMANN, basado en el principio de que "lo parecido cura lo parecido". Es decir, que el paciente se trata con las sustancias que en una persona sana producirían los síntomas que sufre el paciente. Hahnemann manifestó además que la potencia de un agente curativo aumenta a medida que la sustancia se diluye. Cuando se introdujo, la homeopatía fue bienvenida, pues constituía una alternativa moderada frente a terapias toscas como las sangrías, pero ha sido criticada por enfocarse en los síntomas más que en las causas. Ha experimentado un resurgimiento con el auge de la MEDICINA ALTERNATIVA.

homeostasis Proceso autorregulable por el cual los sistemas biológicos o mecánicos mantienen su estabilidad mientras se ajustan a condiciones cambiantes. Los sistemas en EQUILIBRIO dinámico alcanzan un balance en el cual ocurren continuamente cambios internos que compensan los externos, en un proceso controlado por retroalimentación, para mantener sus condiciones relativamente uniformes. Un ejemplo es el de la regulación de la temperatura en forma mecánica por medio de un TERMOSTATO en una habitación, o biológicamente, en el cuerpo, mediante un sistema complejo controlado por el HIPOTÁLAMO, que ajusta la frecuencia respiratoria y los índices metabólicos, la dilatación de los vasos sanguíneos y la concentración de glucosa en la sangre, en respuesta a cambios inducidos por factores como la temperatura ambiente, las hormonas y las enfermedades.

Homer, Winslow (24 feb. 1836, Boston, Mass., EE.UU.–29 sep. 1910, Prouts Neck, Maine). Pintor estadounidense. Fue aprendiz de un litógrafo de Boston, y luego ilustrador a tiempo parcial en Nueva York. Expuso en la Academia Nacional de Diseño, en 1860, de la que fue nombrado miembro en 1865. Durante una estadía en Francia en 1866, se sintió atraído por el naturalismo francés y los grabados japoneses, pero tuvieron poco efecto sobre su obra, generalmente vívida y alegre. Se convirtió en un maestro de la acuarela, y maduró su habilidad como pintor al óleo. Se concentró cada vez más en las figuras solitarias y retraídas. Pasó 1881–82 en la villa inglesa de Tynemouth, en el mar del Norte, cuya atmósfera costera, el mar y la gente estoica fueron los temas de algunas de sus imágenes más poderosas. En 1883 se mudó en forma definitiva a Prouts Neck, y su tema principal fue el mar y la eterna lucha contra una naturaleza implacable. En sus años últimos siguió pintando vigorosamente en un aislamiento casi absoluto. Aunque fue reconocido durante su vida como un pintor estadounidense sobresaliente, la valoración de sus enormes logros llegó solo después de su muerte.

Busto de Homero.

FOTOBANCO

Homero (c. siglo IX o VIII AC, ¿Jonia?). Poeta griego, uno de los escritores más grandes e influyentes de todos los tiempos. Aunque se desconoce gran parte de su vida, la tradición sostiene que era ciego. Los antiguos griegos le atribuyeron los admirables poemas épicos la *Ilíada* y la *Odisea*. Hoy los estudiosos suelen concordar en que Homero compuso la *Ilíada* (aunque es muy poco probable que la haya escrito, literalmente), seguramente a base de la tradición oral, y a lo menos inspiró la composición de la *Odisea*. La primera de estas epopeyas relata la ira de AQUILES durante la guerra de TROYA. La *Odisea* es la historia del viaje de regreso a casa del héroe guerrero ODISEO. Estos dos poemas son los pilares de la cultura y educación griegas de la era clásica, y perduran como obras fundamentales de la tradición occidental.

homicidio Acto por el cual una persona le quita la vida a otra. Homicidio es el término genérico: comprende el asesinato, el cuasidelito de homicidio (a veces conocido como homicidio culposo), y otras muertes de carácter delictivo y no delictivo. El asesinato es un delito que consiste en quitar la vida a alguien en forma injustificada e intencional. En EE.UU., el llamado asesinato en primer grado es el homicidio perpetrado con premeditación y alevosía o durante la comisión de un delito grave (p. ej., RAPTO) que se castiga con pena de muerte o cadena perpetua. El asesinato en segundo y tercer grados involucran un grado menor de intencionalidad. Por lo general, el homicidio culposo se divide en deliberado (o de primer grado) e involuntario (de segundo y tercer grados). El primer tipo comprende cualquier homicidio resultante de un acto intencional, realizado sin premeditación ni alevosía, consecuencia de una alteración emocional o de una provocación repentina. El segundo tipo ha sido definido de diversas maneras en los distintos sistemas, pero con frecuencia incluye elementos de imprudencia o negligencia. Los homicidios no deliberados comprenden el homicidio cometido en defensa propia o de otras personas y el homicidio que es consecuencia de accidentes causados por personas que están realizando actos legítimos. Ver también DELITO Y FALTA; LEGÍTIMA DEFENSA.

homínido Miembro de la familia Hominidae (orden Primates), de la cual sólo existe una especie en la actualidad, el *Homo sapiens*, o ser humano. Hay restos fósiles que indican la existencia de especies extintas de esta familia, algunas de las cuales actualmente son bastante conocidas: el *Homo habilis*, el *Homo erectus*, el *Ardipithecus ramidus* y varias especies de *Australopithecus*. Hoy, la familia más estrechamente relacionada con los homínidos es la Pongidae, o simios antropoides, entre los que figuran el GORILA, el CHIMPANCÉ y el ORANGUTÁN. Se cree que estos simios se separaron de una línea ancestral común hace unos 11 a 5 millones de años. Las características físicas que distinguen a los homínidos de los póngidos son la postura erguida, el bipedismo, el cráneo globoso con una capacidad craneana mayor, dientes pequeños (entre ellos caninos no especializados) y rasgos de conducta, como la comunicación por medio del lenguaje.

Homo Género de la familia Hominidae de PRIMATES caracterizado por un cráneo relativamente grande, extremidades adaptadas a la posición erecta y a la marcha bípeda, dedo pulgar bien desarrollado y totalmente oponible, mano apta para la motricidad gruesa y fina, y la capacidad para fabricar herramientas de precisión. El género incluye a los seres humanos modernos (*Homo sapiens*), a las especies extintas *Homo habilis* y *Homo erectus* y a las formas extintas de *Homo sapiens* llamadas NEANDERTHAL y CROMAGNON.

Homo erectus (latín: "hombre erecto"). Especie extinta de los primeros HOMÍNIDOS que, según lo que se cree, es antecesor directo del *Homo sapiens* moderno. El *H. erectus*, que vivió hace 1.600.000 a 250.000 años, se desplazó desde África (donde se originó la especie) hasta Asia y partes de Europa. La mayoría de las diferencias anatómicas entre el *H. erectus* y el *H. sapiens* se relacionan con el cráneo y la dentadura; el *H. erectus* presenta una cavidad craneana achatada y gruesa (800–1.100 cc), con arcos superciliares prominentes, nariz, paladar y mandíbula anchos, además de dientes de gran tamaño, que son, sin embargo, de tipo homínido y no simiesco. Los huesos de las extremidades son similares a los del *H. sapiens*, lo que indica que el *H. erectus* era de estatura mediana y caminaba erguido. La especie se asocia a la tradición de la industria ACHELENSE, y corresponde al primer homínido que dominó el fuego y habitó en cuevas. Ver también EVOLUCIÓN HUMANA; hombre de JAVA; ZHOUKOUDIAN.

Homo habilis (latín: "hombre hábil"). Especie extinta de los primeros HOMÍNIDOS, que habitó algunas partes del África subsahariana hace 2,5–1,5 millones de años. En general se considera que corresponde al miembro más antiguo del género *Homo*. Los primeros restos de *H. habilis* se descubrieron en 1959–60 en la garganta de OLDUVAI, norte de Tanzania; desde entonces se han encontrado otros restos en la región del lago TURKANA, norte de Kenia y, posiblemente, también en STERKFONTEIN, Sudáfrica. La capacidad craneana del *H. habilis* oscilaba entre los 600 y 800 cc. Los huesos de las extremidades indican que esta especie era bípeda y caminaba con eficiencia; un fósil de la mano muestra que era capaz de manipular objetos con precisión. Los instrumentos primitivos encontrados junto a los restos del *H. habilis* proporcionan indicios de que podía trabajar la piedra. Ver también EVOLUCIÓN HUMANA; industria de OLDUVAI.

Homo sapiens (latín: "hombre sabio"). Género y especie a que pertenecen todos los seres humanos modernos (*Homo sapiens sapiens*). Los restos fósiles más antiguos conocidos datan de c. 120.000 años atrás, o de mucho antes (c. 400.000 años) si se consideran los indicios de ciertas variedades "arcaicas". El *H. sapiens* se distingue de las especies anteriores de HOMÍNIDOS por características y hábitos como la postura erguida y el bipedismo; por una capacidad craneana media de 1.350 cc aprox.,frente alta, dentadura y mandíbula pequeñas, el mentón definido, la fabricación y uso de instrumentos, y la capacidad de utilizar SÍMBOLOS. La mayoría de los especialistas opinan que los seres humanos modernos se desarrollaron en África c. 150.000 años atrás y se dispersaron hacia el Medio Oriente c. 100.000 años y a otras zonas de Eurasia c. 40.000–50.000 años atrás (tesis conocida como modelo del "origen único"). Algunos consideran que esta dispersión ocurrió en épocas aún más recientes (c. 50.000–65.000 años). Otros sostienen que los seres humanos modernos se desarrollaron a partir de poblaciones de *H. sapiens* arcaicos establecidos en regiones diferentes de Eurasia desde c. 250.000 años atrás (modelo de "continuidad regional"). De acuerdo al primer modelo, las diferencias genéticas entre los pueblos del mundo no son muy antiguas; según el segundo modelo, son de mayor antigüedad. Sea como fuere, c. 11.000 AC el *H. sapiens sapiens* había poblado prácticamente todo el planeta. Ver también CROMAGNON; CULTURA; EVOLUCIÓN HUMANA; NEANDERTAL.

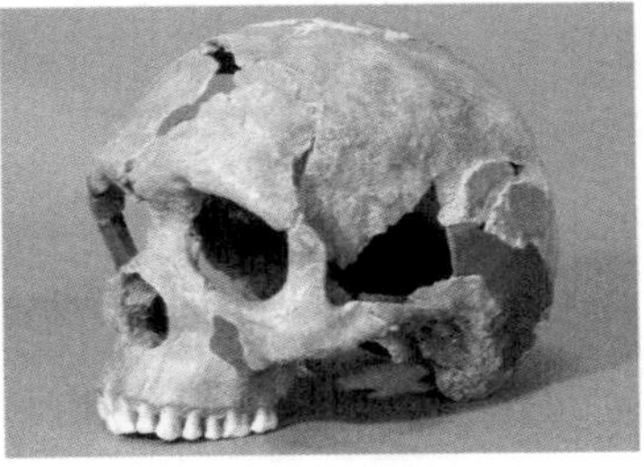

Cráneo de *Homo sapiens*, hallado en la cueva de Qafzeh, Israel.
FOTOBANCO

homocigoto y heterocigoto Dos posibilidades genéticas para un huevo fecundado. Si las dos células sexuales (gametos) que se fusionan durante la FECUNDACIÓN portan la misma forma de un GEN para un carácter específico, se dice que el organismo es homocigoto para ese carácter. Si los gametos portan formas distintas del gen, el resultado es un heterocigoto. Como los genes pueden ser dominantes o recesivos (ver DOMINANCIA y RECESIVIDAD), no siempre es posible determinar la composición genética (GENOTIPO) de un organismo por su aspecto físico (FENOTIPO).

homología Similitud de estructura, fisiología o desarrollo entre diferentes especies de organismos basada en la descendencia de un ancestro evolutivo común. Por contraste, analogía es una similitud funcional de estructura, que no se basa en orígenes evolutivos comunes, sino en una mera semejanza de uso. Las extremidades anteriores de mamíferos tan diferentes como los seres humanos, los murciélagos y los ciervos son homólogas; la forma de construcción y el número de huesos de cada una son prácticamente idénticos y representan modificaciones adaptativas de la estructura de la extremidad anterior de su ancestro compartido. Las alas de las aves e insectos, por otra parte, son puramente análogas; las usan para volar en ambos tipos de organismos, pero no comparten un origen ancestral común.

homosexuales, movimiento por los derechos de los Movimiento de derechos civiles que aboga por la igualdad de derechos para los homosexuales, lesbianas, bisexuales y transexuales. Los partidarios de los derechos de los homosexuales buscan derogar las leyes que prohíben los actos sodomíticos consentidos entre adultos y piden el término de la discriminación de homosexuales y lesbianas en los temas concernientes a empleo, crédito, préstamos, vivienda, matrimonio, adopción, lugares de hospedaje y de transporte público y otros aspectos de la vida. El primer grupo que hizo campañas públicas fue fundado en Berlín en 1897 por Magnus Hirschfeld (n. 1868–m. 1935), el que en 1922 ya tenía 25 sucursales en Europa. Suprimido por los nazis, no sobrevivió la segunda guerra mundial. El primer grupo de apoyo a los homosexuales en EE.UU., la Sociedad Mattachine, fue establecido en Los Ángeles c. 1950; el grupo llamado las Hijas de Bilitis, para lesbianas, se constituyó en San Francisco en 1955. La Asociación holandesa para la integración de la homosexualidad, fundada como la COC (Cultuur en Ontspannings Centrum [Centro para la cultura y la recreación]) en 1946 y cuya sede se ubica en Amsterdam, es un importante grupo europeo y la más antigua organización defensora de los derechos de los homosexuales que existe actualmente. Muchos fechan la expansión del movimiento por la defensa de los derechos de los homosexuales modernos a partir del motín de Stonewall ocurrido en Nueva York en 1969, cuando una redada de la policía en un bar frecuentado por homosexuales, llamado Stonewall Inn, provocó una revuelta de sus clientes. "Stonewall" pasó a ser conmemorado anualmente mediante la celebración de la Semana del orgullo homosexual y lésbico en muchas ciudades del mundo. La Asociación internacional de homosexuales y lesbianas (fundada en 1978), con sede en Bruselas, presiona a favor del respeto de los derechos humanos y se opone a la discriminación de los homosexuales. Aunque el movimiento es más fuerte en Europa occidental y América del Norte, existen también organizaciones en muchos países alrededor del mundo. Entre los temas que más han interesado a las organizaciones de homosexuales en la década de 1990 y en lo que va corrido del s. XXI está la aprobación de leyes que sancionan el CRIMEN POR DISCRIMINACIÓN y el reconocimiento del derecho de los homosexuales a contraer matrimonio, a adoptar niños y a desempeñarse en las fuerzas armadas sin necesidad de ocultar su condición.

homosexualidad Interés sexual y atracción por un individuo del mismo sexo. Se hace referencia frecuentemente a la homosexualidad femenina como LESBIANISMO; a menudo se utiliza la palabra *gay* como denominación alternativa tanto para homosexual como para lesbiana, aun cuando suele referirse específicamente a la homosexualidad masculina. En diferentes culturas y épocas, el comportamiento homosexual ha sido, en distintas formas, incentivado, aprobado, tolerado, castigado o proscrito. En la antigua Grecia y Roma, la homosexualidad no era poco común, especialmente entre adolescentes y adultos varones. Las culturas judía, cristiana y musulmana la han visto generalmente como pecaminosa, aunque muchos líderes religiosos sostienen que es el acto y no la inclinación lo que su fe proscribe. Las actitudes hacia la homosexualidad han sido en general cambiantes, en parte debido al aumento del activismo político (ver movimiento por los derechos de los HOMOSEXUALES). Hasta inicios de la década de 1970, muchas organizaciones médicas, como la American Psychiatric Association (Asociación americana de psiquiatría), clasificaban la homosexualidad como una enfermedad mental, pero esa tipificación fue ampliamente desechada. Creencias de larga data sobre la homosexualidad, como el estereotipo de que el hombre *gay* es afeminado y débil y las lesbianas son agresivas y masculinas, también se han desvanecido en gran medida. Sin embargo, algunos países, culturas y grupos religiosos continúan considerando la homosexualidad como una desviación. La orientación homosexual, al igual que la sexualidad en general, es aparentemente el resultado de una combinación de factores hereditarios e influencias sociales o ambientales, y tiende a coexistir en grados variables con sentimientos heterosexuales en los diferentes individuos.

homosexualidad femenina ver LESBIANISMO

Homs *o* **Ḥimṣ** *antig.* **Emesa** Ciudad (pob., 1994: 540.133 hab.) de Siria central. Está ubicada cerca del río ORONTES. En el período en que se denominaba Emesa, albergaba un gran templo en honor al dios solar El Gebal. Allí nació el rey-sacerdote HELIOGÁBALO, que fue emperador de Roma entre 218 y 222 AC. En 272, el emperador AURELIANO derrotó allí a las fuerzas de la reina ZENOBIA de PALMIRA. Fue capturada por los musulmanes en 636, quienes le dieron el nombre de Ḥimṣ. En 1516 pasó a manos otomanas y permaneció en su poder hasta la creación de SIRIA, después de la primera guerra mundial (1914–18). Homs es hoy un próspero mercado agrícola y posee refinerías de aceite y azúcar. Constituye el principal punto de enlace entre las ciudades del interior y la costa del mar Mediterráneo.

Ho-nan ver HENAN

Honda Motor Co. Empresa japonesa fabricante de motocicletas y automóviles. Fue fundada por el ingeniero Honda Soichiro en 1946 como una fábrica de motores eficientes y de poca cilindrada. La empresa se constituyó con la razón social Honda Motor Co. en 1948. En 1953 introdujo al mercado el modelo Honda C-100, una motocicleta de poca cilindrada, y en 1959, la empresa se había convertido en la mayor vendedora de motocicletas del mundo. Ese mismo año estableció una filial en EE.UU. En la actualidad vende automóviles mayoritariamente, los que empezó a fabricar en 1963. Conocida en especial por sus automóviles livianos, de bajo consumo de combustible, como los modelos Civic y Accord, constituye actualmente una de las empresas automotrices más grandes del mundo. Su casa matriz está en Tokio.

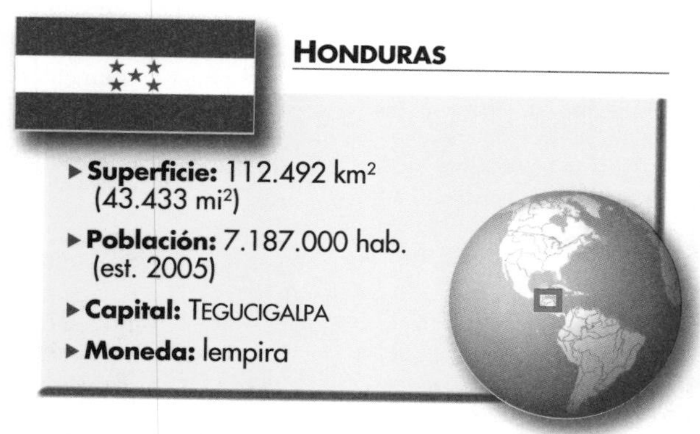

Honduras *ofic.* **República de Honduras** País de AMÉRICA CENTRAL. La población es predominantemente mestiza (mezcla de europeos e indígenas). Idioma: español (oficial). Religión: catolicismo (mayoritaria). El segundo país más extenso de América Central, tiene en el norte un litoral de 645 km (400 mi) que limita con el mar Caribe, y en el sur uno de 72 km (45 mi) que linda con el océano Pacífico. Más del 75% del territorio es montañoso y selvático. Las tierras bajas del oriente abarcan una sección de la costa de los MOSQUITOS. La mayoría de la población vive en comunidades aisladas en el interior montañoso, donde el clima es caluroso y lluvioso. La economía es principalmente agrícola; los cultivos de exportación más importantes son la banana, el café y el azúcar, y el maíz constituye el

Iglesia de la Virgen de los Dolores en Tegucigalpa, capital de Honduras.
ROBERT FRANCIS/ROBERT HARDING WORLD IMAGERY/GETTY IMAGES

principal producto de consumo interno. Es una república pluripartidista unicameral; el jefe de Estado y de Gobierno es el presidente. La civilización MAYA floreció en la región durante el primer milenio DC. En COPÁN se conservan restos de edificios y esculturas de un centro ceremonial que fue utilizado desde c. 465 hasta c. 800. CRISTÓBAL COLÓN llegó a Honduras en 1502; con ello se inició el asentamiento de los españoles. En 1537 estalló una gran guerra entre españoles e indígenas; el conflicto finalizó con la población indígena diezmada por la enfermedad y la esclavitud. A partir de 1570, Honduras formó parte de la capitanía general de Guatemala, situación que perduró hasta la independencia de América Central en 1821. Desde ese momento pasó a integrar las Provincias Unidas de Centroamérica, pero en 1838 se retiró y declaró su independencia. En el s. XX, bajo control de los militares, estuvo casi permanentemente en guerra civil. En 1982 fue elegido un gobierno civil. Sin embargo, los militares mantuvieron su influencia, mientras se incrementaba la actividad de las guerrillas de izquierda. En 1998, las inundaciones provocadas por un huracán destruyeron el país, causando la muerte de miles de personas y dejando sin hogar a otros cientos de miles. En 2001, el país sufrió una grave sequía.

Honecker, Erich (25 ago. 1912, Neunkirchen, Alemania–29 may. 1994, Santiago, Chile). Líder comunista alemán del Partido de Unidad Socialista (1971–89) y presidente del Consejo de Estado de Alemania Oriental (1976–89). Miembro del Partido Comunista alemán, fue encarcelado por los nazis en 1935–45. En 1946 cofundó y dirigió el movimiento Juventud alemana libre en Alemania Oriental. En 1961 supervisó la construcción del muro de BERLÍN. Sucedió a WALTER ULBRICHT como presidente de Alemania Oriental, país que bajo su gobierno fue uno de los más represivos, pero también uno de los más prósperos del bloque soviético. Permitió cierto grado de circulación de personas e intercambio comercial con Alemania Occidental, a cambio de que esta última les otorgara ayuda financiera. Fue obligado a renunciar a raíz del colapso del comunismo en 1989.

Honegger, Arthur (n. 10 mar. 1892, El Havre, Francia–27 nov. 1955, París). Compositor francés. Nacido de padres francosuizos, estudió en Zurich y luego en el conservatorio de París. Fue uno de los integrantes del llamado Les SIX, aunque no simpatizaba realmente con sus objetivos. Ganó por primera vez renombre internacional con su oratorio *El rey David* (1921). Su apasionante pieza para orquesta *Pacific 231* (1923), retrato sonoro de una locomotora, causó sensación. Prolífico toda su vida, compuso cinco sinfonías (como la *Sinfonía Nº 3* llamada *Litúrgica*, para conmemorar el fin de la segunda guerra mundial), el oratorio *Juana de Arco en la hoguera* (1938) y numerosas partituras para ballet, teatro y cine (entre ellas, *Napoleón* de ABEL GANCE).

Hōnen *orig.* **Seishimaru** (13 may. 1133, Inaoka, provincia Mimasaka, Japón–29 feb. 1212, Kioto). Líder budista japonés. Cuando era monje en el monasterio del monte Hiei de la secta Tendai (TIANTAI), aprendió las doctrinas de la Tierra Pura del budismo chino (ver BUDISMO DE LA TIERRA PURA), que enseñaba la salvación por la misericordia del Buda AMITABHA, convirtiéndose luego en el fundador de la secta de la Tierra Pura (Jōdo) en Japón. Hōnen creía que pocas personas eran espiritualmente capaces de seguir el camino de BUDA hacia la iluminación y en 1175 proclamó que la única vía de salvación era el *nembutsu*, es decir, invocar el nombre de Amida (Amitabha). Se estableció en Kioto y reunió un grupo de discípulos, entre ellos, SHINRAN. Perseguido por otros budistas, fue exiliado en 1207, pero regresó a Kioto en 1211.

Hong Kong *chino* **Xianggang** Región administrativa especial (pob., est. 2002: 6.785.000 hab.) de China. Situada frente al mar de CHINA meridional, abarca la isla de Hong Kong y los islotes adyacentes, cedidos por China a los británicos en 1842, además de la península de KOWLOON y los Nuevos Territorios, ambos arrendados por China a Gran Bretaña durante 99 años (1898–1997). La totalidad del territorio fue devuelto a China en 1997. Ocupa 1.092 km² (422 mi²); los Nuevos Territorios, que se extienden al norte de la península de Kowloon y constituyen un enclave en la provincia china de GUANGDONG, representan más del 90% de la superficie total. VICTORIA, situada en la costa noroccidental de la isla de Hong Kong, es el centro administrativo y económico. Hong Kong posee un excelente puerto natural y constituye uno de los principales centros comerciales y financieros del mundo. Tiene varias instituciones educacionales, entre ellas la Universidad de Hong Kong (1911).

Vista de Victoria, capital y principal ciudad de Hong Kong.
ARCHIVO EDIT. SANTIAGO

Hong Kyŏng-nae, rebelión de Sublevación campesina en el norte de Corea en 1812. Fue organizada por Hong Kyŏng-nae, ex *yangban* (funcionario de la corte), en respuesta a la gravosa tributación y el trabajo forzado durante una hambruna provocada por una mala cosecha. El levantamiento duró varios meses y fue sofocado sólo después de una campaña militar concertada. Una rebelión similar se produjo en la década de 1860.

Hong Xiuquan *o* **Hung Hsiu-ch'üan** (1 ene. 1814, Fuyuanshui, Guangdong, China–1 jun. 1864, Nanjing). Profeta religioso chino, líder de la rebelión TAIPING (1850–64). Nacido en el seno de una familia pobre de la etnia HAKKA, mostró signos de gran inteligencia, aunque en tres ocasiones no logró obtener siquiera el grado más bajo en los exámenes de la administración pública. Tras sufrir un colapso emocional, tuvo una visión en que se le ordenaba liberar al mundo de los demonios. Se convirtió en líder de su propia versión del cristianismo, exigió la abolición del opio y de la prostitución, y prometió una recompensa final a sus seguidores. En 1850 comenzó a organizar una rebelión; al año siguiente se declaró Rey del reino celestial de la gran paz (Taiping Tianguo). Su ejército de más de un millón de soldados (hombres y mujeres) capturó Nanjing, que se convirtió en su nueva capital. Las luchas por el poder llevaron a que dejara los asuntos de Estado en manos de sus incompetentes hermanos mayores; se retiró y en 1864 se suicidó después de sufrir una prolongada enfermedad.

hongo Cualquiera de unas 200.000 especies de organismos pertenecientes al reino de los Hongos, o Mycota, que comprenden LEVADURAS, roya, TIZÓN, MOHO, SETAS y MILDIÚ. Aunque antes se clasificaban como plantas, carecen de CLOROFILA y de las estructuras vegetales organizadas de tallos, raíces y hojas. Los hongos contribuyen a la desintegración de la materia orgánica, lo cual provoca la liberación de carbono, oxígeno, nitrógeno y fósforo de plantas y animales muertos hacia el suelo o la atmósfera. Se hallan en el agua, suelo, aire, y en plantas y animales de todas las regiones del mundo con la humedad suficiente que les permita crecer. Los hongos son esenciales en muchos procesos alimentarios e industriales; asimismo se utilizan en la producción de ENZIMAS, ácidos orgánicos, VITAMINAS y ANTIBIÓTICOS. También pueden destruir los cultivos, causar enfermedades como pie de ATLETA y TIÑA CUTÁNEA, y arruinar el vestuario y los alimentos con mildiú y pudrición. El TALO, o cuerpo, de un hongo típico consta de un MICELIO a través del cual fluye el CITOPLASMA. Generalmente, el micelio se reproduce mediante la formación de ESPORAS, ya sea en forma directa o en órganos fructíferos especiales que normalmente son la parte visible del hongo. El suelo proporciona un hábitat ideal para muchas especies. Sin clorofila, los hongos son incapaces de realizar la FOTOSÍNTESIS y deben obtener sus carbohidratos secretando enzimas sobre la superficie donde crecen, a fin de digerir el alimento, el cual absorben a través del micelio. Los hongos saprofíticos viven de organismos muertos y son parcialmente responsables de la descomposición de la materia orgánica. Los hongos parasíticos invaden los organismos vivos, causando a menudo enfermedades y muerte (ver PARASITISMO). Los hongos establecen relaciones simbióticas con las ALGAS (formando LÍQUENES), plantas (formando MICORRIZAS) y ciertos insectos.

Amanita matamoscas (*Amanita muscaria*), hongo típico con talo y sombrero.
STOCKXPERT

hongos, enfermedades por *o* **micosis** Enfermedades causadas por cualquier HONGO que invada los tejidos. Las infecciones superficiales por hongos (p. ej., pie de atleta) se limitan a la piel. Las infecciones subcutáneas, que se extienden a los tejidos y a veces a estructuras adyacentes como huesos y órganos, son raras y a menudo crónicas. En las infecciones sistémicas, los hongos se diseminan por todo el cuerpo de un huésped normal (o, más a menudo, inmunosuprimido). Algunas enfermedades por hongos (p. ej., infecciones por LEVADURA) pueden ser tanto superficiales como sistémicas, afectando ciertos órganos seleccionados.

Hongshan, cultura *o* **cultura Hung-shan** (4000–3000 AC). Cultura prehistórica del extremo norte de China. Al parecer contaba con una elite jerarquizada en tres niveles, cuyos miembros eran honrados con sepulcros de gran complejidad. La cerámica pintada que se ha encontrado allí se emparenta con la cultura de YANGSHAO, mientras que sus hermosos artefactos de jade están relacionados con otras culturas que trabajaban el jade en la costa oriental, como la cultura Liangzhu (3300–2200 AC). Ver también cultura ERLITOU; cultura de LONGSHAN.

Hongshui, río Río del sur de China, uno de los principales afluentes del XI JIANG. Nace con el nombre de Nanpan en el este de la provincia de YUNNAN y fluye primero hacia el sur y luego hacia el este hasta formar el límite entre la provincia de GUIZHOU y la región autónoma de GUANGXI. Con un curso de 345 km (215 mi), se une con el río Yu en Guiping para formar lo que río abajo constituye el Xi jiang.

Hongtaiji *o* **Abahai** *o* **Tiancong** (28 nov. 1592, Manchuria–21 sep. 1643, Manchuria). Fundador del imperio Qing en Manchuria. Bajo su liderazgo, Mongolia Interior y Corea se convirtieron en estados vasallos de los manchúes. Aconsejado por sus asesores, comenzó la conquista de China. Aunque murió antes de ver realizado su objetivo, cumplido un año después, su reinado fortaleció en gran medida las bases del dominio manchú y se convirtió en el primer emperador de la dinastía QING. Ver también DORGON; NURHACHI.

Hongwu, emperador *o* **emperador Hung-wu** *orig.* **Zhu Yuanzhang** (21 oct. 1328, Haozhou, China–24 jun. 1398). Fundador de la dinastía MING de China. Fue un campesino pobre que quedó huérfano a los 16 años de edad, por lo que ingresó a un monasterio para evitar morir de inanición. Más tarde, cuando era un líder rebelde, entró en contacto con la alta burguesía, que lo instruyó y orientó en materia política. Se le aconsejó presentarse no como un rebelde popular, sino como un líder nacional en contra de los extranjeros MONGOLES, cuya dinastía YUAN estaba a punto de colapsar. Después de derrotar a los líderes nacionales rivales, se proclamó emperador en 1368, estableció su capital en Nanjing y adoptó el nombre imperial de Hongwu. Ese año expulsó de China al último emperador Yuan y reunificó el país en 1382. Su gobierno fue despótico: eliminó los cargos de primer ministro y primer canciller, y los funcionarios del nivel inmediatamente inferior debían estar subordinados en forma directa a él. Prohibió a los EUNUCOS participar en el gobierno y puso a funcionarios civiles a cargo de los asuntos militares.

Hongze, lago *chino* **Hong-tse** Lago del este de China. Está situado en el valle del río HUAI entre las provincias de JIANGSU y ANHUI. En los s. VII–X DC cubría una superficie menor que la actual de 1.300 km^2 (502 mi^2). En el s. XI se construyeron canales para conectarlo con el sistema fluvial existente entre KAIFENG y Zhuzhou y que une el lago con el Huai. En 1194, el HUANG HE (río Amarillo) cambió de curso, forzando al río Huai a vaciar sus aguas en el lago, el cual comenzó a crecer hasta alcanzar sus dimensiones actuales. En el s. XIX se produjeron devastadoras inundaciones en la zona, y en la década de 1930 se excavó un nuevo canal, mejorado en la década de 1950, que comunica directamente la costa oriental del lago con el mar.

Honiara Ciudad (pob., est. 1999: 49.107 hab.), capital de las islas SALOMÓN, en el océano Pacífico sur. Situada en la desembocadura del río Mataniko, en la costa norte de la isla de GUADALCANAL, es un puerto y centro de comunicaciones que moviliza principalmente cocos, madera, pesca y algo de oro. Se desarrolló durante la segunda guerra mundial en torno a un cuartel general de las fuerzas armadas estadounidenses, y en 1952 pasó a ser la capital de las islas.

Honnecourt, Villard de ver VILLARD DE HONNECOURT

Honolulu Ciudad (pob., 2000: 371.657 hab.), capital y puerto principal del estado de Hawai, EE.UU. Ubicada en la isla OAHU, constituye el punto donde se cruzan las rutas aéreas y marítimas que atraviesan el Pacífico. Es además el centro de servicios entre las islas, así como el centro comercial e industrial del estado. Su superficie de 1.545 km^2 (597 mi^2) abarca algunos islotes alejados que conforman el área silvestre protegida de Hawaiian and Pacific Islands National Wildlife Refuge. Honolulu alberga aprox. el 80% de la población del estado. La zona fue colonizada c. 1100, según cuentan las leyendas hawaianas. Durante el s. XIX, Honolulu floreció como centro de intercambio comercial, especialmente por los buques balleneros. En 1898 pasó a manos de EE.UU. junto con el resto de Hawai. En diciembre de 1941, los japoneses bombardearon la ciudad y el puerto adyacente de PEARL HARBOR. Se convirtió en un escenario histórico importante durante el resto de la segunda GUERRA MUNDIAL y, posteriormente, en las guerras de COREA y VIETNAM. Las fuerzas militares continúan siendo una fuente importante de ingresos. El puerto presta servicios a numerosas fábricas. Se encuentra a poca distancia de la playa de Waikiki, un importante centro turístico.

Honor, Legión de ver LEGIÓN DE HONOR

Honorio III *orig.* **Cencio Savelli** (Roma–18 mar. 1227, Roma). Papa (1216–27). Prosiguió las políticas de INOCENCIO III en orden a reformar la Iglesia y reconquistar la Tierra Santa, y proclamó una cruzada para recuperar Jerusalén en 1216 (ver CRUZADAS). Coronó a FEDERICO II como emperador del Sacro Imperio romano (1220), pero amenazó con excomulgarlo si no se unía a la cruzada. Emprendió además una cruzada contra los moros en España (1218) y resolvió la guerra de los barones en Inglaterra (1223). Continuó la CRUZADA CONTRA LOS ALBIGENSES heréticos del sur de Francia. Aprobó la existencia de las órdenes de los DOMINICOS, FRANCISCANOS y CARMELITAS y autorizó el primer libro oficial sobre derecho canónico.

El papa Honorio III, detalle de un fresco de Giotto en la iglesia de San Francisco, Asís, Italia.
ALINARI—ART RESOURCE/EB INC.

Honshu, isla Isla (pob., est. 2001: 102.681.000 hab.) de Japón. La más grande de las cuatro islas principales de ese país, con un litoral de 10.084 km (6.266 mi) y una superficie de 227.898 km^2 (87.992 mi^2). Es considerada la zona continental de Japón, y gran parte de la historia temprana del país tuvo lugar en su región sudoccidental. La costa que da al Pacífico es el principal centro económico del país, y en ella se encuentran las áreas metropolitanas de TOKIO-YOKOHAMA, NAGOYA y OSAKA-KOBE. En Honshu se encuentra la montaña más alta de Japón, el monte FUJI, y el lago BIWA, el más extenso del país.

Hontan, barón de La ver barón de LA HONTAN

Honthorst, Gerrit van *llamado* **Gherardo delle Notti** (italiano: "Gerardo de las escenas nocturnas") (4 nov. 1590, Utrecht, Países Bajos–27 abr. 1656, Utrecht). Pintor holandés. Durante su permanencia de diez años en Italia (c. 1610–20) disfrutó del mecenazgo de la nobleza y asimiló el estilo barroco de CARAVAGGIO. Los vívidos efectos de luz artificial en sus primeras pinturas, como en las escenas nocturnas de *Jesús ante Pilatos*, dieron origen a su apodo. Fue pintor de la corte en La Haya desde 1637 hasta 1652. Algunas de las primeras obras de REMBRANDT se inspiraron en su empleo del CLAROSCURO. Junto con HENDRIK TERBRUGGHEN fue líder de la escuela de UTRECHT.

Hooch, Pieter de *o* **Pieter de Hoogh** (bautizado 20 dic., 1629, Rotterdam, Países Bajos–c. 1684, ¿Amsterdam?). Pintor holandés de escenas costumbristas. Se formó en Haarlem y fue miembro del gremio de pintores de Delft (1655–57). En cuanto a estilo y tema, su obra es similar a la de JAN VERMEER. Destacó por sus pequeños interiores y soleadas escenas de exteriores, con figuras atareadas realizando humildes actividades domésticas en entornos de serena simplicidad. En sus mejores obras se preocupó del efecto de los encuadres sobre la intensidad de la luz, las variaciones tonales y la perspectiva lineal. Después de mudarse a Amsterdam (c. 1661), sus pinturas aumentaron en cantidad, pero disminuyeron en calidad. Murió en una institución para enfermos mentales.

Hood, monte Cumbre en el noroeste del estado de Oregón, EE.UU. Ubicado en la cordillera de las CASCADAS, a 3.424 m (11.235 pies) de altura, es un volcán extinguido que hizo erupción por última vez c. 1865. Esta cumbre nevada, la de mayor altura en el estado, constituye el centro de atracción del Mount Hood National Forest, zona de recreación y turismo invernal muy concurrida.

Hooke, Robert (18 jul. 1635, Freshwater, isla de Wight, Inglaterra–3 mar. 1703, Londres). Físico inglés. Enseñó en la Universidad de Oxford a partir de 1665. Sus logros y teorías fueron asombrosamente diversos. Su importante ley de la elasticidad, conocida como la ley de Hooke (1660), afirma que el alargamiento de un sólido es proporcional a la fuerza que se le aplica para producirlo. Fue uno de los primeros en construir y usar un telescopio de reflexión. Sugirió que Júpiter rota en torno a su eje, y sus detallados croquis de Marte fueron usados más tarde para determinar su velocidad de rotación. Sugirió que un péndulo podría utilizarse para medir la gravitación, e intentó demostrar que la Tierra y la Luna siguen una órbita elíptica en torno al Sol. Descubrió la difracción y, para explicarla, propuso la teoría ondulatoria de la luz. Fue uno de los primeros proponentes de la teoría de la evolución y en afirmar, en general, que toda materia se expande al ser calentada y que el aire está formado por partículas separadas entre sí por distancias relativamente grandes. Inventó un barómetro marino y contribuyó en el desarrollo de mejoras a los relojes, al cuadrante y a la junta universal, y anticipó la máquina de vapor.

Hooker, Joseph (13 nov. 1814, Hadley, Mass., EE.UU.–31 oct. 1879, Garden City, N.Y.). Oficial de ejército estadounidense. Ingresó a West Point y prestó servicios en la guerra MEXICANO-ESTADOUNIDENSE. Al declararse la guerra de SECESIÓN, ascendió a general de brigada de los voluntarios, participó en campañas importantes y se le conoció con el apodo de "Fighting Joe" (Joe el combatiente). Después de la desastrosa batalla de FREDERICKSBURG, sucedió a AMBROSE E. BURNSIDE en el mando del ejército del Potomac. Reorganizó el ejército, pero no logró derrotar a ROBERT E. LEE en la batalla de CHANCELLORSVILLE, en la que la Unión sufrió numerosas bajas. Renunció justo antes de la batalla de GETTYSBURG, pero luego contribuyó a la victoria de la Unión en la batalla de CHATTANOOGA.

Joseph Hooker, general estadounidense.
GENTILEZA DE LA BIBLIOTECA DEL CONGRESO, WASHINGTON, D.C.

Hooker, Richard (mar. ¿1554?, Heavitree, Exeter, Devon, Inglaterra–2 nov. 1600, Bishopsbourne, cerca de Canterbury, Kent). Clérigo y teólogo inglés. Asistió a la Universidad de Oxford, se convirtió en miembro del Corpus Christi College en 1577 y fue ordenado en 1581. Fue maestro de la Temple Church (1585–91) y luego vicario de las iglesias de Drayton Beauchamp, Boscombe y Bishopsbourne. Formuló una teología anglicana definida en una época en que la Iglesia de INGLATERRA estaba amenazada por el CATOLICISMO ROMANO y el PURITANISMO. Su obra principal fue *Leyes de la política eclesiástica* (1594–97), en la que defendió la triple autoridad de la Biblia, la tradición eclesiástica y la razón humana.

Hooker, Thomas (probablemente, 7 jul. 1586, Markfield, Leicestershire, Inglaterra–7 jul. 1647, Hartford, Conn., EE.UU.). Clérigo angloamericano de la época colonial. Ejerció como pastor en Inglaterra (1620–30), donde se le atacó por sus tendencias puritanas. Huyó primero a Holanda y luego, en 1633, emigró a Norteamérica y se estableció en la colonia de Massachusetts Bay. Como pastor de una compañía de puritanos, en 1636 los trasladó a Connecticut para que se establecieran en Hartford. Colaboró en la redacción de las Órdenes fundamentales (1639), las que luego formaron la base de la constitución de Connecticut.

Hooper, Horace Everett (8 dic. 1859, Worcester, Mass., EE.UU.–13 jun. 1922, Bedford Hills, N.Y.). Editor estadounidense. Abandonó la escuela a los 16 años de edad y se dedicó a comercializar libros. Con la colaboración del *Times* de Londres, produjo la reimpresión de la novena edición de la *Encyclopædia Britannica* (1875–89), que tuvo un éxito resonante. En 1901, él y Walter Jackson adquirieron todos los derechos de *Britannica*, los que conservaron hasta 1920. Hooper proyectó y publicó la décima edición de la obra (1902–03), uno de cuyos editores fue su hermano Franklin Henry Hooper (n. 1862–m. 1940); la undécima edición (1910–11), afamada por su prosa rica y sosegada, además de encarnar un concepto completamente nuevo de enciclopedia; y la duodécima (1922).

Hoover, comisión (1947–49, 1953–55). Organismo asesor que encabezó el ex pdte. HERBERT HOOVER con el fin de analizar la organización del poder ejecutivo de EE.UU. La primera comisión, llamada oficialmente Comisión sobre la organización del poder ejecutivo de EE.UU., fue nombrada por el pdte. HARRY TRUMAN con el fin de que redujera la cantidad de dependencias gubernamentales. Las recomendaciones de esta comisión y las de la segunda, nombrada por el pdte. DWIGHT D. EISENHOWER, fueron en gran medida aprobadas. Algunos organismos se consolidaron y se crearon entidades nuevas, como el Departamento de salud, educación y bienestar social y la Administración de servicios generales.

Hoover, Herbert (Clark) (10 ago. 1874, West Branch, Iowa, EE.UU.–20 oct. 1964, Nueva York, N.Y.). Trigésimo primer presidente de EE.UU. (1929–33). Se tituló en la Universidad Stanford (1895) y ejerció como ingeniero de minas; administró proyectos de ingeniería en cuatro continentes (1895–1913). Luego dirigió las operaciones aliadas de auxilio en Inglaterra y Bélgica. En calidad de administrador nacional de alimentos de EE.UU., durante la primera guerra mundial, instituyó programas que abastecieran de alimentos a los aliados y a las zonas de hambruna en Europa. Como secretario de comercio de EE.UU. (1921–27), reorganizó el departamento y creó divisiones que regularan las transmisiones de radio y de la aviación. Vigiló los contratos de construcción de la represa Boulder (más adelante, Hoover) y de la vía marítima del río San Lorenzo. Como candidato presidencial republicano, en 1928 derrotó decisivamente a ALFRED E. SMITH. Sus esperanzas de un programa "New Day" se vieron rápidamente frustradas por la GRAN DEPRESIÓN. Su reacción fue convocar a los grandes empresarios a la Casa Blanca para instarlos a no despedir obreros ni reducir los salarios, y pidió a los gobiernos de los estados y a los municipales que se unieran a las obras de beneficencia privadas para ocuparse de los ciudadanos menesterosos. Convencido de que un subsidio de desempleo minaría la voluntad de los estadounidenses de valerse por sí mismos, se opuso tenazmente a todo pago de subsidio federal directo a las personas, aunque en 1932 terminó por permitir el subsidio a la agricultura por intermedio de la RFC. Después de su derrota electoral de 1932 frente a FRANKLIN D. ROOSEVELT, atacó sin descanso el radicalismo que percibía en el NEW DEAL de Roosevelt y a los intentos de este de comprometer a EE.UU. en contrarrestar la agresión alemana y japonesa. Después de la segunda guerra mundial, participó en iniciativas para aliviar la hambruna en Europa y fue nombrado para presidir la comisión HOOVER.

J. Edgar Hoover, 1924.
AP/WIDE WORLD PHOTOS

Hoover, J(ohn) Edgar (1 ene. 1895, Washington, D.C., EE.UU.–2 may. 1972, Washington, D.C.). Director estadounidense de la FBI (Oficina federal de investigaciones). Ingresó al Departamento de Justicia en 1917, como inspector de archivos; dos años más tarde, en su calidad de asesor especial del ministro de justicia A. Mitchell Palmer, colaboró en la redada y deportación de sujetos sospechosos de ser bolcheviques. En 1924 se le nombró director de la FBI, la que reorganizó como una entidad profesional basada en el mérito. En la década de 1930 divulgó con éxito los logros de la FBI en el rastreo y captura de delincuentes conocidos. Durante ese tiempo, aumentaron constantemente el tamaño y las responsabilidades de la institución. A fines de la década de 1930, Hoover fue autorizado a investigar tanto el espionaje extranjero en EE.UU. como las actividades de comunistas y fascistas. Cuando se inició la GUERRA FRÍA, a fines de la década de 1940, la FBI inició un operación masiva de vigilancia de comunistas y demás activistas de izquierda en EE.UU. Su antipatía por los radicales de todas clases lo llevó a investigar, en la década de 1960, tanto al KU KLUX KLAN como a MARTIN LUTHER KING, JR., y también a otros activistas afroamericanos. Al mismo tiempo, mantuvo una política de no intervención en las actividades de la MAFIA, la que pudo continuar realizando sus operaciones en todo el país virtualmente libre del escrutinio o la interferencia de la FBI. Acostumbraba aprovechar las enormes facultades de la entidad en materia de vigilancia y recolección de información para recoger revelaciones perjudiciales sobre los políticos en todo el país; al parecer, logró intimidar incluso a presidentes en ejercicio con la amenaza de revelar información dañina para ellos. Se mantuvo en el cargo durante 48 años hasta su muerte.

Vista aérea de la represa Hoover y el lago Mead, Nevada, EE.UU.
AMANDA HALL/ROBERT HARDING WORLD IMAGERY/GETTY IMAGES

Hoover, represa *ant.* **represa Boulder** La REPRESA de bóveda de hormigón más elevada de EE.UU., construida en el río Colorado, en la frontera de los estados de Arizona y Nevada. Finalizada en 1936 embalsa al lago MEAD. y se utiliza para el control de inundaciones y sedimentaciones, para la generación de energía eléctrica y para suministrar agua de regadío y uso doméstico e industrial. Mide 221 m (726 pies) de alto y tiene una longitud de 379 m (1.244 pies), embalsa un volumen de 3,36 millones de m^3 (4,4 millones de yd^3), y tiene una capacidad de generación de 1.345 megavatios.

Hope, Bob *orig.* **Leslie Townes Hope** (29 may. 1903, Eltham, Inglaterra–27 jul. 2003, Toluca Lake, Cal. EE.UU.). Actor estadounidense de origen británico. Su familia emigró a Ohio cuando él tenía cuatro años de edad. Creó y actuó una rutina cómico-musical de vodevil, y en 1933 obtuvo su primer rol importante en la comedia musical, *Roberta*. Su posterior éxito en la radio le abrió las puertas de Hollywood con *The Big Broadcast of 1938*, en la que cantó "Thanks for the Memory", tema que se convirtió en su sello musical. Fue el presentador del muy apreciado programa radial *Bob Hope Show* (1938–50) y posteriormente fue el conductor, y participó como actor en numerosos programas especiales de televisión de gran popularidad. Además coprotagonizó junto a BING CROSBY y Dorothy Lamour siete "películas viajeras"; *La ruta de Singapur* (1940) fue la primera y sumó admiradores con *El rostro pálido* (1948), *Mi espía favorito* (1951) y *The Seven Little Foys* (1955). Por más de 40 años presentó su espectáculo de variedades ante las tropas estadounidenses en el extranjero.

El diamante de Hope; Instituto Smithsoniano, Washington, D.C.

LEE BOLTIN

Hope, diamante de Diamante azul proveniente de India, uno de los mayores diamantes azules que se conocen. Fue llamado así por el banquero londinense Thomas Hope, quien lo compró en 1830; el diamante de 45,5 quilates está en exhibición en el Museo Smithsoniano.

Ho-pei ver HEBEI

Hopewell, cultura La más notable de las antiguas culturas indígenas del centro-este de América del Norte. Tuvo su apogeo c. 200 AC–500 DC, principalmente en los valles de los ríos Illinois y Ohio. El nombre deriva del primer asentamiento descubierto, Hopewell Farm. Sus habitantes construían montículos de tierra para cercados, entierros, ritos religiosos y defensa. Sus aldeas se extendían junto a ríos y arroyos. Cultivaban el maíz y posiblemente frijoles y calabazas, aunque de todos modos dependían de la caza y la recolección. Elaboraban artefactos de metal y cerámica. Las rutas comerciales estaban al parecer bien desarrolladas. Después del 400 DC desaparecieron gradualmente las características distintivas de esta cultura. Ver también culturas WOODLAND.

hopi Pueblo indígena de América del Norte, el grupo más occidental de los indios PUEBLO. La mayoría vive en territorios de reservas en el nordeste de Arizona, EE.UU., rodeados de la reserva de los NAVAJOS. El nombre hopi significa "los pacíficos". Hablan una de las lenguas UTOAZTECAS. La mayoría de sus asentamientos tradicionales se encontraba en altas mesetas, conformados por estructuras en terrazas, de adobe o piedra, típicas de las tribus PUEBLO. Aunque su origen preciso es desconocido, se les suele considerar descendientes de la cultura ANASAZI. La descendencia era matrilineal. Su sustento se basaba en el cultivo de maíz, frijoles, calabazas y melones, además del pastoreo de rebaños de ovejas. Su vida cotidiana estaba sumida en numerosas ceremonias religiosas que abarcaban rituales secretos en KIVAS parcialmente bajo tierra (casas en fosos) y el uso de máscaras y vestimentas para personificar a los KACHINAS (espíritus ancestrales). Cerca de 11.100 personas declararon tener ascendencia exclusivamente hopi en el censo estadounidense de 2000.

Niña de la etnia hopi con vestimenta tradicional, Arizona, EE.UU.

FOTOBANCO

Hopkins, Gerard Manley (28 jul. 1844, Stratford, Essex, Inglaterra–8 jun. 1889, Dublín, Irlanda). Poeta británico. Después de estudiar en Oxford, se convirtió al catolicismo y llegó a ser sacerdote jesuita. Quemó sus versos de juventud por considerarlos impropios de su condición eclesiástica; comenzó a escribir nuevamente en 1875, pero la tensión entre su vocación religiosa y los placeres del mundo sensual fue perturbándolo cada vez más. Uno de los escritores victorianos más personales, Hopkins se caracteriza por la intensidad del lenguaje, la sintaxis comprimida y las innovaciones en la prosodia, incluido el RITMO SALTADO. Entre sus poemas más conocidos se cuentan *El naufragio del Deutschland*, *Contrastada belleza*, *La grandeza de Dios* y *El cernícalo*. Murió de tifus a los 44 años. Su obra, si bien no se publicó en poemarios hasta 1918 (gracias a su amigo ROBERT BRIDGES), influyó en muchos poetas del s. XX.

Hopkins, Johns (19 may. 1795, cond. de Anne Arundel, Md., EE.UU.–24 dic. 1873, Baltimore, Md.). Comerciante y financista estadounidense. Trabajó con un tío como mayorista de abarrotes antes de formar la empresa mayorista Hopkins Brothers con sus hermanos, en 1819. La firma prosperó pronto en varios estados. Acostumbraba aceptar sin reservas el pago en whisky por las mercancías, y luego lo vendía con la marca Hopkins' Best. En 1847, cuando jubiló, era un hombre rico aunque siguió invirtiendo en bienes raíces en Baltimore, y en el ferrocarril Baltimore and Ohio. En su testamento legó 7 millones de dólares para financiar el establecimiento de la Universidad de JOHNS HOPKINS y el hospital del mismo nombre; también donó recursos a un orfelinato para niños afroamericanos.

Hopkins, Mark (3 sep. 1814, cond. de Richmond, Va., EE.UU.–29 mar. 1878, Yuma, Ariz.). Hombre de negocios estadounidense. Contribuyó a crear el ferrocarril Central Pacific (posteriormente Southern Pacific). El hotel Mark Hopkins de San Francisco, que corona Nob Hill, lleva su nombre en su honor. Se crió en Carolina del Norte. Luego que intentó dedicarse a la explotación del oro en California en 1851, sin resultados fructíferos, se dedicó a la venta de provisiones e instaló uno de los negocios más prósperos del estado. Planificó, junto con otros tres comerciantes, el tendido de vía férrea transcontinental y en 1861 establecieron la Central Pacific Railroad. En 1869 se completó la línea principal que conectaba con la de la Union Pacific Corp. en Promontory, Utah, EE.UU.

Hopkins, Pauline (Elizabeth) (1859, Portland, Maine, EE.UU.–13 ago. 1930, Cambridge, Mass.). Novelista y dramaturga estadounidense. Cantaba con su grupo musical familiar antes de escribir su primera novela, *Contending Forces* [Fuerzas en pugna] (1900), a la que le seguirían *Hagar's Daughter* [La hija de Hagar] (1902), *Winona* (1902), *Of One Blood* [De una sola sangre] (1903) y *Topsy Templeton* (1916). Su literatura refleja la influencia de W.E.B. DU BOIS, y fue pionera en utilizar la novela romántica tradicional para tratar temas raciales y sociales.

Hopkins, Sarah Winnemucca *o* **Sarah Hopkins Winnemucca** *o* **Thocmectony** (c. 1844, lago Humboldt, Nev., EE.UU.–16 oct. 1891, Monida, Mont.). Educadora, conferencista, líder tribal y escritora estadounidense. Perteneciente a una tribu de los PAIUTE del norte, de niña vivió con una familia colonizadora y asistió a una escuela conventual; más tarde sirvió de intérprete y exploradora en el ejército. En la década de 1880 viajó por el este del país dando conferencias en las que denunciaba la situación crítica de su tribu y protestaba contra las políticas gubernamentales. Sus escritos –el más conocido de los cuales es *Life Among the Piutes* [Vida entre los paiute] (1883)–

constituyen documentos valiosos por sus descripciones de la vida de los indígenas estadounidenses y por sus reflexiones sobre el impacto de la colonización blanca, y se cuentan entre la escasa obra literaria indígena contemporánea.

Hopkins, Sir Anthony (n. 31 dic. 1937, Port Talbot, West Glamorgan, Gales). Actor británico. Se unió al National Theatre de Londres en 1965, donde protagonizó obras shakesperianas. Es un actor de sutilezas, capaz de expresar profundas emociones plenas de vehemencia con un simple gesto. Fue aclamado en su debut en Broadway con la obra *Equus* (1974), y decidió permanecer en EE.UU. para actuar en películas como *El hombre elefante* (1980) y en producciones de televisión como *The bunker* (1981, premio Emmy). Retornó al National Theatre y fue aplaudido en *El rey Lear* y *Antonio y Cleopatra*. Obtuvo un premio de la Academia por su escalofriante interpretación de Hannibal Lecter en *El silencio de los inocentes* (1991), rol que repitió en las dos continuaciones. También protagonizó *Regreso a Howards End* (1992), *Lo que queda del día* (1993) y *Amistad* (1997).

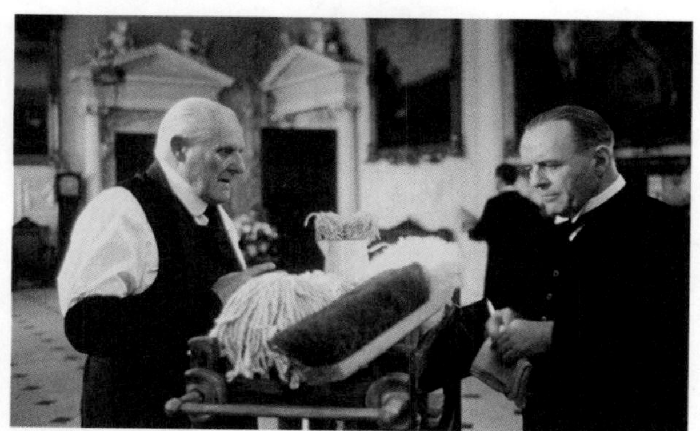

Sir Anthony Hopkins (derecha) en una escena de *Lo que queda del día* (1993).
FOTOBANCO

Hopkins, Sir Frederick Gowland (20 jun. 1861, Eastbourne, East Sussex, Inglaterra–16 may. 1947, Cambridge, Cambridgeshire). Bioquímico británico. Descubrió el AMINOÁCIDO TRIPTÓFANO (1901) y demostró que este y ciertos otros aminoácidos son esenciales en la dieta y no pueden ser elaborados en el cuerpo a partir de otras sustancias. Debido a su descubrimiento de las VITAMINAS, compartió en 1929 el Premio Nobel con CHRISTIAAN EIJKMAN. Demostró que los músculos en funcionamiento acumulan ácido LÁCTICO y aisló el tripéptido (ver PÉPTIDO) glutatión (1922), que demostró ser vital para la utilización del oxígeno por las células. Fue ordenado caballero en 1925.

Hopkinson, Francis (2 oct. 1737, Filadelfia, Pa., EE.UU.–9 may. 1791, Filadelfia). Líder político y escritor estadounidense. Tras una breve carrera en los negocios, inició con éxito la práctica de la abogacía en Nueva Jersey. En 1774 fue miembro del consejo del gobernador y en 1776 representó a Nueva Jersey en el Congreso CONTINENTAL. Firmó la Declaración de INDEPENDENCIA y más adelante escribió artículos que contribuyeron a obtener la ratificación de la constitución de EE.UU. Fue juez del tribunal marítimo de Pensilvania (1779–89) y juez de distrito (1789–91). Eximio ejecutante en clavicordio y compositor de cantos religiosos y seglares, se le conoció también por su poesía y ensayos literarios, y por haber diseñado diversos sellos gubernamentales y empresariales.

hoplita Soldado de infantería fuertemente armado de la antigua Grecia, cuya función era combatir en formación cerrada. Probablemente, aparecieron por primera vez hacia fines del s. VIII AC. Estaban equipados con una armadura nueva y más pesada, que incluía un yelmo de metal, un peto y un escudo; cada hoplita, tenía una espada y una lanza de 2 m (6 pies), destinada a punzar más que para arrojar. De ahí en adelante las batallas ya no fueron ganadas por campeones individuales, sino por el peso de FALANGES masivas de hoplitas, cuya fuerza rompía las filas enemigas. A pesar de que la falange era difícil de manejar, y el equipo incómodo, los hoplitas griegos fueron los mejores combatientes en el mundo mediterráneo.

Guerrero hoplita, s. IV AC.
FOTOBANCO

Hoppe, Willie *p. ext.* **William Frederick Hoppe** (11 oct. 1887, Cornwall-on-the-Hudson, N.Y., EE.UU.–1 feb. 1959, Miami, Fla.). Jugador de billar estadounidense. Aprendió a jugar gracias a su padre, que administraba un hotel. Maestro de la carambola, fue uno de los campeones de más largo reinado de todos los deportes: entre 1906 y 1952 ganó 51 títulos mundiales. En el campeonato de 1940, en Chicago, terminó invicto en 20 partidos. Se retiró en 1952.

Hopper, Edward (22 jul. 1882, Nyack, N.Y., EE.UU.–15 may. 1967, Nueva York, N.Y.). Pintor estadounidense. Inicialmente formado por un ilustrador, más tarde estudió pintura con ROBERT HENRI. En 1913 expuso en el ARMORY SHOW, sin embargo, pasó gran parte de su tiempo produciendo carteles publicitarios y aguafuertes para ilustraciones. A mediados de la década de 1920 se volcó a la acuarela y a la pintura al óleo de la vida urbana. Su obra *La casa cercana a la estación* (1925) y *Room in Brooklyn* (1932) presentan figuras anónimas y quietas dentro de elementos arquitectónicos geométricos, que producen la inquietante sensación de aislamiento, que más tarde llegó a ser su sello distintivo. Utilizó la luz para aislar a sus figuras y objetos, como en *Early Sunday Morning* (1930) y *Los halcones de la noche* (1942). En la década de 1920 ya había alcanzado la madurez de su estilo. Su desarrollo posterior reveló un constante refinamiento e incluso una mayor maestría en el uso de la luz.

Hopper, Grace Murray *orig.* **Grace Brewster Murray** (9 dic. 1906, Nueva York, N.Y., EE.UU.–1 ene. 1992, Arlington, Va.). Matemático y vicealmirante estadounidense. Recibió un Ph.D. en la Universidad de Yale en 1934 y ejerció la docencia en el Vassar College en 1931–44. Como oficial de marina de EE.UU. (1943–86), trabajó en las computadoras Mark I (1944) y Mark II (1945) de Harvard, y en 1949 ayudó a diseñar un COMPILADOR mejorado para traducir las instrucciones de un programador a código computacional. Ayudó a diseñar la UNIVAC I, la primera computadora electrónica comercial de EE.UU. (1951), y escribió aplicaciones navales para COBOL. En 1991 recibió la Medalla nacional de tecnología.

hora de verano Sistema que consiste en adelantar los relojes de manera uniforme en el verano, de modo de extender las horas de luz solar durante el período de amanecida convencional. En el hemisferio norte, a menudo los relojes se adelantan una hora a fines de marzo o en abril y se retrasan una hora a fines de septiembre o en octubre. En el hemisferio sur se invierte el proceso. En EE.UU. y Canadá, la hora de verano comienza el primer domingo de abril y termina el último domingo de octubre.

hora del meridiano de Greenwich ver hora del meridiano de GREENWICH

hora oficial Hora oficial de una región o país. La hora solar media local depende de la longitud; avanza cuatro minutos por grado hacia el este. De este modo, la Tierra puede ser dividida en 24 zonas horarias oficiales, cada una de alrededor de 15°

de longitud. Los límites reales de cada zona horaria son determinados por las autoridades locales y en muchos lugares se apartan de manera considerable de los 15°. Las horas en diferentes zonas a menudo difieren por un número entero de horas, manteniéndose iguales los minutos y segundos. Ver también hora del meridiano de GREENWICH.

hora universal Hora (solar) media del meridiano de Greenwich (longitud 0°). En 1928 la hora universal reemplazó a la designación de la hora del meridiano de GREENWICH; desde 1972 se ha basado en la hora atómica universal, una hora uniforme obtenida de las frecuencias de ciertas transiciones atómicas y medidas por un reloj atómico. Para la mayoría de los propósitos, la hora universal es ahora idéntica a la del meridiano de Greenwich.

Horacio *orig.* **Quintus Horatius Flaccus** (dic. 65 AC, Venusia–27 nov. 8 AC, Roma). Poeta lírico y satírico romano. Hijo de un esclavo emancipado, fue educado en Roma. Luchó en el ejército de MARCO JUNIO BRUTO durante la revuelta que siguió al asesinato de JULIO CÉSAR, pero se ganó el favor de Octavio (después CÉSAR AUGUSTO) y alcanzó virtualmente el estatus de poeta laureado. Entre sus primeras obras están sus *Sátiras* y *Épodos*, pero su fama se debe sobre todo a las *Odas* y a sus *Epístolas* en verso, entre ellas, el tratado *Arte poética*, que establece las reglas de la composición poética. Las *Odas* y las *Epístolas*, a menudo dedicadas al amor, la amistad y la filosofía, ejercieron una profunda influencia en la poesía occidental desde el Renacimiento hasta el s. XIX.

Horacio, medalla en bronce, s. IV; Bibliothèque Nationale, París.

GENTILEZA DE LA BIBLIOTHÈQUE NATIONALE, PARÍS

Horbat Qesari ver CESAREA DE PALESTINA

Horda de Oro Nombre con que los rusos designaban a la parte occidental del imperio MONGOL. La Horda de Oro prosperó desde mediados del s. XIII hasta fines del s. XIV. Según la tradición, el nombre proviene de la tienda dorada de BATU, nieto de GENGIS KAN, que extendió los dominios de la Horda en una serie de brillantes campañas que incluyeron el saqueo e incendio de Kíev en 1240. En su apogeo, su territorio incluyó la mayor parte de la Rusia europea. El brote de la PESTE NEGRA en 1346 marcó el comienzo de su desintegración. En el s. XV se dividió en varios kanatos más pequeños.

Horeb, monte ver monte SINAÍ

horizonte edafológico Capa nítida de suelo que forma parte de la secuencia vertical de un perfil edafológico (ver EDAFOLOGÍA). Cada horizonte difiere del que está arriba o abajo en cuanto a color, composición química, textura y estructura. Los horizontes se diferencian durante la formación del suelo porque las condiciones varían con la profundidad. En cualquier perfil edafológico generalmente existen tres capas principales, designadas desde la superficie hacia abajo, como horizontes A, B y C. El horizonte A suele contener más materia orgánica que los demás; también es el más expuesto a la intemperie y lixiviado. El horizonte B tiende a ser una zona de acumulación, ya que toda o parte de la materia mineral extraída del horizonte A como solución, puede depositarse en él. El horizonte C consiste, principalmente, de materiales de los cuales derivaron las capas A y B; estos, llamados materiales originarios, experimentan sólo una modificación leve porque, en general, no están sujetos a los procesos de formación del suelo.

horizonte de eventos Frontera que marca los límites de un AGUJERO NEGRO. En el horizonte de eventos, la velocidad de escape es igual a la velocidad de la LUZ. Debido a que la RELATIVIDAD general enuncia que nada puede viajar a una velocidad mayor o igual a la de la luz, nada dentro del horizonte de eventos puede cruzar jamás esa frontera y escapar hacia afuera, incluida la luz. Por lo tanto, nada que entre a un agujero negro puede salir o ser observado desde fuera del horizonte de eventos. Del mismo modo, ninguna radiación generada dentro del horizonte puede escapar hacia el exterior. Para un agujero negro sin rotación, el radio de SCHWARZSCHILD delimita un horizonte de eventos esférico. Los agujeros negros que rotan tienen un horizonte de eventos distorsionado, no esférico. Como el horizonte de eventos no es una superficie material, sino sólo una frontera matemática, nada impide a la materia o a la radiación entrar a un agujero negro, pero sin poder salir de este. Aunque los agujeros negros no pueden emitir energía, la radiación electromagnética y las partículas de materia sí pueden ser emitidas desde fuera del horizonte de eventos por medio de la radiación HAWKING.

Horkheimer, Max (14 feb. 1895, Stuttgart, Alemania–7 jul. 1973, Nuremberg). Filósofo y teórico social alemán. Obtuvo un Ph.D. en filosofía en la Universidad de Francfort en 1922. En 1930 fue nombrado director del recién fundado Instituto de Investigaciones Sociales de esa universidad. Bajo su dirección, el Instituto atrajo una serie de filósofos y cientistas sociales de extraordinario talento, como THEODOR ADORNO, ERICH FROMM y HERBERT MARCUSE, grupo que colectivamente (junto con Horkheimer) llegó a ser conocido como la escuela de FRANCFORT. En 1933, cuando el nazismo llegó al poder, Horkheimer trasladó el Instituto a la ciudad de Nueva York, donde lo dirigió hasta 1941 y lo reestableció en Francfort en 1950. En su ensayo de 1937, *Teoría tradicional y teoría crítica*, contrastó lo que consideraba la orientación socialmente conformista de la filosofía política y la ciencia social tradicionales con el tipo de MARXISMO crítico favorecido por el Instituto, concepción conocida como teoría CRÍTICA. Su colaboración con Adorno, *Dialéctica del iluminismo* (1947), es una obra pesimista que rastrea los orígenes del fascismo y otras formas de totalitarismo en el concepto ilustrado de razón "instrumental".

hormiga Cualquier miembro de unas 8.000 especies de la familia Formicidae de insectos sociales. Las hormigas se encuentran en todo el mundo, pero son especialmente comunes en climas cálidos. Miden 2–25 mm (0,1–1 pulg.) de largo y suelen ser de color amarillo, marrón, rojo o negro. Se alimentan de sustancias vegetales y animales, algunas inclusive "crían" hongos para nutrirse, cultivándolos en sus nidos, u "ordeñan" PULGONES. Los hormigueros constan de tres castas (reina, macho o zángano y obrera, e incluso, soldado), que interactúan en una sociedad altamente compleja, similar a la de las ABEJAS COMUNES. Algunas especies conocidas son las hormigas carpinteras de América del Norte, las voraces hormigas soldado de la América tropical y la HORMIGA ROJA mordedora.

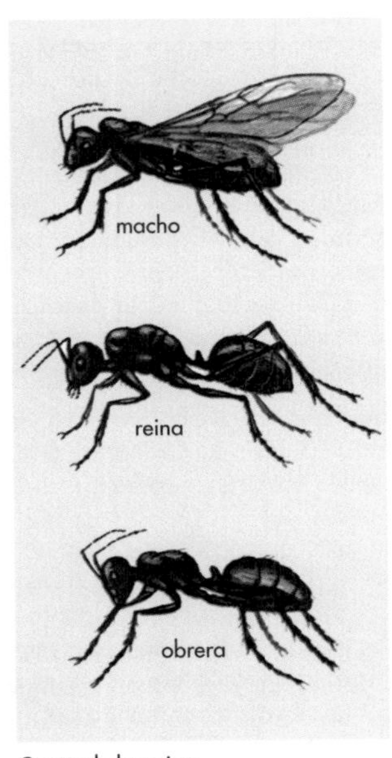

Castas de hormiga.

© ENCYCLOPÆDIA BRITANNICA, INC.

hormiga león Insecto (familia Myrmeleontidae) conocido por su agresiva captura de presas en su estado larval. La LARVA de la hormiga león cava en la arena, con su abdomen ovalado y espinoso, un pozo en forma de embudo, y luego se entierra en él, dejando al descubierto sólo sus poderosas mandíbulas. Cualquier insecto pequeño que se aventure a pasar por el borde de este pozo, resbala hasta el fondo y es capturado por la hormiga león, que sorbe el contenido vital de su víctima y arroja el exoesqueleto vacío. La hormiga león adulta no se alimenta. La más conocida de las 65 especies descritas vive en América del Norte y Europa.

hormiga roja Cualquiera de un género (*Solenopsis*) de insectos de la familia Formicidae (ver HORMIGA), del cual varias especies son comunes en el sur de América del Norte. Son de color rojo o amarillento y pueden infligir una fuerte picadura. Su nido, semipermanente, consiste en un montículo suelto con cráteres abiertos para la ventilación. Las obreras (ver CASTA) son conocidas por dañar las plantaciones de grano y atacar a las aves de corral.

hormigón *o* **concreto** Piedra artificial hecha de una mezcla de CEMENTO, otros materiales áridos y agua. Además de su inmenso potencial para soportar esfuerzos de compresión, y su capacidad, al ser vertido, de adaptarse prácticamente a cualquier forma, es resistente al fuego y se ha convertido en el material de construcción de uso más común en el mundo. El aglomerante más usado hoy en día es el cemento PORTLAND, y los áridos que se emplean son normalmente arena y grava. Se pueden utilizar aditivos para acelerar el proceso de fraguado (endurecimiento) en condiciones de baja temperatura. Otros aditivos atrapan aire dentro del concreto o retardan la contracción, aumentando su resistencia. Ver también HORMIGÓN ARMADO; HORMIGÓN PREFABRICADO; HORMIGÓN PRETENSADO.

Hormigón armado, uno de los materiales de construcción más difundidos en el mundo.
LESTER LEFKOWITZ/THE IMAGE BANK/GETTY IMAGES

hormigón armado Concreto reforzado con elementos de acero cohesionados de tal manera que ambos materiales actúan en conjunto para resistir las fuerzas exteriores. Los elementos de acero –varillas, barras o mallas– absorben los esfuerzos de tracción y corte y, en ocasiones, de compresión en una estructura de concreto. El hormigón puro no resiste bien los esfuerzos de tracción y corte causados por efecto del viento, terremotos, vibraciones y otras fuerzas, por lo que resulta inapropiado en la mayoría de las aplicaciones estructurales. En el hormigón armado, la resistencia a la tracción del acero y la resistencia a la compresión del hormigón se combinan para permitir que el elemento resista estas tensiones aun en luces considerables. La invención del hormigón armado en el s. XIX revolucionó la industria de la construcción, transformándose en uno de los materiales de construcción más utilizados en el mundo.

hormigón prefabricado Concreto vaciado en condiciones industriales para formar elementos estructurales que posteriormente son transportados al lugar de construcción. Una innovación del s. XX, la prefabricación aumenta la resistencia y durabilidad de las terminaciones y disminuye el tiempo y costo de construcción. El hormigón fragua lento; la resistencia del diseño se logra generalmente a los 28 días después del vaciado. Al usar hormigón prefabricado se elimina la demora entre su vaciado en obra y el momento en que puede recibir cargas. Los elementos de hormigón prefabricado comprenden losas, vigas, columnas, muros, escaleras, cajas modulares e, incluso, cocinas y baños con sus accesorios ya incorporados. Ver también PREFABRICACIÓN.

hormigón pretensado Concreto armado en que sus elementos de refuerzo de acero se tensan intencionalmente antes o después del fraguado. El pretensado o postensado permite a un elemento soportar una carga mayor o salvar una luz superior que el HORMIGÓN ARMADO tradicional. En el pretensado, se colocan refuerzos de alambre o cable de acero en un molde vacío y se tensan; se vacía el hormigón y se deja fraguar. Luego los cables se sueltan, con lo que se contrae el acero a su longitud original comprimiendo el hormigón. En el postensado, el acero se estira dentro del hormigón después del proceso de fraguado. El pretensado deja al hormigón sometido a un esfuerzo de compresión que contrarresta el esfuerzo de tracción producido por las cargas aplicadas. El proceso fue desarrollado por el ingeniero francés Eugène Fressinet a comienzos del s. XX.

hormigón proyectado Concreto pulverizado aplicado con un rociador. El concreto proyectado es una mezcla de cemento PORTLAND, áridos y agua, que se aplica con un rociador de aire comprimido. Para usos estructurales, generalmente se aplica sobre una armazón constituida por barras de refuerzo y una malla de acero. Como puede tomar cualquier forma, es fácil de colorear y puede ser modelado luego de su aplicación; se usa para una variedad de estructuras especializadas, como muros de roca artificiales, recintos para zoológicos, marquesinas, estructuras de cáscara, piscinas y represas. En ocasiones se emplea para revestir los muros de túneles.

hormona Compuesto orgánico (en muchos casos un ESTEROIDE o un PÉPTIDO) que se produce en una parte de un organismo multicelular y se desplaza a otra parte para ejercer su acción. Las hormonas regulan las actividades fisiológicas, como el crecimiento, la REPRODUCCIÓN y la HOMEOSTASIS en los vertebrados; en los insectos, la MUDA y el mantenimiento del estado larval (ver LARVA), y en las plantas, el crecimiento, la latencia del brote y la caída de las hojas. La mayoría de las hormonas de los vertebrados se originan en tejidos especializados (ver sistema ENDOCRINO; GLÁNDULA) y son transportadas a sus objetivos a través de la CIRCULACIÓN. Entre las muchas hormonas de los mamíferos se cuentan la ACTH, las hormonas sexuales, la TIROXINA, la INSULINA y la EPINEFRINA. Entre las hormonas de los insectos figuran la ecdisona, la hormona toracotrófica y la hormona juvenil. Las hormonas de los vegetales son el ETILENO, la abscisina, las AUXINAS, las giberelinas y las citoquininas.

hormona de crecimiento (HC) *o* **somatotropina** HORMONA peptídica (ver PÉPTIDO) secretada por el lóbulo anterior de la HIPÓFISIS. Promueve el crecimiento de los huesos y de otros tejidos del organismo mediante la estimulación de la síntesis de PROTEÍNA y la descomposición de GRASA (para proveer energía). La producción excesiva causa GIGANTISMO, ACROMEGALIA u otras malformaciones; la producción deficiente resulta en ENANISMO, que se alivia en forma impresionante si la hormona se administra antes de la pubertad. Actualmente, las técnicas de INGENIERÍA GENÉTICA permiten la producción en gran escala de cantidades adecuadas de hormona de crecimiento para aquel propósito.

Hormuz, estrecho de ver estrecho de ORMUZ

Hormuz, isla ver isla ORMUZ

hornablenda Cualquiera de un subgrupo de minerales ANFÍBOLES ricos en calcio, hierro y magnesio y de estructura cristalina monoclínica. La hornablenda, cuya fórmula química general es $(Ca,Na)_2(Mg,Fe,Al)_5(Al,Si)_8O_{22}(OH)_2$, se encuentra extensamente distribuida en rocas metamórficas e ígneas. La hornablenda común es verde oscuro a negra y suele encontrarse en rocas metamórficas de grado medio (formadas bajo condiciones medias de temperatura y presión). Tales rocas metamórficas contienen abundante hornablenda y son llamadas ANFIBOLITAS.

Hornblower, Jonathan Carter (5 jul. 1753, Chacewater, Cornualles, Inglaterra–mar. 1815, Penryn, Cornualles). Inventor británico. Él y su padre, Jonathan (n. 1717–m. 1780), trabajaron para JAMES WATT. Intentando mejorar el diseño de la máquina de VAPOR de Watt, ideó la primera máquina de vapor de pistones de doble expansión (patentada en 1781); su máquina tenía dos cilindros (ver PISTÓN Y CILINDRO), una contribución significativa al rendimiento (ver EFICIENCIA). En 1799 se consideró que era una usurpación de la patente de Watt.

Hornbostel, Erich (Moritz) von (25 feb. 1877, Viena, Austria–28 nov. 1935, Cambridge, Cambridgeshire, Inglaterra). Etnomusicólogo austríaco. Nacido en el seno de una familia de músicos vieneses, ya en su adolescencia era un pianista y compositor consumado. Después de cursar un doctorado en química, se dedicó a la investigación psicológica, y sus estudios sobre la percepción tonal constituyeron una investigación pionera en lo que posteriormente sería el campo de la ETNOMUSICOLOGÍA. Colaboró en establecer el programa de investigación de esta disciplina y los métodos para llevarlo a cabo, incluidas las grabaciones en terreno. En 1912 ideó, junto con CURT SACHS, el sistema de clasificación transcultural de los instrumentos musicales que todavía sigue vigente.

Horne, Lena (Calhoun) (n. 30 jun. 1917, Brooklyn, N.Y., EE.UU.). Actriz y cantante estadounidense. En su juventud fue bailarina en el COTTON CLUB de Harlem y a los 18 años de edad cantaba con orquestas de música popular. Fue la estrella de muchas películas, entre ellas, *Stormy Weather* (1943) y *The Wiz* (1978). Su álbum *Lena Horne at the Waldorf-Astoria* (1957) fue un éxito rotundo, así como su aparición en el musical *Jamaica* (1957). Su recital *Lena Horne: The Lady and Her Music* (1981) fue aclamado como su obra maestra. Continuó grabando y dando conciertos hasta la década de 1990.

Horne, Marilyn (n. 16 ene. 1934, Bradford, Pa., EE.UU.). Mezzosoprano estadounidense. Estudió canto en la Universidad de California del Sur y con la soprano Lotte Lehmann (n. 1888–m. 1976). En 1954, Horne dobló la voz cantante de Dorothy Dandridge en la película *Carmen Jones* y ese mismo año debutó en la ópera con Los Angeles Guild Opera. En 1962 comenzó su larga e influyente vinculación con el repertorio del bel canto (un estilo de canto basado en el control exacto de la intensidad del tono de voz) y jugó un papel importante en el renacimiento de óperas de GEORG FRIEDRICH HÄNDEL y GIOACCHINO ROSSINI. Su voz peculiar era pareja en toda su notable extensión y poseía el control de una virtuosa en materia de respiración y tono. En 2000 se retiró después de una dilatada carrera.

horneado Proceso de cocción mediante calor seco, especialmente en un horno. Entre los productos horneados se cuentan el PAN, galletas, tartas y pasteles. Los ingredientes que se usan en el horneado son HARINA, agua, agentes leudantes (levadura, bicarbonato de sodio, polvo de hornear), grasa (mantecas o aceites), huevos, leche y azúcares. Estos productos se mezclan para producir una masa o un batido, que luego es transferido a un molde o bandeja y calentado. La grasa permite trabajar la masa más fácilmente y el producto final es más ligero. Las claras de huevo se usan para lograr una textura liviana, esponjosa, y las yemas contribuyen al color, sabor y textura. La leche se emplea para humedecer y saborizar, y los azúcares para endulzar y ayudar a producir FERMENTACIÓN.

Horney, Karen *orig.* **Karen Danielsen** (16 sep. 1885, Blankenese, cerca de Hamburgo, Alemania–4 dic. 1952, Nueva York, N.Y., EE.UU.). Psicoanalista estadounidense de origen alemán. Luego de recibir su grado de M.D., se formó como psicoanalista con KARL ABRAHAM, y en 1920–32 ejerció en forma privada, al tiempo que practicaba la docencia en el Instituto de psicoanálisis de Berlín. En 1934 se estableció en Nueva York y comenzó a dar clases en la New School for Social Research. Se alejó de algunos de los principios básicos de SIGMUND FREUD al rechazar su concepto de envidia del pene y enfatizar en la necesidad de ayudar a los pacientes a identificar y manejar las causas específicas de las angustias presentes, en lugar de centrarse en los traumas y fantasías infantiles. Después de su expulsión del Instituto de psicoanálisis de Nueva York en 1941, organizó un nuevo grupo, la Association for the Advancement of Psychoanalysis. Entre sus trabajos figuran *La personalidad neurótica de nuestro tiempo* (1937) y *Nuevas perspectivas del psicoanálisis* (1939).

horno de arco Tipo de HORNO ELÉCTRICO en el que el calor es generado por un arco voltaico entre pares de ELECTRODOS de carbono situados sobre la superficie del material (comúnmente un metal) que se desea calentar. WILLIAM SIEMENS exhibió el horno de arco por primera vez en la Exposición de París de 1879. Dispuso electrodos de carbono en posición horizontal sobre crisoles con trozos de hierro; el arco eléctrico que se produjo derritió el metal en los recipientes. El primer horno de arco comercial de EE.UU. (1906) tenía una capacidad de 4 t (3,6 Tm) y estaba equipado con dos electrodos. Los hornos modernos tienen capacidades que fluctúan entre unas pocas toneladas y 400 t (360 Tm), y los arcos penetran directamente en el baño de metal desde electrodos de grafito dispuestos de manera vertical sobre él, para refundir chatarra de acero o refinar briquetas de mineral de hierro producidas por reducción directa.

horno de microondas Artefacto que cocina alimentos mediante RADIACIÓN ELECTROMAGNÉTICA de alta frecuencia. El horno de microondas es una caja relativamente pequeña en la cual el alimento se somete a un CAMPO ELECTROMAGNÉTICO de alta frecuencia, que eleva su temperatura. El agua, las grasas, los azúcares y otras sustancias absorben las microondas, lo que induce la vibración de sus moléculas y el calentamiento consiguiente. El calentamiento se produce por lo tanto dentro del alimento, sin calentar el aire circundante. Este proceso reduce enormemente el tiempo de cocción; un alimento cuya cocción puede demorar una hora o más en un horno convencional, no requiere más de algunos minutos en un horno de microondas.

horno de reverbero Horno que se utiliza para la FUNDICIÓN DE MINERAL y el refinado o la fusión de metales, en el cual el combustible no está en contacto directo con el contenido, sino que lo calienta por medio de una llama insuflada sobre él desde otra cámara. Tales hornos se usan en la producción de COBRE, ESTAÑO y NÍQUEL, de ciertos HORMIGONES y CEMENTOS y en el reciclado del ALUMINIO. En la fabricación del acero, este proceso (ahora en gran parte obsoleto) se llama proceso del horno SIEMENS-MARTIN. El calor pasa sobre el hogar del horno y luego se irradia (reverbera) sobre el contenido. El techo del horno es abovedado, con su punto más alto encima de la caja de fuego, y tiene una pendiente en dirección de un puente de conductos de humo que desvía la llama de modo que reverbere.

horno de solera abierta, proceso del ver proceso del horno SIEMENS-MARTIN

horno eléctrico Cámara calentada con electricidad a temperaturas muy altas, para fundir y alear METALES y REFRACTARIOS. Los hornos eléctricos modernos por lo general son HORNOS

DE ARCO u hornos de inducción. Los hornos de arco producen 40% del ACERO fabricado en EE.UU. En el horno de inducción, una bobina conductora de corriente eléctrica alterna rodea el recipiente o cámara del metal; el campo magnético generado por la corriente de la bobina induce corrientes de Foucault en el metal, calentándolo a temperaturas elevadísimas.

Hornos, cabo de Extremo meridional de AMÉRICA DEL SUR. Ubicado en la isla de Hornos, en el archipiélago meridional de TIERRA DEL FUEGO, se proyecta al sur hacia el paso DRAKE. Recibió el nombre de Hoorn (que derivó a Hornos) por el pueblo natal del navegante holandés Willem Schouten, que lo circunnavegó en 1616. La navegación en sus tormentosas aguas es peligrosa; su clima es ventoso y frío durante todo el año.

Cabo de Hornos, en el extremo meridional de América del Sur.
FOTOBANCO

horóscopo Carta astrológica que muestra las posiciones del Sol, la Luna y los planetas en relación a los signos del ZODÍACO en un momento dado. Se usa para analizar el carácter de las personas nacidas en ese momento, proporcionar información acerca del estado actual de sus vidas y predecir su futuro. En un horóscopo es fundamental la creencia de que cada cuerpo celeste tiene su propio carácter, el cual se modifica según su relación con otros cuerpos celestes en un momento dado. Para formular un horóscopo, el cielo se divide en 12 zonas llamadas casas, que influyen en aspectos de la vida humana como salud, riqueza, matrimonio, amistad o muerte. Ver también ASTROLOGÍA.

Horowitz, Vladimir (1 oct. 1903, Berdichev, Rusia–5 nov. 1989, Nueva York, N.Y., EE.UU.). Pianista ruso. Estudió en el conservatorio de Kíev y debutó en 1921. Su técnica asombrosa le otorgó una gran reputación internacional, que lo convirtió en un intérprete permanentemente en giras, ofreciendo 100 conciertos al año sólo en EE.UU. En 1933 se casó con Wanda, hija de ARTURO TOSCANINI. Siempre susceptible a la tensión nerviosa, en 1953 decidió abandonar sus presentaciones en público. En 1965, su retorno a los escenarios fue acompañado de gran publicidad. Favoreció las obras de compositores románticos como ROBERT SCHUMANN, FRÉDÉRIC CHOPIN, FRANZ LISZT y su amigo SERGUÉI RAJMÁNINOV. Continuó tocando en público hasta los 80 años.

Vladimir Horowitz.
PICTORIAL PARADE

Horrores búlgaros Atrocidades cometidas por el Imperio otomano al sofocar la rebelión búlgara de 1876. El nombre fue usado por WILLIAM E. GLADSTONE en un folleto que escribió para dar a conocer el hecho. Se informó que cerca de 15.000 personas fueron masacradas en Filipópolis (actual Plovdiv), y se destruyeron aldeas y monasterios. A pesar de la generalizada indignación pública, las potencias europeas reaccionaron tibiamente. El Congreso de BERLÍN acabó con la crisis al crear el pequeño y autónomo principado de Bulgaria.

Horta, Victor, barón (6 ene. 1861, Gante, Bélgica–8 sep. 1947, Bruselas). Arquitecto belga. Desde 1892 diseñó numerosos edificios en Bruselas, convirtiéndose en uno de los principales exponentes del estilo ART NOUVEAU. Su diseño para el Hotel Tassel (1892–93) fue un innovador ejemplo de este nuevo estilo. Su principal obra fue la Maison du Peuple (1896–99), la primera estructura en Bélgica en tener una fachada mayormente compuesta de vidrio y acero. A partir de 1912 dirigió la Académie des Beaux-Arts, y diseñó el Palais des Beaux-Arts (1922–28).

hortaliza Planta herbácea cuyas raíces, tallos, hojas, flores y frutos son comestibles. Se consumen frescas o preparadas de algún modo. Casi todas las hortalizas existentes fueron cultivadas en las civilizaciones antiguas del Viejo y del Nuevo Mundo, aunque algunas han sido modificadas considerablemente. Las hortalizas son una buena fuente de minerales (especialmente calcio y hierro), VITAMINAS (sobre todo A y C) y FIBRA DIETÉTICA. Todos los aminoácidos necesarios para sintetizar PROTEÍNAS están disponibles en las hortalizas. Las hortalizas frescas se marchitan y deterioran rápidamente, pero su vida útil puede prolongarse con métodos de preservación, como deshidratación, enlatado, congelamiento, fermentación y encurtido.

hortensia Cualquiera de unas 23 especies de arbustos leñosos, erectos o trepadores, que forman el género *Hydrangea* (familia Hydrangeaceae). Es originaria del hemisferio occidental y de Asia oriental. Varias especies se cultivan en invernaderos y jardines por sus racimos florales llamativos y generalmente globulares. Las variedades cultivadas de hortensia francesa, u hortensia *H. macrophylla*, producen grandes inflorescencias globulares, de diversos colores; son las llamadas hortensias del florista.

Horthy, Miklós (Nagybányai) (18 jun. 1868, Kenderes, Hungría, Austria-Hungría–9 feb. 1957, Estoril, Portugal). Oficial naval y regente húngaro (1920–44). Sirvió con distinción como comandante naval en la primera guerra mundial y fue ascendido a almirante en 1918. Un año después dirigió un ejército en contra del régimen comunista de BÉLA KUN. En 1920 el Parlamento húngaro votó para restablecer la monarquía y lo eligió como regente de Hungría, pero este frustró los intentos de Carlos IV de recuperar su trono. Aunque apoyó a Alemania en la segunda guerra mundial, se esforzó por retirar a Hungría de la guerra, lo cual provocó su abdicación forzada y su secuestro por los alemanes en 1944. Liberado en 1945, se retiró a Portugal.

horticultura Rama de la agricultura que se ocupa del cultivo de plantas de jardín, que producen frutos, hortalizas, flores y variedades ornamentales, como las plantas utilizadas en PAISAJISMO. La multiplicación (perpetuación controlada de las plantas) es la práctica hortícola más elemental. Sus objetivos son aumentar el número de plantas y preservar sus características esenciales. La multiplicación puede lograrse sexualmente mediante el uso de SEMILLAS o asexualmente a través de técnicas como el ESQUEJE, el INJERTO y el CULTIVO DE TEJIDO. El éxito de la horticultura depende de un control riguroso del entorno, a saber, la luz, el agua, la temperatura, la estructura y fertilidad del suelo, y las plagas. Existen dos técnicas hortícolas importantes: la guía (cambiar la orientación de una planta en el espacio) y la poda (remoción juiciosa de partes de la planta), utilizadas para mejorar la apariencia o utilidad de las plantas. Ver también FLORICULTURA.

Horus Antiguo dios egipcio con cabeza de halcón, cuyos ojos eran el Sol y la Luna. Los faraones eran considerados sus encarnaciones vivientes. Durante la primera dinastía fue conocido

Horus ofrendando una libación, estatua en bronce, XXII dinastía (c. 800 AC); Museo del Louvre, París.

GIRAUDON—ART RESOURCE

principalmente como adversario de SET, pero después de 2350 AC fue asociado con el culto de OSIRIS e identificado como hijo de esta. Destruyó a Set, el asesino de Osiris, y se convirtió en gobernante de todo Egipto. Su ojo izquierdo (la Luna) fue dañado por Set, pero fue sanado por TOT. En el período tolemaico, su victoria sobre Set se convirtió en símbolo del triunfo de Egipto sobre sus ocupantes.

Hōryū, templo *japonés* **Hōryū-ji** Complejo budista ubicado cerca de Nara, Japón, que contiene los edificios de madera más antiguos del mundo. El templo fue fundado por el príncipe SHŌTOKU en el año 607 del período Asuka, destruido por un incendio en 670, y reconstruido c. 680–708. Conserva el *chūmon* (entrada central) del claustro techado, que encierra el recinto donde se encuentra el templo rectangular, una PAGODA de cinco pisos, y un *kondō* (sala central).

hospicio Hogar u hospital destinado a aliviar el sufrimiento físico y emocional de personas moribundas. Para los pacientes con una esperanza de vida de sólo semanas o meses, la atención de los hospicios ofrece una alternativa a las medidas agresivas para prolongar la vida, que a menudo sólo aumentan las incomodidades y el aislamiento. En los hospicios se crea un ambiente afectuoso, cuya prioridad máxima es la prevención (no únicamente el control) del dolor físico, junto con las necesidades emocionales y espirituales del paciente. La atención médica puede prestarse en una instalación de salud, a pacientes ambulatorios, o en el hogar.

hospital Institución encargada del diagnóstico y tratamiento de personas enfermas y lesionadas, albergándolas durante el tratamiento, examinándolas y manejando los partos. Los pacientes ambulatorios, que pueden irse después del tratamiento, ingresan para atenciones de emergencia o son remitidos al hospital cuando se requieren servicios que las consultas privadas de los médicos no poseen. Los hospitales pueden ser tanto públicos (del gobierno) como privados (con o sin fines de lucro); en gran parte de las naciones, excepto EE.UU., son en su mayoría públicos. También pueden ser generales, los que aceptan toda clase de casos médicos o quirúrgicos, o especializados (p. ej., hospitales infantiles, psiquiátricos), que limitan el servicio a un solo tipo de pacientes o enfermedades. Sin embargo, los hospitales generales habitualmente tienen también departamentos especializados, y los hospitales de especialidades tienden a afiliarse con hospitales generales.

Pagoda de cinco pisos, de madera y estuco, del templo Hōryū, Nara, Japón.

SYBIL SASSOON/ROBERT HARDING PICTURE LIBRARY, LONDRES

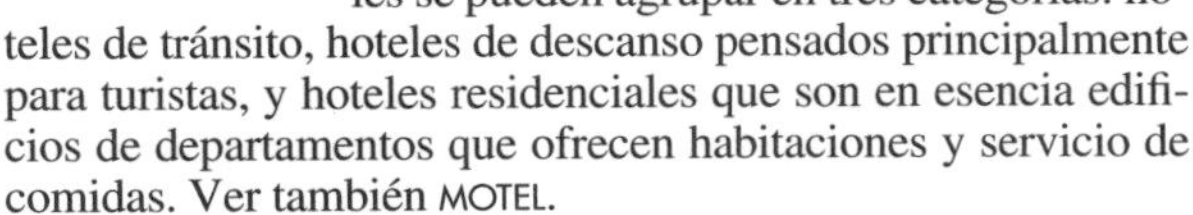

Hospitalarios ver Caballeros de MALTA

hosta Cualquiera de unas 40 especies de plantas herbáceas, perennes, resistentes, también llamadas lilas plátano, del género *Hosta*, de la familia de las LILIÁCEAS, originarias de Asia oriental. Se dan mejor en poca sombra, pero crecen también en condiciones diversas. Con frecuencia se cultivan por lo llamativo de su follaje, verde claro a oscuro, amarillo, azul o variegado. Las hojas nevadas crecen en racimos basales y de ellas nacen los tallos, que producen inflorescencias tubulares, blancas o púrpura azuladas.

hot rod Automóvil reconstruido o modificado para andar a altas velocidades, aumentar su aceleración o darle apariencia deportiva. Una amplia gama de vehículos pueden hacerse acreedores a esta denominación, entre ellos, algunos de los utilizados en las carreras de CUARTO DE MILLA y los utilizados en excursiones recreativas. Pueden estar compuestos de piezas usadas o nuevas. Algunos se arman primordialmente con fines de exhibición.

Hot Springs, parque nacional Parque nacional en el centro del estado de Arkansas, EE.UU. Fue creado en 1921 y ocupa una superficie de 23 km^2 (9 mi^2). Se destaca por la presencia de 47 manantiales termales de los cuales fluyen diariamente más de 3.200.000 l (850.000 galones) de agua, con una temperatura promedio de 62 ºC (143 ºF). Los indios usaron por mucho tiempo estos manantiales, que probablemente recibieron la visita de HERNANDO DE SOTO en 1541; en la década de 1700 atrajeron a visitantes españoles y franceses que iban tras sus beneficiosos efectos para la salud. La ciudad de Hot Springs (pob., 2000: 35.750 hab.), es un centro turístico y de salud, y fue hogar del pdte. de EE.UU. BILL CLINTON cuando niño; esta ciudad, fundada en 1807, se constituyó como tal en 1876.

Hotchkiss, Hazel Virginia ver Hazel Hotchkiss WIGHTMAN

hotel Edificio que se utiliza comercialmente para proveer alojamiento, comidas y otros servicios a los huéspedes. Las posadas han existido desde la antigüedad (p. ej., en toda la red de caminos del Imperio romano) para atender a comerciantes y otros viajeros. Los monasterios de la Europa medieval tenían posadas para garantizar un refugio a los viajeros en regiones peligrosas. La propagación de los viajes en diligencia en el s. XVIII fomentó el desarrollo de las posadas, tal como la Revolución industrial. El hotel moderno es en gran medida resultado del desarrollo de los ferrocarriles. Cuando los viajes de placer se popularizaron, se construían frecuentemente grandes hoteles cerca de las estaciones ferroviarias. En 1889, el Hotel Savoy de Londres impuso un nuevo estándar, por cuanto contaba con generación propia de electricidad y ofrecía una serie de servicios especiales. El Hotel Statler de Buffalo, N.Y. (1908), también marcó un hito y orientaba sus servicios a un número cada vez mayor de personas en viaje de negocios. Después de la segunda guerra mundial, los nuevos hoteles tendieron a ser más grandes y con frecuencia se construían cerca de los aeropuertos. Se hicieron comunes las cadenas hoteleras que hacen posible comprar, vender y hacer reservas de manera más eficiente. Los hoteles se pueden agrupar en tres categorías: hoteles de tránsito, hoteles de descanso pensados principalmente para turistas, y hoteles residenciales que son en esencia edificios de departamentos que ofrecen habitaciones y servicio de comidas. Ver también MOTEL.

hotentote ver KHOIKHOI

Hötzendorf, Conrad Franz (Xaver Josef), conde von (11 nov. 1852, Penzing, Austria–25 ago. 1925, Mergentheim, Alemania). Militar austríaco. Oficial de carrera en el ejército austro-húngaro, se convirtió en jefe del estado mayor en 1906. De tendencia conservadora, fue un fervoroso defensor del Imperio austro-húngaro, proponiendo guerras preventivas contra Serbia e Italia, por lo que fue destituido brevemente en 1911. Durante la primera guerra mundial planificó la exitosa ofensiva austroalemana de 1915, pero más tarde se vio dificultado tanto por el dominio alemán como por la falta de recursos militares. Fue destituido cuando CARLOS I asumió el mando en 1916.

Houdini, Harry *orig.* **Erik Weisz** (24 mar. 1874, Budapest, Hungría–31 oct. 1926, Detroit, Mich., EE.UU.). Ilusionista estadounidense. Fue hijo de un rabino que emigró de Hungría a EE.UU. y que se estableció en Wisconsin. De joven se dedicó al trapecio y en 1882 se trasladó a Nueva York, donde participó en vodeviles sin mayor éxito. Su reputación internacional la adquirió alrededor de 1900 con arriesgados espectáculos de escapismo donde, encadenado y esposado, lograba liberarse del interior de baúles bajo llave, que en ocasiones se encontraban sumergidos. El buen resultado de estas pruebas dependió de su gran fuerza, agilidad e inusual destreza para manipular candados. Exhibió sus habilidades en varias películas (1916–23) y en años posteriores hizo cruzadas en contra de magos y falsos espiritistas que proclamaban poseer poderes sobrenaturales, incluso contra JEAN-EUGÈNE ROBERT-HOUDIN, de quien Houdini adoptó su nombre.

Harry Houdini.
PICTORIAL PARADE—EB INC.

Houdon, Jean-Antoine (20 mar. 1741, Versalles, Francia–15 jul. 1828, París). Escultor francés. Estudió con JEAN-BAPTISTE PIGALL en París y en 1761 ganó el Premio de Roma. En esta ciudad (1764–68) alcanzó fama inmediata con el estudio anatómico de un hombre de pie (c. 1767), cuyo molde fue ampliamente usado en academias de arte. Con su reclinado *Morfeo* se convirtió en miembro de la Academia Real en París (1777). Esculpió numerosas obras religiosas y mitológicas, claras expresiones del estilo ROCOCÓ decorativo escultórico del s. XVIII. Su mayor fortaleza fue su capacidad para captar la individualidad de sus retratados, que incluían lumbreras como DENIS DIDEROT, CATALINA II la Grande, BENJAMIN FRANKLIN, el marqués de LAFAYETTE y VOLTAIRE. En EE.UU. hizo una estatua de mármol de GEORGE WASHINGTON (1788). La vivacidad de la fisonomía y el carácter de sus bustos lo sitúan entre los mejores escultores de retrato en la historia.

"Diana", escultura en bronce de Jean-Antoine Houdon, c. 1777; Museo del Louvre, París.
GIRAUDON—ART RESOURCE/EB INC.

Houphouët-Boigny, Félix (¿18 oct. 1905?, Yamoussoukro, África Occidental Francesa–7 dic. 1993, Yamoussoukro, Costa de Marfil). Presidente de Costa de Marfil desde la independencia hasta su muerte (1960–93). Trabajó como médico rural y agricultor antes de entrar en la política en la década de 1940. A fines de la década siguiente fue miembro de la Asamblea Nacional y del gabinete de Francia, y simultáneamente presidente de la Asamblea territorial y alcalde de Abidján. Como presidente, impulsó políticas liberales de la libre empresa y desarrolló una fuerte economía agrícola de cultivos comerciales, cooperando estrechamente con los franceses. Durante su gobierno, Costa de Marfil se convirtió en una de las naciones más prósperas del África subsahariana. Sus últimos años de gobierno se vieron malogrados por una recesión económica, el malestar social y las críticas a la enorme basílica católica que construyó en YAMOUSSOUKRO, lugar de nacimiento.

House, Edward M(andell) (26 jul. 1858, Houston, Texas, EE.UU.–28 mar. 1938, Nueva York, N.Y.). Diplomático estadounidense. Acaudalado hombre de negocios, fue asesor de los gobernadores de Texas (1892–1904); uno de ellos le confirió el título honorario de coronel. Trabajó activamente en la campaña presidencial de WOODROW WILSON y más tarde fue su asesor (1912–19). Durante la primera guerra mundial fue el principal enlace entre el presidente y los aliados, y colaboró en la redacción de los CATORCE PUNTOS que Wilson propuso al término de la guerra, cuyo objetivo era sentar las bases de una paz justa. Formó parte de la delegación de EE.UU. a la conferencia de paz de PARÍS, de 1919, y colaboró estrechamente con Wilson en la redacción del convenio de la SOCIEDAD DE NACIONES.

Houseman, John *orig.* **Jacques Haussmann** (22 sep. 1902, Bucarest, Rumania–31 oct. 1988, Malibú, Cal., EE.UU.). Productor y actor estadounidense de origen rumano. Fue educado en Inglaterra y, en 1924, emigró a EE.UU. En 1934 dirigió la ópera *Cuatro santos en tres actos* y en 1937, junto con ORSON WELLES, fundó el Mercury Theatre. Se instaló en Hollywood en la década de 1940, donde produjo 19 películas, entre las que destacan *Carta de una desconocida* (1948), *Los amantes de la noche* (1949) y *El loco de pelo rojo* (1956). También produjo y dirigió obras en Broadway y programas especiales para televisión, por los que obtuvo tres premios Emmy, y asumió como director artístico del American Shakespeare Festival. Su actuación más notable fue en la película *Vida de un estudiante* (1973, premio de la Academia) y en la posterior serie de TV del mismo nombre.

Housman, A(lfred) E(dward) (26 mar. 1859, Fockbury, Worcestershire, Inglaterra–30 abr. 1936, Cambridge). Letrado y poeta inglés. Mientras trabajaba de escribiente en la oficina de patentes, estudiaba textos latinos y escribía los artículos periodísticos que lo llevaron a obtener una plaza de profesor en el University College de Londres, y después en Cambridge. Su obra académica más notable es una edición anotada (1903–30) de Marco Manilio (activo en el s. I). Su primer poemario, *A Shropshire Lad* [Un muchacho de Shropshire] (1896), que incluye el poema tan antologado *Cuando cumplí los veintiuno*, sigue modelos clásicos y tradicionales; su poesía, de estilo simple y parco, manifiesta un pesimismo romántico. Poco a poco Housman fue sumando adeptos, y su segundo volumen, *Últimos poemas* (1922), tuvo un éxito apoteósico. Otras obras de Housman son la conferencia *Nombre y naturaleza de la poesía* (1933) y la antología póstuma *Más poemas* (1936). Su hermano, Laurence Housman (n. 1865–m. 1959), fue novelista y dramaturgo.

Houston Ciudad (pob., 2000: 1.953.631 hab.) en el sur del estado de Texas, EE.UU. Puerto fluvial unido al golfo de MÉXICO por el canal de navegación de Houston y el CANAL INTRACOSTAL DEL GOLFO en Galveston. Fundada en 1836, recibió su nombre en honor a SAM HOUSTON y fue capital de la República de Texas (1837–39). Es la ciudad más grande del estado y su puerto principal. Constituye un centro petrolero y petroquímico, y también un centro de desarrollo e investigación aeroespacial (ver también NASA). Asimismo, la zona tiene importancia, tanto por sus cultivos de algodón y arroz como por la ganadería. Posee varias instituciones de enseñanza superior, entre las que se cuentan la Universidad RICE y el Baylor College of Medicine. Houston cuenta también con una orquesta sinfónica y compañías de ballet, ópera y teatro.

Panorámica de la moderna ciudad de Houston, Texas, EE.UU.
ARCHIVO EDIT. SANTIAGO

Houston, Charles H(amilton) (3 sep. 1895, Washington, D.C., EE.UU.–22 abr. 1950, Washington, D.C.). Abogado y educador estadounidense. Se graduó en el Amherst College y enseñó durante dos años en la Universidad de Harvard antes de desempeñarse como oficial en la primera guerra mundial. En la escuela de derecho de Harvard se convirtió en el primer director afroamericano de la *Harvard Law Review*. Houston ejerció la profesión con su padre (1924–50), y se desempeñó también en la NAACP (1935–40). En el caso *State ex rel. Gaines* v. *Canada* (1939) ante la Corte Suprema, se opuso con éxito a la SEGREGACIÓN RACIAL en las escuelas públicas, en áreas donde no existían instalaciones según el concepto "iguales pero separados"; el fallo fue un precursor del caso BROWN V. BOARD OF EDUCATION (1954). Fue profesor y mentor de THURGOOD MARSHALL.

Houston, Sam(uel) (2 mar. 1793, cond. Rockbridge, Va., EE.UU.–26 jul. 1863, Huntsville, Texas). Político estadounidense. Después de la muerte de su padre, en 1807, se trasladó junto con su familia a una granja en la zona rural de Tennessee. En la adolescencia se escapó y vivió cerca de tres años con los indios cherokee. Prestó servicios en la guerra anglo-estadounidense (1812), ejerció luego como abogado en Nashville y fue elegido miembro de la Cámara de Representantes (1823–27). En 1827 fue designado gobernador de Tennessee, pero en 1829, cuando fracasó su matrimonio, renunció al cargo y se refugió entre los cherokee, quienes lo adoptaron oficialmente como miembro de la tribu. Dos veces viajó a Washington, D.C., a denunciar estafas contra los indios, cometidas por agentes gubernamentales. En 1832, el pdte. ANDREW JACKSON lo envió a Texas, entonces provincia mexicana, a negociar tratados con los indios de esa comarca. Cuando, en 1835, los colonos estadounidenses de Texas iniciaron una rebelión armada, el gobierno provisional de Texas lo escogió para comandar su ejército; derrotó a los mexicanos en San Jacinto y aseguró la independencia de Texas. Ocupó el cargo de presidente de la República de Texas (1836–38, 1841–44) y la apoyó para obtener la condición de estado (1845); luego se desempeñó en el Senado (1846–59). En 1859 fue elegido gobernador, pero sus opiniones favorables a la Unión le merecieron la oposición de los dirigentes demócratas del estado, quienes en 1861 votaron por la secesión. Cuando se negó a jurar lealtad a la Confederación, fue destituido. En su honor, la ciudad de Houston lleva su nombre.

Sam Houston, fotografía de Mathew Brady.
GENTILEZA DE LA BIBLIOTECA DEL CONGRESO, WASHINGTON, D.C.

Hovenweep National Monument Monumento nacional entre el sudoeste del estado de Colorado y el sur del estado de Utah, EE.UU. Creado en 1923, ocupa una superficie de 318 ha (785 acres). Consta de seis grupos de ruinas indias de la época precolombina, cuyas torres son un excelente ejemplo de la arquitectura de los indios PUEBLO del período 1100–1300 DC. Hovenweep es un vocablo de los indios UTE que significa "valle desierto".

hovercraft ver AERODESLIZADOR

Hovhaness, Alan *o* **Alan Hovaness** *orig.* **Alan Hovhaness Chakmakjian** (8 mar. 1911, Somerville, Mass., EE.UU.–21 jun. 2000, Seattle, Wash.). Compositor estadounidense. Comenzó a componer desde niño. Los estudios en el conservatorio de Nueva Inglaterra motivaron su interés por la música oriental, que sólo comenzó a influir en su propia obra después de que él mismo destruyera sus primeras composiciones. Conmovido por la música de su patrimonio armenio y su propio misticismo vitalicio, compuso más de 400 obras, entre ellas, cerca de 60 sinfonías y varias orquestales, a menudo sobre temas sacros, incorporando a veces sonidos aleatorios o naturales, como en *And God Created Great Whales* (1970).

Howard, Catalina (c. 1520–13 feb. 1542, Londres, Inglaterra). Quinta esposa de ENRIQUE VIII de Inglaterra. Nieta del 2° duque de NORFOLK, fue dama de honor de ANA DE CLÈVES, la cuarta esposa de Enrique, quien después de hacer anular ese matrimonio, la desposó (1540). En 1541 Enrique se enteró de que había tenido varios amoríos antes de casarse con él y que además probablemente había cometido adulterio. Indignado, hizo que el parlamento aprobara un proyecto de ley en 1542 en que se determinaba que constituía una traición el hecho de que una mujer impúdica se casara con el rey. Fue decapitada dos días más tarde en la Torre de Londres.

Howard, familia Prominente familia inglesa fundada por William Howard, abogado del condado de Norfolk, quien fuera convocado al parlamento en 1295. El jefe de la familia Howard, el duque de Norfolk, fue el duque principal y conde mariscal hereditario de Inglaterra. Los condes de Suffolk, Carlisle y Effingham, Lord Howard de Glossop y Lord Stafford constituyen los linajes más recientes de la familia. Thomas Howard, 3er duque de NORFOLK, ocupó altos cargos durante el reinado de ENRIQUE VIII, quien se casó con dos sobrinas de Howard, ANA BOLENA y CATALINA HOWARD. Thomas Howard, 4° duque de NORFOLK fue ejecutado por sus intrigas en contra de ISABEL I, pero Carlos, 2° Lord Howard de Effingham (1536–1624), fue lord gran almirante bajo Isabel y comandó la flota que derrotó a la ARMADA INVENCIBLE española. La familia perdió prominencia en ciertas épocas debido a que profesaba la religión católica.

Howard, Henry ver conde de NORTHAMPTON

Howard, John (Winston) (n. 26 jul. 1939, Sydney, Nueva Gales del Sur, Australia). Primer ministro de Australia (desde 1996) y líder del Partido Liberal. Fue procurador de la Corte Suprema de Nueva Gales del Sur. En 1974 fue elegido al parlamento como miembro del Partido Liberal y participó en el gabinete del primer ministro Malcolm Fraser, como ministro de comercio y consumo (1975–77) y como ministro del tesoro (1977–83). En 1985 encabezó el Partido Liberal; después no pudo derrotar a los laboristas en 1987 y fracasó en su intento de mantener el liderazgo en 1989. Lo reconquistó en 1995 y fue el artífice de la derrota laborista en las elecciones de marzo de 1996. Fue reelegido en 1998 y nuevamente en 2001.

Howard, Leslie *orig.* **Leslie Stainer** (3 abr. 1893, Londres, Inglatera–1 jun. 1943, en la bahía de Vizcaya). Actor británico. Fue un popular actor de teatro, tanto en Londres como después en Broadway, donde fue aclamado por *Her Cardboard Lover*

(1927), *El bosque petrificado* (1935) y *Hamlet* (1936). Se hizo conocido por su sereno y sugestivo encanto inglés. Debutó en el cine estadounidense en *Outward bound* (1930) y posteriormente protagonizó *Cautivo del deseo* (1934), *Pygmalion* (1938), *Intermezzo* (1939) y *Lo que el viento se llevó* (1939). Murió durante la segunda guerra mundial (1939–45) al ser abatido su avión en el trayecto de Lisboa a Londres.

Howard, Oliver O(tis) (8 nov. 1830, Leeds, Maine, EE.UU.–26 oct. 1909, Burlington, Vt.). Oficial de ejército estadounidense. Egresó de West Point y prestó servicios en la guerra de SECESIÓN con el grado de mayor general de voluntarios de Maine; combatió en Bull Run, Antietam, Chancellorsville y Gettysburg. Estuvo al mando del ejército de Tennessee (1864) y participó en la marcha de WILLIAM T. SHERMAN a través de Georgia. Durante la RECONSTRUCCIÓN fue comisionado de la oficina de los LIBERTOS. Participó en la fundación de la Universidad HOWARD (1867), bautizada en su honor, y fue su rector (1869–74). Renunció para volver a servir en el ejército, combatió contra los indios (1877) y luego fue superintendente de West Point (1880–82).

Oliver O. Howard.

GENTILEZA DE LA BIBLIOTECA DEL CONGRESO, WASHINGTON, D.C.

Howard, Ron (n. 1 mar. 1954, Duncan, Okla., EE.UU.). Actor y director estadounidense. Fue una estrella infantil y juvenil de cine y televisión. Actuó en *The Music Man* (1962) y en las series de televisión *Andy Griffith Show* (1960–68) y *Happy Days* (1974–80). Regresó al cine en *American Graffiti* (1973) y debutó como director en *Loca escapada a Las Vegas* (1977). Dirigió las exitosas películas *Splash* (1984), *Cocoon* (1985), *Dulce hogar, a veces* (1989), *Apolo 13* (1995) y *Una mente brillante* (2001, premio de la Academia). Actualmente dirige su propia compañía productora.

Howard, Thomas ver 1er conde de SUFFOLK

Howard, Thomas ver duque de NORFOLK

Howard, Universidad Universidad con sede en Washington, D.C., EE.UU., la más destacada institución educacional afroamericana del país. Recibe financiamiento del gobierno, aunque es controlada en forma privada. Si bien recibe estudiantes de todas las etnias, fue fundada en 1867 con la misión especial de educar a estudiantes afroamericanos. Cuenta con un *college* (colegio universitario) de artes liberales y humanidades, una escuela de posgrado de artes y ciencias, y escuelas o *colleges* de administración de empresas y administración pública, ingeniería, ecología humana, medicina, odontología y derecho, entre otras disciplinas. Su biblioteca es la principal biblioteca de investigación sobre la historia afroamericana.

Howe, Elias (9 jul. 1819, Spencer, Mass., EE.UU.–3 oct. 1867, Brooklyn, N.Y.). Inventor estadounidense. Sobrino de WILLIAM HOWE, comenzó a trabajar como mecánico. En 1846 registró la patente de la primera máquina de COSER práctica, la que atrajo poca atención. Se trasladó a Inglaterra a trabajar en su perfeccionamiento para emplearla en la costura de cueros y materiales similares. Cuando regresó a EE.UU. el año siguiente, encontró que las máquinas de coser se estaban fabricando y comercializando con éxito; finalmente estableció sus derechos de patente en 1854. Su invento pronto revolucionó la industria del vestuario. Ver también ISAAC MERRITT SINGER.

Howe, James Wong *orig.* **Wong Tung Jim** (28 ago. 1899, Cantón, China–12 jul. 1976, Hollywood, Los Ángeles, Cal., EE.UU.). Director de fotografía chino. A la edad de cinco años emigró junto a su familia a EE.UU. En 1917 comenzó a trabajar en Hollywood y llegó a ser camarógrafo de CECIL B. DEMILLE. En la década de 1920 desarrolló innovaciones en las técnicas de iluminación y fue un pionero en el uso de lentes gran angulares, tomas con cámara en mano e imágenes con gran profundidad de campo. Su fotografía de alto contraste se aprecia en películas como *Kings Row* (1942), *Cuerpo y alma* (1947), *Picnic* (1956), *La rosa tatuada* (1955, premio de la Academia) y *Hud* (1963, premio de la Academia).

Howe, Julia Ward *orig.* **Julia Ward** (27 may. 1819, Nueva York, N.Y., EE.UU.–17 oct. 1910, Newport, R.I.). Abolicionista y reformadora social estadounidense. Nacida en el seno de una familia acomodada, se educó en forma privada. En 1843 se casó con el educador Samuel Gridley Howe y fijó su residencia en Boston. Ella y su marido publicaron por un tiempo el *Commonwealth*, diario abolicionista. En 1861, durante una visita a un campamento militar cerca de Washington, D.C., escribió el poema "Battle Hymn of the Republic" [Himno de batalla de la república], con la música de una antigua canción popular que también sirvió para "John Brown's Body". Publicada en febrero de 1862 en *The Atlantic Monthly*, se convirtió en la canción oficiosa del ejército de la Unión en la guerra de Secesión y su autora se hizo famosa. Terminada la guerra, participó en el movimiento por el sufragio femenino y colaboró en la fundación de la Asociación de sufragio femenino de Nueva Inglaterra, de la que fue presidenta (1868–77, 1893–1910). También escribió libros de viaje, biografías, obras de teatro, versos y canciones infantiles, y dirigió la revista *Woman's Journal* (1870–90). En 1908 fue la primera mujer elegida para pertenecer a la Academia estadounidense de artes y letras.

Julia Ward Howe, 1902.

GENTILEZA DE LA BIBLIOTECA DEL CONGRESO, WASHINGTON, D.C.

Howe, Richard Howe, conde (8 mar. 1726, Londres, Inglaterra–5 ago. 1799). Almirante inglés que llevó a la flota británica a la victoria en la batalla del Primero de Junio (1794) en las guerras revolucionarias FRANCESAS. Como vicealmirante (desde 1775), ejerció el mando en América del Norte (1776–78) y derrotó a los franceses en sus intentos por capturar Newport, R.I. Después de regresar a Inglaterra, comandó la flota del canal de la Mancha en contra de franceses y españoles y fue primer lord del almirantazgo (1783–88). En 1793 comandó nuevamente la flota del canal. Su victoria sobre los franceses el 1 de junio de 1794 fue un ejemplo de excelencia táctica para sus sucesores, entre ellos HORATIO NELSON.

Howe, William Howe, 5° vizconde (10 ago. 1729–12 jul. 1814, Plymouth, Devonshire, Inglaterra). Jefe militar británico. Hermano del almirante Richard Howe, combatió en la última guerra FRANCESA E INDIA (1754–63), en la que adquirió fama de ser uno de los generales jóvenes más talentosos del ejército. Durante la guerra de independencia de los ESTADOS UNIDOS DE AMÉRICA, en 1776, sucedió a Thomas Gage como comandante supremo de las fuerzas británicas en América del Norte. No tardó en capturar la ciudad de Nueva York y la zona circundante, y en 1777 condujo a las tropas británicas a la victoria en las batallas de BRANDYWINE y GERMANTOWN. Cuando trasladó sus fuerzas a Filadelfia, las tropas que estaban al mando de JOHN BURGOYNE, en el estado de Nueva York, quedaron desguarnecidas, lo que contribuyó a la derrota británica en las batallas de SARATOGA. En 1778 renunció y fue sucedido por HENRY CLINTON.

Howel Dda ver HYWEL DDA

Howells, William Dean (1 mar. 1837, Martins Ferry, Ohio, EE.UU.–11 may. 1920, Nueva York, N.Y.). Novelista y crítico estadounidense. Escribió una biografía de campaña de ABRAHAM LINCOLN (1860) y fue cónsul en Venecia durante su gobierno. Como editor de la revista *Atlantic Monthly* (1871–81), se constituyó en una figura eminente de las letras estadounidenses de fines del s. XIX. Adalid del realismo literario, fue uno de los primeros en reconocer el genio de MARK TWAIN y HENRY JAMES. Sus propias novelas (que publicó desde 1872) describen la evolución de su país desde una sociedad sencilla e igualitaria, donde la suerte y el coraje recibían su recompensa, a otra en que la brecha social y económica se estaba volviendo infranqueable. Su obra más popular, *The Rise of Silas Lapham* [El ascenso de Silas Lapham] (1885), narra los esfuerzos de un hombre emprendedor que intenta encajar en la sociedad bostoniana. Howells puso en riesgo su sustento cuando pidió clemencia para los anarquistas involucrados en la revuelta de HAYMARKET. Su profunda desilusión de la sociedad norteamericana se ve reflejada en sus novelas tardías *Annie Kilburn* (1888) y *A Hazard of New Fortunes* [El albur de los nuevos ricos] (1890).

Howland Robinson, Henrietta ver Hetty GREEN

Hoxha, Enver (16 oct. 1908, Gjirokastër, Albania–11 abr. 1985, Tirana). Dirigente albanés, primer jefe de Estado comunista de Albania (1944–85). Maestro de escuela, se opuso a los fascistas albaneses durante la segunda guerra mundial y en 1941 participó en la fundación del Partido Comunista Albanés, el cual controló hasta su muerte. Se convirtió en primer ministro (1944–54) y en 1946 obligó al rey ZOGI I a abdicar. La economía de Albania sufrió cambios revolucionarios bajo su mandato, puesto que transformó el país de una reliquia semifeudal del Imperio otomano en una economía industrializada. Para imponer sus programas radicales recurrió a brutales tácticas estalinistas, e hizo de Albania la sociedad más estrechamente controlada de Europa. Fervoroso nacionalista, rompió con la Unión Soviética en 1961 y con China en 1978, declarando que Albania se convertiría en un modelo de república socialista por su propia cuenta.

Hoyle, Edmond (1671/72–29 ago. 1769, Londres, Inglaterra). Especialista británico en juegos de naipes. En 1742 escribió *A Short Treatise on the Game of Whist* [Breve tratado sobre el whist], y en 1760 estableció una serie de reglas para el WHIST que se mantuvieron en vigor hasta 1864. Su código de las leyes del BACKGAMMON (1743) aún está en gran medida vigente. Diversos libros de reglas de juego llevan su nombre en el título como indicación de autoridad.

Hoyle, Sir Fred (24 jun. 1915, Bingley, Yorkshire, Inglaterra–20 ago. 2001, Bournemouth, Dorset). Matemático y astrónomo británico. Estudió en la Universidad de Cambridge, donde llegó a ser profesor en 1945. En el contexto de la teoría de la relatividad de ALBERT EINSTEIN, Hoyle formuló la base matemática para la teoría del ESTADO ESTACIONARIO del universo, postulando que la expansión de este y la creación continua de materia son interdependientes. Hacia fines de la década de 1950 y principios de la de 1960, esta teoría generó una enorme controversia. Nuevas observaciones de galaxias distantes y otros fenómenos apoyaron el modelo del BIG BANG, debilitando la teoría del estado estacionario, la cual desde entonces ha perdido respaldo. Aunque forzado a cambiar algunas de sus conclusiones, Hoyle insistió en el afán de hacer consistente su teoría con nueva evidencia. Es también conocido por sus trabajos de divulgación de la ciencia y ciencia ficción.

Sir Fred Hoyle.
FOTOBANCO

Hrabanus Maurus ver RABANO MAURO

Hrozný, Bedřich (6 may. 1879, Lysá nad Labem, Bohemia, Austria-Hungría–18 dic. 1952, Praga). Arqueólogo y lingüista checo. Fue la primera persona que descifró la escritura hitita CUNEIFORME, siendo este un gran avance para el estudio del antiguo Medio Oriente. En *Die sprache der Hethiter* [La lengua de los hititas] (1915), argumentó que el hitita (ver lenguas ANATOLIAS) pertenecía al grupo de lenguas INDOEUROPEAS. Posteriormente, fundamentó su propuesta traduciendo varios documentos hititas. En 1925 encabezó una expedición a Turquía en que realizó excavaciones y descubrió la antigua ciudad de Kanesh.

Bedřich Hrozný.
CTK

Hsi Hsia ver XI XIA

Hsi Wang-Mu ver XI WANG MU

Hsia, dinastía ver dinastía XIA

Hsia Kuei ver XIA GUI

Hsi-an ver XI'AN

Hsiang Yü ver XIANG YU

hsiao ver XIAO

Hsi-ning ver XINING

hsiung-nu ver XIONGNU

Hsü Pei-hung ver XU BEIHONG

Hsuan-tsang ver XUAN ZANG

Hsüan-tsung ver XUANZONG

HTML *sigla de* **HyperText Markup Language** (Lenguaje de marcado de hipertexto). LENGUAJE DE MARCADO derivado del SGML que se usa para preparar documentos de HIPERTEXTO. Relativamente fácil de manejar para usuarios en general, el HTML es el lenguaje usado para documentos en la WWW. La codificación del texto consta de comandos encerrados entre paréntesis angulares < > que afectan la presentación de elementos, como títulos, encabezados, texto, estilos de fuentes tipográficas, color y referencias a otros documentos, los cuales pueden ser interpretados por un NAVEGADOR de internet de acuerdo a reglas de estilo.

HTTP *sigla de* **HyperText Transfer Protocol** (Protocolo de transferencia de hipertexto). PROTOCOLO estándar del nivel de aplicación usado para el intercambio de archivos en la WWW. HTTP corre sobre el protocolo TCP/IP. Los NAVEGADORES de la web son clientes HTTP que envían solicitudes de archivos a los SERVIDORES web, los cuales a su vez manejan las solicitudes a través de un servicio HTTP. Este protocolo fue propuesto originalmente en 1989 por TIM BERNERS-LEE, quien fue coautor de la especificación 1.0. En su versión 1.0, HTTP fue "sin estado": cada nueva solicitud de un cliente establecía una nueva conexión en lugar de manejar todas las solicitudes similares a través de la misma conexión entre un cliente y un servidor específico. La versión 1.1 incluye conexiones continuas, descompresión de archivos HTML por los clientes navegadores y nombres de DOMINIO múltiples compartiendo la misma dirección IP.

Hu Jintao (n. dic. 1942, Shanghai, China). Secretario general del Partido Comunista Chino (PCCh, desde 2002) y presidente de China (desde 2003). Después de estudiar ingeniería en la Universidad de Tsinghua en Beijing, trabajó como obrero de la construcción en la provincia de Gansu, donde conoció a Song Ping, un antiguo miembro del partido, quien se convirtió en su mentor y posteriormente lo presentó al secretario general del PCCh, Hu Yaobang. A mediados de la década de 1980, Hu Jintao alcanzó el cargo de secretario general de la Liga de la Juventud Comunista de China, y en 1985 fue nombrado secretario del partido para la provincia de Guizhou, donde ayudó a implementar reformas educacionales y económicas. Tras ser nombrado miembro del Comité Central del PCCh en 1987, fue enviado al Tíbet al año siguiente como secretario provincial del partido, y en 1989 dirigió la represión contra los disturbios en ese lugar. En 1993 fue designado miembro del Secretariado General del Comité Central del PCCH, y en 1998 fue elegido vicepresidente de China. En 2002, Hu Jintao reemplazó al presidente JIANG ZEMIN como secretario general del PCCh y, al año siguiente, fue elegido presidente.

Hu Jintao, 2002.
FOTOBANCO

Hu Shih *o* **Hu Shi** (17 dic. 1891, Shanghai, China–24 feb. 1962, Taiwán). Letrado y diplomático nacionalista chino que contribuyó a que la lengua vernacular se convirtiera en el idioma escrito oficial. Fue discípulo de JOHN DEWEY en la Universidad de Columbia e influyó profundamente en él la filosofía y la metodología pragmática de su maestro. De regreso en China, comenzó a escribir en chino vernacular, cuyo uso se difundió rápidamente. Debido a que rechazó el marxismo y el anarquismo como dogmas de solución a los problemas del país, se vio enfrentado a la oposición de los comunistas, pero también a la desconfianza de los nacionalistas. En 1937, cuando estalló la guerra con Japón, se reconcilió con los nacionalistas y se convirtió en embajador en EE.UU. Al final de su vida, fue presidente de la Academia Sinica de Taiwán.

Hua Hengfang *también llamado* **Hua Ruoting** (1833, Wuxi, provincia de Jiangsu, China–1902, China). Matemático chino y traductor de obras occidentales de matemática. Aparentemente inspirado por LI SHANLAN, Hua fue uno de los primeros y entusiastas propugnadores de la matemática al estilo occidental. Sus esfuerzos personales para entender los temas matemáticos resultaron en traducciones de singular lucidez, en particular sus presentaciones fluidas y accesibles de obras de álgebra y cálculo. Sus traducciones fueron muy leídas y adoptadas por muchas de las nuevas escuelas de formato occidental fundadas en China en el s. XIX por el gobierno y por misioneros cristianos.

Huai, río Río de China oriental. Recorre 1.100 km (660 mi) hacia el este y desagua en el lago HONGZE, situado en la provincia de JIANGSU. A causa de sus numerosos afluentes, suele originar grandes inundaciones; existen obras para controlarlas. El tráfico fluvial del Huai se une al GRAN CANAL, lo cual suministra rutas de transporte hasta el HUANG HE (río Amarillo) por el norte y el YANGTZÉ (Chang Jiang) por el sur.

Huainanzi *o* **Huai-nan-tzu** Obra clásica china de inspiración taoísta, escrita c. 139 AC bajo el mecenazgo del noble Huainan. Trata sobre cosmología, astronomía y el arte de gobernar; sostiene que el TAO (camino) surgió de la vacuidad, que dio origen al universo, que a su vez produjo las fuerzas materiales, las cuales se combinaron para formar el YIN-YANG, que da origen a la multiplicidad de cosas. Muchas de las enseñanzas del *Huainanzi* todavía son aceptadas como ortodoxas, tanto por filósofos taoístas como confucianistas. Ver también TAOÍSMO.

Huallaga, río Río del este y norte del Perú. Nace en la cordillera de los ANDES y desciende hacia el norte, horadando un valle entre la cordillera Central y la cordillera Azul, para unirse al río MARAÑÓN en la cuenca del Amazonas. Según estimaciones, tiene 1.100 km (700 mi) de longitud, y sólo unos pocos tramos son navegables.

Huang Chao *o* **Huang Ch'ao** (m. 884, China). Líder rebelde chino cuya sublevación en contra de la dinastía TANG, aunque finalmente fue derrotada, la debilitó en tal forma, que esta colapsó poco después. Contrabandista de sal antes de convertirse en rebelde, capturó Guangzhou (Cantón) en 879 y CHANG'AN, la capital de los Tang, en 881. En esta ciudad se proclamó emperador, pero fue expulsado de ella por una coalición de tropas de gobierno y nómadas turcos. Uno de sus generales derrocó a los Tang (907) y fundó la primera de las CINCO DINASTÍAS, de corta vida.

Huang Hai ver mar AMARILLO

Huang He *o* **Hoang-Ho** *español* **río Amarillo** Río que cruza el centro-este de China septentrional. El segundo río más largo del país, fluye hacia el este a lo largo de 5.464 km (3.395 mi), desde la meseta del Tíbet hasta el mar AMARILLO (Huang Hai). En su curso inferior suele desbordarse e inundar millones de hectáreas de ricas tierras de cultivo, el granero de arroz de China. Su desembocadura en el mar Amarillo se ha desplazado con los años en hasta 800 km (500 mi). Durante siglos se han construido obras de regadío y control de inundaciones, y en 1955 se levantó la primera de una serie de represas destinadas a explotar su potencial hidroeléctrico.

Campos de cebada y colza regados por el Huang He (o río Amarillo), Lajia, provincia de Qinghai, China.
GINA CORRIGAN/ROBERT HARDING WORLD IMAGERY/GETTY IMAGES

Huang Wudi *o* **Kuang-wu ti** *orig.* **Liu Xiu** (c. 5 AC–57 DC, Luoyang, China). Emperador chino que restauró la dinastía HAN después del interludio de la dinastía Xin (9–25 DC), establecida por el usurpador WANG MANG. La restaurada dinastía Han suele denominarse Han tardía u oriental. Durante su reinado, Huang Wudi dedicó gran parte de sus esfuerzos a consolidar su reinado y a sofocar numerosas rebeliones internas, entre ellas, la revuelta de los CEJAS ROJAS.

Huangdi *o* **Huang-ti** (chino: "Emperador amarillo"). Tercer emperador mitológico de la antigua China y santo patrono del TAOÍSMO. Según la leyenda, nació en 2704 AC y se coronó emperador en 2697. Es recordado como un dechado de sabiduría que estableció una edad dorada, procurando crear un reino ideal en que su pueblo viviría observando el derecho natural. La tradición sostiene que durante su reinado se introdujeron las viviendas de madera, carretas, barcas, arco y flecha, así como la escritura e instituciones gubernamentales. Se creía que su esposa había enseñado a las mujeres la cría del gusano de seda y el tejido de la seda.

Huang-Lao Ideología política basada en los postulados atribuidos a HUANGDI ("Emperador amarillo") y en las enseñanzas taoístas de LAOZI. Este método de gobierno, que privilegiaba los principios de reconciliación y de no intervención, se convirtió en la ideología dominante de la corte imperial en los inicios de la dinastía Han occidental (206 AC–25 DC). Los maestros del Huang-Lao creían que el *Tao-Te King* de Laozi describía a la perfección el arte de gobernar y veneraban al legendario Emperador amarillo como el fundador de la edad dorada. Sus enseñanzas constituyen el movimiento taoísta más antiguo del cual existe constancia histórica clara. Ver también TAOÍSMO.

Hubbard, L(afayette) Ron(ald) (13 mar. 1911, Tilden, Neb., EE.UU.–24 ene. 1986, San Luis Obispo, Cal.). Novelista estadounidense y fundador de la Iglesia de CIENTOLOGÍA. Se crió en Helena, Mont., y estudió en la Universidad George Washington. En las décadas de 1930–40 publicó cuentos y novelas en una variedad de géneros, como de terror y ciencia ficción. Después de servir en la armada durante la segunda guerra mundial, publicó *Dianética, la ciencia moderna de la salud mental* (1950), en la que detalló sus teorías sobre la mente humana. Finalmente, se apartó de las teorías centradas en la mente en aras de un enfoque más religioso de la condición humana, al que llamó Cientología. Después de fundar la Iglesia de Cientología en 1954, luchó para que esta fuera reconocida como una religión legítima y a menudo entró en conflicto con las autoridades tributarias y con ex miembros que acusaron a la Iglesia de fraude y hostigamiento. Vivió muchos años en un yate y permaneció aislado durante los seis últimos años de su vida.

Hubble, constante de Constante de proporcionalidad entre la velocidad de galaxias remotas y sus distancias a la Tierra. Designada como H en honor de EDWIN HUBBLE, expresa la velocidad de expansión del universo. Su valor exacto ha sido materia de debate por décadas; medidas más precisas han acotado su valor entre 17 y 23 km/s (10,5–14 mi/s) por cada millón de años-luz. El valor recíproco de H representa el tiempo transcurrido, en segundos, desde que las galaxias comenzaron a separarse entre sí, es decir, la edad aproximada del universo. Hubble usó el DESPLAZAMIENTO AL ROJO de galaxias lejanas, medido por Vesto Slipher (n. 1875–m. 1969) y sus propias estimaciones de distancia de las mismas galaxias para establecer la ley cosmológica entre la velocidad y la distancia (ley de Hubble): velocidad = H × distancia. De acuerdo con esta, mientras mayor sea la distancia a una galaxia, mayor es su velocidad de alejamiento. Derivada a partir de consideraciones teóricas y confirmada por las observaciones, la ley de Hubble ha contribuido a hacer más sólido el concepto de un UNIVERSO EN EXPANSIÓN.

Hubble, Edwin P(owell) (20 nov. 1889, Marshfield, Mo., EE.UU.–28 sep. 1953, San Marino, Cal.). Astrónomo estadounidense. Obtuvo un grado académico en matemática y astronomía en la Universidad de Chicago, para luego incursionar en las leyes antes de dedicarse nuevamente a la astronomía. Después de obtener su doctorado, comenzó a trabajar en el observatorio de MONTE WILSON. En 1922–24 descubrió que ciertas nebulosas contenían estrellas variables CEFEIDAS; determinó que estas estaban a cientos de miles de años-luz de distancia (fuera de la VÍA LÁCTEA) y que dichas nebulosas eran en realidad otras GALAXIAS. Estudiando estas galaxias, hizo su segundo descubrimiento notable (1927): las galaxias estaban alejándose de la Vía Láctea a una velocidad que aumentaba con la distancia. Esto implicaba que el universo, por mucho tiempo considerado inalterable y estático, se estaba expandiendo (ver UNIVERSO EN EXPANSIÓN); aún más notable, la razón entre la velocidad de alejamiento de las galaxias y sus distancias era constante (ver constante de HUBBLE). El cálculo original de Hubble de la constante fue incorrecto; implicaba que la Vía Láctea era mucho más grande que todas las otras galaxias y que el universo era más joven que la Tierra. Astrónomos posteriores determinaron que las galaxias estaban sistemáticamente más distantes de lo que creyó Hubble, resolviendo la discrepancia.

Hubble, telescopio espacial El observatorio espacial óptico más complejo que haya sido puesto en órbita en torno a la Tierra. Debido a que está sobre la ATMÓSFERA, que impide una buena calidad de imagen y absorbe muchas radiaciones, puede obtener imágenes más brillantes, claras y con mejor detalle que los telescopios instalados en tierra. Nombrado en honor a EDWIN HUBBLE, fue construido bajo la supervisión de la NASA y enviado al espacio en una misión del TRANSBORDADOR ESPACIAL en 1990. El espejo reflector del telescopio recibe la luz de los objetos celestes y la dirige a un conjunto de cámaras y espectrógrafos (ver ESPECTROSCOPIA). Un defecto en el espejo primario causó que las primeras imágenes fuesen difusas; en 1993, otra misión del transbordador espacial corrigió este y otros problemas. Misiones espaciales siguientes enviados al telescopio han sido para mantenimiento, reparación y para incorporar mejoras a los instrumentos.

Telescopio espacial Hubble.
ARCHIVO EDIT. SANTIAGO

Hubei *o* **Hu-pei** Provincia (pob., est. 2000: 60.280.000 hab.) del centro-este de China. Está situada al norte del río YANGTZÉ (Chang Jiang) y limita con las provincias de SICHUAN, SHAANXI, HENAN, ANHUI, JIANGXI y HUNAN y el municipio de CHONGQING. Tiene una superficie de 187.500 km² (72.400 mi²); su capital es WUHAN. La dinastía Zhou la gobernó en el primer milenio AC, y pasó a formar parte del Imperio chino durante la dinastía HAN. Hasta el reinado de KANGXI, Hubei y Hunan formaban una sola provincia; fueron separadas a mediados del s. XVII. La región fue escenario de diversas batallas después de la rebelión TAIPING, en 1850. La revolución de 1911 (ver GUOMINDANG) comenzó en esta provincia. Durante la guerra chino-japonesa de 1937–45 recibió bombardeos a gran escala. Su reconstrucción comenzó después de que los comunistas tomaron el poder. Además de la producción agrícola, Hubei tiene una importante industria pesada.

Hubel, David (Hunter) (n. 27 feb. 1926, Windsor, Ontario, Canadá). Neurobiólogo estadounidense de origen canadiense. Estudió medicina en la Universidad McGill y en 1959 se incorporó a la facultad del Harvard Medical School. En 1981 compartió el Premio Nobel con TORSTEN WIESEL y ROGER SPERRY por investigaciones sobre la percepción visual, siendo uno de sus logros el análisis del flujo de impulsos nerviosos desde la retina a los centros sensoriales y motores del encéfalo.

Hubertusburg, tratado de (1763). Tratado entre Prusia y Austria que dio término a la guerra de los SIETE AÑOS en Alemania. Firmado cinco días después del tratado de PARÍS, estipuló que FEDERICO II el Grande mantendría su soberanía sobre SILESIA y confirmó la posición de Prusia como una gran potencia europea.

Hudson, bahía de Gran mar interior, que se extiende por el centro-este de Canadá. Ocupa una superficie de 1.243.00 km² (480.000 mi²) y limita con Nunavut, Manitoba, Ontario y Quebec. Se conecta con el océano Atlántico a través del estrecho de HUDSON y con el océano Ártico a través del canal de Foxe.

Recibió su nombre en honor a HENRY HUDSON, quien navegó por su costa oriental en 1610; la bahía y la zona que la rodea, llamada Tierra de RUPERT, estuvieron bajo el control de la HUDSON'S BAY COMPANY (1821–69). La bahía de Hudson tiene poca profundidad, con una media de 100 m (330 pies); la costa consiste principalmente en tierras bajas pantanosas. Desde el punto de vista administrativo, sus islas forman parte del territorio de Nunavut. Para fines de conservación, el gobierno canadiense ha declarado toda la cuenca de la bahía de Hudson "mare clausum" (mar cerrado).

Hudson, estrecho de Brazo del océano Atlántico entre la isla de BAFFIN y el norte de Quebec, en el nordeste de Canadá. Une la bahía de HUDSON y la cuenca de Foxe con el mar del Labrador; tiene una longitud de 800 km (500 mi) aprox. por 65–240 km (40–150 mi) de ancho. Sólo es navegable algunos meses del año, pero los rompehielos mantienen el paso abierto casi todo el año. En 1578, el navegante inglés MARTIN FROBISHER lo exploró parcialmente; en 1610, HENRY HUDSON lo recorrió por completo y se convirtió así en la ruta principal de las embarcaciones de la HUDSON'S BAY COMPANY.

Hudson, Henry (c. 1565, Inglaterra–después de 22 jun. 1611, ¿cerca de la bahía de Hudson?). Navegante y explorador inglés. Cuando navegaba para la Muscovy Company de Londres en búsqueda del paso del NORDESTE al Lejano Oriente, fue bloqueado por el hielo. En 1609 zarpó en el *Half Moon* en búsqueda de un paso similar para la COMPAÑÍA HOLANDESA DE LAS INDIAS ORIENTALES, pero cuando las tormentas le impidieron avanzar, buscó en su lugar el paso del NOROESTE, del cual otros exploradores le habían informado poco tiempo antes, y navegando a lo largo de la costa atlántica, remontó el río HUDSON. En 1610 zarpó nuevamente para América, esta vez al servicio de la Muscovy Company y de la COMPAÑÍA INGLESA DE LAS INDIAS ORIENTALES, y descubrió la bahía de HUDSON. Al no encontrar una salida al Pacífico y quedar aislados por el invierno ártico, surgió la discordia entre la tripulación y en el viaje de regreso esta se amotinó y lo dejó a la deriva en una pequeña embarcación que nunca fue encontrada. Sus descubrimientos constituyeron la base para la colonización holandesa del río Hudson y permitieron que Inglaterra reclamara derechos sobre gran parte de Canadá.

Hudson, río Curso fluvial en el estado de Nueva York, EE.UU. Nace en los montes ADIRONDACK y recorre unos 507 km (315 mi) hasta la ciudad de NUEVA YORK; debe su nombre a HENRY HUDSON, quien lo exploró en 1609. Los holandeses llegaron a colonizar el valle del Hudson en 1629. El río se convirtió en una vía fluvial estratégica durante la guerra de independencia de los ESTADOS UNIDOS DE AMÉRICA y fue escenario de muchas batallas. Unido por canales a los GRANDES LAGOS, al río DELAWARE y a los valles bajos del río SAN LORENZO, actualmente el Hudson es una ruta comercial de importancia; su extremo sur conforma el límite entre Nueva York y Nueva Jersey.

El río Hudson a su paso por Nueva York, en el sector de Manhattan y atravesado por el famoso puente Brooklyn.
FOTOBANCO

Hudson, Rock *orig.* **Roy Harold Scherer, Jr.** (17 nov. 1925, Winnetka, Ill., EE.UU.–2 oct. 1985, Beverly Hills, Cal.). Actor de cine estadounidense. Ejerció diversos oficios antes de debutar en el cine en *Fighter Squadron* (1948). Su viril y lozano atractivo lo convirtió en una popular estrella en los melodramas de DOUGLAS SIRK *Obsesión* (1954) y *Sólo el cielo lo sabe* (1955), y desplegó su talento para la comedia en una serie de películas junto a DORIS DAY, entre las que se cuentan *Confidencias a medianoche* (1959), *Cuando llegue septiembre* (1961) y *No me mandes flores* (1964). Después protagonizó la serie de televisión *McMillan and Wife* (1971–77). Su muerte a causa del sida incrementó enormemente la conciencia pública respecto de esta enfermedad.

Hudson's Bay Co. Empresa destacada en la historia política y económica canadiense. Se constituyó en Inglaterra (2 may. 1670) con el fin de buscar el paso del NOROESTE al Pacífico, ocupar tierras aledañas a la bahía de HUDSON y dedicarse al comercio. La concesión de tierras que recibió la empresa, conocidas como Tierra de RUPERT, se extendía desde Labrador hacia el oeste hasta las montañas Rocosas y desde la cabecera del río Rojo, en la frontera sur de Canadá, hacia el norte hasta la ensenada Chesterfield en la bahía de Hudson. La empresa comenzó por el tráfico de pieles y estableció puestos de comercio alrededor de la bahía. En 1783, la competencia formó la NORTH WEST CO. y los encuentros armados se sucedieron hasta 1821, cuando las dos firmas se fusionaron. La empresa gozó de derechos de comercio exclusivos hasta 1858; el monopolio no se renovó y empresas independientes entraron en el mercado de pieles. En 1870, la empresa vendió sus territorios al gobierno a cambio de £ 300.000 y de los derechos mineros de las tierras que rodeaban los puestos, más una parte fértil de Canadá occidental. Hasta 1991 permaneció como gran establecimiento dedicado al comercio de pieles, con importantes intereses inmobiliarios y varias tiendas por departamento.

Hue Ciudad (pob., est. 1992: 219.149 hab.) del centro de Vietnam. Sede de la autoridad militar china en el reino de Nam Viet c. 200 AC, pasó a manos de los cham c. 200 DC. En 1306 fue cedida a Dai Viet (Vietnam). En ella se encuentra la ciudadela imperial desde donde reinó la familia NGUYEN entre mediados del s. XVI y mediados del s. XX. Fue ocupada por los japoneses (1940–45). En abril de 1947 pasó a ser la sede de un comité de gobierno vietnamita no comunista, pero perdió esa condición en 1949, cuando el Estado de Vietnam, instaurado poco antes, escogió a Saigón (ver Ciudad HO CHI MINH) como capital del país. Gran parte de Hue fue destruida en 1968, durante la ofensiva del Tet de la guerra de VIETNAM; desde entonces ha sido completamente reconstruida.

huecograbado En la industria gráfica, procesos de IMPRESIÓN para catálogos, revistas, suplementos de diarios, envases de cartón, revestimientos de pisos y muros, textiles y plásticos. El bohemio Karel Klíč hizo del fotograbado un proceso comercial práctico en 1878. En el huecograbado se graba una imagen con ácido en la superficie de cobre del cilindro de impresión, de manera que la imagen queda reproducida en forma de huecos o cavidades de diferentes profundidades. En la impresión en rotograbado, el cilindro gira a través de una cubeta llena de tinta de secado rápido. Una delgada hoja de acero remueve la tinta de la superficie, pero no de las cavidades. Al entrar el cilindro en contacto con el papel, este absorbe la tinta de las cavidades. A causa de las diversas profundidades de las cavidades, se puede imprimir una gama completa de tonalidades; en la reproducción de ilustraciones, el huecograbado es el que más se acerca a simular una copia de tonalidad continua. En la IMPRESIÓN EN COLORES se prepara un cilindro separado para cada color. Ver también IMPRESIÓN OFFSET; IMPRESIÓN TIPOGRÁFICA.

huecograbado *o* **intaglio** Técnica de grabado o inciso sobre piedras preciosas, cristal, cerámica, piedra u otro material similar, en el que el diseño está hundido por debajo de la superficie. Es lo opuesto al CAMAFEO y al RELIEVE. Es la forma más antigua de grabar gemas; los primeros sellos conocidos de cilindros babilónicos datan de c. 4000 AC. El término huecograbado también se aplica para describir procesos de impresión del GRABADO artístico, en los que se talla, dibuja o graba el diseño sobre una superficie de impresión de cobre, cinc o aluminio. Luego se frota tinta en las incisiones y hendiduras, la superficie se limpia con un paño y el papel se repuja sobre las líneas incididas, ejerciendo presión con una prensa de rodillo. Los procesos de huecograbado son los más versátiles de todos los métodos de impresión, ya que pueden producir un amplio rango de efectos.

huelga Negativa colectiva a trabajar bajo las condiciones impuestas por los empleadores. Las huelgas pueden surgir por disputas sobre salarios y condiciones laborales. También pueden realizarse para solidarizar con otros trabajadores en huelga o con fines netamente políticos. Muchas huelgas son organizadas por los SINDICATOS; las huelgas no autorizadas por el sindicato pueden estar dirigidas contra los líderes del sindicato o bien contra los empleadores. El derecho a huelga se otorga en principio a los trabajadores de casi todos los países industrializados y se empezó a ejercer en forma paralela al surgimiento de los sindicatos en el s. XIX. El propósito de la mayoría de las huelgas es que el empleador asuma un costo por no acceder a demandas específicas. En el caso de los sindicatos japoneses, el propósito de las huelgas no es detener la producción por tiempo prolongado, sino más bien manifestar una protesta. En Europa occidental y otras partes del mundo, los trabajadores realizan HUELGAS GENERALES, cuyo propósito es más bien lograr cambios en el sistema político que concesiones de los empleadores. La decisión de llamar a una huelga no es fácil, ya que los trabajadores sindicalizados arriesgan la pérdida de ingresos por tiempo prolongado. También arriesgan la pérdida permanente de su empleo, especialmente cuando los trabajadores de reemplazo contratados para continuar las operaciones durante la huelga pasan a ser trabajadores permanentes. Ver también BOICOT; CIERRE PATRONAL.

huelga general Paralización de actividades de una proporción considerable de trabajadores de varias industrias en un esfuerzo organizado por lograr objetivos económicos o políticos. La idea de una HUELGA general que abarque a diversas industrias se gestó aparentemente en Gran Bretaña a principios del s. XIX. Fue concebida como una táctica de NEGOCIACIÓN COLECTIVA o, según los pensadores más radicales, como un instrumento de la revolución social. Hubo huelgas generales notables en Rusia durante la Revolución de 1905, en Gran Bretaña en 1926 (la huelga de varios SINDICATOS en apoyo a la huelga de los mineros del carbón) y en Francia en 1967 (desencadenada por los estudiantes que exigían reformas educacionales).

Huerta, Victoriano (23 dic. 1854, Colotlán, México–13 ene. 1916, El Paso, Texas, EE.UU.). Presidente mexicano (1913–14). Hijo de padres indígenas, empezó como soldado raso en el ejército hasta llegar a general durante el gobierno de PORFIRIO DÍAZ. Derrocó al sucesor de Díaz, el liberal FRANCISCO MADERO, y estableció una dictadura militar represiva. Las fuerzas constitucionalistas se unieron contra él y lograron el apoyo del presidente de EE.UU., WOODROW WILSON, quien envió tropas para colaborar con los rebeldes. Fue derrotado en 1914 y huyó a España; desde ahí se fue a EE.UU., donde fue arrestado por fomentar una rebelión en México; murió en prisión.

hueso TEJIDO CONECTIVO rígido de los VERTEBRADOS, compuesto por células insertadas en una matriz dura. Los huesos sirven de armazón del cuerpo, ofrecen puntos de fijación a los músculos para ejecutar los movimientos, protegen los órganos internos, albergan el sistema de formación de las células sanguíneas (MÉDULA ÓSEA) y contienen cerca del 99% del calcio, que es vital para muchos procesos corporales. El hueso está formado por una matriz de cristales de calcio, principalmente fosfato y carbonato, insertada entre fibras de COLÁGENO, que le otorgan fuerza y elasticidad, y células óseas (menos de 5% de su volumen). En él, una capa externa de hueso compacto rodea una zona central de hueso esponjoso, excepto en la cavidad de la médula. El hueso no crece por división celular; en su lugar, diferentes tipos de células óseas generan la matriz, la descomponen y la conservan. En este proceso, el hueso es remodelado, lo que lo refuerza en zonas de mayor tensión, permite la curación de FRACTURAS y contribuye a la regulación de concentraciones de calcio en fluidos corporales (ver deficiencia de CALCIO). El proceso también produce hueso subutilizado, como en una extremidad inmovilizada, hasta atrofia. Entre los trastornos óseos se cuentan la ARTRITIS REUMATOIDE, la OSTEOARTRITIS, el RAQUITISMO, la OSTEOPOROSIS y los TUMORES. Los huesos pueden fracturarse súbita o gradualmente, como ocurre en las fracturas por tensión.

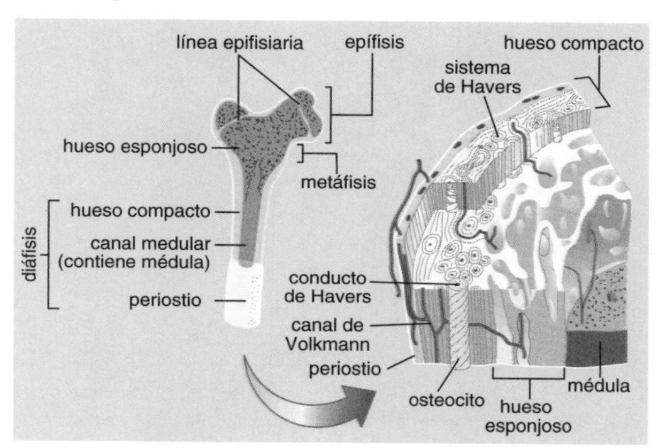

Estructura interna de un hueso humano largo, con un corte transversal ampliado del interior. El periostio es una membrana fibrosa que recubre la superficie del hueso. El sistema de Havers, que consiste en sustancias inorgánicas dispuestas en anillos concéntricos alrededor de los conductos de Havers, da al hueso compacto apoyo estructural y permite el metabolismo de las células óseas. Los osteocitos (células óseas maduras) están ubicados en cavidades diminutas entre los anillos concéntricos. Los conductos contienen capilares que aportan oxígeno y nutrientes y retiran los desechos. Las ramas transversales se conocen como canales de Volkmann.

hueso, porcelana de ver PORCELANA TRANSLÚCIDA

huevo ver ÓVULO

Hugenberg, Alfred (19 jun. 1865, Hannover, Hannover–12 mar. 1951, Kükenbruch, Alemania Occidental). Industrial y dirigente político alemán. Como presidente del consorcio industrial de la familia KRUPP (1909–18), construyó un enorme imperio periodístico y cinematográfico, y ejerció una gran influencia sobre la opinión pública alemana durante la República de WEIMAR. Como jefe del conservador PARTIDO NACIONAL POPULAR ALEMÁN (desde 1928), contribuyó al ascenso al poder de ADOLF HITLER. En 1931 formó una alianza de elementos nacionalistas y conservadores para derribar el gobierno de Weimar. Aunque fracasó en su intento, las grandes sumas de dinero aportadas por industriales alemanes ayudaron al crecimiento del PARTIDO NAZI. En 1933 formó parte del gabinete de Hitler por breve tiempo, pero su partido fue disuelto ese mismo año.

Huggins, Charles B(renton) (22 sep. 1901, Halifax, Nueva Escocia, Canadá–12 ene. 1997, Chicago, Ill., EE.UU.). Cirujano y urólogo estadounidense de origen canadiense. Estudió en la Universidad de Chicago y enseñó en ella por varias décadas. Descubrió que empleando estrógenos para bloquear las hormonas masculinas podía retardar el crecimiento del cáncer de próstata. También demostró que la extirpación de los ovarios y de las glándulas suprarrenales, que producen estrógenos, podía revertir el crecimiento tumoral de algunos cánceres de mama. Ahora se emplean medicamentos que bloquean la producción de estrógenos en estos casos. Compartió el Premio Nobel en 1996 con Peyton Rous (n. 1879–m. 1970).

Hughes, Charles Evans (11 abr. 1862, Glens Falls, N.Y., EE.UU.–27 ago. 1948, Osterville, Mass.). Jurista y estadista estadounidense. Se destacó en 1905 como asesor jurídico de los comités legislativos de Nueva York que investigaban los abusos en las empresas de seguros de vida y en las de servicios públicos. Sus dos períodos como gobernador de Nueva York (1906–10) estuvieron marcados por extensas reformas. Fue designado para ocupar un puesto en la Corte Suprema de los ESTADOS UNIDOS DE AMÉRICA en 1910, pero renunció en 1916 para ser el candidato presidencial republicano. Después de perder la elección ante WOODROW WILSON en una estrecha votación, retornó al ejercicio de la profesión. Como secretario de Estado (1921–25), planeó y presidió la Conferencia de Washington (1921–22). Se desempeñó como miembro del Tribunal de La Haya (1926–30) y de la Corte Permanente de Justicia Internacional (1928–30) antes de ser designado presidente de la Corte Suprema de EE.UU. en 1930 por el pdte. HERBERT HOOVER. Dirigió el tribunal en las grandes controversias que surgieron a partir de la legislación del *New Deal* del pdte. FRANKLIN D. ROOSEVELT. Aunque en general favorecía el ejercicio de las atribuciones del gobierno, actuó en nombre de la Corte Suprema al anular (en SCHECHTER POULTRY CORPORATION V. UNITED STATES) una de las principales leyes del *New Deal*, y se opuso al plan de Roosevelt de aumentar el número de miembros de la Corte Suprema (1937). Redactó el voto que apoyó la NEGOCIACIÓN COLECTIVA al amparo de la ley WAGNER. Se desempeñó en el tribunal hasta 1941.

Hughes, Howard (Robard) (24 dic. 1905, Houston, Texas, EE.UU.–5 abr. 1976, sobrevolando el sur de Texas). Fabricante, aviador y productor cinematográfico estadounidense. Abandonó los estudios universitarios a la edad de 17 años para hacerse cargo de la Hughes Tool Company de su difunto padre, que era dueña de la patente de una herramienta para la perforación de pozos petrolíferos; la compañía iba a ser la futura base para la enorme fortuna de Hughes. A comienzos de la década de 1930 fundó la empresa aeronáutica Hughes Aircraft Company. En 1935 estableció un récord de velocidad de 567 km/h (352 mi/h) en un avión diseñado por él. En 1938 voló dando la vuelta al mundo en un récord de 91 horas. En 1947 construyó y piloteó en su único vuelo un bote volador de madera de ocho motores con el poco halagador sobrenombre de “el ganso de abeto” (*the Spruce Goose*). En la década de 1930 produjo varias películas en Hollywood, y a comienzos de la década de 1950 era el dueño de RKO Pictures. Era accionista controlador en la TRANS WORLD AIRLINES, pero fue obligado a venderla en 1966, como resultado de una demanda judicial. Con posterioridad a 1950 se convirtió en un recluso con fama de excéntrico, y después de su muerte, sus memorias falsificadas y sus diversos testamentos se transformaron en fuente de escándalo.

Howard Hughes, 1930.
FOTOBANCO

Hughes, (James Mercer) Langston (1 feb. 1902, Joplin, Mo., EE.UU.–22 may. 1967, Nueva York, N.Y.). Escritor y poeta estadounidense. Publicó el poema *The Negro Speaks of Rivers* [Un negro habla de los ríos] a los 19 años de edad. Asistió a la Universidad de Columbia durante un tiempo, y luego trabajó en un carguero destinado a África. Su carrera literaria se inicia cuando, trabajando como ayudante de camarero en un restaurante, mostró sus poemas a VACHEL LINDSAY, mientras cenaba. Algunos de sus poemarios son *Los blues cansados* (1926) y *Montage of a Dream Deferred* [Montaje de un sueño diferido] (1951). *The Panther and the Lash* [La pantera y el látigo] (1967), publicado muchos años después, refleja su ira y militancia en grupos radicales afroamericanos. Hughes también escribió cuentos –como “Los modos de la gente blanca” (1934)–, dos autobiografías, numerosas piezas teatrales, antologías y traducciones de la poesía de FEDERICO GARCÍA LORCA y GABRIELA MISTRAL. Su conocido personaje cómico Jesse B. Semple, llamado Simple, aparecía regularmente en sus columnas periodísticas.

Langston Hughes, fotografía de Jack Delano, 1942.
GENTILEZA DE LA BIBLIOTECA DEL CONGRESO, WASHINGTON, D.C.

Hughes, Ted *orig.* **Edward James Hughes** (16 ago. 1930, Mytholmroyd, Yorkshire, Inglaterra–28 oct. 1998, Devon). Poeta británico. Hijo de tenderos, se educó en la Universidad de Cambridge. En 1956 contrajo matrimonio con la poetisa estadounidense SYLVIA PLATH. Sus primeros poemarios fueron *El halcón en la lluvia* (1957) y *Lupercal* (1960). Tras el suicidio de su esposa en 1963, apenas escribió durante tres años; luego inició una carrera prolífica, a menudo en colaboración con ilustradores o fotógrafos. Entre sus obras se cuentan *Wodwo* (1967), *Cuervo* (1970), *Cave Birds* [Pájaros cavernícolas] (1975), *Gaudete* [Alegraos] (1977) y *Wolf Watching* [Observando a los lobos] (1989). Su obra más característica resalta la astucia y ferocidad de la vida animal en versos ásperos, a veces disyuntivos. Hughes escribió numerosos libros infantiles, como *El hombre de hierro* (1968), y fue editor de *Modern Poetry in Translation* [La poesía moderna traducida]. En 1984 fue nombrado poeta laureado de Gran Bretaña. *Cartas de cumpleaños* (1998), publicado poco antes de su muerte, contiene reveladores poemas acerca de su relación con Plath.

Hugli, río Río del nordeste de India. Es el brazo más occidental y de mayor importancia comercial del río GANGES, y permite acceder a KOLKATA (Calcuta) desde el golfo de BENGALA. Formado por la confluencia de los ríos Bhagirathi y Jalangi, fluye hacia el sur a lo largo de 260 km (106 mi), a través de una zona altamente industrializada que alberga a más de la mitad de la población de Bengala Occidental. Aguas arriba de Kolkata, el río está obstruido con légamo, pero es navegable por transatlánticos hasta la ciudad misma. Desemboca en el golfo de Bengala a través de un estuario de 5–32 km (3–20 mi) de ancho, cruzado por dos puentes.

Hugo de san Víctor (1096–11 feb. 1141, París, Francia). Teólogo escolástico que inició la tradición mística de la escuela de San Víctor, París. Fue influenciado por san AGUSTÍN y DIONISIO EL AREOPAGITA y contribuyó al desarrollo de la teología natural. Su teodicea se adelantó a algunas de las obras de santo TOMÁS DE AQUINO.

Hugo, Premio *inglés* **Hugo Award** Cualquiera de los varios premios anuales que desde 1953 otorga la World Science Fiction Society por realizaciones notables en materia de CIENCIA FICCIÓN. Se le llama premio Hugo en homenaje a Hugo Gernsback, fundador de la *Amazing Stories*, la primera revista dedicada exclusivamente a ese género.

Hugo, Victor (-Marie) (26 feb. 1802, Besançon, Francia–22 may. 1885, París). Poeta, dramaturgo y novelista francés. Hijo de un general, ya era un poeta de tomo y lomo antes de cumplir los 20 años. Su drama en verso *Cromwell* (1827) lo convirtió en figura importante del ROMANTICISMO, y el estreno de su tragedia poética *Hernani* (1830) supuso una victoria de los románticos sobre los clasicistas tradicionales en una conocida batalla literaria. Posteriores son las piezas teatrales *El rey se divierte* (1832) y *Ruy Blas* (1838). Sus novelas más célebres son *Nuestra Señora de París* (1831) (conocida también como *El jorobado de Notre Dame)*, una evocación de la vida medieval, y *Los miserables* (1862), la historia del convicto Jean Valjean. La inmensa popularidad de ambas lo transformó en el escritor más exitoso del mundo en su época. En su madurez incursionaría en la política y se haría ensayista político. En 1851–70 estuvo exiliado por adscribir a la causa republicana, y en esa condición produjo su obra más extensa y original, a saber, los poemas satíricos contenidos en *Los castigos* (1853), y *Las contemplaciones* (1856) y la primera entrega de *La leyenda de los siglos* (1859, 1877, 1883). Fue elegido senador en 1876, y a su muerte se le rindieron honores de héroe nacional antes de ser sepultado en el Panteón.

Victor Hugo, fotografía de Nadar (Gaspard-Félix Tournachon).
ARCHIVES PHOTOGRAPHIQUES

hugonotes Protestantes franceses de los s. XVI–XVII, muchos de los cuales sufrieron una fuerte persecución debido a su fe. La primera comunidad hugonote francesa fue fundada en 1546 y la confesión de fe redactada por el primer sínodo en 1559 fue influenciada por las ideas de JUAN CALVINO. Su número se incrementó rápidamente y se convirtieron en una importante fuerza política, encabezada por GASPARD II DE COLIGNY. Los conflictos con el gobierno y otros sectores católicos, entre ellos la casa de GUISA, provocaron las guerras de RELIGIÓN (1562–98). En 1573 formaron un partido político hugonote para luchar por las libertades religiosas y civiles, y en 1576 se constituyó la poderosa Liga SANTA para combatirlos. ENRIQUE IV puso fin a las guerras civiles abjurando del protestantismo en 1593 y convirtiéndose al catolicismo, pero en 1598 promulgó el edicto de NANTES, que garantizaba diversos derechos a los protestantes. La guerra civil estalló nuevamente en la década de 1620 y los hugonotes perdieron su poder político, por lo que continuaron siendo hostigados y convertidos a la fuerza. En 1685 LUIS XIV revocó el edicto de Nantes; en los años siguientes, más de 400.000 protestantes franceses abandonaron Francia.

Huhhot *u* **Hohhot** *o* **Huhehot** *ant.* **Kuku-hoto** *o* **Kuei-suei** Ciudad (pob., est. 1999: 754.749 hab.) y capital de la región autónoma de MONGOLIA INTERIOR, norte de China. La ciudad original mongola fue un importante centro religioso del budismo tibetano, y más tarde una comunidad comercial musulmana. Después de la segunda guerra mundial (1939–45) se desarrolló como centro industrial: refinería de azúcar, industria textil y fundición de hierro y acero. Su universidad (1957) fue la primera de Mongolia Interior. La ciudad es un centro cultural regional.

hui Pueblo musulmán del oeste de China, cuyo número asciende a cerca de nueve millones. Sus antepasados eran mercaderes, soldados, artesanos y sabios que llegaron a China desde Persia y Asia central musulmanas entre los s. VII–XIII y se mezclaron con los chinos han y otras etnias locales. La mayor parte de ellos son agricultores y viven en áreas rurales. Hablan dialectos chinos y se distinguen de sus vecinos principalmente por su religión.

Huidobro, Vicente *orig.* **Vicente García-Huidobro Fernández** (10 ene. 1893, Santiago, Chile–2 ene. 1948, Cartagena). Escritor chileno. Nacido en una familia de clase alta, en 1916 partió a Europa y se radicó en París, donde publicó varios libros de poemas en francés, entre ellos *Horizon carré* (1917) y *Poemas árticos* (1918). Los méritos principales de su obra son la incorporación de procedimientos de vanguardia, inéditos hasta entonces en lengua española, especialmente la escritura de CALIGRAMAS, y su exploración del registro lúdico de la lengua, con gestos de una libertad sin precedentes en *Altazor* (1931), tal vez su poemario más conocido. También escribió novelas y obras de teatro, además de manifiestos en los que, polemizando con el SURREALISMO y el FUTURISMO, explica las características del CREACIONISMO, movimiento que encabezó.

Huitzilopochtli Dios AZTECA del Sol y la guerra. Generalmente era representado como un colibrí o como un guerrero con un casco de plumas y una serpiente turquesa como báculo. Su disfraz de animal era el águila. Su madre era una diosa de la tierra, sus hermanos eran las estrellas y su hermana una diosa de la Luna. Algunos mitos lo presentaban como el jefe divino de la tribu durante la larga migración que llevó a los aztecas al valle de México. El decimoquinto mes del año ceremonial estaba dedicado a él y se hacían sacrificios humanos en su honor, de conformidad con la creencia que necesitaba sangre y corazones humanos como alimento diario.

Huizinga, Johan (7 dic. 1872, Groninga, Países Bajos–1 feb. 1945, De Steeg). Historiador holandés. Fue profesor de historia en Groninga (1905–15) y luego en Leiden hasta 1942, cuando fue tomado como rehén por los nazis; permaneció bajo arresto domiciliario hasta su muerte en 1945. Sus primeros estudios se centraron en las culturas y literatura indias, pero obtuvo reconocimiento internacional por *El otoño de la Edad Media* (1919), un examen penetrante de la vida en Francia y Holanda en los s. XIV–XV.

Huizong *o* **Hui-tsung** *o* **Song Huizong** *orig.* **Zhao Ji** (1082–1135). Penúltimo emperador de la dinastía SONG del norte de China. Pintor y calígrafo, prefirió dedicarse a las artes más que a gobernar. Instó a los pintores de su academia a reflejar rigurosamente la realidad en sus obras; sus propias pinturas de aves y flores son muy detalladas, coloreadas con gran exactitud y de perfecta composición. Mientras construía un nuevo y extravagante jardín palaciego, los conflictos políticos quedaron sin resolver y sus EUNUCOS favoritos alcanzaron un poder sin precedente en el gobierno. Su alianza con las tribus juchen (ver dinastía JIN) de Manchuria en contra de la dinastía LIAO llevó a los juchen a invadir y derrocar a los Song del norte.

Hukbalahap, rebelión *o* **rebelión Huk** (1946–54). Sublevación campesina en Luzón, Filipinas. La fértil llanura de Luzón era cultivada por una inmensa población de agricultores arrendatarios que trabajaban en grandes propiedades, situación que provocaba periódicas rebeliones campesinas. La región se convirtió en un foco de agitación comunista en la década de 1930. La organización comunista Hukbalahap (o Huk) fue un grupo guerrillero contrario a los japoneses que tuvo mucho éxito en la segunda guerra mundial (1939–45). Al final de la guerra, había tomado control de la mayoría de las grandes fincas de Luzón, había establecido un gobierno y recaudaba impuestos. Cuando Filipinas logró la independencia en 1946, los huk iniciaron una rebelión después de que se les impidió tomar posesión de los cargos de gobierno para los cuales habían sido elegidos. Lograron sus objetivos durante cuatro años y en 1950 casi capturaron Manila. Derrotados por tropas filipinas equipadas con avanzado armamento estadounidense, y por el ascenso del popular RAMÓN MAGSAYSAY, Luis Taruc, su líder, se rindió en 1954.

hula *o* **hula hula** Danza polinésica sinuosa que combina el movimiento ondulante de las caderas con gestos mímicos, a menudo ejecutada con acompañamiento de cantos e instrumentos, como el ukelele. Originalmente fue un baile religioso ejecutado en alabanza a los jefes; ahora el hula narra una historia o describe un lugar y lo bailan exclusivamente las mujeres. El traje típico consiste en una falda de rafia y un collar de flores.

Hull, Bobby *p. ext.* **Robert Martin Hull** (n. 3 ene. 1939, Point Anne, Ontario, Canadá). Jugador canadiense de hockey sobre hielo. Jugó como delantero central y alero izquierdo en los Chicago Blackhawks (1957–72) en la National Hockey League (NHL), donde sus fuertes disparos y su velocidad lo convirtieron en figura dominante; anotó 50 goles o más en cada una de esas cinco temporadas. A lo largo de su carrera en la NHL registró 610 goles, 560 asistencias y 1.170 puntos. También jugó en la hoy desaparecida World Hockey Association (1972–81).

Bobby Hull, 1969.
CANADA WIDE—PICTORIAL PARADE

Hull, Clark L(eonard) (24 may. 1884, Akron, N.Y., EE.UU.–10 may. 1952, New Haven, Conn.). Psicólogo estadounidense. Fue docente en la Universidad de Wisconsin (1918–29) y miembro del Instituto de relaciones humanas de la Universidad de Yale (1929–52). Abordó tres áreas distintas de investigación. Sus estudios sobre psicometría culminaron en *Aptitude Testing* [La medición de las aptitudes] (1929). Sus estudios sobre hipnosis dieron como resultado *Hypnosis and Suggestibility* [Hipnosis y sugestibilidad] (1933). Su principal esfuerzo se concentró en un estudio exhaustivo del aprendizaje, que dio origen a la teoría dominante al respecto en las décadas de 1940–50, conforme a la cual el aprendizaje se basa en la "fuerza del hábito". Su importante *Mathematico-Deductive Theory of Rote Learning* [Teoría matemático-deductiva del aprendizaje de memoria] (1940) fue seguida de *Principios de la conducta* (1943), obra de enorme influencia. Sobre la base de los trabajos de EDWARD L. THORNDIKE y JOHN B. WATSON, intentó desarrollar una teoría rigurosa del aprendizaje que diera cuenta de todas las conductas, humanas y animales. Hull y sus colaboradores crearon numerosos experimentos y conceptos teóricos, y su obra conjunta dominó la literatura experimental durante más de dos décadas, pero con el tiempo fue reemplazada por una psicología más centrada en la cognición (ver PSICOLOGÍA COGNITIVA), que asigna un papel a los acontecimientos mentales.

Hull, Cordell (2 oct. 1871, cond. de Overton, Tenn., EE.UU.–23 jul. 1955, Bethesda, Md.). Político y diplomático estadounidense. Se desempeñó en la Cámara de Representantes (1907–21, 1923–31), donde redactó el primer proyecto de ley de impuesto a la renta (1913) y la ley de impuesto de herencia (1916). Estuvo un corto tiempo en el Senado (1931–33). Como secretario de Estado del pdte. FRANKLIN D. ROOSEVELT (1933–44), estableció convenios internacionales para reducir las altas barreras arancelarias. Contribuyó a mejorar las relaciones de EE.UU. con América Latina mediante la que se dio en llamar POLÍTICA DEL BUEN VECINO. En Asia oriental rechazó la propuesta de una "doctrina Monroe japonesa" que hubiera entregado a ese país el dominio de China (1934). Cuando EE.UU. entró en la segunda guerra mundial, comenzó a planificar un organismo internacional de posguerra que mantuviera la paz. Por esta labor, Roosevelt se refirió a él como el "padre de las NACIONES UNIDAS". Recibió el Premio Nobel de la Paz en 1945.

Hulse, Russell Alan (n. 28 nov. 1950, Nueva York, N.Y., EE.UU.). Físico estadounidense. Recibió su doctorado de la Universidad de Massachusetts. Con su profesor JOSEPH H. TAYLOR, JR. descubrieron decenas de PULSARES. Uno de esos, el PSR 1913 + 16, resultó ser una ESTRELLA BINARIA; los enormes campos gravitacionales en interacción de las dos estrellas constituyeron la primera evidencia experimental de la existencia de ondas gravitacionales, predichas por ALBERT EINSTEIN en su teoría general de la RELATIVIDAD. Por su descubrimiento del PSR 1913 + 16, Hulse y Taylor compartieron el Premio Nobel en 1993.

humanidades Rama del conocimiento que se ocupa de los seres humanos, de su cultura y sus expresiones. Se distingue de las ciencias biológicas y físicas, y a veces de las ciencias sociales, y comprende el estudio de las lenguas y literaturas, las artes, la historia y la filosofía. El concepto moderno de humanidades tiene sus raíces en el término del griego clásico *paideia*, un curso de educación general que data del s. V AC, que preparaba a los jóvenes para ser ciudadanos. También se inspira en el *humanitas* de MARIO TULIO CICERÓN, un programa de formación de oradores establecido en 55 AC. Los humanistas del Renacimiento contrastaban los *studia humanitatis* con los estudios de lo divino; en el s. XIX, la distinción pasó a ser en cambio entre las humanidades y las ciencias.

humanismo En la Europa renacentista, movimiento cultural caracterizado por un renacimiento de las letras clásicas, un espíritu crítico e individualista y el viraje de los intereses religiosos a los seculares. El humanismo se remonta al s. XIV con los trabajos de PETRARCA, aunque a veces se describen como humanistas figuras anteriores a esa época. Su difusión se vio facilitada por el uso universal del latín y la invención del tipo móvil, esto es, la imprenta.

Humber, río *antig.* **Abus** Río que desemboca en el mar del NORTE en la costa oriental de Inglaterra. Nace en la confluencia de los ríos OUSE y TRENT, y, en general, fluye hacia el sur por 121 km (75 mi) a través de una serie de saltos y lagos, hasta terminar en una desembocadura de más de 11 km (7 mi) de ancho. El puente colgante de Humber, uno de los más largos del mundo (tramo principal: 1.410 m [4.626 pies]), se construyó (1981) en gran medida para fomentar el desarrollo económico de las riberas adyacentes al río, en las cuales existen varios puertos importantes como KINGSTON-UPON-HULL.

Humberside Región y antiguo condado administrativo en el este de Inglaterra. Se extendía a lo largo de la costa del mar del NORTE desde el promontorio Flamborough hacia el sur, cruzando la desembocadura del río HUMBER. Su capital era KINGSTON-UPON-HULL. En Flamborough Head, las altas colinas onduladas de los Yorkshire Wolds se elevan sobre acantilados de caliza. La región fue habitada por pueblos prehistóricos, seguido por asentamientos romanos, anglosajones y escandinavos.

Humberto I (14 mar. 1844, Turín, Piamonte, Reino de Cerdeña–29 jul. 1900, Monza, Italia). Rey de Italia (1878–1900) y duque de Saboya. Hijo de VÍCTOR MANUEL II, combatió en las guerras libradas contra Austria (1866). Después de ascender al trono en 1878, abandonó la política aislacionista e integró a su país en la TRIPLE ALIANZA (1882). Sin embargo, una guerra arancelaria con Francia provocó dificultades económicas (1888) y su política colonial en África concluyó cuando Italia fue derrotada por Etiopía (1896). Enfrentado a un creciente desorden social, apoyó la imposición de la ley marcial (1898) y dio paso a un período de turbulencia que culminó en su asesinato en manos de un anarquista.

Humberto II (15 sep. 1904, Racconigi, Italia–18 mar. 1983, Ginebra, Suiza). Príncipe de Saboya y por breve tiempo, rey de Italia (1946). Hijo de VÍCTOR MANUEL III, comandó una división del ejército italiano en la primera guerra mundial. En mayo de 1946 su padre abdicó en su favor, pero él mismo fue obligado a abdicar en junio, después de que el pueblo italiano votara por una república. Junto a sus herederos masculinos, fue desterrado para siempre de Italia (aunque la medida fue derogada en 2002) y se estableció en Portugal.

Humboldt de Berlín, Universidad ver Universidad de BERLÍN

Humboldt, (Friedrich Wilhelm Heinrich) Alexander, barón von (14 sep. 1769, Berlín, Prusia–6 may. 1859, Berlín). Naturalista y explorador alemán. En 1792 se incorporó al departamento de minería del gobierno prusiano, donde inventó una lámpara de seguridad y estableció una escuela técnica para mineros. A partir de 1799 exploró América Central y del Sur, viajando por la selva amazónica y el Altiplano andino. Durante estos viajes descubrió la conexión entre los sistemas fluviales de los ríos Amazonas y Orinoco y conjeturó que el mal de altura (puna, apunamiento o soroche) era causado por la falta de oxígeno. Estudió la corriente oceánica de la costa oeste de Sudamérica, que se llegó a conocer como la corriente de Humboldt (a veces llamada corriente del Perú). Regresó a Europa en 1804. Sus investigaciones ayudaron a establecer los fundamentos de la climatología comparativa, trazaron una conexión entre la geografía de una región y su flora y fauna y contribuyeron a la comprensión del desarrollo de la corteza terrestre. En París destinó sus recursos financieros para ayudar a LOUIS AGASSIZ y otros a comenzar sus carreras de investigación en terreno. En 1829 viajó a Rusia y Siberia, y realizó observaciones geográficas, geológicas y meteorológicas en Asia central. Durante la década de 1830 investigó las tormentas magnéticas. Los últimos 25 años de su vida los dedicó a escribir su obra *Kosmos*, una descripción de la estructura del universo como se la conocía en ese entonces.

Barón Alexander von Humboldt.
FOTOBANCO

Humboldt, (Karl) Wilhelm, barón von (22 jun. 1767, Potsdam, Prusia–8 abr. 1835, Tegel, cerca de Berlín). Lingüista y reformador educacional alemán. Hermano mayor de ALEXANDER VON HUMBOLDT, ocupó varios cargos gubernamentales. Como ministro de educación (1809), elevó el nivel de la educación básica y contribuyó de manera importante a la fundación de la Universidad Friedrich Wilhelm en Berlín (actualmente Universidad Humboldt o Universidad de BERLÍN). Hizo también importantes aportes a la filosofía del lenguaje, al sostener que su carácter y estructura expresan la cultura e individualidad del hablante y que los seres humanos perciben el mundo a través del lenguaje. Por otra parte, realizó investigaciones sobre el VASCO y el kawi (javanés antiguo).

Barón Wilhelm von Humboldt, pintura al óleo de F. Kruger.
BRUCKMANN—ART REFERENCE BUREAU

Humboldt, río Río en el norte del estado de Nevada, EE.UU. Nace en el cond. de Elko y recorre 467 km (290 mi) de oeste a sudoeste hasta el lago Humboldt (denominado también Humboldt Sink). JOHN C. FRÉMONT le puso nombre a este río en honor a ALEXANDER VON HUMBOLDT; fue una ruta importante para los emigrantes que provenían de Salt Lake City hacia los yacimientos de oro en el centro del estado de California.

Hume, David (7 may. 1711, Edimburgo, Escocia–25 ago. 1776, Edimburgo). Filósofo, historiador y economista escocés. Concibió la filosofía como ciencia experimental inductiva de la naturaleza humana. En su primera obra importante, *Tratado sobre la naturaleza humana* (1739–40), sostiene que las ideas, entre ellas las de espacio, tiempo y causalidad, tienen su origen en la experiencia sensible; presenta una compleja explicación de los aspectos afectivos o emocionales de la mente y le asigna un papel subordinado a la razón en este orden ("La razón es, y debe solamente ser, esclava de las pasiones") y describe el bien moral en términos de "sentimientos" de aprobación o desaprobación que una persona tiene cuando considera el comportamiento humano a la luz de las consecuencias agradables o desagradables para sí mismo o para otros. El *Tratado* fue recibido sin entusiasmo y muchos años después, Hume lo repudiaría como una obra inmadura. Revisó el Libro I del *Tratado* para presentarlo como *Investigación sobre el entendimiento humano* (1758), una revisión del Libro III se publicó como *Investigación sobre los principios de la moral* (1751). Sus *Diálogos sobre la religión natural* (1779), contenían una refutación del argumento teleológico y una crítica de la noción de milagro, cuya publicación por recomendación de sus amigos se postergó hasta después de la muerte de Hume. A partir de su concepción del origen de las ideas, Hume concluyó que no tenemos conocimiento de un "yo" como sujeto permanente de la experiencia; tampoco tenemos conocimiento de ninguna "conexión necesaria" entre sucesos causalmente relacionados. IMMANUEL KANT, quien desarrolló su filosofía crítica en reacción directa a Hume, dijo que este lo había despertado de sus "sueños dogmáticos". En Gran Bretaña, la teoría moral de Hume impulsó a JEREMY BENTHAM a adoptar el UTILITARISMO. Con JOHN LOCKE y GEORGE BERKELEY, Hume es considerado uno de los grandes filósofos del EMPIRISMO.

Hume, John (n. 18 ene. 1937, Londonderry, Irlanda del Norte). Líder del Partido Laborista y Social Demócrata (SDLP) de Irlanda del Norte en 1979–2001; ganador, junto a DAVID TRIMBLE, del Premio Nobel de la Paz en 1998. Maestro de escuela, se convirtió en un dirigente católico del movimiento por los derechos civiles en Irlanda del Norte durante la década de 1960. Fue elegido a los Parlamentos de Irlanda del Norte (1969), Europa (1979) y Gran Bretaña (1983). De tendencia moderada, condenó el uso de la violencia por el EJÉRCITO REPUBLICANO IRLANDÉS (IRA). A fines de la década de 1980, intentó convencer al IRA de que abandonara la lucha armada contra Gran Bretaña y participara en la política democrática. Arriesgó su seguridad personal participando en conversaciones, a veces secretas, con líderes del SINN FÉIN, el ala política del IRA, y jugó un importante papel en la negociación del acuerdo del Viernes Santo, consenso de paz multipartidario alcanzado entre unionistas y nacionalistas en abril de 1998. Elegido a la nueva Asamblea de Irlanda del Norte en junio, renunció dos años más tarde por problemas de salud.

humedad Contenido de vapor de agua en el aire. La humedad, una de las características más variables de la atmósfera, es un factor importante en el clima y las condiciones meteorológicas: regula la temperatura del aire mediante la absorción de radiación térmica tanto del Sol como de la Tierra; es directamente proporcional a la energía latente disponible para la generación de tormentas, y es en última instancia la fuente de todas las formas de condensación y precipitación. La humedad varía porque la capacidad que tiene el aire para contener agua está determinada por la temperatura. Cuando un volumen de aire a una cierta temperatura contiene la máxima cantidad de vapor de agua posible, se dice que el aire está saturado. La humedad relativa es la razón entre el contenido efectivo de vapor de agua y el contenido de saturación, expresada en porcentaje. Cerca de la Tierra la humedad relativa rara vez baja de 30%.

Hummel, Johann Nepomuk (14 nov. 1778, Pozsony, Hungría–17 oct. 1837, Weimar, Turingia). Compositor, pianista y director austríaco. Fue un niño prodigio del piano. Se trasladó a Viena a la edad de ocho años, donde su padre era director de orquesta, y estudió dos años con WOLFGANG AMADEUS MOZART. Después de cinco años de giras, volvió para perfeccionar sus estudios y renunció a las presentaciones en público. Reemplazó a JOSEPH HAYDN como director musical en el palacio Esterházy, pero en realidad vivió de la enseñanza y la composición para el teatro. En 1814 retomó su carrera de intérprete con gran éxito y murió rico. Compuso profusamente música de cámara y algunos conciertos.

humor (latín: "fluido") En la fisiología occidental antigua, uno de los cuatro fluidos corporales que supuestamente determinan los rasgos y temperamento de una persona. Según postulaba GALENO, los cuatro humores fundamentales eran la sangre, la flema, la cólera (bilis amarilla) y la melancolía (bilis negra). La mezcla en diversas proporciones de estos humores en cada individuo determinaba su "carácter" o temperamento y sus cualidades mentales y físicas. La persona ideal tenía una mezcla perfectamente equilibrada de los cuatro fluidos; una cantidad desproporcionada de uno de ellos daba origen a una personalidad dominada por una serie de emociones conexas (p. ej., un hombre colérico tenía gran propensión a ser rabioso, orgulloso, ambicioso y vengativo).

humor negro Tipo de humor que ridiculiza la insensatez humana con una comicidad grotesca, mórbida e irónica. El término se popularizó en la década de 1960, cuando se usó para caracterizar la obra de novelistas como Joseph Heller, cuyo *Trampa 22* (1961) es un paradigma de humor negro; KURT VONNEGUT, particularmente en *Matadero cinco* (1969); y THOMAS PYNCHON en *V* (1963) y *El arco iris de la gravedad* (1973). Un ejemplo cinematográfico es *Dr. Strangelove* (1963) de STANLEY KUBRICK. El término comedia negra se ha aplicado a algunas piezas del TEATRO DEL ABSURDO, en especial a aquellas de EUGÈNE IONESCO.

Humperdinck, Engelbert (1 sep. 1854, Siegburgo, Hannover–27 sep. 1921, Neustrelitz, Alemania). Compositor alemán. Estudió piano, órgano, violonchelo y composición con Ferdinand Hiller. Sus composiciones fueron premiadas y en 1879 conoció a RICHARD WAGNER en Nápoles, quien lo hizo miembro de su círculo. Invitado a colaborar en la preparación del estreno de *Parsifal*, que implicó copiar la partitura y ensayar con el coro, pasó a ser considerado por algunos el delfín de Wagner. Hoy es conocido por su ópera tan popular *Hänsel y Gretel* (1892); entre sus obras posteriores figura la ópera *The King's Children* (1897).

Humphrey, Doris (17 oct. 1895, Oak Park, Ill., EE.UU.–29 dic. 1958, Nueva York, N.Y.). Bailarina y coreógrafa de danza moderna estadounidense. Perteneció a la compañía Denishawn de 1917 a 1928, año en que junto con CHARLES WEIDMAN cofundó una escuela y un grupo de danza, que funcionó hasta 1944. En sus coreografías utilizó una forma novedosa de conflicto entre el equilibrio y el desequilibrio, y entre la caída y la recuperación. Sus obras más destacadas son *Water Study* [Estudio del agua] (1928), *The Shakers* [Los batidores] (1931) y *New Dance* (1935). Se retiró como intérprete en 1945, pero continuó trabajando como directora artística de la compañía de JOSÉ LIMÓN, para la cual compuso obras como *Day on Earth* [El día en la Tierra] (1947) y *Ruins and Visions* [Ruinas y visiones] (1953).

Doris Humphrey.
CULVER PICTURES

Humphrey, Hubert H(oratio) (27 may. 1911, Wallace, S.D., EE.UU.–13 ene. 1978, Waverly, Minn.). Político estadounidense. Fue farmacéutico y maestro de escuela antes de convertirse en jefe de la campaña de 1944 del pdte. FRANKLIN D. ROOSEVELT en Minnesota. Durante este tiempo tuvo un papel decisivo en la fusión del Partido Demócrata con el Partido de los Trabajadores y Agricultores en dicho estado. Su carrera pública comenzó con su elección como alcalde de Minneapolis (1945–48). En el Senado (1949–64) demostró ser un hábil líder parlamentario que contribuyó a obtener el apoyo bipartidista para el tratado de prohibición de pruebas nucleares (1963) y para la ley de derechos civiles (1964). Como vicepresidente de LYNDON B. JOHNSON (1965–69), los opositores de izquierda lo vilipendiaron por su defensa de la participación de EE.UU. en la guerra de VIETNAM. Fue candidato presidencial del Partido Demócrata en 1968, pero perdió la elección por escaso margen frente a RICHARD NIXON. Estuvo nuevamente en el Senado en 1971–78.

humus Materia orgánica coloidal e inerte del suelo, derivada de la descomposición microbiana de sustancias vegetales y animales. Su color varía entre marrón y negro, y está constituido principalmente de carbono, pero también contiene nitrógeno y cantidades pequeñas de fósforo y azufre. Al descomponerse, sus elementos se convierten en formas utilizables por las plantas. El humus se clasifica de acuerdo a qué tan bien se incorpora al suelo mineral, los tipos de organismos implicados en su descomposición, y la vegetación de la cual deriva. Es apreciado por agricultores y jardineros porque proporciona nutrientes esenciales para el crecimiento de las plantas, incrementa la absorción de agua del suelo y mejora su explotabilidad.

Hunan *o* **Hu-nan** Provincia (pob., est. 2000: 64.400.000 hab.) de China central. Está situada al sur del río YANGTZÉ (Chang Jiang) y limita con las provincias de GUIZHOU, SICHUAN, HUBEI, JIANGXI y GUANGDONG, el municipio de CHONGQING y la región autónoma de GUANGXI. Tiene una superficie de 210.500 km^2 (81.300 mi^2); su capital es CHANGSHA. En el s. III AC formaba parte del reino de CHU; luego quedó en poder de la dinastía QIN y durante la dinastía HAN (206 AC–220 DC) pasó a formar parte del Imperio chino. Hubei y Hunan eran una sola provincia hasta su separación, ocurrida a mediados del s. XVII. En 1852, la invadieron rebeldes taiping, y en 1934, Mao Zedong lideró desde allí la LARGA MARCHA. Durante la guerra chino-japonesa (1937–45) fue escenario de encarnizadas batallas, y en 1949 pasó a formar parte de China comunista. En la parte montañosa del territorio destaca el monte Heng, considerado sagrado para los chinos. La economía está basada en la agricultura siendo una de las grandes regiones arroceras del país.

Hung Hsiu-ch'üan ver HONG XIUQUAN

húngaro Lengua UGROFINESA de Hungría, con importantes poblaciones minoritarias de hablantes en Eslovaquia, Transilvania (Rumania), y el norte de Serbia. El húngaro tiene más hablantes que cualquier otra lengua URÁLICA, alrededor de 14.500.000 hablantes en todo el mundo, incluidos 400.000 a 500.000 en América del Norte. El texto húngaro más antiguo que se conoce data de fines del s. XII. En el s. XV comienza una ininterrumpida tradición literaria. El contacto con lenguas

TURCAS, IRANIAS y ESLAVAS y, más recientemente, con dialectos del alto alemán y el latín, ha proporcionado al húngaro numerosos préstamos.

HUNGRÍA

- **Superficie:** 93.030 km² (35.919 mi²)
- **Población:** 10.078.000 hab. (est. 2005)
- **Capital:** BUDAPEST
- **Moneda:** florín

Hungría *ofic.* **República de Hungría** País de Europa central. La población es una mezcla de magiares y de varios pueblos eslavos, turcos y germanos. Idioma: húngaro (magiar, oficial). Religiones: catolicismo y protestantismo. El Gran Alfold (llanura), de fértiles suelos agrícolas, ocupa casi la mitad del país. Los dos ríos principales de Hungría son el DANUBIO y el TISZA. El lago BALATÓN, situado en las tierras altas transdanubianas, es el más grande de Europa central. Los bosques cubren cerca de 20% del territorio nacional. Hungría es uno de los países más prósperos de Europa oriental y un importante productor mundial de bauxita. A fines de la década de 1980 inició un proceso para transformar su economía socialista en una de libre mercado. Es una república pluripartidista unicameral; el jefe de Estado es el presidente y el de Gobierno, el primer ministro. La parte occidental del país fue incorporada al Imperio romano en 14 AC. Los MAGIARES, un pueblo nómada, se establecieron en la llanura a fines del s. IX. ESTEBAN I, coronado en el año 1000, evangelizó al país y lo transformó en un estado fuerte e independiente. Pero más tarde fue devastado por las invasiones de los MONGOLES en el s. XIII y de los turcos otomanos en el s. XIV. En 1568, el territorio de la Hungría moderna se había dividido en tres partes: el reino húngaro pasó a manos de la dinastía HABSBURGO, TRANSILVANIA obtuvo su autonomía en 1566 bajo los turcos, y la llanura central continuó bajo control turco hasta su traspaso a los Habsburgo austríacos a fines del s. XVII. Hungría proclamó su independencia de Austria en 1849, y en 1867 se estableció la monarquía dual de AUSTRIA-HUNGRÍA. La derrota sufrida durante la primera guerra mundial (1914–18) condujo al desmembramiento de su territorio, quedando solamente con las regiones donde predominaban los magiares. En un intento por recuperar los territorios perdidos, Hungría cooperó con los alemanes contra la Unión Soviética durante la segunda guerra mundial (1939–45). Después de la guerra se estableció un gobierno provisional prosoviético, y en 1949 se formó la República Popular de Hungría. En 1956 se produjo un levantamiento contra el régimen estalinista, pero fue aplastado (ver REVOLUCIÓN HÚNGARA). En todo caso, desde 1956 hasta 1988 la Hungría comunista se convirtió en la más tolerante de las naciones del bloque soviético en Europa oriental. Se independizó en 1989 y pronto registró los niveles más altos de inversión extranjera directa de Europa central y oriental. En 1999 se unió a la OTAN y al año siguiente celebró un milenio de existencia.

Vista de Budapest, capital y ciudad de Hungría, a orillas del Danubio.
ANGELO CAVALLI/THE IMAGE BANK/GETTY IMAGES

Hung-shan, cultura ver cultura HONGSHAN

Hung-wu, emperador ver emperador HONGWU

Hünkâr İskelesi, tratado de (1833). Alianza entre el Imperio otomano y Rusia, firmado en la aldea de Hünkâr İskelesi (Unkiar Skelessi), cerca de Estambul. A cambio de la ayuda militar rusa, el sultán otomano Mahmud II aceptó en el tratado de defensa mutua un artículo secreto que cerró el estrecho de los Dardanelos a todo buque de guerra extranjero, con excepción de los rusos. El tratado convirtió al Imperio otomano en un virtual protectorado de Rusia. Cuando otros países comenzaron a sospechar la existencia del acuerdo, Rusia abandonó sus privilegios en los Dardanelos en 1841.

Hunkers y Barnburners Dos facciones del Partido Demócrata en el estado de Nueva York, EE.UU., en el s. XIX. El partido se dividió en la década de 1840 por diferencias respecto de la esclavitud. Los conservadores *Hunkers* (llamados así por sus opositores porque anhelaban los cargos públicos), con WILLIAM MARCY a la cabeza, apoyaban la anexión de Texas y criticaban la agitación antiesclavista. Los radicales reformistas *Barnburners* (así calificados por sus opositores porque quemaban el granero para eliminar los ratones), encabezados por MARTIN VAN BUREN, se oponían a extender la esclavitud a los nuevos territorios. En la convención nacional demócrata de 1848, los *Barnburners* se juntaron con el PARTIDO FREE SOIL y nombraron a Van Buren candidato a presidente. Durante la década de 1850, ciertos *Barnburners* volvieron al Partido Demócrata y otros, en cambio, ingresaron al nuevo Partido Republicano.

huno Miembro de un pueblo de pastores nómadas que invadió Europa sudoriental c. 370 DC. Irrumpiendo desde Asia central después de mediados del s. IV, primero invadieron a los alanos, quienes ocupaban las llanuras entre los ríos Volga y Don, y luego derrotaron a los OSTROGODOS, que vivían entre los ríos Don y Dniéster. Hacia 376 vencieron a los VISIGODOS, que habitaban en lo que aproximadamente es la actual Rumania y llegaron hasta el Danubio, que fijaba la frontera del Imperio romano. Como guerreros, inspiraron un temor casi sin paralelo en toda Europa; eran diestros arqueros montados y sus rápidos y feroces ataques les permitieron obtener aplastantes victorias. Extendieron su poder sobre muchos pueblos germánicos de Europa central y se aliaron con los romanos. En 432 las diversas hordas habían sido unificadas bajo la autoridad de un solo rey, Rua (Rugila). Muerto el monarca (434), fue sucedido por sus dos sobrinos, Bleda y ATILA. Por un tratado de paz con el Imperio romano de Oriente, los hunos recibieron el doble de subsidios que los romanos habían estado pagando hasta entonces; cuando al parecer estos no pagaron las sumas estipuladas, Atila lanzó un fuerte ataque sobre la frontera romana del Danubio (441). Nuevas incursiones extendieron su control en Grecia e Italia. Cuando Atila murió (453), sus numerosos hijos se dividieron el imperio y dieron inicio a una serie de costosos conflictos con sus súbditos. Los hunos fueron finalmente derrotados en 455 por una alianza de gépidos, ostrogodos, hérulos y otros en una gran batalla en PANONIA. Poco después, el Imperio romano de Oriente les cerró la frontera, lo que provocó su desintegración paulatina como unidad social y política.

Hunt, H(aroldson) L(afayette) (17 feb. 1889, Ramsey, Ill., EE.UU.–29 nov. 1974, Dallas, Texas). Empresario petrolero estadounidense. En 1930 compró un terreno en el este de Texas que se transformó en uno de los yacimientos petrolíferos más ricos de EE.UU. Continuó realizando hábiles inversiones a través de su empresa Hunt Oil Co. (fundada en 1936), que se convirtió en la compañía independiente productora de gas y petróleo más grande del país. En la década de 1960, explotó enormes depósitos de petróleo en Libia. También realizó inversiones en empresas editoras, cosméticos, cultivo de pacana y alimentos naturales. Promovía sus opiniones ultraconservadoras en sus propios programas de radio y en la columna de un periódico en la década de 1950. En 1980, dos de sus hijos, N. Bunker y W. Herbert, trataron infructuosamente de monopolizar el mercado mundial de la plata, lo que casi lo llevó a la quiebra.

Hunt, R. Timothy (n. 19 feb. 1943, Neston, Cheshire, Inglaterra). Científico británico. Después de obtener un Ph.D. en la Universidad de Cambridge en 1968, realizó investigaciones en el Albert Einstein College of Medicine de Nueva York y, en 1990, se incorporó al Imperial Cancer Research Fund (actual Cancer Research UK) en Londres. A comienzos de la década de 1980, empleando erizos de mar, descubrió las ciclinas, proteínas que juegan un papel clave en la regulación de distintas fases del ciclo celular. Su trabajo condujo al descubrimiento de las ciclinas en los seres humanos, hecho de importancia en el diagnóstico de tumores. En 2001 compartió el Premio Nobel con LELAND H. HARTWELL y PAUL M. NURSE.

Hunt, Richard Morris (31 oct. 1827, Brattleboro, Vt., EE.UU.–31 jul. 1895, Newport, R.I.). Arquitecto estadounidense. Estudió en Europa desde 1843 hasta 1854, convirtiéndose en el primer estudiante de arquitectura de EE.UU. en ingresar a la École des Beaux-Arts en París. Regresó a su país natal para difundir el estilo BEAUX-ARTS. Su trabajo fue ecléctico, abarcando desde el primer período del Renacimiento francés –vistoso y recargado– pasando por el clasicismo monumental, hasta el estilo de las pintorescas villas europeas (châteaux). Trabajó en la ampliación del CAPITOLIO DE EE.UU., diseñó el edificio Tribune en Nueva York (1873) y la fachada del Museo METROPOLITANO DE ARTE DE NUEVA YORK (1900–02). Entre las mansiones que diseñó para la nueva aristocracia comercial figura el edificio Breakers en Newport, R.I. (1892–95), el cual fue creado para los Vanderbilt, en un estilo renacentista opulento. Fue fundador del Instituto americano de arquitectos.

Hunt, William Holman (2 abr. 1827, Londres, Inglaterra–7 sep. 1910, Londres). Pintor británico, cofundador de la Hermandad prerrafaelista (ver PRERRAFAELISMO). Asistió a las escuelas de la Royal Academy y logró su primer éxito público con *La luz del mundo* (1854). Sus pinturas se caracterizan por el color sólido, los minuciosos detalles y el énfasis puesto en el simbolismo moral o social. Su celo moral las hizo extremadamente populares en la Inglaterra victoriana. Pasó dos años en Siria y Palestina pintando escenas bíblicas como *Chivo expiatorio* (1855), que presenta al animal marginado a orillas del mar Muerto. Su autobiografía *Prerrafaelismo y hermandad prerrafaelista* (1905) es el libro de consulta básico de dicho movimiento.

Hunter, John (13 feb. 1728, Long Calderwood, Lanarkshire, Escocia–16 oct. 1793, Londres, Inglaterra). Cirujano británico. Nunca intentó ser doctor en medicina, pero ayudaba en la preparación de disecciones para un curso de anatomía que dictaba su hermano WILLIAM HUNTER. A principios de la década de 1770 comenzó a dictar sus propias clases de cirugía y, en 1776, fue nombrado cirujano extraordinario del rey Jorge III. Realizó numerosos estudios, muy diversos e importantes, en biología, anatomía, fisiología y patología comparadas y es considerado el fundador de la anatomía patológica en Gran Bretaña. Ejerció gran influencia sobre EDWARD JENNER.

Hunter, río Río del este de NUEVA GALES DEL SUR, Australia. Nace en el Mount Royal, en la Gran Cordillera Divisoria, y fluye hacia el sudoeste a través del embalse de Glenbawn y la localidad de Denman. Allí al unirse con su principal afluente, el río GOULBURN, el Hunter desvía hacia el sudeste para desembocar en el mar de TASMANIA a la altura de Newcastle, tras un recorrido de 462 km (287 mi). Su estuario forma uno de los puertos naturales más grandes del estado.

Ganado cruzando el río Hunter, Nueva Gales del Sur.
DAVID MOORE/BLACK STAR

Hunter, William (23 may. 1718, Long Calderwood, Lanarkshire, Escocia–30 mar. 1783, Londres, Inglaterra). Obstetra, educador y escritor médico británico. Hermano de JOHN HUNTER, estudió medicina en la Universidad de Glasgow y, en 1756, obtuvo su licencia para ejercer en Londres. Introdujo en Gran Bretaña la práctica francesa de suministrar cadáveres a los estudiantes de medicina para que realizaran disecciones. Después de 1756 se dedicó principalmente a la obstetricia; llegó a ser el especialista más exitoso de su época y, en 1762, fue nombrado médico extraordinario de la reina Carlota. Su labor contribuyó a elevar el estatus de la obstetricia de la esfera de acción de las comadronas y a establecerla como una rama aceptada de la medicina.

Hunters' Lodges Organización secreta de rebeldes canadienses y aventureros estadounidenses dedicada a liberar a Canadá del dominio colonial británico. Se formó después del fracaso de la rebelión de 1837 y se concentró en los estados fronterizos del norte de EE.UU. En 1838 la milicia local anglocanadiense detuvo dos intentos de invadir el Alto Canadá (actual Ontario). Continuaron algunas incursiones fronterizas menores hasta que el pdte. MARTIN VAN BUREN ordenó la desarticulación de las logias, de acuerdo con las leyes de neutralidad de EE.UU.

Huntington Beach Ciudad (pob., 2000: 189.594 hab.) en el sudoeste del estado de California, EE.UU. Esta ciudad de la costa del Pacífico, primero se llamó Shell Beach y luego de su parcelación (1901) se denominó Pacific City. Para promoverla como centro vacacional junto al mar, fue rebautizada como Huntington Beach en honor al magnate ferroviario Henry E. Huntington. Sus principales recursos económicos son las refinerías y los pozos petrolíferos.

Huntington, Collis P(otter) (22 oct. 1821, Harwinton, Conn., EE.UU.–13 ago. 1900, Raquette Lake, N.Y.). Magnate ferroviario estadounidense. Fue vendedor ambulante antes de convertirse en un próspero comerciante en Oneonta, N.Y. En 1849, el año de la FIEBRE DEL ORO, se trasladó a Sacramento, Cal., y se asoció con MARK HOPKINS en una firma especializada en provisiones para mineros. A fines de la década de 1850 se interesó en un plan para unir California con el este de EE.UU. a través del ferrocarril. En 1861 se asoció con Hopkins, Leland Stanford y Charles Crocker (n. 1822–m. 1888) en un grupo apodado más tarde como los "cuatro grandes", que creó el Central Pacific Railway. Durante la construcción de la línea férrea (1863–69), Huntington buscó patrocinio para la empresa en el este del país, donde consiguió financiamiento y también recibió apoyo del gobierno federal. En 1865, los "cuatro grandes" fundaron el Southern Pacific Railway y, en 1869, compró el Chesapeake and Ohio Railway; más tarde lo amplió y lo conectó con el Southern Pacific, y se formó así el primer ferrocarril transcontinental. En 1890 ocupó la presidencia del sistema Southern Pacific-Central Pacific.

Huntington, corea de Enfermedad neurológica hereditaria, relativamente rara, caracterizada por movimientos irregulares e involuntarios de los músculos. La COREA de Huntington es causada por una mutación genética que produce degeneración de las neuronas de una zona del encéfalo que controla los movimientos. Los síntomas suelen aparecer entre los 35 y 50 años de edad. Comienzan con sacudidas o contorsiones ocasionales, ausentes durante el sueño, que culminan en espasmos y sacudidas aleatorios, incontrolables y a menudo violentos. Después, aparecen síntomas de deterioro mental, como pérdida de la memoria, demencia, trastorno bipolar o esquizofrenia. No existe un tratamiento efectivo y la enfermedad es siempre fatal. Los hijos de los afectados tienen 50% de probabilidades de desarrollar la enfermedad.

Huntington, Samuel P(hillips) (n. 18 abr. 1927, Nueva York, N.Y., EE.UU.). Cientista político estadounidense. Después de doctorarse en la Universidad de Harvard, dedicó la mayor parte de su carrera a enseñar allí, y se especializó en defensa y en asuntos internacionales. Ha sido consultor de muchos organismos gubernamentales. Entre sus numerosos libros destacan *Political Order in Changing Societies* [El orden político en sociedades cambiantes] (1968), en el cual sugirió que los países en desarrollo no siempre están en condiciones de crear instituciones democráticas liberales, y *Clash of Civilization and the Remaking of the World Order* [Choque de civilizaciones y reconstrucción del orden mundial] (1996), en el cual predijo conflictos entre las principales culturas del mundo en la posguerra fría.

Huntsville Ciudad (pob., 2000: 158.216 hab.) en el norte del estado de Alabama, EE.UU. Originalmente se denominó Twickenham y fue la primera comunidad de Alabama que se constituyó como ciudad en 1811. Fue sede de la primera convención constitucional de Alabama (1819) y por un breve período funcionó como capital del estado. Se levantó en torno a Big Spring (manantial que aún abastece de agua a la ciudad); es centro de comercialización del heno, algodón, cereales y tabaco. En la ciudad se encuentran también el Centro de vuelos espaciales George C. Marshall y la Universidad de Alabama (1950).

Hunyadi, János (¿1407?, Hunyad, Transilvania–11 ago. 1456, Belgrado). General húngaro. Hijo de un caballero, sirvió en el ejército durante el reinado de SEGISMUNDO. En Italia aprendió las nuevas técnicas militares de FRANCESCO SFORZA. De regreso en el sur de Hungría, rechazó los ataques turcos (1437–38) y fue nombrado gobernador de Transilvania. Con la ayuda de Venecia y el papado, organizó una campaña en contra de los turcos (1441–43), que quebró el control del Imperio otomano de los estados balcánicos, aunque fue derrotado en un contraataque en la batalla de VARNA (1444). En 1446 fue elegido regente del joven rey Ladislao V y fue gobernador del reino de Hungría (1446–52). En 1456 levantó el sitio turco de Belgrado antes de morir de una enfermedad. Es considerado héroe nacional húngaro por haber rechazado a los supuestamente invencibles ejércitos turcos.

János Hunyadi, grabado de Andre Thevet.

GENTILEZA DEL DIRECTORIO DEL MUSEO BRITÁNICO; FOTOGRAFÍA, J.R. FREEMAN & CO., LTD.

Huon, río Río del sur de TASMANIA; Australia. Nace en los faldeos de los montes Wedge, Bowen y Anne, fluye primero hacia el sur y luego hacia el este para encontrarse con sus afluentes, los ríos Weld y Picton. Cruza la localidad de Huonville en el punto límite de navegabilidad y entra a un ancho estuario después de completar un curso de 170 km (105 mi), para desembocar en el canal de D'Entrecasteaux. El valle del curso inferior está profusamente cultivado y comprende la región productora de manzanas más importante de Tasmania; es también una popular zona turística.

Hu-pei ver HUBEI

huracán ver CICLÓN TROPICAL

hurdy-gurdy Tipo de violín piriforme cuyas cuerdas se tocan con el borde de una rueda de madera que se hace girar por medio de una manilla. Se usa una hilera de llaves para producir la melodía pisando una o dos cuerdas; las cuerdas restantes emiten un bordón constante. Un instrumento parecido al hurdy-gurdy existió en Europa alrededor del s. XII, adoptando su forma actual en el s. XIII. Desde antaño se lo ha vinculado con músicos callejeros y todavía se toca en Europa como instrumento folclórico. El nombre también se emplea con frecuencia para designar el organillo, en el cual una manivela hace girar un cilindro grueso dentro de la caja, en el que están codificadas varias melodías, haciendo sonar así un pequeño órgano de cañones.

Hurdy-gurdy tañido por una dama francesa del s. XVIII.

H. ROGER-VIOLLET

Hurley, Patrick J(ay) (8 ene. 1883, Territorio indio, EE.UU.–30 jul. 1963, Santa Fe, N.M.). Diplomático estadounidense. Comenzó a ejercer como abogado en 1908, en Oklahoma. Durante la primera guerra mundial fue coronel de la fuerza expedicionaria estadounidense. En la década de 1920 participó activamente en política por el Partido Republicano y en 1929–33 fue secretario de guerra bajo el mandato de HERBERT HOOVER. Cuando EE.UU. entró en la segunda guerra mundial, ascendió a general de brigada y viajó a Filipinas para evaluar la ayuda a los soldados estadounidenses en la isla de Bataan; tres veces logró entregar alimentos y municiones a las asediadas tropas en ese lugar. Hasta el término de la guerra, actuó como representante personal del pdte. FRANKLIN D. ROOSEVELT. Como embajador en China (1944–45), procuró sin éxito reconciliar a los nacionalistas con los comunistas.

hurling Deporte irlandés parecido al HOCKEY SOBRE HIERBA y al LACROSSE. Los partidos se disputan entre dos equipos de 15 jugadores. El juego es mencionado en manuscritos irlandeses que datan del s. XIII AC. Se juega con un palo (llamado *hurley*) largo y delgado, levemente curvo, de cabeza más ancha y corta que el del hockey. Se anota un punto al hacer pasar la pelota sobre el travesaño de los postes del equipo contrario, y tres cuando la pelota pasa por debajo. Se lo considera el deporte nacional de Irlanda.

Hurok, Sol(omon Isiaevich) (9 abr. 1888, Pogar, cerca de Járkov, Rusia–5 mar. 1974, Nueva York, N.Y., EE.UU.). Empresario estadounidense de origen ruso. En 1905 emigró a EE.UU. y en 1913 inauguró la serie de conciertos "Música para las masas". Esta última actividad lo llevó a ser representante de muchos artistas famosos de Europa oriental cuando realizaban giras al extranjero, como FEODOR CHALIAPIN, MISCHA ELMAN, ANNA PAVLOVA y ARTUR RUBINSTEIN.

hurón Cualquiera de dos especies de la familia Mustelidae de CARNÍVOROS. El hurón común (*Mustela putorius furo*) es una forma domesticada del TURÓN europeo. Tiene un cuerpo lar-

Especies de hurón.

go y flexible y es marrón, negro o blanco (albino). Su longitud promedio es de 51 cm (20 pulg.), incluida la cola de 13 cm (5 pulg.), y pesa 1 kg (2 lb) aprox. Fue domesticado originalmente para cazar ratones, ratas y conejos; hoy los hurones suelen tenerse de mascotas. El hurón de pies negros (*M. nigripes*), de las llanuras de América del Norte, lleva un antifaz negro y marcas negro-parduscas en los pies y en la punta de la cola. Es una especie amenazada de extinción, debido a la desaparición de su principal fuente de alimento, el PERRO DE LA PRADERA.

Hurón, lago Lago en EE.UU. y Canadá. Es el segundo de mayor tamaño entre los GRANDES LAGOS de América del Norte y limita con el estado de Michigan y la provincia de Ontario; mide 330 km (206 mi) aprox. de largo y ocupa una superficie de 59.570 km² (23.000 mi²). Recibe las aguas de los lagos SUPERIOR, MICHIGAN y otras corrientes, para luego verter las suyas en el lago ERIE. Contiene muchas islas, entre ellas MACKINAC; también la bahía de Saginaw bordea la costa de Michigan. Como parte del canal de SAN LORENZO, mantiene un intenso tráfico comercial entre los meses de abril y diciembre. Es el primero de los Grandes Lagos que fue visitado por los europeos. Los exploradores franceses (1615–79) le dieron su nombre por el pueblo HURÓN que habitaba allí.

hurón *o* **wyandot** Pueblo indígena de América del Norte que vive en Lorette, al norte de la ciudad de Quebec, y en el sudoeste de Ontario, Canadá, así como también en Kansas y Oklahoma, EE.UU. Su idioma pertenece a las lenguas IROQUESAS. Cuando se produjo el primer encuentro, este pueblo, que en su mayoría se llama a sí mismo wyandot, vivía en Ouendake (Huronia), entre la bahía Georgiana y el lago Simcoe. Sus aldeas, a veces empalizadas, consistían en amplias viviendas cubiertas de cortezas que albergaban a varias familias vinculadas por la ascendencia materna. Sus cultivos comprendían el maíz, frijol, calabaza, girasol y tabaco. La caza y la pesca eran de menor importancia. Las aldeas estaban divididas en CLANES, cuyos jefes se reunían en consejos. Las mujeres ejercían influencia en los asuntos del clan, y era responsabilidad de las matronas seleccionar a los líderes políticos. Eran encarnizados enemigos de las tribus de la Confederación IROQUESA, con las cuales se disputaban el comercio de las pieles. Las invasiones iroquesas de 1648–50 devastaron la tribu, forzando a los sobrevivientes a emigrar hacia el oeste. Actualmente el pueblo hurón está integrado por unas 6.800 personas en EE.UU. y Canadá.

Hurston, Zora Neale (7 ene. 1903, Eatonville, Fla., EE.UU.–28 ene. 1960, Fort Pierce, Fla.). Folclorista y escritora estadounidense. Se incorporó a una compañía teatral itinerante y luego se estableció en Nueva York, donde estudió antropología con FRANZ BOAS en la Universidad de Columbia. Luego se vincularía con el renacimiento de HARLEM. Colaboró con LANGSTON HUGHES en el drama *Mule Bone* [Hueso de mula] (1931). Su primera novela, *La calabaza de Jonah* (1934), fue seguida de otra polémica, pero de gran acogida, *Sus ojos veían a Dios* (1937). También escribió una autobiografía, *Marcas de polvo en el camino* (1942).

Hurt, John (n. 22 ene. 1940, Shirebrook, Derbyshire, Inglaterra). Actor británico. Debutó tanto en teatro como en cine en 1962. Es reconocido como un perspicaz actor de carácter que interpretó notables roles en *Un hombre para la eternidad* (1966), *El hombre elefante* (1980) y *Rob Roy* (1995). Entre sus actuaciones en teatro se cuentan *Los enanos* (1963) y *Travesties* (1974). En televisión protagonizó al personaje Quentin Crisp en *The Naked Civil Servant* (1975) y a Calígula en la serie *Yo, Claudio* (1977).

hurto En derecho, delito que consiste en la sustracción de un bien ajeno sin conocimiento ni consentimiento de su dueño. En la mayoría de las legislaciones, la apropiación ilegítima de lo ajeno comprende el hurto, el latrocinio, el robo y el ROBO CON VIOLENCIA. El latrocinio consiste en apoderarse de cosas ajenas y llevárselas con ánimo de adueñarse. El latrocinio mayor, o de bienes de considerable valor, es un delito, mientras que el latrocinio menor, o latrocinio de cosas de menos valor, es una simple falta. El mismo principio se aplica al hurto mayor y al menor, que no necesariamente involucra "llevarse consigo" las cosas y puede incluir el hurto de servicios. El robo es una forma agravada de hurto que involucra el uso o amenaza de uso de violencia contra la víctima, en presencia suya. El robo con violencia en las cosas (en algunas legislaciones, robo con escalamiento) consiste en ingresar a un recinto ajeno haciendo uso de violencia, con el propósito de cometer un delito contra la propiedad en su interior. Por lo general, la DEFRAUDACIÓN y la ESTAFA se distinguen del hurto.

Hus, Jan (c. 1370, Husinec, Bohemia–6 jul. 1415, Constanza). Reformador religioso bohemio. Estudió y enseñó en la Universidad de Praga, donde fue influenciado por JOHN WYCLIFFE. Como rector de la universidad desde 1402, se convirtió en el líder de un movimiento reformista que criticó la corrupción del clero católico. La condena de la Iglesia a las enseñanzas de Wycliffe amenazaron el movimiento y su posición se vio más socavada aún por su postura en la lucha de poderes entre papas rivales. Fue excomulgado en 1411, pero continuó predicando. Criticó la reanudación de la venta de INDULGENCIAS por el antipapa Juan XXIII, lo que a su vez llevó a que se reabriera el caso de herejía en su contra. Fue invitado al concilio de CONSTANZA para que explicara sus puntos de vista; aunque se le prometió un salvoconducto, fue detenido, enjuiciado por herejía y quemado en la hoguera. Sus escritos fueron importantes en el desarrollo del idioma checo, así como en la teología de la reforma eclesiástica. Sus seguidores fueron llamados HUSITAS.

Husain, Maqbool Fida (n. 17 sep. 1915, Pandharpur, estado de Maharashtra, India). Artista indio. Sus pinturas narrativas, realizadas en un estilo cubista (ver CUBISMO) modificado, pueden ser mordaces y cómicas, así como serias y sombrías. Sus temas, generalmente tratados en serie, incluyen tópicos tan diversos como Mohandas K. Gandhi, la Madre Teresa, los *Ramayana*, los *Mahabharata*, la soberanía británica y motivos de la vida urbana y rural india. Es uno de los artistas indios más celebrados e internacionalmente reconocidos del s. XX. También se ha destacado como grabador, fotógrafo y cineasta.

Husak, Gustav (10 ene. 1913, Bratislava, Eslovaquia, Austria-Hungría–18 nov. 1991, Bratislava, Checoslovaquia). Líder de Checoslovaquia (1969–89). Ayudó a dirigir la sublevación nacional eslovaca antifascista de 1944 y después de la guerra inició una carrera como funcionario del gobierno y del Partido Comunista. Se convirtió en viceprimer ministro de Checoslovaquia bajo ALEXANDER DUBČEK. Cuando este último fue depuesto por las tropas soviéticas, fue instalado como primer secretario del Partido Comunista (1969). Revirtió las reformas de Dubček y purgó al partido de sus miembros liberales. Se convirtió en presidente en 1975. Cuando el régimen comunista colapsó en 1989, renunció a la presidencia.

húsar Integrante de una unidad de CABALLERÍA ligera europea, según el modelo húngaro, del s. XV. El uniforme de colores intensos de los húsares húngaros fue imitado en otros ejércitos europeos; consistía en un chacó (gorra de tela en forma de cilindro alto; en inglés, *busby*), una chaqueta con profusión de galones, y un dolmán (chaquetón suelto que se usaba colgado del hombro izquierdo). En el s. XIX los húsares fueron readaptados en los ejércitos franceses, británicos (ver DRAGONES) y belgas que conservan dichas unidades en sus fuerzas blindadas.

Ḥusayn ibn ʿAlī (c. 1854, Constantinopla, Imperio otomano–1931, Amman, Transjordania). Jerife (sharif) de la familia hachemita, emir (designado por los otomanos) de La Meca (1908–16) y autoproclamado rey de los árabes (1916–24). Su pretensión de ser el nuevo califa (1924) provocó una breve guerra en contra de IBN SAʿŪD. Derrotado, fue exiliado a Chipre. Uno de sus hijos, ʿAbdullāh, se convirtió en rey de Transjordania (actual Jordania); otro se convirtió en rey de Siria y luego de Irak como FAYṢAL I.

Ḥusayn ibn ʿAlī, al- (ene. 626, Medina, Hejaz, península Arábiga–10 oct. 680, Karbalā', Irak). Líder político y religioso musulmán. Era nieto del profeta MAHOMA. Después del asesinato de su padre, el cuarto califa ʿALĪ IBN ABĪ ṬĀLIB, aceptó a MUʿĀWIYAH I como quinto califa de la dinastía OMEYA. Rehusó, no obstante, reconocer la sucesión del hijo de este último, YAZĪD I, y aceptó en cambio una invitación para viajar a Irak y encabezar una rebelión en contra de los omeyas. Junto a un pequeño séquito de familiares y seguidores, fue interceptado por los omeyas y asesinado en la masacre de KARBALA. Es considerado por los musulmanes de la rama CHIITA como el prototipo del mártir; su muerte se convirtió en un tema central de la posterior teología chiita, y se conmemora anualmente durante la festividad de ʿĀshūrā'.

Ḥusaynī, Amīn al- *o* **Haj Amin Husseini** (1897, Jerusalén, Palestina, Imperio otomano–4 jul. 1974, Beirut, Líbano). Líder nacionalista palestino y gran MUFTÍ de Jerusalén (1921–37). En 1921 los británicos lo designaron muftí y presidente del recién creado Consejo supremo musulmán. En 1936 grupos árabes formaron el Alto comité árabe, el cual Ḥusaynī presidió, que exigía poner fin a la inmigración judía a Palestina. Los británicos lo expulsaron en 1937 y se trasladó al Líbano. Durante la segunda guerra mundial (1939–45) vivió en Alemania, y huyó después a Egipto.

Ḥusayn, dinastía de los Dinastía gobernante de Túnez (1705–1957). Fue fundada por un alto funcionario del Imperio OTOMANO, al-Ḥusayn ibn ʿAlī. Se le permitió gobernar en forma autónoma y acordó tratados con potencias europeas. Más tarde, la presión europea llevó a los siguientes monarcas de la dinastía Ḥusayn a suprimir la piratería (1819), abolir la esclavitud y aminorar las restricciones a los judíos (1837–55). Cuando Túnez se convirtió en un protectorado francés en 1883, estos gobernantes se transformaron en meras figuras decorativas. La monarquía fue abolida cuando Túnez obtuvo su independencia en 1957.

husita Miembro de un grupo de reformadores religiosos de la Bohemia del s. XV, seguidores de JAN HUS. Después de su muerte en 1415, los husitas rompieron con Roma. Además de dar la comunión de pan y vino, propiciaban la libertad de prédica, la pobreza del clero, el castigo de los pecados mortales por la autoridad civil y la expropiación de la propiedad eclesiástica. Muchos eran nobles y caballeros y una cruzada papal en su contra fracasó en 1431. Durante las negociaciones de paz en 1433 se dividieron en dos facciones, los praguenses moderados y los taboritas radicales. Los praguenses se unieron a los católicos y derrotaron a los taboritas en la batalla de Lipany en 1434; sobrevivieron a los cismas hasta 1620, cuando fueron absorbidos por los católicos. Otra facción de husitas, *Unitas Fratrum*, estableció una organización independiente en 1467, que perduró hasta la CONTRARREFORMA. En 1722, un grupo abandonó Moravia y se instaló en la propiedad del conde Nikolaus Ludwig von Zinzendorf (n. 1700–m. 1760) en Sajonia, estableciendo la comunidad de Herrnhut y fundando la Iglesia de MORAVIA.

husky siberiano Raza canina criada en Siberia por los integrantes del pueblo chukchi, quienes lo usaban como perro de trineo, compañero y guardián. Fue llevado a Alaska en 1909 para competir en las carreras de trineos, en las cuales se estableció como ganador habitual. Es un perro grácil con orejas erectas y un pelaje tupido y suave; tiene una alzada de 51–60 cm (20–24 pulg.) y pesa 16–27 kg (35–60 lb). Suele ser gris, canela o blanquinegro; las marcas cefálicas pueden parecer una gorra, una máscara o anteojos. Esta raza, mantenida pura por siglos en Siberia, es notable por su inteligencia y temperamento amable.

Husky siberiano.

huso La mayor de las especies de ESTURIÓN (*Huso huso* o *Acipenser huso*) que habita los mares Caspio, Negro y de Azov. Alcanza una longitud de 7,5 m (25 pies) y un peso de 1.300 kg (2.900 lb), pero su carne y CAVIAR tienen un valor menor que el de las especies más pequeñas.

huso y rueca El instrumento más antiguo para hilar fibras. La hilandera deja caer el huso para estirar las fibras, mientras que la rueca hace que el huso siga girando para dar la torsión necesaria. El huso y la rueca fueron reemplazados por la RUEDA DE HILAR.

Ḥussein *p. ext.* **Ḥussein ibn Ṭalāl** (14 nov. 1935, Ammán, Transjordania–7 feb. 1999, Ammán, Jordania). Rey de Jordania (1952–99). Educado en Gran Bretaña, sucedió a su padre, el rey Ṭalāl, cuando aún era adolescente. La precaria situación geográfica y económica de su país, y la gran cantidad de palestinos que vivían allí (a quienes ofreció, a diferencia de otros gobernantes árabes, ciudadanía y pasaporte) lo forzaron a seguir una cautelosa política exterior. Aunque sostuvo conversaciones secretas con todos los líderes israelíes, con excepción de MENAHEM BEGIN, se unió a otras naciones árabes contra Israel en la guerra de los SEIS DÍAS (1967). Expulsó del país a la OLP (Organización para la Liberación de Palestina) con base en Jordania, cuando en 1971 esta amenazó su reino después de la derrota sufrida en ese conflicto. A partir de entonces, buscó restablecer las relaciones con la OLP, sin contrariar excesivamente a Israel o EE.UU. Renunció a la reclamación de la CISJORDANIA en 1988, cediendo su derecho a la OLP. Consideraba como su mayor logro el tratado de paz con Israel en 1994.

Rey Ḥussein de Jordania (1952–99).

Ḥussein, Ṣaddām (n. 28 abr. 1937, Tikrīt, Irak). Presidente de Irak (1979–2003). Se unió al PARTIDO BAAS en 1957. Después de participar en un intento fallido para asesinar al presidente iraquí ʿAbd al-Karīm Qāsim en 1959, huyó a El Cairo, en donde asistió por breve tiempo a una escuela de derecho. Regresó a Irak cuando su partido obtuvo el poder en 1963. Encarcelado cuando derrocaron el gobierno, escapó y ayudó a reinstalar al Baas en el poder en 1968. Dirigió la nacionalización de la industria petrolera en 1972. Asumió la presidencia con el objetivo de reemplazar a Egipto como líder del mundo árabe y lograr la hegemonía en el golfo Pérsico. Emprendió guerras en contra de Irán (guerra de IRÁN-IRAK, 1980–90) y Kuwait (primera guerra del GOLFO PÉRSICO, 1990–91), las que perdió. Impuso una dictadura brutal y ordenó violentas campañas represivas en contra de las minorías dentro de Irak, en especial contra los KURDOS. El temor de EE.UU. respecto a su programa de desarrollo de armas de destrucción masiva llevó a la imposición de sanciones occidentales en contra de Irak, tras lo cual el país fue invadido por tropas británicas y estadounidenses en 2003 (segunda guerra del GOLFO PÉRSICO), que lograron derrocar a Ḥussein. Después de varios meses oculto, fue capturado por fuerzas estadounidenses. Ver también PANARABISMO.

Husserl, Edmund (8 abr. 1859, Prossnitz, Moravia, Imperio austríaco–27 abr. 1938, Friburgo de Brisgoria, Alemania). Filósofo alemán, fundador de la FENOMENOLOGÍA. Recibió el grado de doctor en matemática en la Universidad de Viena en 1882. En 1883–86 estudió con FRANZ BRENTANO, cuya psicología descriptiva motivó a Husserl a reflexionar sobre las fuentes psicológicas de los conceptos matemáticos básicos. Fue docente en la Universidad de Halle de 1887 a 1901. Sus *Investigaciones lógicas* (1901) empleaban un método que llamó "fenomenológico", consistente en un análisis de la realidad experimentada exactamente como se presenta a la conciencia. Desarrolló el método en *Ideas* (1913) y en otras obras escritas mientras enseñaba en la Universidad de Gotinga (1901–16); su principio metodológico fundamental llamado reducción fenomenológica o "eidética", enfoca la atención del filósofo en la experiencia no interpretada y en la búsqueda, por medio de ello, de la esencia de las cosas. Dado que es también una reflexión acerca de las funciones a través de las cuales las esencias se hacen conscientes, la reducción revela el ego para el cual todo tiene significado. En 1916, Husserl aceptó el cargo de profesor en la Universidad de Friburgo, donde MARTIN HEIDEGGER era uno de sus estudiantes; cuando Husserl jubiló en 1928, Heidegger lo sucedió en el cargo. Después de 1933, cuando el nazismo tomó el poder en Alemania, Husserl fue excluido de la universidad por ser judío. Su obra tuvo enorme influencia en el desarrollo posterior de la FILOSOFÍA CONTINENTAL y en otras áreas, entre ellas, las ciencias sociales y la teoría psicoanalítica.

Edmund Husserl, c. 1930.
ARCHIV FUR KUNST UND GESCHICHTE, BERLÍN

Huston, John (5 ago. 1906, Nevada, Mo., EE.UU.–28 ago. 1987, Middletown, R. I.). Director de cine y guionista estadounidense. Hijo de WALTER HUSTON, durante un breve período fue boxeador, soldado de la caballería mexicana de Pancho Villa y trabajó como reportero antes de establecerse como guionista. Su primer trabajo como director, *El halcón maltés* (1941), inició una ilustre carrera colmada de éxitos como: *El tesoro de Sierra Madre* (1948, premios de la Academia por guión y dirección), *Cayo largo* (1948), *La jungla de asfalto* (1950), *La reina de África* (1951), *Moulin Rouge* (1952), *La noche de la iguana* (1964), *El hombre que pudo reinar* (1975), *El honor de los Prizzi* (1985) y *Dublineses* (1987). Muchas de sus películas fueron de su autoría, pero también escribió guiones para otros directores como en *Jezabel* (1938), *Juárez* (1939) y *El último refugio* (1941). También trabajó como actor, con gran notoriedad en *Chinatown* (1974). Su hija Anjelica (n. 1951) es una consumada actriz, que obtuvo un premio de la Academia por *El honor de los Prizzi* (1985).

Huston, Walter *orig.* **Walter Houghston** (6 abr. 1884, Toronto, Ontario, Canadá–7 abr. 1950, Beverly Hills, Cal., EE.UU.). Actor estadounidense de origen canadiense. Debutó en el teatro en su ciudad natal en 1902, y en 1905 hizo su estreno en Nueva York. Junto con su segunda esposa formaron un popular dúo de canto y baile de vodevil (1909–24). Fue elogiado en Broadway por sus interpretaciones en *El deseo bajo los olmos* (1924), *Dodsworth* (1934; película, 1936) y la comedia musical *Knickerbocker Holiday* (1938), en la que cantó "September Song". Actuó en más de 50 películas, entre las que se cuentan *Abraham Lincoln* (1930), *Lluvia* (1932) y *El tesoro de Sierra Madre* (1948, premio de la Academia), que fue dirigida por su hijo JOHN HUSTON.

Hutchins, Robert Maynard (17 ene. 1899, Brooklyn, N.Y., EE.UU.– 17 may. 1977, Santa Bárbara, Cal.). Educador estadounidense y presidente de varias fundaciones. Estudió en el Oberlin College, se graduó en la Universidad de Yale (bachiller en letras, 1921) y en la escuela de derecho de Yale (bachiller en derecho, 1925), y asumió el cargo de decano de dicha facultad en 1927. Como presidente de la Universidad de CHICAGO (1929–45) y rector (1945–51), fomentó la educación liberal basada en el estudio de las grandes obras de la tradición occidental, deploró cualquier tendencia hacia el vocacionalismo, y desmanteló el programa atlético existente entre los *colleges* (colegios universitarios). Posteriormente presidió varias fundaciones, entre otras la Fundación FORD. Fue presidente del consejo editorial de la ENCYCLOPÆDIA BRITANNICA (1943–74) y editó la obra *Great Books of the Western World* [Grandes libros del mundo occidental] (1952) en 54 volúmenes. Expuso sus puntos de vista sobre la educación en la obra titulada *Higher Learning in America* [La enseñanza superior en Estados Unidos] (1936).

Hutchinson, Anne *orig.* **Anne Marbury** (bautizada 20 jul. 1591, Alford, Lincolnshire, Inglaterra–ago. o sep. 1643, Pelham Bay, N.Y.). Dirigente religiosa angloamericana. En 1612 se casó con William Hutchinson y en 1634 ambos siguieron a JOHN COTTON para establecerse en la colonia de la bahía de MASSACHUSETTS. Organizó reuniones semanales de las mujeres de Boston para analizar los últimos sermones y manifestar sus propias opiniones teológicas. Muy pronto, ministros y magistrados se sintieron atraídos a sus sesiones, en las cuales solía criticar la estrecha ortodoxia puritana y defender un "pacto de gracia". Sus opositores la acusaron de creer que la gracia de Dios había liberado a los cristianos de la necesidad de atenerse a los preceptos morales establecidos. Juzgada por "difamar a los ministros," fue condenada al exilio; como negó a retractarse, fue excomulgada. En 1638, ella y su marido establecieron una colonia en la isla Aquidneck, que luego formó parte de Rhode Island.

Hutchinson, familia Grupo de cantantes de origen estadounidense, figuras significativas en el desarrollo de una tradición de música popular autóctona. Nacidos y criados en Milford, N.H, los hermanos Hutchinson, Judson (n. 1817–m. 1859), John (n. 1821–m. 1908), Asa (n. 1823–m. 1884) y su hermana Abby (n. 1829–m. 1892) formaron un cuarteto, y en 1841 comenzaron a realizar conciertos por Nueva Inglaterra. En contraste con las canciones sentimentales y de "minstrels" prevalecientes en aquella época, sus canciones abrazaron causas políticas, como el SUFRAGIO FEMENINO, la PROHIBICIÓN del alcohol y la oposición a la guerra MEXICANO-ESTADOUNIDENSE. Cantaron en muchas concentraciones en contra de la esclavitud, entre

ellas, una realizada en Boston a la que asistieron 20.000 personas. Con algunos miembros reemplazados por otros familiares, la familia siguió realizando giras hasta la década de 1880.

Hutchinson, Thomas (9 sep. 1711, Boston, Mass.–3 jun. 1780, Londres, Inglaterra). Administrador colonial norteamericano. Hijo de un acaudalado comerciante de Boston, se dedicó a los negocios antes de ocupar cargos en el poder legislativo municipal y provincial (1737–49) y asistir como delegado al Congreso de Albany. Se desempeñó como vicegobernador (1758–71) y juez supremo del tribunal superior del estado (1760–69). Como gobernador (1771–74), impuso estrictamente el dominio británico. Cuando se le acusó de iniciar la odiada ley del TIMBRE, una muchedumbre alborotada atacó su residencia y él apenas escapó con vida. Su insistencia en que se descargara en Boston un cargamento de té, condujo al motín del BOSTON TEA PARTY. Fue reemplazado en el cargo por el gral. Thomas Gage.

huteriano Miembro de los hermanos huterianos, secta ANABAPTISTA cuyo nombre recuerda a su fundador austríaco, Jakob Hutter, quien fue quemado por hereje en 1536. Sus seguidores continuaron el modelo de la primitiva Iglesia de Jerusalén, de poseer bienes en común. Perseguidos en Moravia y el Tirol, se trasladaron hacia el este, a Hungría y Ucrania. En la década de 1870 muchos emigraron a EE.UU. y se establecieron en Dakota del Sur. La secta todavía existe en el oeste de EE.UU. y Canadá, donde hay colonias de 60–150 miembros que trabajan en granjas colectivas. Son pacifistas, no participan en política y permanecen aislados de la sociedad.

Hutton, James (3 jun. 1726, Edimburgo, Escocia–26 mar. 1797, Edimburgo). Geólogo, químico y naturalista escocés. Después de estudiar leyes y medicina, se interesó por la química y desarrolló un proceso económico para fabricar sal amoniacal (cloruro de amonio). Se estableció en Edimburgo (1768) para dedicar su vida a la ciencia. En dos artículos científicos, presentados en Edimburgo en 1785 (publicados en 1788), elaboró su teoría del UNIFORMITARIANISMO. Su habilidad para explicar los procesos geológicos de la Tierra sin hacer referencia a la Biblia, y su énfasis en un proceso cíclico de erosión, deposición, sedimentación y levantamiento volcánico muy prolongado fueron revolucionarios.

hutu *o* **bahutu** Pueblo de lengua bantú que habita en RUANDA y BURUNDI, con un gran número de refugiados en la República Democrática del Congo. Su número asciende a cerca de 9,5 millones de personas y constituyen la gran mayoría de la población de Ruanda y Burundi. Estuvieron tradicionalmente sometidos a los TUTSI, quienes durante el dominio colonial de Alemania y Bélgica lograron establecer una relación señor-vasallo. Las dos culturas están profundamente entrelazadas; ambos pueblos hablan ruanda y rundi y tienen creencias religiosas similares (tradicionales y cristianas). Los tutsi predominaron en Ruanda hasta 1961, cuando los hutu expulsaron a la mayoría de ellos y asumieron el gobierno. En 1965, los hutu intentaron sin éxito dar un golpe de Estado en Burundi, tras lo cual los hutu de dicho país continuaron sometidos a un gobierno militar dominado por los tutsi. Violentos enfrentamientos se produjeron en Burundi en 1972, 1988 y 1993, y en Ruanda en 1990 y 1994–96; en este último período, los hutu emprendieron una campaña de genocidio en la que más de un millón de personas fueron asesinadas y 1–2 millones huyeron a campos de refugiados en Zaire (actual República Democrática del Congo) y Tanzania.

Chozas de familias hutu, Burundi, África.
SARAH ERRINGTON/THE HUTCHISON LIBRARY

Huxley, Aldous (Leonard) (26 jul. 1894, Godalming, Surrey, Inglaterra–22 nov. 1963, Los Ángeles, Cal., EE.UU.). Novelista y crítico británico. Nieto de T.H. HUXLEY y hermano de JULIAN HUXLEY, padeció de ceguera parcial desde niño. Es conocido por sus obras de sátira elegante, pesimista y aguda, como *Los escándalos de Crome* (1921) y *Heno antiguo* (1923), que lo consagraron como novelista de fuste, y *Contrapunto* (1928). La célebre *Un mundo feliz* (1932) es una visión espeluznante de una sociedad del futuro, en la que Huxley manifiesta su desconfianza acerca de las tendencias contemporáneas en política y tecnología. A partir de *Ciego en Gaza* (1936), sus libros revelan un interés creciente en la filosofía y el misticismo hindúes. Entre sus últimos trabajos se cuentan *Los demonios de Loudun* (1952), obra crítica, y *Las puertas de la percepción* (1954), sobre sus experiencias con alucinógenos.

Aldous Huxley, 1959.
ROBERT M. QUITTNER–BLACK STAR

Huxley, Sir Julian (Sorell) (22 jun. 1887, Londres, Inglaterra–14 feb. 1975, Londres). Biólogo, filósofo y escritor británico. Nieto de T.H. HUXLEY y hermano de ALDOUS HUXLEY, sus investigaciones en hormonas, procesos de desarrollo, ornitología y etología influyeron en el desarrollo actual de la embriología, la clasificación y los estudios de la conducta y la evolución. Aplicó sus conocimientos científicos a los problemas sociales y políticos, formulando una teoría ética del "humanismo evolutivo". Sus numerosos libros de divulgación, entre ellos *La ciencia de la vida* (1931; con H.G. WELLS), tuvieron amplia acogida. Fue el primer director general de la UNESCO (1946–48).

Huxley, T(homas) H(enry) (4 may. 1825, Ealing, Middlesex, Inglaterra–29 jun. 1895, Eastbourne, Sussex). Biólogo británico. Hijo de un maestro de escuela, se tituló de médico. Después de trabajar como cirujano en una expedición científica al Pacífico sur (1846–50), durante la cual realizó estudios acabados sobre los organismos marinos, enseñó por muchos años en el Colegio real de minas de Londres (1854–85). En la década de 1850 consolidó su reputación con la publicación de artículos importantes sobre temas variados, como la individualidad animal, métodos de la paleontología, métodos y principios de la ciencia y formación científica, estructura y funciones de los nervios y cráneo de los vertebrados. Fue uno de los primeros y más acérrimos defensores del darwinismo; su debate, en 1860, con el obispo Samuel Wilberforce concitó mucha atención. En la década de 1860 realizó valiosos estudios paleontológicos y clasificatorios, especialmente en aves. Más tarde incursionó en la teología; se dice que acuñó el término "agnóstico" para describir sus ideas. Pocos científicos han sido tan influyentes en campos tan amplios del desarrollo de las ciencias, y tan efectivos en el movimiento total del pensamiento y la acción dentro de su propia generación.

Huygens, Christiaan *o* **Christian Huyghens** (14 abr. 1629, La Haya–8 jul. 1695, La Haya). Matemático, astrónomo y físico holandés. Fue el primero en usar un péndulo para regular el movimiento de un reloj (1656). Inventó un método para pulir lentes de telescopio y con ayuda de sus instrumentos descubrió la verdadera forma de los anillos de Saturno (1659). Explicó los fenómenos de la reflexión y refracción basados en el principio de frentes de ondas secundarios, llamado hoy principio de Huygens. Desarrolló la teoría ondulatoria de la luz (1678) y también contribuyó a la ciencia de la dinámica. Su trabajo sobre cuerpos en rotación condujo a soluciones de problemas que involucraban la oscilación de un péndulo y el movimiento circular uniforme. También fue el primero en determinar la aceleración conforme a la gravedad.

Christiaan Huygens, retrato de C. Netscher, 1671; Collection Haags Gemeentemuseum, La Haya.
GENTILEZA DE LA COLECCIÓN HAAGS GEMEENTEMUSEUM, LA HAYA

Huysmans, Joris-Karl *orig.* **Charles-Marie-Georges Huysmans** (5 feb. 1848, París, Francia–12 may. 1907, París). Escritor francés del decadentismo (ver DECADENTISTAS). Sus primeras obras muestran la influencia del naturalismo de entonces, seguidas de otras más personales y violentas. La primera fue *A vau-l'eau* [Corriente abajo] (1882), y la más polémica y conocida, *A contrapelo* (o *Contra natura*, 1884), en la que el sobreviviente de un linaje noble es víctima del tedio y la angustia, experimentando todos los grados de la decadencia. Su controvertida y claramente autobiográfica, *Allá abajo* (1891), describe a los a los miembros de una secta satánica del s. XIX. Sus últimas novelas reflejan el retorno de Huysmans al catolicismo. También publicó obras de crítica de arte muy perceptivas.

Hwange, parque nacional *ant.* **parque nacional Wankie** Reserva nacional del noroeste de Zimbabwe. Ubicada en la frontera con Botswana, la zona fue declarada reserva de caza en 1928 y, en 1930, parque nacional. El territorio, con una superficie de 14.651 km^2 (5.657 mi^2), es casi plano, con bosques de maderas duras de mukwa y teca. Es uno de los santuarios de elefantes más extensos de África; su abundante fauna puede observarse desde plataformas que se levantan sobre las depresiones de agua que brotan del subsuelo en el parque.

Santuario de elefantes del parque nacional Hwange, ubicado en la frontera de Zimbabwe con Botswana.
ARCHIVO EDIT. SANTIAGO

Hyde, Edgard ver conde de CLARENDON

Hyder Alí (1722, Budikote, Mysore, India–7 dic. 1782, Chittoor). Gobernante musulmán de Mysore, en la India meridional. Organizó las primeras unidades militares indias bajo su control provistas de armamento occidental. Obtuvo un comando en el ejército de Mysore y finalmente derrocó a su rajá. Conquistó las regiones vecinas e integró una confederación con Niẓām ʿAlī Kān y los mahratta en contra de los británicos. Combatió contra estos por más de una década, pero al final de su vida, reconociendo que no podía derrotarlos, instó a su hijo a hacer las paces.

Hyderabad *ant.* **Haidarabad** *o* **Dominios de los niẓām** Antiguo estado principesco del centro-sur de India. En sus inicios formaba parte del antiguo reino de GOLCONDA, pero fue incorporado al Imperio mogol en 1687. En 1724, Niẓām al-Mulk se apoderó de él y fundó el reino independiente de Hyderabad. En 1798 quedó bajo protección británica, aunque los nizam continuaron gobernándolo. En la partición de India ocurrida en 1947, los nizam decidieron continuar su régimen independiente, pero India invadió el territorio (1948) y asumió su control. La región está dividida actualmente entre los estados de ANDHRA PRADESH, KARNATAKA y MAHARASHTRA.

Hyderabad Ciudad (pob., est. 2001: 3.449.878 hab.) capital del estado de ANDHRA PRADESH, sur de India. Fundada por los sultanes de GOLCONDA en el s. XVI, fue saqueada y destruida después de la ocupación mogola de 1685. En 1724 se transformó en la capital del reino independiente de HYDERABAD. Era una ciudad amurallada, y muchas edificaciones muestran una mezcla de los estilos hindú y musulmán. Forma una conurbación con la ciudad de Secunderabad, inicialmente una base militar británica, conectada por un puente de 1,6 km (1 mi) de largo. Es sede de las universidades de Osmania (1918) y de Hyderabad (1974).

Hyderabad *o* **Haydarabad** Ciudad (pob., 1998: 1.151.274 hab.) de la provincia de SIND, Pakistán. Situada al este del río INDO, fue fundada en 1768 por Ghulam Shah Kalhora. Continuó siendo la capital de Sind hasta 1843, fecha en que se rindió ante los británicos y la capital se trasladó a KARACHI. En la actualidad es un centro comercial, industrial y de comunicaciones. Entre sus notables construcciones antiguas destacan las tumbas y palacios de ex gobernantes; característicos de la ciudad son los *badgirs*, ingeniosas torres de ventilación.

Hyndman, Henry M(ayers) (7 mar. 1842, Londres, Inglaterra–22 nov. 1921, Londres). Dirigente político socialista británico. Educado en la Universidad de Cambridge, trabajó como periodista antes de fundar el movimiento socialista Democratic Federation. En *England for All* (1881), primer libro socialista inglés en casi 50 años, expuso las ideas de KARL MARX. Atrajo a muchos socialistas británicos hacia el marxismo, pero la aversión que le tenía FRIEDRICH ENGELS alentó a muchos de ellos a separarse y constituir la Socialist League. Durante la primera guerra mundial asumió una posición patriótica y pro francesa, lo que provocó su expulsión del Partido Socialista, por lo que formó el National Socialist Party (1916), más tarde llamado Social Democratic Federation.

Hywel Dda *o* **Howel Dda** *o* **Hywel el Bueno** (m. 950). Jefe galés llamado "rey de todo Gales". Heredó Seisyllwg y obtuvo Dyfed mediante el matrimonio, creando así el reino de Deheubarth. Finalmente Gwynedd y POWYS también quedaron bajo su dominio. En 942 su reino era más extenso que el de cualquier otro gobernante galés anterior. Durante su pacífico reinado codificó las leyes galesas y aceptó el rango de príncipe vasallo del rey anglosajón de Wessex.

I Ching *o* **Yijing** (chino: "Libro de las mutaciones"). Antiguo texto chino, uno de los CINCO CLÁSICOS del confucianismo. El grueso principal de la obra, atribuida por lo general a WENWANG, contiene una discusión sobre el sistema adivinatorio utilizado por los magos durante la dinastía ZHOU. Una sección suplementaria de "comentarios", que se cree data posiblemente del período de los ESTADOS GUERREROS (475–221 AC), consiste en una exposición filosófica que intenta explicar el mundo y sus principios éticos. La cosmología del libro, que interrelaciona a los seres humanos y la naturaleza en un mismo sistema, ha concitado el interés de lectores en todo el mundo.

Iacocca, Lee *orig.* **Lido Anthony Iacocca** (n. 15 oct. 1924, Allentown, Pa., EE.UU.). Ejecutivo estadounidense de la industria automotriz. Fue contratado como ingeniero por la FORD MOTOR CO., pero pronto fue trasladado al departamento de ventas, donde sobresalió por su exitosa promoción del automóvil Mustang, un modelo deportivo de bajo costo. Ascendió rápidamente y se convirtió en presidente de la Ford en 1970. Debido a divergencias con Henry Ford II fue despedido en 1978. Un año más tarde fue contratado por la CHRYSLER CORP., empresa que se encontraba al borde de la quiebra. En 1980 convenció al Congreso de EE.UU. de otorgar a la empresa un crédito por US$ 1.500 millones y aplicó un plan de despidos, recorte de salarios y cierre de plantas para hacer a la empresa más eficiente. La orientó hacia la producción de automóviles de menor consumo de combustible y emprendió una agresiva campaña publicitaria. En pocos años, la Chrysler mostraba utilidades sin precedentes y Iacocca se había convertido en una celebridad nacional con una autobiografía, *Iacocca* (1984), que fue éxito de ventas. Jubiló en 1992.

Iaşi *alemán* **Jassy** Ciudad (pob., 2002: 321.580 hab.) del nordeste de Rumania. Está situada al oeste de la frontera con MOLDAVIA y al nordeste de BUCAREST, a orillas del río Bahlui. Se fundó tempranamente, en el s. VII, y en el s. XV se convirtió en un puesto de aduanas para las rutas comerciales del valle del río Prut. De 1565 a 1862 fue la capital del principado de MOLDAVIA. Iaşi fue incendiada en sucesivas ocasiones: los tártaros en 1513, los turcos en 1538 y los rusos en 1686. Entre sus sitios de interés se cuentan una universidad, la iglesia San Nicolás del s. XVI y el teatro nacional.

Iaşi, tratado de (9 ene. 1792). Pacto firmado en Iaşi, Moldavia (actualmente en Rumania), al finalizar las guerras RUSO-TURCAS. El tratado confirmó la dominación rusa en el mar Negro al extender la frontera hasta el río Dniéster. Además devolvió Besarabia, Moldavia y Valaquia a los turcos otomanos.

Ibadán Ciudad (pob., 1991: 1.835.300 hab.) del sudoeste de Nigeria. Situada al nordeste de LAGOS, es la segunda ciudad más populosa del país. Poblada originalmente por los egba, es probable que la actual ciudad se haya desarrollado a partir del campamento establecido por los ejércitos yoruba de Ife, Ijebu y Oyo; fue capturada por los británicos en 1893. Es un centro comercial importante, que cuenta con seis parques, el más importante de los cuales es el jardín Agodi. Es sede de la Universidad de Ibadán (1948), de un instituto politécnico y uno pedagógico, así como de muchos establecimientos de educación secundaria. En Ibadán se encuentran también el estadio Liberty y varios estudios de televisión.

El presidente Carlos Ibáñez (al centro) y parte de su gabinete, en su segundo período, marzo 1953, Santiago, Chile.
ARCHIVO MUSEO HISTÓRICO NACIONAL

Ibagué Ciudad (pob., est. 1999: 393.664 hab.) del centro de Colombia. Está situada en la vertiente oriental de la cordillera Central de los ANDES. Fundada en 1550 sobre un poblado indígena, fue trasladada a su ubicación actual para protegerla del ataque de los nativos. En 1854, durante un corto período, fue la capital del país. Debido a su ubicación en la carretera, que une las ciudades de Armenia y BOGOTÁ, D.C., se ha convertido en un activo centro comercial. Es sede de la Universidad de Tolima.

Ibáñez (del Campo), Carlos (3 nov. 1877, Chillán, Chile–28 abr. 1960, Santiago). Militar y presidente chileno (1927–31, 1952–58). Después de 30 años de carrera militar, ayudó a derrocar al pdte. ARTURO ALESSANDRI PALMA en 1924. Fue ministro de defensa y del interior en el gobierno de Emiliano Figueroa, a quien en 1927 obligó a dimitir y lo sustituyó en la presidencia de Chile hasta 1931. Respaldado por el ejército, exilió y encarceló a todos sus opositores. No obstante, se equivocó en su intento de rescatar la decadente industria del salitre, a pesar de contar con la ayuda de capitales estadounidenses. La crisis económica y el descontento con su autoritarismo lo obligaron a renunciar al mando y abandonar el país. Después de dos intentos por recuperar el poder, en 1952 ganó la elección presidencial con el apoyo de los trabajadores descontentos y demostró ser un líder más democrático de lo esperado. Ver también JUAN DOMINGO PERÓN.

Ibara Saikaku ver IHARA SAIKAKU

Ibárruri (Gómez), (Isidora) Dolores *llamada* **La Pasionaria** (9 dic. 1895, Gallarta, cerca de Bilbao, España–12 nov. 1989, Madrid). Dirigente comunista española. Hija de un minero pobre, asumió posturas políticas radicalizadas en su juventud. En 1918 publicó un artículo bajo su seudónimo (La Pasionaria) y en 1920 ingresó al recién creado Partido Comunista español. Después de una agitada trayectoria, fue elegida diputada al parlamento republicano. Al estallar la guerra civil ESPAÑOLA en 1936, había ganado fama como una apasionada e incluso virulenta oradora callejera. Ella fue quien acuñó el grito de batalla republicano, "¡No pasarán!". Después de la victoria de FRANCISCO FRANCO en 1939, huyó a la Unión Soviética; regresó a España en 1977 después de la muerte de Franco y con el partido de vuelta a la legalidad. Reelegida al parlamento, renunció por problemas de salud, pero continuó siendo presidenta honoraria del partido hasta su muerte.

Iberia Línea área española que ofrece servicios de transporte aéreo para pasajeros, carga y correo. La compañía y sus subsidiarias sirven los destinos de España y el resto de Europa y América. Fundada en 1927, ese mismo año inició su actividad comercial. Con la apertura bursátil en 2001, culminó el proceso de privatización de la compañía, volviendo de este modo al ámbito privado en el que nació, aunque la mayor parte de su historia fuera pública. En la actualidad realiza vuelos a un centenar de destinos en 40 países. Además, junto con otras compañías aéreas, ofrece vuelos a otros 62 destinos de 25 países. Sus oficinas centrales se encuentran en Madrid.

Ibérica, península *o* **Iberia** Península de Europa sudoccidental, ocupada por España, Portugal y Andorra. Su nombre deriva de sus antiguos habitantes a quienes los griegos llamaron

IBEROS, probablemente por el río EBRO, el segundo más largo de la península. En el nordeste, los PIRINEOS forman una barrera natural que separa a la península del resto de Europa, y en el sur, en GIBRALTAR, un angosto estrecho la separa del norte de África. Sus costas occidental y septentrional están bañadas por el océano Atlántico y su litoral oriental, por el mar Mediterráneo. El cabo da Roca, en Portugal, constituye el extremo occidental del continente europeo.

ibero *o* **íbero** Miembro de un pueblo de la época prerromana que habitó el sur y este de la península Ibérica. Fueron afectados sólo en escasa medida por los celtas que emigraron al norte y centro de Iberia a partir del s. VIII AC. En términos culturales, recibieron la influencia de las colonias comerciales griegas y fenicias. Según se estima, las tribus iberas formaron ciudades-estado independientes en la costa oriental, y monarquías en el sur. Su economía se basaba en la agricultura, minería y metalurgia. Su lengua no indoeuropea continuaba existiendo en la época romana.

Iberus ver río EBRO

ibibio Pueblo del sudeste de Nigeria. Hablan ibibio, lengua benué-congo de la familia de las lenguas NIGEROCONGOLEÑAS. Los ibibio, que suman unos 3 millones de personas, se dedican principalmente a la agricultura en la selva tropical húmeda. Los jefes de cada linaje son custodios de los sepulcros de sus antepasados. La SOCIEDAD SECRETA es un rasgo destacado de su cultura. Son conocidos por sus esculturas en madera de figuras ancestrales (*ekpu*).

Figura tallada de un tocado de un bailarín del pueblo ibibio, Nigeria; Museo Metropolitano de Arte de Nueva York.

GENTILEZA DEL MUSEO METROPOLITANO DE ARTE DE NUEVA YORK, THE MICHAEL C. ROCKEFELLER MEMORIAL COLLECTION, DONACIÓN DE LA FUNDACIÓN MATTHEW J. MELLON, 1960 (1978. 412.403A-C)

íbice *o* **cabra montés** Cualquiera de varias especies de CABRA salvaje, robusta y de tranco firme, que habita en las montañas de Europa, Asia y África del norte. Tiene normalmente una alzada de 90 cm (3 pies) y una piel gris pardusca más oscura en el vientre. El macho tiene barba y cuernos grandes semicirculares.

ibis Cualquiera de unas 20 especies de aves zancudas medianas (subfamilia Threskiornithinae), de la misma familia que las ESPÁTULAS. Habitan en las regiones cálidas del mundo, excepto en las islas del Pacífico sur. Vadean lagunas, lagos, bahías y pantanos someros y usan su pico esbelto y encorvado para alimentarse de pececillos y moluscos blandos. Las especies miden de 55–75 cm (22–30 pulg.) de largo. Vuelan con el cuello y las patas extendidas, alternando aleteo y planeo. Normalmente se reproducen en grandes colonias.

Ibiza, isla de La tercera de las islas mayores (pob., est. 1999: 86.953 hab.) de las BALEARES, España. Está situada en el Mediterráneo occidental, al sudoeste de MALLORCA. Tiene una superficie de 572 km^2 (221 mi^2) y su capital es la ciudad de Ibiza (pob., 2001: 34.826 hab.). Antiguamente fue un próspero asentamiento donde habitaron fenicios y cartagineses, y posee interesantes sitios arqueológicos. Tiene un paisaje montañoso y en las escarpadas costas septentrionales presenta acantilados que superan los 245 m (800 pies) de altura. Gracias a sus playas y a su templado clima invernal se ha convertido en un popular centro turístico.

Iblīs En el ISLAM, nombre propio del DIABLO. Es uno de los ÁNGELES de Dios que rehusó venerar a Adán en la creación. Él y sus seguidores fueron arrojados del cielo y aguardan su castigo en el Juicio Final. Hasta entonces se le permite tentar a cualquier persona, excepto a los verdaderos creyentes, para que haga el mal. Mencionado como Sayṭān (Satán) en este contexto, fue quien intencionadamente tentó a ADÁN Y EVA en el Jardín del Edén y provocó su caída. Desde antiguo ha sido objeto de especulación entre los eruditos musulmanes debido a que en el CORÁN se le identifica ambiguamente como un ángel o como un GENIO (jinni).

IBM Corp. *p. ext.* **International Business Machines Corporation** Empresa estadounidense líder en la fabricación de computadoras, con oficinas centrales en Armonk, N.Y. Se constituyó en 1911 con la razón social Computing-Tabulating-Recording Co., como resultado de la consolidación de tres empresas fabricantes de productos de oficina. Adoptó su actual razón social en 1924, fecha en que era dirigida por THOMAS J. WATSON, quien la transformó en la principal empresa estadounidense fabricante de relojes de control de personal. En 1933, IBM desarrolló y comercializó las máquinas de escribir eléctricas y logró una gran participación en ese mercado. A comienzos de la década de 1950 ingresó a la industria de las computadoras, para lo cual invirtió grandes sumas en su desarrollo. En la década de 1960 fabricaba el 70% de las computadoras de todo el mundo. Inicialmente su especialidad eran las grandes computadoras, pero en 1981 fabricó su primera COMPUTADORA PERSONAL (PC), conocida como IBM PC. En poco tiempo, IBM se transformó en líder en este campo, pero la fuerte competencia minó su participación en el mercado y forzó a la empresa a hacer economías en la década de 1990. En 1995, IBM compró la empresa fabricante de *software* Lotus Development Corp.

Ibn Baṭṭūṭah *orig.* **Abū ʿAbd Allāh Muḥammad ibn ʿAbd Allāh al Lawātī al-Ṭanjī ibn Baṭṭūṭah** (24 feb. 1304, Tánger, Marruecos–1368/69, Marruecos). Connotado viajero y escritor árabe. Recibió una educación jurídica y literaria tradicional en Tánger. Luego de una peregrinación a La Meca (1325), decidió recorrer tantos lugares del mundo como le fuera posible, jurando "jamás recorrer un camino por segunda vez". Sus 27 años de travesías por África, Asia y Europa abarcaron unos 120.000 km (75.000 mi). A su regreso dictó sus memorias, las que se transformaron en uno de los libros de viaje más famosos del mundo, el *Riḥlah* (o "Diario de ruta").

Ibn Gabirol *orig.* **Solomon ben Yehuda ibn Gabirol** *latín* **Avicebrón** (c. 1022, Málaga, Califato de Córdoba–c. 1058, Valencia, Reino de Valencia). Poeta y filósofo judío. Educado sobre la base de la tradición literaria hebrea y árabe, cobró fama a los 16 años de edad gracias a sus himnos religiosos en hebreo. Posteriormente fue poeta cortesano del visir de Granada. Los más de 200 poemas profanos y religiosos que de él se conservan lo erigen en una figura sobresaliente de la escuela hebrea de poesía que floreció en la España mora. Entre sus trabajos también se cuentan influyentes escritos de filosofía neoplatónica y una colección de proverbios en árabe.

Ibn Isḥāq *por ext.* **Muḥammad ibn Isḥāq ibn Yasār ibn Khiyār** (c. 704, Medina, Arabia–767, Bagdad). Biógrafo árabe de MAHOMA. Su padre y sus dos tíos recopilaron y transmitieron la información acerca de Mahoma en Medina y pronto se convirtió en una autoridad sobre las campañas militares del Profeta (*maghāzī*). Estudió en Alejandría y luego se trasladó a Irak, donde conoció a muchas personas que le proporcionaron información para su biografía de Mahoma, que se convirtió en la más popular del mundo musulmán, pero que sólo ha llegado hasta nosotros gracias a la recensión de Ibn Hishām.

Ibn Jaldūn *orig.* **Abū Zayd ʿAbd al-Raḥmān ibn Khaldūn** (27 may. 1332, Túnez, Túnez–17 mar. 1406, El Cairo, Egipto). Connotado historiador árabe. Desempeñó cargos en la corte de distintos monarcas de Túnez, Fez y Granada. En 1375, después de retirarse de la carrera política, escribió su obra maestra, la *Muqaddimah* [Prolegómenos], donde examina la naturaleza de la sociedad y el cambio social, y desarrolla una de las primeras filosofías racionales de la historia. También escribió una historia acabada del África

del norte musulmana, *Kitāb al-ʿIbār* [Libro de los ejemplos históricos]. En 1382 se trasladó a El Cairo, donde obtuvo una cátedra de derecho y fue nombrado cadí. En 1400 quedó atrapado en Damasco cuando la ciudad fue sitiada por TAMERLÁN, y pasó siete semanas en el campamento de prisioneros del conquistador centroasiático antes de que consiguiera su liberación y la de otros colegas. Se lo considera el más grande de los historiadores árabes premodernos.

Ibn Janāḥ *o* **rabino Jonah** (c. 990, Córdoba–c. 1050, Zaragoza, España). Erudito español renombrado como gramático y lexicógrafo del hebreo. Ejerció su profesión de médico y fue un judío devoto. Inició el estudio de la sintaxis del hebreo al establecer las reglas de la exégesis bíblica y aclarar muchos pasajes difíciles de comprender. Su principal obra fue *El libro de la investigación exacta*, 2 vol., diccionario y gramática del hebreo. Todos sus escritos fueron redactados en árabe. Realizó una extensa comparación entre palabras hebreas y árabes.

Ibn Rusd ver AVERROES

Ibn Saʿūd *p. ext.* **ʿAbd al-ʿAzīz ibn ʿAbd al-Raḥmān ibn Fayṣal Āl Saʿūd** (c. 1880, Riyad, península Arábiga–9 nov. 1953, Al-Ṭāʾif, Arabia Saudita). Fundador de la actual Arabia Saudita. Aunque la dinastía SAUDÍ había gobernado gran parte de Arabia entre 1780 y 1880, durante la infancia de Ibn Saʿūd la familia fue expulsada por sus rivales, los Rashīd. A los 21 años de edad dirigió un osado ataque contra ellos y reconquistó RIYAD, la capital de la familia. Desalojado dos años más tarde, reorganizó sus fuerzas y continuó luchando; recurrió al islamismo WAHABÍ puritano para conseguir el apoyo de las tribus nómadas a su causa, formando así el Ijwān (hermandad religiosa y militar). En 1920–22 derrotó a los Rashīd y duplicó su propio territorio. En 1924 conquistó HEJAZ (ver ḤUSAYN IBN ʿALĪ). En 1932 creó oficialmente el Reino de ARABIA SAUDITA, el que gobernó como monarca absoluto. Firmó su primer contrato petrolero en 1933, sin obtener ganancias hasta la década de 1950, cuando comenzó a recibir grandes utilidades. Sus hijos lo sucedieron en el trono.

Ibn Saʿūd, fundador de Arabia Saudita.
CAMERA PRESS

Ibn Sīnā ver AVICENA

Ibn Ṭūlūn, mezquita de Majestuosa e inmensa mezquita construida de ladrillo rojo, ubicada en El Cairo, Egipto. Fue realizada (876–879) por Aḥmad ibn Ṭūlūn (n. 835–m. 884), gobernador musulmán de Egipto y Siria. Las almenas de sus muros (ver ALMENAJE) tienen formas y aberturas conforme a un patrón decorativo, y sus tres patios están rodeados de pórticos con arquerías y gruesos pilares. Los arcos están decorados con elaborados tallados en estuco. El espacio principal está dividido por medio de pilares en cinco corredores largos, decorados originalmente con paneles de madera tallada. Convertida en monumento histórico en 1890, la mezquita ha sido restaurada por completo.

ibo Pueblo del sudeste de Nigeria. Hablan dialectos del ibo, lengua benué-congo, rama de la familia de lenguas NIGEROCONGOLEÑAS. Antes de la colonización europea, vivían en comunidades locales autónomas, pero a mediados del s. XX habían desarrollado un fuerte sentimiento de identidad étnica. Durante los conflictos de 1966, miembros ibo del norte de Nigeria fueron asesinados o forzados a replegarse a su territorio tradicional en el este. En 1967, la Región Oriental intentó independizarse de Nigeria y constituir la república de BIAFRA; cientos de miles de ibo fueron asesinados o murieron de inanición. En la actualidad suman cerca de 20 millones de personas. Muchos son agricultores, pero el comercio, la artesanía y el trabajo asalariado son también actividades importantes; otros se han convertido en funcionarios públicos y empresarios.

Ibrahim Bajá (1789, Cavalla, Rumelia–10 nov. 1848, El Cairo, Egipto). General egipcio. Después de adiestrar al nuevo ejército egipcio, ganó fama como jefe militar en Siria al derrotar al ejército otomano, logrando que Siria y Adana fueran cedidas a Egipto. Fue designado gobernador general de ambas regiones en 1833. Su gobierno fue relativamente ilustrado; creó un consejo consultivo y suprimió el régimen feudal. El sultán Mahmud II (r. 1808–39) envió luego un ejército otomano a invadir Siria, e Ibrahim obtuvo entonces su mayor victoria, cuando la flota otomana se pasó al bando egipcio (1839). Sin embargo, las potencias europeas, temiendo la desintegración del Imperio OTOMANO, obligaron a los egipcios a evacuar los territorios ocupados. Se convirtió en virrey de Egipto en 1848, poco antes de su muerte.

Ibsen, Henrik (Johan) (20 mar. 1828, Skien, Noruega–23 may 1906, Cristianía). Dramaturgo noruego. A la edad de 23 años se convirtió en el productor artístico y dramaturgo residente del renovado Teatro Nacional de Bergen, donde se le confió la creación de una "dramaturgia nacional". Posteriormente fue el director artístico del teatro de Cristianía desde 1857 hasta 1863, año en que quebró, lo que provocó su autoexilio de extensos viajes por Europa, que se prolongó hasta 1881. En Italia escribió el perturbador drama *Brand* (1866) y la vigorosa *Peer Gynt* (1867). Después de la sátira *Los pilares de la sociedad* (1877), halló su sentido como escritor y un público internacional que lo consagró con los profundos estudios de la moralidad de la clase media en *Casa de muñecas* (1879), *Espectros* (1881), *Un enemigo del pueblo* (1882), *El pato salvaje* (1884) y *La casa Rosmer* (1886). Entre sus obras más simbólicas, la mayoría escritas después de su regreso a Noruega en 1891, se cuentan *Hedda Gabler* (1890), *El constructor Solness* (1892), *El pequeño Eyolf* (1894) y *Al despertar de nuestra muerte* (1899). Su estilo hizo hincapié en el personaje por sobre la trama, y se adentró en los problemas sociales como la corrupción política y el cambiante rol de la mujer, así como en los conflictos psicológicos causados por frustraciones sentimentales y por relaciones familiares destructivas. Su obra tuvo una enorme influencia sobre el teatro europeo y es considerado el fundador del drama moderno.

Henrik Ibsen, 1870.
UNIVERSITETSBIBLIOTEKET, OSLO

ibuprofeno ANALGÉSICO, uno de los AINES, especialmente efectivo contra dolores menores, fiebre e inflamación. Actúa inhibiendo la síntesis de PROSTAGLANDINA. Puede irritar el tracto gastrointestinal y no debería ser ingerido por nadie que sufra ALERGIA a la ASPIRINA o que se trate con ANTICOAGULANTES. Algunas de las marcas con que se comercializa son Advil, Motrin y Nuprin. Ver también ACETAMINOFENO.

Icaza, Jorge (10 jul. 1906, Quito, Ecuador–26 may. 1978, Quito). Escritor y diplomático ecuatoriano. Se licenció en la Universidad Central y en el Conservatorio Nacional de su ciudad natal. Sin perjuicio de ejercer algunos cargos burocráticos y actividades comerciales, se dedicó a representar y a escribir teatro: *El intruso* (1928), *La comedia sin nombre* (1929), *Cuál es* (1931), *Sin sentido* (1932), *Flagelo* (1936). Su drama *El dictador* (1933) fue censurado por las autoridades, pero su novela *Huasipungo* (1934) una fuerte denuncia contra los abusos que padecían los indígenas, alcanzó un clamoroso éxito, que se refleja en traducciones a 40 idiomas, y es considerada una de las cumbres de la narrativa indigenista (ver INDIGENISMO), pese a algunas debilidades técnicas. Después escribió las novelas *En las calles* (1935), *Huairapamushcas* (1948), *El chullo Romero y Flores* (1958) y *Atrapados* (1973). Como cuentista fue autor de *Barro de la sierra* (1933), *Relatos* (1969) y otros volúmenes. En 1973–77 ejerció diversas funciones diplomáticas, entre ellas, las de embajador en la Unión Soviética, Polonia y la República Democrática Alemana.

ICBM ver MISIL BALÍSTICO INTERCONTINENTAL

Iceberg desprendido de glaciares en la región polar antártica.
ARCHIVO EDIT. SANTIAGO

iceberg Bloque de hielo flotante que se ha desprendido del extremo de un glaciar o del borde de una capa de hielo marino. Comúnmente, los icebergs se encuentran en mar abierto, en especial alrededor de Groenlandia y la Antártida. Se forman de preferencia durante la primavera y verano de cada hemisferio, cuando el clima más cálido aumenta la fragmentación en los bordes de las capas de hielo de Groenlandia y la Antártida, y de glaciares más pequeños en latitudes algo más bajas. En el hemisferio norte, cada año se producen cerca de 10.000 icebergs desde los glaciares de Groenlandia y un promedio de 375 se desplazan hasta las rutas marítimas del Atlántico norte, donde representan un peligro para la navegación, especialmente porque sólo alrededor del 10% de un iceberg sobresale por encima de la línea de flotación.

I-ch'ang ver YICHANG

Ichikawa Kon (n. 20 nov. 1915, Ise, Japón). Director de cine japonés. Trabajó en el departamento de animación del estudio Tōhō, y en 1946 logró su primer cortometraje, *Muchacha del templo Dojo*. Introdujo en Japón el estilo occidental de comedia elaborada en películas como *La mujer que toca las piernas* (1952) y *Mr. Pu* (1953), y fue internacionalmente aclamado por sus largometrajes antibélicos *El arpa birmana* (1956) y *Fuegos en la llanura* (1959), y por el documental *Las olimpíadas de Tokio* (1965). Sus otras películas importantes son *Conflagración* (1958), *Solo sobre el océano Pacífico* (1963) y *Venganza de Yukinojo* (1963).

"Anunciación", revés de un icono pintado sobre un doble panel, Constantinopla, inicios del s. XIV; Skopolije Museum, Skopje, Macedonia.
HIRMER FOTOARCHIV, MUNICH

Iconium ver KONYA

icono En la ORTODOXIA ORIENTAL, representación de personas o eventos sagrados en murales, mosaicos o pinturas en madera. Después de la controversia iconoclasta de los s. VIII–IX sobre la función y el significado religioso de los iconos (ver ICONOCLASIA), las iglesias orientales formularon una doctrina oficial que aprobó su uso, estableciendo que, puesto que Dios había asumido una forma material en la persona de Jesús, él y otros personajes sagrados podían ser representados en obras de arte. Generalmente se representa a Jesús o María, pero a veces también a santos, los que se consideran objetos de veneración e instrumentos educativos.

iconoclasia Movimiento que se opone al culto de imágenes religiosas. En el cristianismo y el Islam, la iconoclasia se fundaba en la prohibición de venerar imágenes, lo que se consideraba idolatría. Los retratos de Cristo y los santos fueron rechazados en la primitiva Iglesia cristiana, pero a fines del s. VI los ICONOS se habían popularizado en el culto cristiano y sus defensores resaltaban la naturaleza simbólica. En 726, la oposición del emperador bizantino LEÓN III a los iconos llevó a la controversia iconoclasta, que continuó en la Iglesia oriental por más de un siglo antes de que los iconos fuesen aceptados de nuevo. Estatuas y retratos de santos y figuras religiosas también fueron comunes en la Iglesia occidental, aunque algunas sectas protestantes finalmente los rechazaron. El Islam todavía prohíbe todos los iconos y la iconoclasia ha desempeñado un importante papel en los conflictos entre musulmanes e hindúes en India.

iconografía Término derivado del griego, que se refiere a una ciencia auxiliar de la historia del arte, que comprende la identificación, descripción, clasificación e interpretación de las imágenes figurativas. Es posible hablar, por ejemplo, de iconografía cristiana o mitológica.

iconostasio En las iglesias cristianas orientales de tradición bizantina, mampara de piedra, madera o metal, que separa el altar de la NAVE. Tiene una gran puerta en el centro, llamada puerta santa, flanqueada por dos más pequeñas. El iconostasio está cubierto de paneles con iconos que siempre incluyen a la Encarnación (madre e hijo) a la izquierda y la segunda venida de Cristo a la derecha; la puerta santa está cubierta con iconos de los cuatro evangelistas, la Anunciación y la Última Cena.

ictericia Exceso de pigmentos de la BILIS (bilirrubina) en el torrente sanguíneo y los tejidos, que causa una coloración entre amarilla y naranja, incluso verdosa, de la piel, el blanco del ojo y las mucosas. La bilirrubina puede ser producida en exceso o removida en forma inadecuada por el HÍGADO, o filtrar al torrente sanguíneo después de removida; la ictericia también puede deberse a una alteración del flujo biliar. Entre sus causas se cuentan ANEMIA, NEUMONÍA, afecciones hepáticas (p. ej., infección o CIRROSIS). Si bien el exceso de bilirrubina es habitualmente inocuo, la ictericia por retención suele indicar una disfunción hepática grave.

ictérido En el Nuevo Mundo, cualquiera de varias especies de aves canoras de la familia Icteridae, también el mirlo (*Turdus merula*, familia Turdidae) del Viejo Mundo (ver ZORZAL). El ictérido más conocido es el mirlo de alas rojas (*Agelaius phoeniceus*), que se extiende desde Canadá hasta las Antillas y América Central. Mide 20 cm (8 pulg.) de largo, y el plumaje negro del macho está contrarrestado por manchones rojos en los hombros. El mirlo del Viejo Mundo, de 25 cm (10 pulg.) de largo, es común en bosques y jardines en toda la Eurasia templada, así como en Australia y Nueva Zelanda. Ver también ZANATE.

id ver ELLO

Ida Nombre de dos montes diferentes, uno en Anatolia y el otro en la isla de CRETA. El Ida de Anatolia está ubicado cerca del emplazamiento de la antigua TROYA y en el pasado tenía un templo clásico donde, según se dice, PARIS comparó la belleza de tres diosas griegas. La leyenda dice también que los dioses observaban la guerra de TROYA desde la cima del Ida, a unos 1.800 m (5.800 pies) de altura. El segundo monte, situado en el centro-oeste de Creta, es la cumbre más alta de la isla, con 2.245 m (8.058 pies). También se erguía en él un templo, dentro del cual había una caverna, en la que supuestamente fue criado ZEUS, padre del panteón griego.

Idaho Estado (pob., 2000: 1.293.953 hab.) del noroeste de EE.UU. Limita con Canadá y los estados de Montana, Wyoming, Utah, Nevada, Oregón y Washington, EE.UU. Ocupa una superficie de 216.456 km^2 (83.574 mi^2). Su capital es BOISE. De relieve montañoso, está dominado por las ROCOSAS, que se extienden desde el límite con Canadá hacia el centro-sur de Idaho y a lo largo del límite con el estado de Wyoming. Su valle más extenso rodea el río SNAKE, que pasa por HELLS CANYON, el desfiladero más profundo de América del Norte. Los primeros habitantes de esta región eran amerindios y en 1805 comenzó la exploración encabezada por los expedicionarios LEWIS Y CLARK. Fue parte de la región de Oregón en disputa que pasó a manos de EE.UU. cuando los británicos renunciaron a sus reivindicaciones en virtud del tratado de 1846. El descubrimiento de oro en 1860 produjo una gran afluencia de colonizadores. En 1863 se convirtió en el Territorio de Idaho y en 1890 fue admitido como el 43er estado de la Unión. En 1890–1910 fue escenario de frecuentes manifestaciones de protesta sindical vinculadas con la organización Industrial Workers of the World (Trabajadores industriales del mundo). A fines del s. XX, Idaho desarrolló su agricultura e industria y promovió sus parajes naturales.

Idaho, Universidad de Universidad pública estadounidense cuyo campus principal se encuentra en Moscow, Idaho, con sedes en las ciudades de Coeur d'Alene, Boise y Idaho Falls. Ofrece una amplia gama de programas de licenciatura y constituye el principal centro de estudios de posgrado existente en el estado. Fue fundada en 1889 como una institución *land-grant* (fundada al amparo de la ley de concesiones de terrenos para universidades públicas). Se destaca por sus programas de posgrado relacionados con el estudio y la administración de los recursos naturales y el medio ambiente.

idealismo En METAFÍSICA, la concepción que enfatiza la primacía de lo ideal o espiritual en la comprensión del mundo y en el modo en que los seres humanos interpretan la experiencia. El idealismo puede sostener que el mundo o la realidad existe esencialmente como espíritu o conciencia, que las abstracciones y las leyes son más fundamentales en la realidad que las cosas sensibles o, al menos, que todo lo que existe es conocido por el ser humano en dimensiones que son principalmente mentales, esto es, por medio de ideas y como ideas. El idealismo metafísico afirma el carácter ideal de la realidad; el idealismo epistemológico sostiene que en el proceso del conocimiento, la mente puede captar sólo sus propios contenidos. El idealismo metafísico se opone así directamente al MATERIALISMO, y el idealismo epistemológico se opone al REALISMO. El idealismo absoluto (ver G.W.F. HEGEL) comprende los siguientes principios: (1) el mundo cotidiano de cosas y personas no es el mundo como realmente es, sino meramente como aparece en términos de categorías no críticas; (2) la mejor reflexión del mundo es en términos de una mente autoconsciente; (3) el pensamiento es la relación de cada experiencia particular con el todo infinito del cual tal experiencia es una expresión; y (4) la verdad consiste en las relaciones de coherencia entre pensamientos, más que en una correspondencia entre pensamientos y realidades externas (ver COHERENTISMO). Ver también GEORGE BERKELEY.

Idelsohn, Abraham (Zevi) (14 jul. 1882, Felixberg, Letonia, Imperio ruso–14 ago. 1938, Johannesburgo, Sudáfrica). Musicólogo letón. Después de realizar estudios en Alemania, trabajó desde 1903 como cantor de sinagoga antes de trasladarse a Johannesburgo y después a Jerusalén en 1905. Posteriormente se mudó a EE.UU., pero después de sufrir una apoplejía en 1934 regresó a Johannesburgo. Sus monumentales estudios comparativos de música hebrea en muchas partes del mundo establecieron que la tradición había permanecido relativamente intacta a través del tiempo, y además sugirieron conexiones entre el canto litúrgico hebreo y los orígenes del canto gregoriano. Compuso la primera ópera hebrea, *Yiftah* (1922), y la famosa canción "Hava nagila".

identidad de los indiscernibles Principio enunciado por G.W. LEIBNIZ que niega la posibilidad de que dos objetos sean numéricamente distintos si comparten todas sus propiedades no relacionales, donde una propiedad relacional es una que implica establecer una relación con otro objeto. Expresado de un modo más formal, el principo postula que si *x* no es idéntico a *y*, entoces hay alguna propiedad no relacional *P* tal que *P* vale para *x* y no vale para *y*, o que *P* vale para *y*, y no vale para *x*. De modo equivalente, si *x* e *y* comparten todas sus propiedades no relacionales, entonces *x* es idéntico a *y*. La afirmación recíproca, el principio de la indiscernibilidad de los idénticos (conocido también como ley de Leibniz), sostiene que si *x* es idéntico a *y*, entonces cada propiedad no relacional de *x* es una propiedad de *y*, y viceversa.

identidad, teoría de la En la filosofía de la MENTE, doctrina según la cual los acontecimientos mentales son idénticos a los acontecimientos fisicoquímicos que tienen lugar en el cerebro. La llamada teoría de la identidad "tipo" afirma que cada tipo de acontecimiento mental, como el dolor, es idéntico a algún tipo de acontecimiento en el cerebro, como la descarga de fibras C. En respuesta a las objeciones basadas en la supuesta "realizabilidad múltiple" de los estados mentales, la teoría de la identidad "signo" hace una afirmación algo más débil en el sentido de que cada signo de un acontecimiento mental, como un dolor particular, es idéntico a algún signo de un acontecimiento cerebral de algún tipo. Ver también el problema MENTE-CUERPO.

identificación por ADN ver identificación por ADN

ideología Forma de filosofía social o política en la que los elementos prácticos son tan prominentes como los teóricos. El término fue acuñado en 1796 por el escritor francés Antoine-Louis-Claude, conde Destutt de Tracy (n. 1754–m. 1836), como rótulo para su "ciencia de las ideas". Ciertos aspectos de su pensamiento han demostrado ser generalmente verdaderos con respecto a las ideologías, como la existencia de una teoría más o menos global de la sociedad, un programa político, el pronóstico de un conflicto que habrá que enfrentar para poner en práctica el programa (lo que exige seguidores comprometidos) y el liderazgo intelectual. Las ideas de Destutt de Tracy fueron adoptadas por el gobierno revolucionario francés al estructurar su versión de una sociedad democrática, racional y científica (ver DIRECTORIO). Napoleón I al principio le dio una connotación negativa al término con su desprecio a lo que él llamó *idéologues*. La ideología a menudo es comparada desfavorablemente con el PRAGMATISMO. La importancia de la ideología deriva del hecho de que el poder rara vez es ejercido sin un sustento de ideas o creencias que lo justifiquen.

idilio En literatura, composición sencilla descriptiva, en verso o prosa que aborda la vida bucólica o las escenas pastoriles, o que sugiere un ánimo de paz y contemplación. Los idilios han tenido diversas formas, desde la égloga hasta el poema narrativo de largo aliento que trata temas épicos, románticos o trágicos (como el poema de ALFRED TENNYSON, *Idilios del rey*).

idioma ver LENGUA

idiota sabio Personas de inteligencia subnormal o de un rango emocional seriamente limitado, que tienen dotes intelectuales prodigiosas en un área específica. Entre los talentos exhibidos por los idiotas sabios se cuentan las habilidades matemáticas, musicales, artísticas y mecánicas. Ejemplos del fenómeno son, entre otros, el rápido cálculo mental de extensas sumas, la interpretación de largas composiciones musicales de memoria después de haberlas escuchado una sola vez, y la reparación de mecanismos complejos sin ninguna preparación al respecto. Cerca del 10% de los autistas son idiotas sabios; también pueden serlo personas con retardo mental, aunque en tales casos la incidencia es mucho menor. Ver también AUTISMO.

Iditarod Carrera de trineos tirados por perros que se celebra en EE.UU. Se corre todos los años en el mes de marzo en un circuito que une Anchorage y Nome, en Alaska. En 1967 se disputó por primera vez, en una carrera de 90 km (56 mi), pero en 1973 adoptó su modalidad actual, una travesía de 1.855 km (1.152 mi) a lo largo de una antigua ruta de correo establecida en 1910. La carrera conmemora también una misión de emergencia que debió llevar medicamentos a Nome durante la epidemia de difteria en 1925. La competición suele tomar entre 9 y 14 días. Ver también carreras de TRINEOS TIRADOS POR PERROS.

Torneo de Iditarod que se corre anualmente de Anchorage a Nome, Alaska, EE.UU.
FOTOBANCO

ídolo Imagen o figura de una deidad adorada como objeto de culto. En el judaísmo, la elaboración de cualquier representación de Dios está estrictamente prohibida, así como la de cualquier "ídolo". El Islam también se ha sumado a esta regla. En el cristianismo ha existido una aceptación generalizada de imágenes pintadas o esculpidas de Jesús y los santos y, de vez en cuando, Dios, y en consecuencia siempre ha enfrentado el peligro de que tales representaciones puedan ser veneradas en forma supersticiosa como ídolos. En el jainismo, hinduismo y budismo, las imágenes de dioses y santos son comunes y a menudo son objeto de veneración. En el hinduismo, una estatua puede ser tratada como un dios en un acto de devoción, pero pierde esa condición cuando el acto finaliza (ver DURGA-PUJA; PUJA).

Idrīs I *p. ext.* **Sīdī Muḥammad Idrīs al-Mahdī al-Sanūsī** (13 mar. 1890, Jarabub, Cirenaica, Libia–25 may. 1983, El Cairo, Egipto). Rey de Libia (1951–69). Sucedió a su padre en 1902 como líder de CIRENAICA, pero no gobernó por sí mismo sino hasta 1916. Las negociaciones con Italia, que controlaba la costa libia, culminaron en acuerdos que confirmaron la autoridad de Idrīs I (1917) y establecieron un parlamento (1919). Sin embargo, su negativa a desarmar a sus partidarios tribales llevó a Italia a invadir Tripolitania en 1922. Idrīs I marchó al exilio, donde permaneció hasta después de la segunda guerra mundial (1939–45). En 1949, Cirenaica y las otras dos provincias libias se unieron bajo una monarquía constitucional encabezada por Idrīs I. La independencia fue declarada en 1951. Fue derrocado por el coronel MUAMMAR AL-GADAFI en un golpe militar ocurrido en 1969.

Idrīs I, rey de Libia (1951–69).
CENTRAL PRESS—PICTORIAL PARADE

idrisíes dinastía de los Dinastía árabe musulmana que gobernó las regiones BEREBERES de Marruecos (789–921). Su fundador, Idrīs I (r. 789–791), estableció la tradición de los jerifes en Marruecos, por medio de la cual la descendencia de MAHOMA fue establecida como el principio del gobierno monárquico. Su hijo Idrīs II (r. 803–828) fundó FEZ en 808. La dinastía fue la primera en incorporar a bereberes y ÁRABES. Dividida en principados rivales, preparó el camino para otro grupo bereber, la dinastía ALMORÁVIDE.

Ifat Antiguo estado musulmán (1285–1415) de ETIOPÍA central. Surgió a raíz de las conquistas de un gobernante del s. XIII conocido como Walasma y floreció en las fértiles tierras altas de la zona. Sirvió como valla entre los reinos de Damot y de la Etiopía cristiana. En 1328 fue conquistado por el rey etíope Amda Sion, a quien desde ese momento debió pagar tributo. Después de una larga serie de revueltas, Ifat fue aniquilada en 1415, y anexionada a Etiopía.

Ifigenia En la mitología GRIEGA, la hija mayor de AGAMENÓN y Clitemnestra y hermana de ELECTRA y ORESTES. Cuando la flota aquea quedó varada en Aulis, su padre la ofreció en sacrificio a ARTEMISA para así asegurar que vientos favorables llevaran las naves a Troya. Su madre más tarde vengó su muerte asesinando a Agamenón. Su historia es abordada en obras de ESQUILO, SÓFOCLES y EURÍPIDES. Según Eurípides, ella no murió, sino que fue salvada por Artemisa; fue al país de Táuride, donde se convirtió en sacerdotisa; salvó a Orestes de la locura y de la muerte cuando él huyó allí después de matar a su madre.

Ifni Región del sudoeste de MARRUECOS. Situada en la costa atlántica, tiene una superficie cercana a 1.500 km² (580 mi²). Fue colonizada en 1476 por el español Diego García de Herrera, señor de las Canarias, como enclave para pesca, tráfico de esclavos y comercio. Fue abandonada por los españoles en 1524 debido a las enfermedades y la hostilidad de la población local, pero España exigió su devolución en 1860, después de suscribir un tratado con Marruecos. Su reocupación efectiva por España comenzó en 1934, y en 1946 pasó a formar parte del territorio español del norte de África. Ifni fue cedida a Marruecos en 1969.

IG Farben CARTEL farmoquímico más grande del mundo desde su fundación en Alemania hasta su disolución por los aliados después de la segunda guerra mundial. Se desarrolló como resultado de una compleja fusión de fabricantes alemanes de productos químicos, farmacéuticos y colorantes (*Farben*). Sus principales miembros fueron las empresas que hoy se conocen como BASF AG, BAYER AG, Hoechst AG, Agfa-Gevaert Group y Cassella AG. En 1916 formaron una asociación libre y en 1925 se unieron formalmente y establecieron sus oficinas centrales en Francfort, Alemania. IG Farben se expandió internacionalmente a fines de la década de 1920 y en la década siguiente. Durante la segunda guerra mundial construyeron una planta de caucho y aceite sintético en AUSCHWITZ para aprovechar la mano de obra de los prisioneros del campo de concentración, quienes también fueron sometidos a experimentos con fármacos. Después de la guerra, varios ejecutivos de la empresa fueron condenados por CRÍMENES DE GUERRA e IG Farben fue dividida en tres compañías independientes.

iglesia Edificio de culto cristiano. Las primeras iglesias occidentales se basaron en la planta de la BASÍLICA romana. En Constantinopla, Anatolia y Europa oriental, la iglesia ortodoxa adoptó la planta en forma simétrica de la cruz griega, con cuatro alas de igual tamaño que se proyectan desde un espacio central coronado por una cúpula (ver arquitectura BIZANTINA). A fines del s. XI la complejidad de las CATEDRALES fue cada vez mayor; la novedosa IGLESIA SALÓN no se estableció hasta el s. XIV. La basílica y la iglesia salón dominaron el diseño de las iglesias occidentales hasta mediados del s. XX. La modernización de los ritos y un espíritu innovador llevaron a experimentaciones arquitectónicas que en ocasiones se apartan completamente de las formas tradicionales.

Iglesia En la doctrina cristiana, la comunidad religiosa en su conjunto, o un cuerpo organizado de creyentes que adhiere a las enseñanzas de una secta. La palabra "iglesia" proviene del griego *ekklesia*, usada en el Nuevo Testamento para designar tanto al cuerpo de fieles como a las congregaciones locales. Los cristianos establecieron congregaciones siguiendo el modelo de la SINAGOGA y un sistema de gobierno centrado en el OBISPO. El credo de NICEA la definió como una Iglesia (unificada), santa (creada por el ESPÍRITU SANTO), católica (universal) y apostólica (históricamente continua con los APÓSTOLES). El cisma de las Iglesias cristianas de Oriente y Occidente (1054) y la REFORMA (s. XVI) pusieron fin a la unidad y universalidad de la institución. San AGUSTÍN afirmó que la Iglesia verdadera solo es conocida por Dios, y MARTÍN LUTERO sostuvo que esta tenía miembros en muchos cuerpos cristianos y era independiente de cualquier organización.

Iglesia Nueva *o* **swedenborgianos** Iglesia cuyos miembros siguen las enseñanzas de EMANUEL SWEDENBORG. Si bien Swedenborg mismo no fundó una Iglesia, sí creía que sus escritos serían la base de una "nueva iglesia", la que asoció con la "nueva Jerusalén", mencionada en el Apocalipsis de san Juan. En 1788, poco después de su muerte, un grupo de seguidores estableció una Iglesia en Londres. La primera sociedad swedenborgiana en EE.UU. se organizó en Baltimore (1792). El bautismo y la cena del Señor son los dos SACRAMENTOS de la Iglesia, y el Día de la Iglesia Nueva (19 de junio) se agrega a las festividades cristianas ya establecidas. Existen tres grupos de Iglesia Nueva: la Conferencia general de la Iglesia Nueva, la Convención general de la Nueva Jerusalén en EE.UU. y la Iglesia general de la Nueva Jerusalén.

iglesia salón Tipo de iglesia cuyas NAVES laterales tienen una altura aproximadamente igual a la nave central, a diferencia de la BASÍLICA. No tiene por lo tanto un TRIFORIO, y el interior es iluminado por grandes ventanales de las naves laterales. En ocasiones, hay capillas a los costados de la nave. Estas iglesias tuvieron su origen en Alemania y fueron típicas del gótico tardío en ese país. Algunas de las características representativas de la iglesia salón alemana son los arcos elevados de las naves e inmensos techos. La iglesia de Santa Isabel en Marburgo (c. 1257–83) es un ejemplo arquetípico.

Iglesia y Estado Relación que existe entre la autoridad religiosa y la secular en una sociedad. En la mayoría de las civilizaciones antiguas la separación entre lo religioso y lo político no estaba claramente definida. Con el advenimiento del cristianismo, surgió la idea de dos órdenes separados, a partir del mandamiento de Jesús "Dad al César lo que es del César y a Dios lo que es de Dios" (Marcos 12:17). No obstante, la estrecha asociación entre religión y política continuó incluso después del triunfo del cristianismo, y emperadores como Constantino ejercieron su autoridad tanto sobre la Iglesia como sobre el Estado. A comienzos de la Edad Media, los gobernantes seculares afirmaban gobernar por la gracia de Dios y, más adelante en la Edad Media, papas y emperadores compitieron por el dominio universal. Durante la QUERELLA DE LAS INVESTIDURAS, la Iglesia definió claramente la existencia de dos órdenes separados y bien definidos, el religioso y el secular, sin perjuicio de lo cual sentó las bases para la llamada monarquía papal. La REFORMA socavó en forma importante la autoridad papal y el péndulo se balanceó hacia el Estado; muchos monarcas pretendieron gobernar la Iglesia y el Estado por derecho divino. El concepto de gobierno secular, en la forma en que se manifestó en EE.UU. y en la Francia posrevolucionaria, estuvo influido por los pensadores de la ILUSTRACIÓN. En Europa occidental hoy en día todos los estados protegen la libertad de culto y distinguen entre autoridad civil y religiosa. Los sistemas jurídicos de algunos países islámicos modernos se basan en la SHARI'A. En EE.UU., la separación entre Iglesia y Estado ha sido puesta a prueba en el ámbito de la educación pública por controversias sobre temas como la oración en la escuela, el financiamiento público de escuelas privadas religiosas y la enseñanza del CREACIONISMO.

iglú Vivienda temporal de invierno o durante las cacerías, con forma de cúpula y realizada con bloques de nieve, por los ESQUIMALES de Canadá y Groenlandia. Se construye desde el interior, mediante la superposición de bloques de nieve compactos, sobre un plano circular. Se allana la cara superior de estos bloques iniciales en un ángulo inclinado para formar el primer anillo de una espiral. Se agregan bloques adicionales a la espiral para llevarla hacia adentro, hasta que se completa la cúpula, dejando un agujero para la ventilación en el vértice.

Ignacio de Antioquía, san (m. circa. 110, Roma; festividad en Occidente: 17 de octubre; en Oriente: 20 de diciembre). Mártir de la Iglesia cristiana primitiva. Probablemente de origen sirio, puede haber sido un pagano que persiguió a los cristianos antes de su conversión. Sucedió a san PEDRO como obispo de Antioquía. Durante el reinado de TRAJANO, las autoridades romanas lo detuvieron y enviaron a Roma, donde fue enjuiciado y ejecutado. Durante el viaje a Roma escribió una serie de epístolas famosas, con el fin de alentar a sus cofrades cristianos perseguidos. Las cartas condenan a dos grupos de herejes: los judaizantes, que insistían en que los cristianos debían continuar observando la ley hebraica, y los docetistas, que sostenían que Jesús sólo tenía apariencia física.

Ignacio de Loyola, san (1491, Loyola, Castilla–31 jul. 1556, Roma; canonizado: 12 mar. 1622, festividad: 31 de julio). Religioso español, fundador de la Compañía de Jesús (ver JESUITAS). Nacido en la nobleza, comenzó su carrera como soldado. Mientras convalecía de las heridas provocadas por una bala de cañón francés en 1521, experimentó una conversión religiosa. Después de una peregrinación a Jerusalén, siguió estudios religiosos en España y Francia. En París reunió en torno suyo a los compañeros (entre ellos san FRANCISCO JAVIER) que habrían de unírsele en la fundación de los jesuitas. Fue ordenado sacerdote en 1537 y estableció la Compañía de Jesús en 1539. La nueva orden recibió la aprobación papal en 1540 y Loyola fue su primer prepósito general hasta su muerte; por entonces, la orden tenía ramas en Italia, España, Alemania, Francia, Portugal, India y Brasil. Describió su visión mística de la oración en los *Ejercicios espirituales*. En sus últimos años sentó las bases de un sistema de escuelas jesuitas.

San Ignacio de Loyola, litografía policroma, c. 1890.
FOTOBANCO

Ignarro, Louis J(oseph) (n. 31 may. 1941, Brooklyn, N.Y., EE.UU.). Farmacólogo estadounidense. Obtuvo un Ph.D. en la Universidad de Minnesota. En 1998 compartió el Premio Nobel con ROBERT F. FURCHGOTT y FERID MURAD, por descubrir que el ÓXIDO NÍTRICO actúa como molécula transmisora de señales en el sistema cardiovascular. Ignarro concluyó que el factor que Furchgott había denominado factor relajador, derivado del endotelio, era el óxido nítrico. Su trabajo reveló un mecanismo completamente nuevo por el cual los vasos sanguíneos del cuerpo se relajan y dilatan. Fue la primera comprobación de que un gas podía actuar como molécula transmisora de señales en un organismo vivo. El principio del medicamento VIAGRA, que se emplea para tratar la impotencia, se basó en estos descubrimientos.

Ignátiev, Nikolái (Pávlovich), conde (29 ene. 1832, San Petersburgo, Rusia–3 jul. 1908, finca Krupodernitsi, provincia de Kíev). Político y diplomático ruso durante el reinado del zar ALEJANDRO II. Diplomático de carrera, acordó un tratado con China en 1860 que permitió a Rusia construir la ciudad de Vladivostok y convertirse en una gran potencia en el Pacífico norte. Fue designado embajador plenipotenciario en China, así como responsable de las relaciones rusas con el Imperio otomano y luego, en 1864, embajador en Constantinopla. Defensor del PANESLAVISMO, alentó a Serbia y Bulgaria a iniciar una rebelión que finalmente fracasó. En 1878, después de la victoria rusa en la guerra RUSO-TURCA, negoció el tratado de SAN STEFANO en términos favorables para Rusia. Luego que las potencias europeas occidentales hicieron presión para reemplazar este acuerdo por el tratado de Berlín, mucho menos favorable a Rusia, fue obligado a renunciar.

igualdad Ideal de uniformidad aplicada al trato que reciban las personas o a su posición social por quienes estén en situación de influir en ambos aspectos. El reconocimiento del derecho a la igualdad frecuentemente lo deben obtener los desfavorecidos de los privilegiados por la fuerza. La igualdad de oportunidades fue el credo sobre cuya base se fundó la sociedad estadounidense, pero la igualdad de todas las personas y entre los sexos ha demostrado ser una cuestión respecto de la cual resulta mucho más fácil legislar que lograrla en la práctica. La desigualdad religiosa o social se encuentra profundamente enraizada en algunas culturas y, por lo tanto, resulta difícil de superar (ver CASTA). Las medidas que adoptan los gobiernos para lograr la igualdad económica comprenden el aumento de las cargas tributarias, subsidios a la capacitación y educación, redistribución de la riqueza y los recursos, y el trato preferencial para aquellos que históricamente han sido discriminados (ver DISCRIMINACIÓN POSITIVA). Ver también DECLARACIÓN UNIVERSAL DE DERECHOS HUMANOS; movimientos por los DERECHOS CIVILES; DERECHOS HUMANOS; FEMINISMO; movimiento por los derechos de los HOMOSEXUALES.

igualdad ante la ley *inglés* **equal protection** En EE.UU., garantía constitucional de que ninguna persona o grupo será privado de la protección que la ley otorga a personas o grupos semejantes, es decir, que todos aquellos que se encuentren en situación similar deben ser tratados de manera análoga. La XIV enmienda a la Constitución de los ESTADOS UNIDOS DE AMÉRICA prohíbe a los estados negar a una persona "igual protección legal". Hasta mediados del s. XX, esta disposición prácticamente sólo se aplicó en algunos casos de discriminación racial, como el uso de pruebas de alfabetización y la cláusula del ABUELO, que tenían por objeto limitar el derecho a voto de los afroamericanos. En el caso PLESSY V. FERGUSON (1896), la Corte Suprema de los ESTADOS UNIDOS DE AMÉRICA reafirmó que debían existir instalaciones "iguales pero separadas" para las distintas razas, con lo cual ratificó la segregación racial. A partir de la década de 1960, la Corte, bajo la presidencia de EARL WARREN, amplió notablemente el concepto, aplicándolo a casos relacionados con prestaciones sociales, ORDENAMIENTO TERRITORIAL excluyente, servicios municipales y financiamiento de las escuelas. Durante las presidencias de WARREN E. BURGER y WILLIAM H. REHNQUIST, la Corte continuó ampliando los casos que podían resolverse al amparo de la disposición sobre igualdad ante la ley, al incluir aquellos relacionados con la discriminación basada en el sexo, la condición jurídica y los derechos de los extranjeros, el derecho al aborto y el acceso a los tribunales de justicia.

igualdad ante la ley, enmienda sobre la *inglés* **Equal Rights Amendment (ERA)** Proyecto no ratificado de enmienda a la Constitución de los ESTADOS UNIDOS DE AMÉRICA que tenía principalmente por objeto dejar sin efecto numerosas leyes federales y de los estados que discriminaban a las mujeres. Se basaba en el principio central de que el sexo no debía ser factor determinante de los derechos de las personas. Fue presentado por primera vez a consideración del congreso en 1923, poco después de que las mujeres obtuvieron el derecho a voto. Fue aprobado finalmente por el Senado 49 años más tarde (1972), pero luego sólo lo ratificaron las legislaturas de 30 de los 50 estados. Sus críticos sostuvieron que haría que las mujeres perdieran protección y privilegios, como la exención del servicio militar obligatorio y la ayuda económica del cónyuge. Los defensores del proyecto, encabezados por la National Organization for Women (NOW), argumentaron que la legislación federal y de los estados discriminatoria relegaba a muchas mujeres a una situación de dependencia económica.

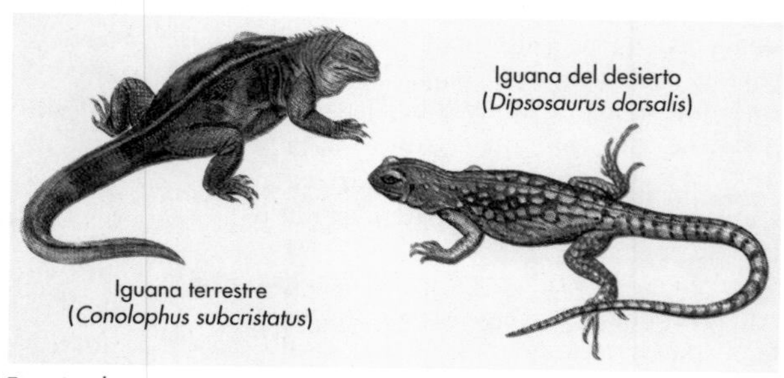

Especies de iguana.

iguana Cualquiera de unos 13 miembros de los de mayor tamaño de la familia Iguanidae (ver LAGARTO). La más conocida es la iguana común (*Iguana iguana*), que habita en toda América tropical. Alcanza un largo máximo de 1,8 m (6 pies). Vive en árboles, especialmente en aquellos que cuelgan sobre el agua, y en ella se zambulle cuando se la molesta. Es verdosa, con listas marrón que forman anillos regulares en la cola. Su alimento principal son hojas y frutas tiernas, pero también come aves menores y crustáceos. Las especies del sudoeste de EE.UU. y México son el chuckwalla (*Sauromalus obesus*) y la iguana del desierto (*Dipsosaurus dorsalis*).

Iguazú, cataratas del *o* **cataratas de Iguaçu** Saltos en el río IGUAZÚ en la frontera entre la Argentina y Brasil. Las cataratas, que tienen forma de herradura, fueron descubiertas por ÁLVAR NÚÑEZ CABEZA DE VACA en 1541. Tienen 82 m (269 pies) de altura y 4 km (2,5 mi) de extensión (cuatro veces el ancho de las cataratas de NIÁGARA, en América del Norte) y están constituidas por 275 saltos o cascadas. La belleza del paisaje y su fauna están protegidos por el parque nacional do Iguaçu (1939) en Brasil y el parque nacional del Iguazú (1934) en la Argentina. En 1984 fueron declarados PATRIMONIO DE LA HUMANIDAD por la UNESCO.

Cataratas del Iguazú.

Iguazú, río *o* **río Iguaçu** Río del sur de Brasil y el nordeste de la Argentina. Discurre al oeste a lo largo de 1.320 km (820 mi) antes de unirse al río PARANÁ, junto a la encrucijada fronteriza de la Argentina, Brasil y Paraguay. Aunque algunos tramos son navegables, el río es conocido principalmente por los bellos paisajes de las cataratas del IGUAZÚ. Cerca de estas se produce el salto más importante, llamado Garganta del diablo, que se ha descrito como "un océano que se precipita en un abismo".

Ihara Saikaku *o* **Ibara Saikaku** *llamado* **Saikaku** *orig.* **Hirayama Togo** (1642, Osaka, Japón–9 sep. 1693, Osaka). Poeta y novelista japonés. Al principio adquirió fama por su rapidez para componer *haikai* (versos cómicos encadenados), llegando a producir en una ocasión 23.500 en un solo día. Sin embargo, su prestigio se debe a sus novelas, entre las que destacan *Vida de un enamorado* (1682) y *Cinco damas voluptuosas* (1686), en las cuales fascinaba a sus lectores con retratos picarescos de los problemas financieros y amorosos de los mercaderes y de las cortesanas. Fue una de las figuras brillantes del renacimiento de la literatura nipona en el s. XVII.

Ii Naosuke (29 nov. 1815, Hikone, Japón–24 mar. 1860, Edo [actual Tokio]). DAIMIO y estadista japonés que intentó reafirmar el papel político tradicional del sogunado (gobierno militar). En respuesta a la exigencia del comodoro MATTHEW C. PERRY de que Japón terminara con su política aislacionista centenaria, Ii Naosuke favoreció el desarrollo de las relaciones exteriores. El sogún Tokugawa firmó la convención de Perry (1854), la que abrió dos puertos a los buques estadounidenses; comenzó así la apertura del país a la influencia occidental y las negociaciones comerciales con TOWNSEND HARRIS. En una decisión inusual, el sogunado había intentado el consentimiento del emperador al tratado; cuando las fuerzas contrarias al tratado bloquearon su aprobación, Ii Naosuke autorizó la firma de aquel en su calidad de jefe del gobierno del sogunado. Esto fue considerado como un atropello por muchos daimios; cuando Ii Naosuke los hizo acallar, fue decapitado por asesinos. Ver también restauración MEIJI; período de los TOKUGAWA.

ijo, lenguas *o* **lenguas ijaw** Rama menor de la gran familia de las lenguas NIGEROCONGOLEÑAS. Las lenguas ijo se hablan en una región costera relativamente angosta del delta del río Níger en Nigeria. Abarcan el ijo, grupo lingüístico hablado por alrededor de dos millones de personas, y el defaka, que cuenta con un reducido número de hablantes. Los ijo fueron unos de los primeros africanos occidentales en tener contacto con los europeos. Se estima que el ijo es una de las primeras lenguas escritas de Nigeria.

Ijssel, lago *o* **IJsselmeer** Lago poco profundo de agua dulce, situado en el centro-norte de los Países Bajos. Alimentado por las aguas del río IJSSEL, se formó en la parte sur de la antigua ensenada ZUIDERZEE mediante la construcción de un dique que lo separa de los mares de Wadden y del Norte. Originalmente tenía una superficie total de 3.440 km² (1.328 mi²), pero esta se redujo a causa de los proyectos de recuperación, gracias a los cuales se ha logrado aumentar las tierras de los Países Bajos en más de 1.600 km² (600 mi²). Regulada por medio de esclusas, el agua salada ha sido reemplazada por agua dulce del río Ijssel y se han instalado industrias pesqueras de anguila.

Ijssel, río Río de los Países Bajos, brazo importante del río RIN. Nace en el Bajo Rin, al sudeste de Arnhem, y fluye al nordeste por 110 km (70 mi) hasta desaguar en el lago IJSSEL. A lo largo de su recorrido se encuentran ciudades importantes como Zutphen, Deventer y Zwolle.

ijtihād En el derecho islámico, el análisis de problemas no abordados con precisión en el CORÁN, el HADIZ o el consenso erudito llamado *ijmā'*. En la primitiva comunidad erudita musulmana, cada jurista tenía derecho a ejercer dicho pensamiento original, pero la proliferación de escuelas de derecho llevó a las autoridades musulmanas sunníes (ver SUNNÍ) a declarar que los principales problemas ya habían sido resueltos en el s. X. Los musulmanes CHIITAS siempre han reconocido la *ijtihād* y los juristas considerados doctos para efectuar este tipo de análisis tienen gran autoridad. En el s. XX se intentó restablecerla entre los sunníes para ayudar al Islam a adaptarse al mundo moderno.

Ijwān al-Ṣafā' Hermandad secreta árabe fundada en Basora, Irak, en el s. X, cuyo nombre significa Hermanos de la pureza o Hermanos sinceros. Sus creencias se apartan notoriamente del Islam ortodoxo, incorporando elementos del NEOPLATONISMO, el GNOSTICISMO, la ASTROLOGÍA y las ciencias ocultas. La hermandad es más conocida por haber elaborado una enciclopedia filosófica y religiosa, *Epístolas*, cuyo propósito fue proporcionar la ilustración que purificara el alma y diera felicidad en la otra vida.

Ike no Taiga *orig.* **Matajirō** (6 jun. 1723, Kioto, Japón–30 may. 1776, Kioto). Pintor japonés. A temprana edad aprendió caligrafía y conoció los clásicos chinos. Ayudó a establecer el estilo *bunjin-ga* de pintura (ver LETRADOS), que originalmente fue un estilo chino. Sus obras consisten en paisajes y retratos, como las imágenes para biombos llamadas *Los quinientos discípulos de Buda*, y una serie de ilustraciones para *Jūben jūgichō* (1771; "Colección de diez virtudes y diez placeres"), álbumes basados en los poemas de Li Liweng de la dinastía Qing (1644–1911). Ike se convirtió en uno de los calígrafos líderes de la cultura EDO.

ikebana Arte japonés de arreglar las flores. Fue introducido en Japón en el s. VI por misioneros budistas chinos, quienes habían formalizado el ritual de la ofrenda floral a BUDA. La primera escuela en Japón fue fundada a principios del s. VII. El arte se basa en la armonía de las construcciones lineales simples y la apreciación de la sutil belleza de las flores y materiales naturales (ramas, tallos). Hoy en día existen varias escuelas importantes, con diferentes teorías del estilo artístico. En su máxima expresión, la naturaleza del ikebana es espiritual y filosófica, pero en el Japón moderno es más practicado como signo de refinamiento.

Ikebana: arte de arreglo floral japonés.
FOTOBANCO

ikki Revueltas campesinas en Japón que comenzaron en el período KAMAKURA (1192–1333) y continuaron en el período de los TOKUGAWA (1603–1867). Aunque las condiciones de vida de la población urbana mejoraron en la época Tokugawa (Edo), las de los campesinos pobres empeoraron: los impuestos excesivos y un creciente número de hambrunas los llevaron a manifestarse primero en forma pacífica y luego violenta. En ocasiones fueron resueltas algunas de sus aflicciones, pero sus líderes acabaron muertos por su audacia.

Il Rosso ver Giovanni Battista (di Jacopo) ROSSO

ilang-ilang Árbol siempreverde de Asia meridional (*Cananga odorata*) de la familia de las Anonáceas (ver CHIRIMOYO). El nombre significa "flor de flores" en el idioma tagalo. Con una altura de 25 m (77 pies), es esbelto, tiene una corteza lisa y está cubierto todo el año de flores colgantes de pedúnculos largos muy aromáticas, que tienen seis pétalos angostos de color amarillo verdoso. Las hojas son ovales y puntiagudas con bordes ondulados. Los frutos ovalados cuelgan en racimo de tallos largos. Con sus flores se hacen guirnaldas y se destila un perfume sutil. El ilang-ilang trepador (*Artabotrys odoratissimus*) es leñoso y pertenece a la misma familia; es común en emparrados y patios interiores en climas húmedos y cálidos.

ileítis INFLAMACIÓN crónica de una parte del INTESTINO DELGADO o del INTESTINO GRUESO (en rigor, del ÍLEON). Una modalidad más seria, la ileítis regional (enfermedad de Crohn), afecta al intestino delgado y al grueso. Los síntomas de la ileítis son diarrea crónica o intermitente, a veces sanguinolenta, y cólicos. Se presenta con fiebre, baja de peso y anemia. La enfermedad de Crohn puede ir acompañada de deterioro progresivo. Pueden producirse obstrucciones o conexiones anormales entre las asas intestinales. La ileítis simple tiene causas coyunturales y muchos pacientes se recuperan completamente. En la enfermedad de Crohn, que puede provenir de un defecto autoinmune, las remisiones y recaídas siguen durante años, las que causan engrosamiento de la pared intestinal, estrechez de su canal y ulceración de su mucosa. Las radiografías y la colonoscopia que muestran estas alteraciones son diagnósticas. La farmacoterapia puede ser de utilidad, pero no hay cura conocida, y la enfermedad a menudo requiere la extirpación de parte del intestino.

íleon Porción terminal del INTESTINO DELGADO. Es el lugar de la absorción de la vitamina B_{12} (ver complejo de VITAMINA B) y de la reabsorción de cerca del 90% de las sales conjugadas de la BILIS. Mide unos 4 m (13 pies), desde el yeyuno (porción media del intestino delgado) hasta la válvula ileocecal, donde se une al INTESTINO GRUESO. Sus trastornos producen deficiencia de vitamina B_{12} y diarrea profusa (ya que las sales biliares en el intestino grueso interfieren en la absorción del agua).

Iliamna, lago Lago en el estado de Alaska, EE.UU. Es el más grande de Alaska y el segundo en extensión de agua dulce entre los que se encuentran exclusivamente en territorio estadounidense. Mide 129 km (80 mi) de largo y 40 km (25 mi) de ancho, abarcando una superficie de 2.600 km^2 (1.000 mi^2). Se ubica en el sudoeste de Alaska, al oeste de Cook Inlet, y desagua en la bahía de Bristol, mar de Bering. El volcán activo Iliamna, de 3.053 m (10.016 pies) de altura, se halla al nordeste del lago; debe su nombre a los indios tamaina, en cuya mitología el lago era habitado por un pez negro gigante capaz de agujerear canoas.

Ilión ver TROYA

Iliria Antigua región en el noroeste de la península BALCÁNICA, Europa sudoriental. Estuvo habitada desde el s. X AC por los ilirios, pueblo indoeuropeo que más tarde practicó la piratería contra los barcos romanos. Luego de una serie de guerras con Roma, la región llamada Illyricum fue conquistada en 168 AC y desmembrada en tres provincias. Cuando se dividió el Imperio romano en 395 DC, la región de Iliria ubicada al este del río DRINA pasó a formar parte del Imperio romano de Oriente. En el s. VI fue ocupado por los eslavos y en los s. VIII–XI cambió de nombre a Arbëri y finalmente a Albania.

Ilirias, provincias Antiguo territorio de la costa dálmata europea. En 1809, la victoria francesa obligó a Austria a ceder parte de sus territorios eslavos meridionales a Francia, Napoleón unió CARNIOLA, Carintia occidental, Gorz, ISTRIA y partes de CROACIA, DALMACIA y Ragusa para formar las provincias Ilirias, que incorporó a su imperio. Finalizada la administración francesa, en 1814 se reincorporaron al Imperio austríaco.

Ilitia Diosa griega del parto. Capaz de facilitar o dificultar el trabajo de alumbramiento a su arbitrio, fue adorada durante siglos desde el neolítico hasta los tiempos romanos. Los indicios más tempranos de su culto fueron descubiertos en Amniso, Creta. En el politeísmo griego posterior, a veces se la describe como hija de HERA y en otras se la identifica con Hera o ARTEMISA.

Illinois Estado (pob., 2000: 12.419.293 hab.) del centro-oeste de EE.UU. Limita con los estados de Wisconsin, Indiana, Kentucky, Missouri y Iowa, y abarca una superficie de 150.008 km^2 (57.918 mi^2). Su capital es SPRINGFIELD. El río MISSISSIPPI conforma el límite occidental del estado, mientras que los ríos OHIO y WABASH establecen su linde sudoriental, en tanto el río ILLINOIS cruza el estado; el lago Michigan se ubica al nordeste. En su límite nororiental se encuentra CHICAGO, la tercera ciudad más grande de la nación. Los primeros asentamientos datan del 8000 AC. La cultura del MISSISSIPPI tenía su centro en Cahokia c. 1300 DC; todas las tribus que habitaban la región en el tiempo de la colonización europea eran de origen algonquino. Los exploradores franceses JACQUES MARQUETTE y LOUIS JOLLIET ingresaron al territorio en 1673. Francia controló esta zona hasta 1763, año en que la cedió a los británicos tras la guerra FRANCESA E INDIA. En 1783 pasó a ser parte del Territorio del Noroeste y en 1800 quedó incluida en el Territorio de Indiana; en 1809 se constituyó el Territorio de Illinois y en 1818 se convirtió en el 21er estado de la Unión. Si bien estuvo dividido políticamente durante la guerra de SECESIÓN, Illinois continuó siendo parte de la Unión. Durante el s. XX la intensa rivalidad política (entre republicanos y demócratas) y la gran cantidad de votantes del estado lo convirtieron en un campo de batalla importante en las elecciones presidenciales (ver PARTIDO REPUBLICANO; PARTIDO DEMÓCRATA). Es uno de los centros industriales más grandes de EE.UU. y el principal productor de maquinaria. Se destaca también por su importante actividad en el rubro de los seguros.

Rascacielos de Chicago, en la ribera del lago Michigan, EE.UU.
ARCHIVO EDIT. SANTIAGO

Illinois, río Río del nordeste del estado de Illinois, EE.UU. Nace en la confluencia de los ríos DES PLAINES y Kankakee en Illinois y corre en dirección sudoeste, atravesando el estado hasta juntarse con el río MISSISSIPPI después de un recorrido de 440 km (273 mi). Abarca una superficie de 65.000 km^2 (25.000 mi^2) y ocasionalmente se ensancha para cubrir grandes extensiones, la ciudad de Peoria está ubicada a orillas del río.

Illinois, Universidad de Universidad del estado de Illinois, EE.UU., que consta de un campus principal en Urbana-Champaign (fundado en 1867) y un segundo campus en Chicago (1946). Ambos campus son instituciones del tipo *land-grant* (fundada al amparo de la ley de concesiones de terrenos para universidades públicas) de enseñanza e investigación, y cuentan con una amplia variedad de programas de pregrado, posgrado y profesionales. Las instalaciones del campus principal comprenden el Aviation Research Laboratory (Laboratorio de investigación para la aviación) y el National Center for Supercomputing Applications (Centro nacional de aplicaciones de la supercomputación). El campus de Chicago alberga la escuela de trabajo social Jane Addams School for Social Work.

ʿilm al-hadiz Tipo de análisis establecido por tradicionalistas musulmanes del s. IX para verificar los méritos del ḤADĪZ. De los muchos relatos sobre las declaraciones y acciones de MAHOMA que constituían el Ḥadīz, se pensaba que algunos eran falsificaciones o poco confiables. Los eruditos juzgaban su mérito investigando las ISNADS, que detallaban la cadena de autoridades a través de la cual la historia había sido transmitida.

Ilmen, lago Lago del noroeste de Rusia. Se ubica en el centro de la llanura de Ilmen, gélida región de tierras bajas avenada por cerca de 50 ríos, entre ellos el Msta, Pola y Lovat, que alimentan el lago, el cual a su vez constituye la fuente del río Voljov. Su superficie oscila entre 733 y 2.090 km² (283 y 807 mi²) dependiendo del caudal de los ríos. El Ilmen es navegable en verano y tiene una profundidad promedio de 10 m (33 pies).

ilmenita Mineral de ÓXIDO metálico, de color negro acerado y bastante pesado, compuesto de titanato de hierro ($FeTiO_3$), el cual es la principal fuente de TITANIO. Se encuentra diseminado o en vetas de GABRO, DIORITA o ANORTOSITA, como en Quebec (Canadá), en el estado de Nueva York (EE.UU.) y en Noruega. También forma grandes masas, como en Iron Mountain, Wyoming (EE.UU.), y en la cordillera Ilmen en Rusia, de donde deriva su nombre. Cantidades menores se extraen en yacimientos de cobre, pegmatita, arena negra de playa y en lavaderos.

Iloilo Ciudad (pob., 2000: 365.820 hab.) de la isla PANAY, Filipinas. Fue completamente habitada desde el período prehispánico, pero su puerto no se desarrolló sino a partir de 1855, año en que fue abierto al comercio extranjero. Durante un tiempo compitió con CEBÚ como principal puerto de las islas de las VISAYAS. Hoy es un importante puerto pesquero, y la ciudad es también conocida por sus telas de seda cruda y de fibra de ananás.

Ilorin Ciudad (pob., 1991: 532.089 hab.) del oeste de Nigeria. Está situada a orillas de un afluente secundario del río NÍGER. Fundada por los YORUBA a fines del s. XVIII y declarada capital del reino c. 1800, pasó a dominio británico en 1897. Rodeada de una muralla de barro y habitada principalmente por yoruba musulmanes, es un centro industrial, comercial y educativo.

ilota En la antigüedad, miembro de cualquiera de los pueblos nativos de Laconia y Mesenia, conquistados y controlados por ESPARTA. Eran siervos o esclavos de propiedad estatal que trabajaban la tierra para alimentar y vestir a los espartanos, a quienes superaban ampliamente en número. Los espartanos vivían en constante temor de una revuelta ilota, y cada año les declaraban la guerra para mantenerlos sometidos por la fuerza. En tiempo de guerra, los ilotas servían a sus amos en las campañas, actuando como soldados y remeros de la flota. Los ilotas mesenios fueron liberados c. 370 AC, y los de Laconia sólo en el s. II AC.

iluminación Uso de una fuente de luz artificial para alumbrar un recinto. Es un elemento clave en la arquitectura y en el diseño de interiores. La iluminación residencial utiliza principalmente LÁMPARAS INCANDESCENTES o LÁMPARAS FLUORESCENTES y depende en gran medida de fuentes móviles conectadas a tomas de corriente; la iluminación incorporada a la construcción se encuentra por lo general en cocinas, cuartos de baño y pasillos. En los comedores se usan lámparas colgantes y a veces, en las salas de estar, fuentes de luz escondidas en nichos y cornisas. La iluminación de edificios no residenciales es predominantemente fluorescente. Las lámparas de alta presión de vapor de sodio (ver LÁMPARA DE DESCARGA ELÉCTRICA) son más eficientes, por lo que se utilizan en las industrias. Las LÁMPARAS HALÓGENAS tienen usos residenciales, industriales y fotográficos. Según sus accesorios, las bombillas producen una variedad de condiciones de iluminación. Las bombillas incandescentes en una ampolla de vidrio translúcido crean efectos difusos; montadas con reflectores en nichos en el cielo raso pueden iluminar muros o pisos de manera uniforme. Las lámparas fluorescentes por lo general van montadas en reflectores prismáticos ahuecados. Otras veces se esconden detrás de molduras (ver ESGUCIO) para dar una iluminación indirecta o dentro de un cielo raso luminoso tras paneles translúcidos. Las lámparas de vapor de mercurio y las lámparas de alta presión de vapor de sodio se colocan en reflectores simples en espacios industriales, en postes de alumbrado público y en proyectores de uso comercial.

Iluminación proyectada para realzar la catedral de Notre Dame de París.
ARCHIVO EDIT. SANTIAGO

ilusión Cualquiera de dos especies de plantas herbáceas del género *Gypsophila* (familia de las CARIOFILÁCEAS) con múltiples florecillas. Tanto *G. elegans*, que es anual, como *G. paniculata*, perenne, se cultivan por su sutil efecto brumoso en jardines de rocas, arriates y arreglos florales. Son originarias de Eurasia.

ilusionismo Arte cuyo propósito es entretener a una audiencia mediante hazañas imposibles que parecen contradecir los hechos naturales. El ilusionista es un actor que combina psicología, agilidad manual y la utilización de dispositivos mecánicos con el objetivo de crear una determinada ilusión. Este arte se remonta a la Edad Media, cuando prestidigitadores itinerantes se presentaban en ferias y en hogares de la nobleza. Durante los s. XIX–XX, el ilusionismo fue representado en teatros por artistas como JEAN-EUGÈNE ROBERT-HOUDIN, HARRY HOUDINI y Harry Blackstone. A fines del s. XX ilusionistas como Doug Henning y David Copperfield han creado brillantes espectáculos para la televisión, mientras que el dúo posmoderno Penn and Teller ha exhibido un tipo de ilusionismo menos llamativo, que se caracteriza por la ironía y la ilusión visual.

ilusoria, guerra *inglés* **phony war** (1939–40). Primeros meses de la segunda GUERRA MUNDIAL, marcados por la ausencia de grandes enfrentamientos. El término fue acuñado por los periodistas ingleses para describir en tono de broma estos seis meses (octubre 1939–marzo 1940) en que ni los aliados ni los alemanes emprendieron operación terrestre alguna después de la invasión de Polonia en septiembre de 1939.

Ilustración Movimiento intelectual europeo de los s. XVII y XVIII en el que las ideas relacionadas con Dios, la razón, la naturaleza y el hombre fueron sintetizadas en una visión del mundo que inspiró adelantos revolucionarios en las artes, la filosofía y la política. La aplicación y la exaltación de la razón fueron los elementos centrales de la Ilustración. Para los pensadores ilustrados, todos los conceptos aceptados, sea en ciencia o en religión, debían ser materia de investigación de mentes emancipadas. En las ciencias y en la matemática, la lógica de inducción y deducción hizo posible la creación de una cosmología radicalmente nueva. La búsqueda de una religión racional condujo al DEÍSMO; la aplicación de la razón a la religión originó posiciones más radicales como el ESCEPTICISMO, el ATEÍSMO y el materialismo. La Ilustración dio origen a modernas teorías secularizadas en psicología y ética, que formularon personalidades como JOHN LOCKE y THOMAS HOBBES, así como a teorías políticas radicales. Locke, JEREMY BENTHAM, J. J. ROUSSEAU, MONTESQUIEU, VOLTAIRE y THOMAS JEFFERSON contribuyeron al desarrollo de un pensamiento crítico frente al Estado autoritario y esbozaron una forma superior de organización social basada en los derechos naturales. Uno de los legados perdurables de la Ilustración es la creencia que la historia evidencia el progreso general de la humanidad.

iluviación Acumulación, en un área o estrato, de partículas del suelo disueltas o en suspensión, como resultado de la lixiviación (percolación) de otra área o estrato. Normalmente la ARCILLA, el hierro o el HUMUS se deslavan y forman una capa de color y consistencia diferentes. Estas capas son importantes para estudiar la composición y la edad de los estratos rocosos.

imaginismo Movimiento poético de la poesía inglesa y estadounidense, caracterizado por el uso de un lenguaje y formas de expresión concretos, además de la libertad métrica. Los imaginistas abordan en su poesía los problemas de la modernidad y, a su vez, evitan los temas propios del misticismo y el romanticismo. Emanó del movimiento SIMBOLISTA y fue encabezado en sus inicios por EZRA POUND, quien, inspirado en la crítica de T. E. Hulme (n. 1883–m. 1917), formuló su credo c. 1912; HILDA DOOLITTLE también figuró entre los fundadores. En 1914, la poetisa AMY LOWELL asumió el liderazgo del grupo. El imaginismo influyó en la obra de CONRAD AIKEN, T. S. ELIOT, MARIANNE MOORE, D. H. LAWRENCE, WALLACE STEVENS y otros.

imaginología diagnóstica *o* **diagnóstico por imágenes** Uso de las RADIACIONES ELECTROMAGNÉTICAS para producir imágenes de las estructuras corporales internas con fines diagnósticos. Los RAYOS X se han empleado desde 1895. Los tejidos más densos, como los huesos, absorben más rayos X y se ven como áreas más claras en las placas radiográficas. Se puede emplear un MEDIO DE CONTRASTE para resaltar los tejidos blandos en placas fijas o filmar su desplazamiento mientras avanza por el cuerpo, o por una parte de este, para registrar los procesos corporales. En la TOMOGRAFÍA AXIAL COMPUTARIZADA (TAC), se enfocan los rayos X en planos tisulares específicos y una serie de tales "cortes" paralelos del cuerpo se procesa mediante una computadora para obtener imágenes tridimensionales. Los riesgos de exposición a los rayos X se reducen con estas técnicas más precisas, que emplean dosis menores, y con el uso de otros métodos de diagnóstico. Ver también ANGIOCARDIOGRAFÍA; ANGIOGRAFÍA; MEDICINA NUCLEAR; imágenes por RESONANCIA MAGNÉTICA; TOMOGRAFÍA POR EMISIÓN DE POSITRONES; ULTRASONIDO.

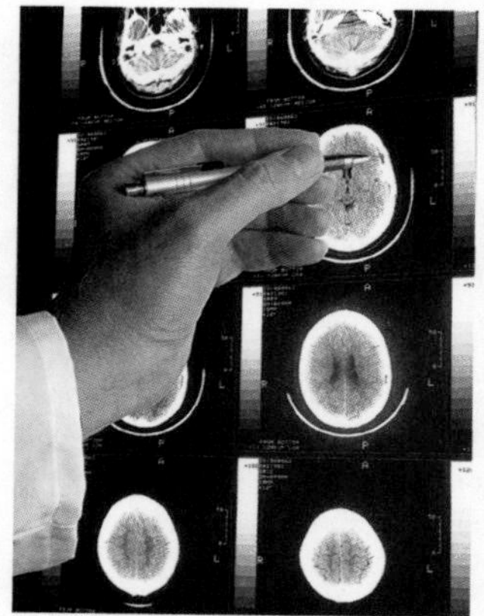

La imaginología diagnóstica permite el estudio de órganos corporales internos.

Imam Bondjol (1772, Kampung Tandjung Bunga, Sumatra–6 nov. 1864, Manado, Célebes). Líder de una guerra religiosa que dividió al pueblo MINANGKABAU de Sumatra. Convertido al islamismo reformista wahabí, conocido en Sumatra como la secta padri, fundó la comunidad fortificada de Bondjol, de la cual tomó su nombre, como el lugar desde donde haría la guerra santa. El gobierno secular pidió ayuda a los holandeses, pero como estos estaban ocupados en la guerra de Java (1825–30), las fuerzas de Bondjol expandieron el territorio bajo su control. Los holandeses finalmente socorrieron a los padris y derrotaron a los de Bondjol, este se rindió (1837), y el territorio de los minangkabau fue incorporado a las posesiones coloniales holandesas.

imamíes ver ITHNĀ ʿASARIYĀ

imán Jefe de una comunidad musulmana. En el Islam SUNNÍ, el imán era idéntico al CALIFA y designaba al sucesor político de MAHOMA. Los sunníes sostenían que era un hombre capaz de cometer errores, pero merecía obediencia con tal de mantener los mandatos del Islam. En el Islam CHIITA, se convirtió en una figura de autoridad religiosa absoluta, poseedor de una comprensión única del Corán, señalado por la divinidad y preservado del pecado. Con la desaparición histórica del último de ellos surgió la creencia en el imán oculto, que es identificado con el MAHDI. El término *imán* también se usa para designar a los musulmanes que conducen la oración en las mezquitas y ha sido empleado como título honorífico.

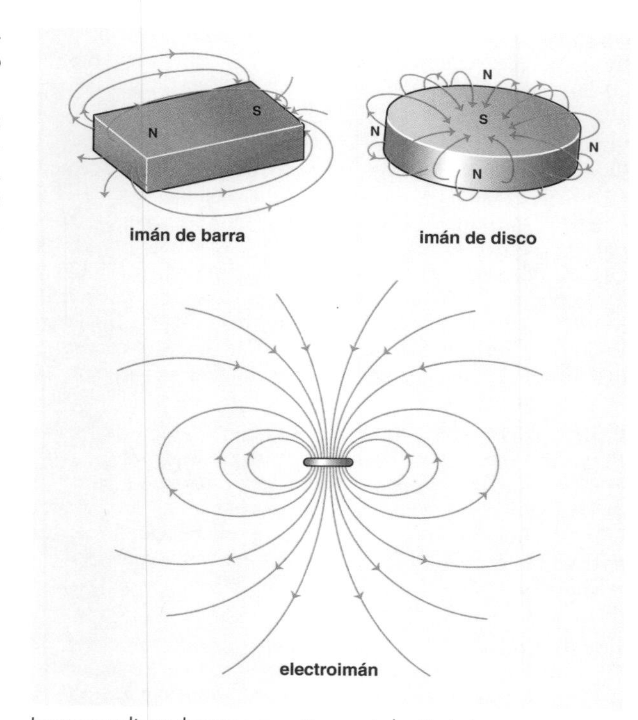

Imanes y sus líneas de campo magnético asociadas. Un imán permanente, como el de barra o de disco, posee un campo magnético en virtud de la alineación de todas las partículas magnéticas de las cuales está compuesto. Un electroimán se genera por medio de un flujo de corriente a través de un asa de alambre ubicada en el centro del campo.

imán Cualquier material capaz de atraer al HIERRO y producir un CAMPO MAGNÉTICO fuera de sí mismo. Hacia fines del s. XIX, todos los elementos conocidos y muchos compuestos habían sido sometidos a pruebas de MAGNETISMO, y se encontró que todos ellos tenían cierta propiedad magnética. Sin embargo, sólo tres elementos –hierro, NÍQUEL y COBALTO– presentan FERROMAGNETISMO. Ver también BRÚJULA; ELECTROIMÁN.

Imhotep (c. siglo XXVII AC, Menfis, Egipto). Sabio y astrólogo egipcio, más tarde adorado como el dios de la medicina. En Grecia fue identificado con ASCLEPIO. Fue primer ministro del faraón Zoser y se le recuerda como un médico hábil así como el arquitecto de la pirámide escalonada de ṢAQQĀRA, en Menfis. Deificado alrededor de la época de la conquista persa en 525 AC, se decía que era hijo de PTAH y de la diosa de la guerra Sejmet. Su culto alcanzó su apogeo en tiempos grecorromanos, cuando los enfermos dormían en sus templos con la esperanza de que el dios les revelaría remedios en sueños.

Imhotep (leyendo un rollo de papiro), detalle de una escultura; Museo Egipcio, Berlín.

impala ANTÍLOPE (*Aepyceros melampus*) grácil y veloz que forma grandes manadas, normalmente cerca del agua, en las sabanas y bosques abiertos de África central y meridional. Cuando están alarmados, brincan dando saltos de hasta 9 m (30 pies) de largo y 3 m (10 pies) de alto. De contextura ligera, poseen una alzada de 75–100 cm (30–40 pulg.). Son de piel dorada a marrón rojiza, vientre blanco, una franja negra vertical en cada muslo y un mechón negro detrás de cada pezuña trasera. El macho posee cuernos largos en forma de lira.

Impala (*Aepyceros melampus*).

Impatiens Género que comprende unas 900 especies de plantas herbáceas de la familia de las Balsamináceas (ver BÁLSAMO), llamadas así porque la vaina seminal estalla al menor contacto. La balsamina (*I. balsamina*), originaria del Asia tropical, es una planta anual llamativa y predilecta en jardines. Sus flores son irregulares, solas o en racimos y casi de cualquier color, excepto azul. Las malezas emparentadas, conocidas en el este de Norteamérica, son la hierba de santa Catalina (*I. biflora* o *I. capensis*) y la ALEGRÍA DEL HOGAR rastrera. La mayoría tiene tallos débiles y huecos que requieren mucha humedad. Sus parientes cercanos son los GERANIOS y CAPUCHINAS.

Balsamina (*Impatiens balsamina*).

impedancia eléctrica Oposición que un circuito presenta a la CORRIENTE ELÉCTRICA. Comprende tanto RESISTENCIA como REACTANCIA. La resistencia surge de las colisiones de las partículas portadoras de carga de la corriente eléctrica con la estructura interna del CONDUCTOR. La reactancia es una oposición adicional al movimiento de carga eléctrica, que surge debido a los CAMPOS MAGNÉTICOS y eléctricos variables que se producen en circuitos por los que circula la CORRIENTE ALTERNA. La impedancia en circuitos por los que circulan CORRIENTES CONTINUAS es simplemente resistencia. La magnitud de la impedancia, que suele representarse con la letra Z, de un circuito es igual al valor máximo de la diferencia de potencial, o voltaje V, a través del circuito, dividida por el valor máximo de la corriente I que pasa por dicho circuito, o simplemente $Z = V/I$. La unidad de impedancia es el ohmio.

imperativo categórico En la filosofía moral de IMMANUEL KANT, un imperativo que presenta una acción como incondicionalmente necesaria (p. ej., "No debes matar"), en oposición a un imperativo que presenta una acción como necesaria sólo bajo la condición de que el agente quiera otra cosa (p. ej., "Paga tus deudas a tiempo, si quieres conseguir un crédito hipotecario"). Kant sostuvo que había un solo imperativo formalmente categórico del cual podían derivarse todos los imperativos morales específicos. Una fomulación famosa es: "Actúa sólo de acuerdo con una máxima que puedas al mismo tiempo desear que se convierta en ley universal". Ver también ÉTICA DEONTOLÓGICA.

Imperial Chemical Industries PLC (ICI) Empresa química británica. Fue fundada en 1926 con la razón social Imperial Chemical Industries Ltd. para fusionar cuatro importantes compañías químicas británicas. Entre la primera y la segunda guerra mundial, ICI era una significativa competidora de IG FARBEN. En la actualidad elabora productos químicos industriales, pinturas y explosivos. En 1993, sus divisiones de fármacos, pesticidas y productos químicos especiales fueron separadas de la empresa para formar una nueva sociedad llamada Zeneca Group PLC (Grupo Zeneca). Las oficinas centrales de ICI están en Londres.

Imperial Valley Valle que se extiende desde el sudeste del estado de California, EE.UU., hasta México. Forma parte del desierto de Colorado. En 1901 se inició la construcción de obras de regadío con la apertura del Imperial Canal, el cual desvió las aguas desde el río COLORADO. Las crecidas de 1905–07 destruyeron los canales y dieron forma al SALTON SEA. En la actualidad, el valle es irrigado por la represa HOOVER y el All-American Canal. Abarca 4.800 km (3.000 mi) de canales de regadío y 200.000 ha (500.000 acres) de tierras cultivadas.

Imperiales, conferencias Reuniones periódicas realizadas entre 1907 y 1937 por los diversos dominios del Imperio británico que después pasarían a conformar la COMMONWEALTH. Convocadas para abordar temas económicos y de defensa mutua, aprobaban resoluciones que no eran vinculantes. Sin embargo, el estatuto de WESTMINSTER implementó las medidas adoptadas en las conferencias de 1926 y 1930 que definieron los dominios con autogobierno (Canadá, Australia, Nueva Zelanda, Sudáfrica, Irlanda y Terranova) como "comunidades autónomas dentro del Imperio británico". Después de la segunda guerra mundial, las conferencias imperiales fueron reemplazadas por reuniones entre los primeros ministros de los respectivos países.

imperialismo Política de Estado, práctica o defensa de la expansión del poderío y del dominio, especialmente por la vía de la adquisición directa de territorios o mediante la obtención del control político y económico de otras zonas. Debido a que el imperialismo supone siempre el uso del poder, a menudo mediante la fuerza militar, se lo considera en forma generalizada como moralmente objetable, y el término, por consiguiente, ha sido empleado por los estados para denunciar y desacreditar la política exterior de sus adversarios. En tiempos antiguos, el imperialismo puede observarse claramente en la interminable sucesión de imperios en China, Asia occidental y el Mediterráneo. Entre el s. XV y mediados del s. XVIII, Inglaterra, Francia, los Países Bajos, Portugal y España establecieron imperios en América, India y las Indias Orientales (término aplicado antiguamente al Sudeste asiático). Rusia, Italia, Alemania, EE.UU. y Japón se convirtieron en potencias imperiales en el período que abarca desde mediados del s. XIX hasta la primera guerra mundial. Los planes imperialistas de Japón, la Italia fascista y la Alemania nazi en 1930 culminaron en el estallido de la segunda guerra mundial. Después de la guerra, la Unión Soviética consolidó su control político y militar sobre los estados de Europa del este (ver CORTINA DE HIERRO). A principios del s. XX, EE.UU. fue acusado de imperialismo por intervenir en los asuntos de los países en desarrollo con el fin de proteger los intereses de empresas transnacionales estadounidenses (ver UNITED FRUIT CO.). Los economistas y teóricos políticos han debatido acerca de si el imperialismo beneficia a los estados que lo practican y si tales beneficios u otras razones justifican que un Estado persiga políticas imperialistas. Algunos teóricos como NICOLÁS MAQUIAVELO han argumentado que el imperialismo no es más que el resultado de la lucha natural por la supervivencia de los pueblos. Otros han afirmado que es necesario para garantizar la seguridad nacional. Una tercera justificación del imperialismo, expuesta raras veces después de la segunda guerra mundial, es que constituye un medio para liberar los pueblos de los gobiernos tiránicos o de traerles las bendiciones de un modo de vida superior. Ver también COLONIALISMO; ESFERA DE INFLUENCIA.

imperio, estilo Estilo de mobiliario y decoración de interiores que prosperó en Francia durante el Primer Imperio (1804–14). Corresponde al estilo REGENCIA de Inglaterra. En respuesta al deseo de NAPOLEÓN I de usar un estilo inspirado en la Roma imperial, los arquitectos Charles Percier (n. 1764–m. 1838) y Pierre Fontaine (n. 1762–m. 1853) decoraron sus salas oficiales con mobiliario de estilos clásicos y motivos ornamentales, complementados con esfinges y hojas de palma para conmemorar sus campañas en Egipto. El estilo influenció las artes (JACQUES-LOUIS DAVID en pintura, ANTONIO CANOVA en escultura, el ARCO DE TRIUNFO en arquitectura) y la moda, en general extendiéndose rápidamente por toda Europa.

impétigo Enfermedad inflamatoria bacteriana de la piel, la infección cutánea más común en niños. Las ampollas iniciales se rompen y se secan formando una costra. Causado por ESTAFILOCOCOS o ESTREPTOCOCOS, es muy contagioso en recién nacidos, cosa que disminuye con la edad. Puede promover su diseminación la mala higiene, el hacinamiento y el clima húmedo y caluroso. El impétigo simple puede tratarse con un antibiótico de amplio espectro aplicado a las ampollas; los casos más difundidos, especialmente en lactantes, pueden requerir un antibiótico sistémico.

Imphal Ciudad (pob., est. 2001: 217.275 hab.) y capital del estado de MANIPUR, en el nordeste de India. Está situada al nordeste de KOLKATA (Calcuta), en el valle del río Manipur, a una altura de 760 m (2.500 pies). Fue la capital de los reyes de Manipur antes de que la región pasara a dominio británico. En 1944 fue escenario de la victoria de las fuerzas angloindias sobre los japoneses en el frente birmano. Imphal es un importante centro de comercio, conocido por sus tejidos y sus artículos de cobre y bronce.

implicación En LÓGICA, relación que se establece entre dos proposiciones cuando están ligadas como antecedente y consecuente de una proposición condicional verdadera. Los lógicos distinguen dos tipos principales de implicación: material y estricta. La proposición p implica materialmente la proposición q, si y sólo si el condicional material $p \supset q$ (que se lee "si p entonces q") es verdadero. Una proposición de la forma $p \supset q$ es falsa siempre que p sea verdadera y q falsa; es verdadera en los otros tres casos posibles (i. e., p verdadera y q verdadera; p falsa y q verdadera; p falsa y q falsa). De ello sigue que siempre que p es falsa, $p \supset q$ resulta automáticamente verdadera: esta es una peculiaridad que hace al condicional el material inadecuado para la interpretación del significado de las oraciones condicionales en la lengua ordinaria. Por otra parte, la proposición p implica estrictamente la proposición q si y sólo si es imposible para p ser verdadera sin que q sea también verdadera (i. e., si la conjunción de p y no q es imposible).

impotencia Incapacidad de conseguir o mantener la erección del PENE, por lo tanto, la incapacidad de participar plenamente en la RELACIÓN SEXUAL. La impotencia eréctil (incapacidad de lograr la erección) puede resultar de causas físicas (p. ej., alcoholismo, enfermedad endocrina) o psicológicas (p. ej., ansiedad, hostilidad hacia la pareja). La impotencia eyaculatoria (incapacidad para alcanzar el orgasmo, a veces con una erección sostenida largo tiempo), casi siempre tiene una causa emocional. Ver también VIAGRA.

impresión Conjunto de procesos y técnicas para reproducir textos e ilustraciones, tradicionalmente mediante la aplicación de TINTA por presión sobre PAPEL, pero que hoy incluye otros variados métodos. En la impresión comercial moderna se usan tres técnicas básicas: la IMPRESIÓN TIPOGRÁFICA basada en la presión mecánica para traspasar una imagen entintada en relieve a la superficie que se ha de imprimir; el HUECOGRABADO que traspasa la tinta al papel desde una superficie con huecos de distintas profundidades; y la IMPRESIÓN OFFSET, cuyas áreas de impresión de la plancha están entintadas, mientras las que no deben imprimirse se humectan para rechazar la tinta.

impresión artística Forma de arte que consiste en la producción de imágenes, en general sobre papel, y ocasionalmente sobre tela, pergamino, plástico u otro soporte, por medio de variadas técnicas de multiplicación y bajo la supervisión directa o por la propia mano del artista. Tales impresiones se consideran obras de arte originales, incluso si existen en copias múltiples. Las técnicas principales son la IMPRESIÓN TIPOGRÁFICA, en la que se elimina el fondo para dejar una imagen realzada; la impresión en HUECOGRABADO, en que la imagen se graba directamente en la plancha; la impresión de superficie como la LITOGRAFÍA, en que la imagen se pinta o dibuja sobre una piedra, y la impresión en esténcil, en que el diseño se recorta y se imprime rociando pintura o tinta a través del esténcil. La historia de la impresión transcurre en forma paralela a la historia del arte, y constituye una de las formas artísticas más antiguas. Aunque tuvo muchos predecesores, el primer grabador importante fue un alemán del s. XV, MARTIN SCHONGAUER. En el s. XVI, ALBERTO DURERO realizó grabados de la más alta calidad, y en el s. XVII, las aguafuertes de REMBRANDT fueron especialmente notables. La impresión japonesa se originó en el s. XVII, con la escuela UKIYO-E de xilografía, y sus artistas más conocidos fueron HOKUSAI y HIROSHIGE. Algunos artistas occidentales importantes del s. XVIII que hicieron grabados fueron WILLIAM HOGARTH, FRANCISCO DE GOYA y GIAMBATTISTA PIRANESI. Entre las obras de los grabadores del s. XIX destacan las de HONORÉ DAUMIER y las de muchos impresionistas (ver IMPRESIONISMO) franceses. En el s. XX proliferó la experimentación con nuevos estilos y direcciones, con los artistas de los movimientos más importantes del siglo, entre ellos, el EXPRESIONISMO, el SURREALISMO, el POP ART, el MINIMALISMO y el NEOEXPRESIONISMO, todos dedicados a la impresión. Ver también AGUAFUERTE; GRABADO; MEZZOTINTO; XILOGRAFÍA.

impresión en color Técnica especializada de IMPRESIÓN que usa TINTAS coloreadas y prensas modificadas. La yuxtaposición de colores se logra sometiendo cada hoja a impresiones sucesivas mediante moldes tipográficos, cada uno de los cuales está entintado en un solo color, a fin de imprimir sólo las áreas destinadas a llevar ese color. Con tintas de sólo tres colores, combinadas apropiadamente, se puede construir el efecto visual de toda la gama de colores; si las tres tintas se aplican en un área, esta aparecerá casi negra. La impresión en colores estándar, llamada cuatricromía (impresión en cuatro colores), emplea tintas de los colores magenta, amarillo, cian (azul) y negro.

impresión offset *o* **litografía offset** En la IMPRESIÓN comercial, técnica muy difundida en la que la imagen entintada en una plancha tipográfica se estampa en un cilindro revestido de caucho y luego se transfiere (en inglés *offset*) al PAPEL o a otro material. La mantilla de caucho que reviste el cilindro proporciona una gran flexibilidad, lo que permite la impresión en madera, tela, metal, cuero y papel basto. En la impresión *offset*, la materia que se ha de imprimir no sobresale de la superficie de la plancha tipográfica (como en la IMPRESIÓN TIPOGRÁFICA) ni está hundida en dicha plancha (como en el huecograbado). La impresión offset, un perfeccionamiento de la LITOGRAFÍA, se basa en el principio de que el agua y el aceite no se mezclan, de modo que una tinta aceitosa se deposita sobre aquellas áreas de la plancha tratadas con aceite, en tanto que las áreas que no se desea imprimir, humectadas, rechazan la tinta. La plancha offset suele ser de cinc o aluminio o de una combinación de metales, con su superficie tratada para hacerla porosa y luego revestida de un material fotosensible. La exposición a la luz proyectada por una imagen endurece el revestimiento de las áreas de impresión; el revestimiento en las áreas que no se desea imprimir se elimina mediante el lavado, de manera que el metal quede mojado, y rechace la tinta. Ver también XEROGRAFÍA.

impresión tipográfica *o* **impresión en relieve** En la IMPRESIÓN comercial, proceso mediante el cual se producen muchas copias de un documento al imprimir repetidas veces una superficie con relieves entintados en hojas o en un rollo de PAPEL continuo. La impresión tipográfica es la técnica de impresión más antigua, la única importante desde la época de JOHANNES GUTENBERG (c. 1450) hasta la LITOGRAFÍA (fines del s. XVIII) y en especial hasta la IMPRESIÓN OFFSET (comienzos del s. XX). Originalmente la superficie entintada para una página de texto se armaba letra por letra y línea por línea. La monotipia y la LINOTIPIA fueron las primeras máquinas de COMPOSICIÓN TIPOGRÁFICA activadas desde un teclado. La impresión tipográfica puede producir un trabajo de gran calidad a alta velocidad, pero requiere mucho tiempo para preparar y ajustar la prensa. En aras de la velocidad, los diarios se imprimen actualmente mediante el proceso *offset*.

impresionismo Movimiento artístico desarrollado en Francia a fines del s. XIX. En pintura abarca las obras producidas c. 1867–86 por un grupo de artistas que compartía tanto enfoques y técnicas artísticas, como el descontento a la enseñanza académica. Originalmente incluía a CLAUDE MONET, PIERRE-AUGUSTE RENOIR, CAMILLE PISSARRO, ALFRED SISLEY y BERTHE MORISOT. Más tarde se les unieron ÉDOUARD MANET, cuyo estilo inicial había influenciado fuertemente a varios de ellos, MARY CASSATT, EDGAR DEGAS, PAUL CÉZANNE y otros. El rasgo característico que identifica su trabajo es el intento de registrar escenas en forma precisa y objetiva, y captar los efectos transitorios de la luz sobre el color y las texturas. En pos de estos fines abandonaron los tradicionales y apagados colores marrón, gris y verde en favor de una paleta más clara y brillante. Dejaron de lado las gamas de gris y negro para las sombras y construyeron las formas a partir de pinceladas de color fragmentadas; solían pintar al aire libre. Abandonaron las composiciones formales tradicionales en favor de una disposición más casual y menos artificial de los objetos dentro del marco pictórico. Sus temas incluían paisajes naturales y urbanos, árboles, casas y estaciones de ferrocarril. Después de que el SALÓN de la Academia Francesa rechazara reiteradamente la mayoría de sus obras, en 1874 decidieron montar su propia exposición, y como grupo realizaron otras siete muestras. Un crítico los describió irónicamente como "impresionistas" y adoptaron el nombre como una exacta descripción de sus propósitos. Antes de disolverse a fines de 1887, el grupo había revolucionado la pintura occidental. Ver también POSTIMPRESIONISMO; SALÓN DE LOS INDEPENDIENTES.

"El almuerzo de los remeros", pintura impresionista de Pierre-Auguste Renoir, 1881; Museo de Orsay, París.
FOTOBANCO

impresionismo En música, estilo iniciado por el compositor francés CLAUDE DEBUSSY a fines del s. XIX. El término, que es un tanto vago al referirse a la música, fue introducido por analogía con la pintura francesa contemporánea; al propio Debussy le disgustaba. Los elementos que a menudo se denominan "impresionistas" son la armonía estática, el énfasis en los timbres instrumentales que crea una interacción rielante de "colores", las melodías que carecen de orientación dirigida, la ornamentación superficial que oscurece o sustituye la melodía y una evitación de la forma musical tradicional. El impresionismo puede considerarse como una reacción contra la retórica del ROMANTICISMO, que rompe el movimiento de avance de las progresiones armónicas clásicas. El otro compositor que se asocia con mayor frecuencia al impresionismo es MAURICE RAVEL. Los pasajes impresionistas son comunes en la música temprana de FRÉDÉRIC CHOPIN, FRANZ LISZT y RICHARD WAGNER, y en la música de compositores posteriores como CHARLES IVES, BÉLA BARTÓK y GEORGE GERSHWIN.

impresora de computadora Dispositivo electrónico que acepta archivos de texto o imágenes de una computadora y los transfiere a un medio como papel o película. Puede estar conectado en forma directa a la computadora o indirectamente a través de una red. Las impresoras se clasifican como impresoras de impacto (en las cuales el medio impreso es golpeado en forma física) y de no impacto. La mayoría de las impresoras de impacto son impresoras de matriz de punto, las que tienen un número de pines en la cabeza de impresión que emergen para formar un carácter. Las impresoras de no impacto se dividen en tres categorías principales: las impresoras láser, que usan un rayo láser para atraer partículas de tóner a un área del papel; las de inyección de tinta, que rocían un chorro de tinta líquida; y las térmicas, que transfieren tinta a base de cera o emplean pines calientes para imprimir directamente una imagen en un papel con un tratamiento especial. Las características importantes de las impresoras son la resolución (en puntos por pulgada), velocidad (en hojas de papel impresas por minuto), el color (en colores o en blanco y negro) y la memoria caché (que afecta la velocidad de impresión de un archivo).

impronta Forma de aprendizaje por la cual un animal muy joven fija la atención en el primer objeto con el cual tiene experiencia visual, auditiva o táctil y sigue ese objeto de ahí en adelante. En la naturaleza, el objeto es casi siempre un progenitor; en experimentos, se han usado otros animales u objetos inanimados. La impronta sólo se ha estudiado detenidamente en las aves, pero una forma de aprendizaje comparable ocurriría en muchos mamíferos y algunos peces e insectos. Los patos y pollos pequeños, que pueden aprender en pocas horas, dejan de ser receptivos a estímulos de impronta dentro de las 30 horas después de la eclosión.

improvisación Creación de música mientras se toca. La improvisación implica normalmente alguna preparación previa, en particular, cuando hay más de un ejecutante. A pesar del lugar dominante que ocupa la notación en la tradición occidental, la improvisación ha desempeñado a menudo un papel, desde el ORGANUM primitivo hasta el uso del CONTINUO (acompañamiento parcialmente improvisado ejecutado sobre una línea de bajo) en los s. XVII–XVIII. Ha adoptado formas como la creación de una melodía sobre una línea de bajo en las danzas; la ORNAMENTACIÓN elaborada, añadida a la sección repetida de un aria; las variaciones para teclado de canciones populares; las cadenzas de los conciertos; y las FANTASÍAS libres para instrumentos solistas. Después del s. XIX, quizás su época de mayor decadencia, la improvisación volvió a la música de concierto en las composiciones "experimentales" y en las interpretaciones "auténticas" de música antigua. Actualmente, su forma más importante en Occidente es el JAZZ. Además es una de las características que define al RAGA.

impuesto Gravamen fiscal aplicado a personas, grupos o empresas. Los impuestos son una obligación general de los contribuyentes y no se pagan a cambio de beneficios específicos. Han existido desde la antigüedad, p. ej., el impuesto a la PROPIEDAD y el impuesto sobre las VENTAS se aplicaban en la antigua Roma, pero se preferían los ARANCELES a los impuestos internos como fuente de ingresos fiscales. En las economías modernas, la tendencia ha sido reemplazar los aranceles por impuestos internos, los que representan el grueso de los ingresos fiscales. Los impuestos tienen tres funciones: cubrir los gastos fiscales, promover un crecimiento económico estable y disminuir las desigualdades en la distribución del ingreso y la riqueza. También se han utilizado para fines no fiscales, como incentivar o desincentivar ciertas actividades (p. ej., el consumo de cigarrillos). Los impuestos pueden clasificarse como directos o indirectos. Los impuestos directos son aquellos que el contribuyente no puede traspasar a otra persona; son principalmente impuestos a las personas y se basan en la capacidad de pago de un individuo conforme a su ingreso o riqueza neta. Entre los impuestos directos están el impuesto sobre la RENTA, el impuesto sobre el patrimonio neto, los impuestos asociados a un fallecimiento (i.e., el impuesto a la HERENCIA y el IMPUESTO SUCESORIO), y los impuestos sobre las donaciones. Los impuestos indirectos son aquellos que se pueden traspasar en su totalidad o en parte a una persona que no es la responsable legal del pago. Entre estos se incluyen el impuesto al consumo, el impuesto sobre las VENTAS y el impuesto al VALOR AGREGADO (IVA). Los impuestos también se pueden clasificar de acuerdo con el efecto que tienen en la distribución de la riqueza. Un impuesto proporcional es el que aplica la misma carga relativa a todos los contribuyentes, a diferencia de los IMPUESTOS PROGRESIVOS y de los IMPUESTOS REGRESIVOS.

impuesto progresivo Impuesto con una tasa que aumenta en la medida que sube el monto imponible. Los impuestos progresivos, diseñados para obtener de las personas acaudaladas una mayor proporción de la recaudación tributaria, reflejan la idea de que las personas con una mayor capacidad de pago deben solventar una mayor carga impositiva. El sistema de impuesto sobre la RENTA progresivo puede disponer la exención de obligaciones tributarias en el caso de ingresos inferiores a un monto específico o puede establecer tasas que aumentan progresivamente conforme aumentan los ingresos. La existencia de deducciones también puede hacer que un impuesto sea progresivo. Los impuestos progresivos son una fuerza estabilizadora en períodos de INFLACIÓN o RECESIÓN, porque el monto de la recaudación de impuestos varía más que proporcionalmente al aumentar o disminuir los ingresos. Por ejemplo, en una economía inflacionaria, en la medida en que aumentan los precios y los ingresos, un mayor porcentaje de los ingresos de los contribuyentes está destinado a impuestos. De esta forma, los ingresos fiscales aumentan y el gobierno tiene un mayor apalancamiento de la economía. Un efecto colateral de este sistema es que a los contribuyentes de menores ingresos les cuesta mucho vivir con sus ingresos cuando la inflación es alta. Como compensación, muchos economistas recomiendan la INDEXACIÓN. Varios países ajustan sus tasas tributarias anualmente cuando hay inflación, habitualmente de acuerdo con el ÍNDICE DE PRECIOS AL CONSUMIDOR (IPC). Ver también IMPUESTO REGRESIVO.

impuesto regresivo Impuesto que grava con una tasa decreciente en la medida que su base aumenta. La regresividad es considerada inconveniente porque la gente más pobre debe destinar al pago de impuestos un mayor porcentaje de sus ingresos que la gente más rica. Los impuestos al CONSUMO y los impuestos sobre las VENTAS son habitualmente considerados regresivos debido a su estructura de tasas fijas. Los impuestos más regresivos son los impuestos sobre las ventas de tabaco, gasolina y licores, todos los cuales constituyen parte importante de la recaudación tributaria. En un esfuerzo por limitar la regresividad, varios estados de EE.UU. han eliminado el impuesto sobre las ventas en el caso de los fármacos y de los abarrotes. Aunque el impuesto a la PROPIEDAD es a veces considerado regresivo, ya que las personas más pobres gastan un porcentaje mayor de sus ingresos en vivienda que las personas más ricas, es efectivo en lo que respecta a la redistribución de la riqueza desde los grupos de mayores hacia los de menores ingresos. Ver también IMPUESTO PROGRESIVO.

impuesto sucesorio Impuesto aplicado sobre el valor de los bienes que se heredan al fallecer su dueño. Se fija principalmente respecto del valor total de los bienes. Este impuesto se aplica en general con tasas escalonadas y sólo sobre los bienes relictos sucesorios, cuyo valor excede de un determinado monto. El impuesto sucesorio se aplicó por primera vez en EE.UU. en 1898 para ayudar a financiar la guerra hispano-estadounidense. Fue derogado en 1902, pero se reinstauró en forma permanente en 1916, en principio, a fin de ayudar a financiar la movilización para la primera guerra mundial. Los métodos para evadir el impuesto sucesorio (p. ej., donaciones y fondos fiduciarios) se eliminaron en gran parte mediante la ley de reforma tributaria de EE.UU. de 1976.

impuesto único Impuesto al valor de la tierra como única fuente de ingresos fiscales, en reemplazo de todos los impuestos existentes. Henry George propuso el impuesto único en su libro *Progreso y pobreza* (1879). El plan consiguió apoyo considerable en las décadas siguientes, pero nunca fue implementado. Sus defensores argumentaban que dado que la tierra es un recurso fijo, el ingreso que genera es un producto del crecimiento de la economía y no del esfuerzo individual y que, por lo tanto, se le debían aplicar impuestos para apoyar al gobierno. Los detractores lo objetaban en cambio con el argumento de que el impuesto único no consideraba la capacidad de pago de un individuo, ya que no existe correlación entre la propiedad de la tierra y el ingreso o riqueza total.

impulso En psicología, necesidad urgente que exige ser satisfecha, generalmente basada en una deficiencia o desequilibrio fisiológico (p. ej., hambre y sed), que obliga al organismo a actuar. Los psicólogos distinguen entre impulsos innatos, directamente relacionados con necesidades fisiológicas básicas (p. ej., alimento, aire y agua) e impulsos aprendidos (p. ej., la adicción a las drogas). Además de estos, los psicólogos han identificado, entre otros, los impulsos de logro, afecto, afiliación, exploración, manipulación, maternidad, evitación del dolor, sexo y sueño.

in vitro, fecundación ver FECUNDACIÓN IN VITRO (FIV)

inamovilidad, ley de *inglés* **Tenure of Office Act** (1867). Ley que prohibió que el presidente de EE.UU. suspendiese a funcionarios públicos sin el consentimiento del Senado. El propósito de la medida, aprobada por los republicanos radicales a pesar del veto del pdte. ANDREW JOHNSON, era impedir que este suspendiera a los ministros de su gabinete que apoyaban las duras políticas de RECONSTRUCCIÓN del Senado. Cuando Johnson quiso despedir a su secretario de guerra, EDWIN M. STANTON, aliado de los republicanos radicales, el Congreso inició una ACUSACIÓN CONSTITUCIONAL en su contra. La ley fue revocada en parte en 1869 y totalmente en 1887; en 1926 fue declarada inconstitucional.

inca Grupo étnico sudamericano que gobernó un imperio que se extendió a lo largo de la costa del Pacífico y la cordillera de los ANDES, desde los actuales territorios del norte de

Sacsahuamán, fortaleza incaica construida con bloques monolíticos, Cuzco, Perú.
FOTOBANCO

Ecuador hasta el centro de Chile. De acuerdo con la tradición (no dejaron registros escritos), el fundador de la dinastía inca guió a los primeros pobladores a Cuzco, lugar que se convirtió en su capital. Bajo el cuarto emperador, comenzaron a expandirse y con el octavo, iniciaron un programa de conquistas permanentes al establecer guarniciones en medio de los pueblos ocupados. Durante el reinado de Túpac Inca Yupanqui y su sucesor, el imperio alcanzó su máxima extensión de norte a sur. A principios del s. XVI tenían bajo su control un imperio de alrededor de 12 millones de personas. Construyeron una vasta red de caminos, su arquitectura estaba altamente desarrollada, y aún se encuentran restos de sus sistemas de regadío, palacios, templos y fortificaciones andinas. La sociedad inca estaba muy estratificada y los altos cargos eran ocupados por miembros de la aristocracia. Su panteón, venerado conforme a una religión estatal estrictamente organizada, incluía a un dios del sol, un dios creador y un dios de la lluvia. El imperio fue derrocado en 1532 por los CONQUISTADORES españoles, quienes aprovecharon eficientemente su sistema de caminos para la conquista. Los principales descendientes de los incas son los pobladores de los Andes que hablan QUECHUA. En el Perú una buena parte de la población desciende de ellos, especialmente aquella que habita en las comunidades campesinas de la sierra. Su religión católica aún mantiene elementos de creencias nativas en sincretismo con las cristianas. Ver también civilizaciones ANDINAS; ATAHUALPA; AYMARA; CHIMÚ; FRANCISCO PIZARRO.

incautación En derecho, ORDEN JUDICIAL que autoriza a un funcionario judicial para tomar a su cargo bienes del demandado, a fin de hacer cumplir una sentencia o mantener en depósito dichos bienes hasta la dictación de sentencia. En algunos sistemas de DERECHO CIVIL, los bienes disputados pueden entregarse en depósito a un tercero hasta que se establezca su verdadero dueño.

incendio, delito de Delito generalmente tipificado como la destrucción o daño causado a bienes mediante incendio o explosión. En casi todos los países (salvo Gran Bretaña) si alguien muere a raíz del hecho, el incendiario es culpable de homicidio, aunque no haya tenido intención de matar. Alemania y algunos estados de EE.UU. también sancionan el delito de incendio con severas penas cuando ha tenido por objeto ocultar o destruir las pruebas de otro delito. Aunque el incendio accidental o provocado por negligencia no constituye delito, si la persona actúa con imprudencia grave, sin tener en cuenta las consecuencias de sus actos, puede ser culpable del delito de incendio.

incesto Relaciones sexuales entre personas consanguíneas a las que, debido a la naturaleza de sus lazos de PARENTESCO, les está prohibido por ley o costumbre contraer matrimonio. Algunas formas de incesto son tabú en todas las sociedades, aunque varía considerablemente según las culturas y los períodos históricos. Generalmente, mientras más cercana es la relación genética entre dos personas, más fuerte e imperativo es el TABÚ que prohíbe o reprime las relaciones sexuales. Algunos sociobiólogos consideran que las poblaciones endogámicas tienen menor éxito reproductivo y se convierten en reservorios genéticos de trastornos hereditarios. En contraposición, algunos antropólogos culturales postulan que la prohibición del incesto, junto con las correspondientes normas de EXOGAMIA, tienen la función de obligar a los hombres a buscar parejas sexuales y maritales fuera del grupo, lo cual permite establecer alianzas provechosas. Otras teorías hacen hincapié en la necesidad de controlar los celos sexuales dentro de la familia o de preparar a los niños para actuar con moderación en la sociedad adulta. Ninguna explicación única parece satisfactoria, por lo que algunos estudiosos se preguntan si es válido tratar el incesto como un fenómeno unitario. En la actualidad, la mayoría de los casos de incesto que se denuncian legalmente corresponden a relaciones sexuales entre padres e hijas relativamente jóvenes (ver ABUSO DE MENORES).

In'chŏn *ant.* **Chemulpo** Ciudad portuaria (pob., est. 2000: 2.476.000 hab.) cercana a SEÚL, Corea del Sur. Fue un puerto pesquero desde el s. XIV; en 1883 se transformó en puerto abierto por convenio internacional y luego llegó a ser puerto comercial internacional antes de la ocupación japonesa (1910–45). Durante la guerra de COREA fue escenario, en 1950, de un exitoso desembarco de las tropas de la ONU. En la actualidad es capital de la división administrativa del mismo nombre. Entre sus productos industriales sobresalen el hierro, el acero, el vidrio, los productos químicos y la madera.

incienso Gomorresina (ver GOMA, RESINA) aromática que se obtiene de árboles del género *Boswellia* (familia Burseraceae), en particular de diversas variedades que crecen en Somalia, Yemen y Omán. Esta importante sustancia se usó en la antigüedad en ritos religiosos y embalsamamientos. Constituyente del incienso hebreo del santuario, suele citarse en el Pentateuco; fue uno de los regalos de los reyes magos al Niño Jesús. Hoy se usa como tal, en productos de fumigación y como fijador de perfumes.

El incienso es utilizado como ofrenda religiosa en diversos ritos.
ARCHIVO EDIT. SANTIAGO

incienso Mezcla de especias y RESINAS que despiden una fragancia particular al quemarse, muy usados como ofrendas religiosas. Históricamente, las principales sustancias utilizadas como incienso han sido resinas, como la del INCIENSO propiamente tal (el árbol) y la mirra, junto con madera, corteza, semillas, raíces y flores fragantes.

Inclán, Ramón María del Valle- ver Ramón María del VALLE-INCLÁN

inconsciente *o* **subconsciente** En PSICOANÁLISIS, región del aparato psíquico que por lo general no entra en el estado consciente del individuo, pero puede manifestarse por lapsus en el lenguaje, SUEÑOS o síntomas neuróticos (ver NEUROSIS). La existencia de actividades mentales inconscientes fue expuesta inicialmente por SIGMUND FREUD y en la actualidad es un principio firmemente establecido en PSIQUIATRÍA. Se postula que el origen de muchos síntomas neuróticos depende de CONFLICTOS que han sido desplazados de la CONCIENCIA mediante la REPRESIÓN, y mantenidos en el inconsciente por medio de diversos MECANISMOS DE DEFENSA. Las exploraciones biopsicológicas recientes han arrojado luz sobre la relación entre la fisiología cerebral y los niveles de conciencia en que las personas retienen los recuerdos.

incontinencia Incapacidad de controlar la EXCRECIÓN. El inicio y fin de la MICCIÓN se basa en el funcionamiento normal de los músculos pélvicos y abdominales, el diafragma y los nervios de control. Los sistemas nerviosos de los bebés son demasiado inmaduros para ejercer el control urinario. La incontinencia posterior puede reflejar trastornos (p. ej., defecto del TUBO NEURAL que causa "vejiga neurogénica"), parálisis de los músculos del sistema URINARIO, distensión crónica de la vejiga o ciertas malformaciones urogenitales. Si los músculos pélvicos son débiles se pueden producir escapes de orina al toser o estornudar ("incontinencia de estrés"). La DEFECACIÓN incontrolable puede resultar de lesiones espinales o corporales, edad avanzada, miedo extremo o DIARREA aguda. Ver también ENURESIS.

incruenta, Revolución ver REVOLUCIÓN GLORIOSA

íncubo y súcubo Demonios (masculino y femenino, respectivamente) que buscan tener relaciones sexuales con humanos mientras duermen. En la Europa medieval, algunos creían que la unión con un íncubo daba origen al nacimiento de brujas, demonios y humanos deformes. Se decía que el mago MERLÍN fue engendrado por un íncubo.

inculpado, derechos del En la terminología legal, derechos y privilegios de las personas inculpadas en un delito. En la mayoría de los sistemas legales modernos comprende la presunción de inocencia hasta que se pruebe la culpabilidad, el juzgamiento por un JURADO, la representación letrada, el derecho a presentar testigos y pruebas para acreditar la propia inocencia y el derecho a contrainterrogar a los acusadores. También son importantes la prohibición de que se realicen ALLANAMIENTOS E INCAUTACIONES inmoderados, el derecho a un juicio rápido, la aplicación del principio de COSA JUZGADA y el derecho a apelar (ver APELACIÓN). En EE.UU., toda persona inculpada de un delito debe ser notificada de inmediato de su derecho a asesoramiento letrado y a no responder preguntas que puedan ser incriminatorias (ver MIRANDA V. ARIZONA).

incunable Toda publicación realizada desde la invención de la imprenta hasta el año 1501. La fecha, a pesar de ser conveniente, es arbitraria y no guarda relación con ningún hecho en el arte de la impresión. El término tal vez se aplicó por primera vez c. 1650 para designar las impresiones primitivas en general. Se estima que el número total de ediciones producidas en las prensas europeas durante el s. XV supera la cifra de 35.000, sin contar la literatura efímera (p. ej., hojas sueltas, baladas y opúsculos devocionales) que hoy está desaparecida o sólo se conserva fragmentada en encuadernaciones artesanales.

Independence Ciudad (pob., 2000: 113.288 hab.) en el oeste del estado de Missouri, EE.UU. Colonizada en 1827, sirvió como punto de partida para la ruta de SANTA FE y la senda de OREGÓN, y punto de encuentro de las caravanas de carromatos durante la FIEBRE DEL ORO de California. Fue cuna de una colonia mormona (ver MORMÓN) (1831–33) y actualmente es la sede mundial de la Iglesia Reorganizada de Jesucristo de los Santos de los Últimos Días. Las tropas de la Unión la ocuparon durante la guerra de SECESIÓN y fue escenario de dos escaramuzas con los confederados. En esta ciudad nació el pdte. HARRY TRUMAN; en su honor la biblioteca y museo de la ciudad llevan su nombre.

Independencia de EE.UU., día de la *o* **Cuatro de julio** Aniversario que celebra la Declaración de INDEPENDENCIA de EE.UU. aprobado por el segundo Congreso CONTINENTAL (4 jul. 1776). Constituye el feriado civil más importante de dicho país. La celebración de esta fecha se generalizó sólo después de la guerra anglo-estadouniense (1812). En adelante, ciertos grupos cívicos procuraron vincular los ideales de democracia y ciudadanía con el espíritu patriótico de la fecha.

Independencia, Declaración de (4 jul. 1776). Documento aprobado por el Congreso CONTINENTAL, que anunció la separación de Gran Bretaña de las 13 colonias británicas en América del Norte. El conflicto armado que tuvo lugar durante la guerra de independencia de los ESTADOS UNIDOS DE AMÉRICA convenció paulatinamente a los colonos que emanciparse de Gran Bretaña era esencial. Varias de las colonias dieron instrucciones a sus delegados ante el Congreso continental de votar por la independencia. El 7 de junio, RICHARD HENRY LEE, de Virginia, presentó una resolución en favor de la independencia. El congreso nombró a THOMAS JEFFERSON, JOHN ADAMS, BENJAMIN FRANKLIN, ROGER SHERMAN y ROBERT R. LIVINGSTON para que redactaran una declaración. Se persuadió a Jefferson para que escribiera el borrador, el que se presentó el 28 de junio con pocas modificaciones. Se iniciaba con una declaración de derechos personales y luego enumeraba los actos de tiranía de JORGE III que justificaban la opción por la emancipación. Luego de un debate y de modificaciones para satisfacer los intereses regionales, entre ellos la eliminación de palabras condenatorias de la esclavitud, la declaración fue aprobada, el 4 de julio, como "Declaración unánime de los trece Estados Unidos de América". La firmó el presidente del congreso, JOHN HANCOCK, luego leídas a viva voz ante una multitud que aguardaba en las afueras; enseguida se transcribió con letra caligráfica en pergamino y la firmaron los 56 delegados.

Independientes, Salón de los ver SALÓN DE LOS INDEPENDIENTES

indexación Comparación de los niveles de PRECIOS en el tiempo. En política FISCAL, la indexación se utiliza como medio para compensar el efecto de la INFLACIÓN O DEFLACIÓN en los pagos de la SEGURIDAD SOCIAL y en los impuestos con la medición del valor real del dinero desde un punto de referencia fijo, normalmente un ÍNDICE DE PRECIOS. Sin indexación, los beneficiarios de prestaciones de seguridad social sufrirían, por ejemplo, durante las épocas de inflación si sus prestaciones se mantuvieran fijas. La indexación se utiliza en algunos países para compensar el cambio a un tramo impositivo superior que se produce en todo sistema de IMPUESTOS PROGRESIVOS cuando la inflación coloca a los contribuyentes en tramos impositivos superiores. La indexación también puede aludir a la vinculación de las escalas salariales y los instrumentos financieros con un índice de precios.

INDIA

- **Superficie:** 3.166.414 km² (1.222.559 mi²)
- **Población:** 1.103.371.000 hab. (est. 2005)
- **Capital:** NUEVA DELHI
- **Moneda:** rupia

India *ofic.* **República de India** *hindi* **Bhārat** País de Asia meridional. Limita al este con el golfo de BENGALA, al sur con el océano Índico y al oeste con el mar de ARABIA. La población de India abarca una amplia variedad de mezclas étnicas que descienden de pueblos establecidos en el subcontinente desde antes de los albores de la historia o de pueblos invasores posteriores. Lenguas: hindi, inglés (ambas oficiales), además de muchas otras, entre ellas bengalí, cachemir, marathi y urdu; lenguas DRAVÍDICAS; y cientos de otras pertenecientes a varias familias lingüísticas. Religiones: hinduismo, budismo, jainismo, sijismo, Islam, cristianismo. El país consta de tres regiones geográficas principales: el HIMALAYA, que forma su frontera septentrional; la llanura INDOGANGÉTICA, formada por los depósitos aluviales de tres grandes sistemas fluviales, incluido el río GANGES (Ganga); y la región meridional, conocida por la meseta del DECÁN. Los productos agrícolas del país son arroz, trigo, algodón, caña de azúcar, coco, especias, yute, tabaco, té, café y caucho. El sector manufacturero está muy diversificado, destacando la industria pesada y de alta tecnología. India es una república bicameral; su jefe de Estado es el presidente y el jefe de Gobierno, el primer ministro. El país ha estado habitado desde hace miles de años. La agricultura se remonta a 7.000 años AC. Una civilización urbana, la del valle del INDO, se estableció hacia 2600 AC. El BUDISMO y el JAINISMO surgieron en el s. VI AC como reacción a la sociedad de castas creada por la religión védica (ver VEDISMO) y su sucesora, el hinduismo. Las invasiones musulmanas comenzaron c. 1000 DC, estableciendo el duradero sultanato de DELHI en 1206 y la dinastía MOGOL en 1526. El viaje de VASCO DA GAMA a India

Mujeres indias vestidas con su atuendo tradicional, el sari, prenda vistosa.
FRANS LEMMENS/THE IMAGE BANK/GETTY IMAGES

en 1498 dio inicio a varios siglos de rivalidad comercial entre portugueses, holandeses, ingleses y franceses. Las conquistas británicas de los s. XVIII–XIX le dieron a la COMPAÑÍA INGLESA DE LAS INDIAS ORIENTALES el control político de la región. La administración directa del Imperio BRITÁNICO comenzó en 1858. Después de que MOHANDAS GANDHI contribuyó a poner fin al dominio británico en 1947, JAWAHARLAL NEHRU se convirtió en el primer ministro de India. Él, su hija INDIRA GANDHI y su nieto RAJIV GANDHI guiaron los destinos de la nación hasta 1991, con excepción de unos pocos años. El subcontinente indio fue dividido en dos países –India, con una mayoría hindú, y PAKISTÁN, con una mayoría musulmana– en 1947. Posteriormente, un enfrentamiento con Pakistán terminó en la creación de BANGLADESH en 1971. En las décadas de 1980–90, los sijs buscaron establecer un estado independiente en el PANJAB y conflictos étnicos y religiosos también surgieron en otras partes del país. La región de CACHEMIRA en el noroeste ha sido una fuente de constante tensión.

India meridional, bronces de ver BRONCES DE INDIA MERIDIONAL

India occidental, bronces de ver BRONCES DE INDIA OCCIDENTAL

Indiana Estado (pob., 2000: 6.080.485 hab.) del centro oeste de EE.UU. Limita con los estados de Michigan, Ohio, Kentucky e Illinois, y abarca una superficie de 94.328 km^2 (36.420 mi^2). Su capital es INDIANÁPOLIS. Los ríos WABASH y OHIO definen sus límites sudoccidental y sur, respectivamente; el lago Michigan se encuentra en la parte noroccidental. Los primeros habitantes de Indiana fueron los indios de lenguas ALGONQUINAS, entre ellos, los indios MIAMI, potawatomi y DELAWARE. El explorador francés LA SALLE recorrió la región en 1679 y la reclamó para Francia. En 1763 fue traspasada a los británicos y posteriormente en 1783, a EE.UU., para convertirse en territorio en 1800. En 1811, las fuerzas estadounidenses obtuvieron la victoria final sobre los indios en la batalla de TIPPECANOE. Tras ser admitido en 1816 como el estado 19° de la Unión, su población comenzó a aumentar. A partir de 1850, su agricultura se expandió, y la industrialización hizo lo propio después de la guerra de SECESIÓN. Durante gran parte del s. XX, la producción de acero (ver GARY) fue una importante actividad económica.

Indiana, Robert *orig.* **Robert Clark** (n. 13 sep. 1928, New Castle, Ind., EE.UU.). Pintor, escultor y artista gráfico estadounidense. Luego de estudiar en el Art Institute of Chicago, se instaló en Nueva York, y se convirtió en un líder del POP ART. Logró amplio reconocimiento por sus pinturas y grabados, en los que presentaba formas geométricas adornadas con inscripciones y colores vivos. En 1964 colaboró con ANDY WARHOL en la película *Eat* y se le encargó la producción de un cartel de *EAT* para un pabellón de la New York World's Fair de esa ciudad. Su imagen más famosa, *LOVE*, realizada por primera vez sobre tela en 1965, se convirtió en un símbolo universal de la generación *hippie*.

Indiana, Universidad de Universidad del estado de Indiana, EE.UU. Tiene un campus principal en Bloomington (fundado en 1820) y varios otros campus y escuelas, algunos de los cuales son administrados en conjunto con la Universidad PURDUE. En todos se ofrecen programas de pregrado y maestría, y en los campus de Bloomington e Indianápolis se otorgan doctorados. La escuela de medicina se encuentra en Indianápolis, mientras que las de administración de empresas y derecho están en Bloomington. Este último goza de gran prestigio en música y bellas artes, y es uno de los principales centros de investigación sobre folclore existentes en el país. Las instalaciones del campus comprenden el Kinsey Institute for Research in Sex, Gender and Reproduction.

Indianápolis Ciudad (pob., 2000: 791.926 hab.) y capital del estado de Indiana, EE.UU. Situada junto al río White cerca del centro del estado, fue fundada en 1821 y se convirtió en capital del estado en 1825. Constituye el centro de transporte terrestre, ferroviario y aéreo del estado y el más importante mercado de granos y polo industrial, dedicado a la fabricación de productos farmacéuticos, maquinaria, componentes eléctricos y equipamiento de transporte. La carrera anual de automóviles llamada 500 millas de INDIANÁPOLIS es un evento internacional. También se encuentran el museo del Salón de la Fama del Automovilismo, así como varias universidades e instituciones de educación superior.

Indianápolis, 500 millas de Carrera de automóviles que se disputa en EE.UU. Se ha corrido todos los años desde 1911, en el Indianapolis Motor Speedway, una pista asfaltada de forma oval de 4 km (2,5 mi), con cuatro curvas peraltadas de un cuarto de milla de largo. La "Indy 500" es una carrera de 805 km (500 mi) que reúne a los mejores pilotos del mundo, que compiten en autos de la Fórmula Uno especialmente diseñados (cabina y ruedas descubiertas y motor en la parte trasera). Tradicionalmente se celebra el 30 de mayo (día en que se recuerda en EE.UU. a los soldados muertos en la guerra) o un día cercano. Es una de las carreras más prestigiosas del automovilismo internacional. Convoca gran cantidad de público (cerca de 300.000 personas) y ofrece grandes premios (más de US$ 1,5 millones).

Indias, Consejo de Ver Consejo de INDIAS

Indias Holandesas ver INDONESIA

Indias, leyes de Completo cuerpo legislativo promulgado por la corona española entre los s. XVI–XVIII para gobernar sus colonias. Consistía en un compendio de decretos sobre el gobierno, la Iglesia y la educación, las audiencias y tribunales inferiores, la administración política, militar, sumado a la legislación indígena y a las relativas a finanzas, navegación y comercio. Un resumen promulgado en 1681 contenía 6.377 leyes; a pesar de ser criticadas por sus incongruencias, por su excesiva atención a detalles imposibles de poner en práctica y por privar a los colonos de un papel de responsabilidad en el gobierno, fue el código legal más amplio nunca antes establecido en un imperio colonial, e instauró principios humanitarios (a menudo soslayados) para el trato de los indígenas.

Indias Occidentales *inglés* **West Indies** Denominación geográfica que suelen utilizar los anglohablantes para referirse a las islas del mar Caribe. Se extienden entre el sudeste de Norteamérica y el norte de Sudamérica. Pueden dividirse en los siguientes grupos: las ANTILLAS MAYORES, que abarcan CUBA, JAMAICA, La ESPAÑOLA (HAITÍ y República DOMINICANA) y PUERTO RICO; las Antillas Menores, que comprende las islas VÍRGENES ESTADOUNIDENSES, las islas de BARLOVENTO, de SOTAVENTO, BARBADOS y las islas del mar Caribe meridional, al norte de Venezuela, como TRINIDAD Y TOBAGO, y BAHAMAS. Con frecuencia se incluye también, aunque geográficamente no forme parte de las Antillas, BERMUDAS.

índica, sistemas de escritura Conjunto de varias decenas de alfabetos utilizados actualmente o en el pasado para escribir numerosas lenguas del sur y sudeste de Asia. Aparte de la escritura kharoshthi (kharosthi), empleada c. siglos IV AC–III DC, todas las escrituras existentes de la región descienden de la escritura brahmi, cuyos primeros testimonios se encontraron en inscripciones grabadas en rocas del indoario medio de ASOKA (s. III AC). En los primeros seis siglos posteriores a Asoka, la escritura brahmi parece haberse diversificado en variantes del norte y del sur. Las del norte dieron origen a los alfabetos llamados gupta (s. IV–V), que son en definitiva los progenitores del alfabeto devanagari (actualmente utilizado para escribir SÁNSCRITO, HINDI, marathi o mahratta y nepalés), los alfabetos BENGALÍ y oriya, y el gurmukhi, alfabeto de los libros sagrados del SIJISMO, utilizado también para el punjabi o panjabi moderno en la India. Las variantes del sur originaron, por una parte, los alfabetos del singalés, el TELUGU y el kannada y, por otra, el alfabeto pallava. Este último constituyó la base de numerosos alfabetos, incluidos los de las lenguas TAMIL y MALAYALAM, varios alfabetos del Sudeste asiático (p. ej., empleados para escribir el hmong, el birmano, el JMER, el tailandés y el lao) y varias lenguas AUSTRONESIAS.

indicador económico Dato estadístico utilizado para determinar o predecir el estado general de la actividad económica. Un indicador anticipado es aquel que tiende a subir o bajar antes de que lo haga la economía general (p. ej., permisos de construcción, precios de las acciones ordinarias e inventarios de empresas). Los indicadores coincidentes van a la par con la economía, en contraste con los indicadores rezagados que cambian de dirección posterior a la actividad económica.

índicas, lenguas ver lenguas INDOARIAS

índice colorimétrico *o* **índice cromático** En PETROLOGÍA ígnea, la suma de los porcentajes por volumen de los minerales coloreados u oscuros presentes en la roca. Los minerales de color claro más comunes son feldespatos, feldespatoideos y sílice o cuarzo; los minerales oscuros abundantes son olivino, piroxeno, anfíboles, biotita, granates, turmalina, óxidos de hierro, sulfatos y metales.

Índice de libros prohibidos (latín: *Index librorum prohibitorum*). Lista de libros considerados peligrosos para la fe o la moral católica. Compilado por los censores oficiales de la Iglesia católica, el *Índice* nunca fue un catálogo completo de lecturas prohibidas, pues sólo contenía obras sobre las que se pedía a la autoridad eclesiástica que se pronunciara. Aunque la preocupación de la Iglesia por el contenido de los libros es mucho más antigua, el primer catálogo de libros prohibidos denominado *Índice* fue publicado en 1559. El catálogo se dejó de publicar en 1966, relegándose a la condición de documento histórico.

índice de precios Medición de la variación de un conjunto de PRECIOS. Consiste en una serie de cifras dispuestas de manera que al comparar los valores de dos períodos o lugares se obtiene la variación de precios entre períodos o la diferencia de precios entre distintos lugares. Los índices de precios se desarrollaron originalmente para medir las variaciones del costo de vida, con el fin de determinar los aumentos salariales necesarios para mantener un ESTÁNDAR DE VIDA constante. Existen dos tipos básicos. Los índices Laspeyres definen una canasta familiar en un período base y utilizan los precios de esos productos para analizar los cambios en el espacio y el tiempo. En su forma más simple, se trata tan sólo de la relación entre el costo actual de estos productos y su costo en el período base. Los dos índices de este tipo más conocidos son el ÍNDICE DE PRECIOS AL CONSUMIDOR (IPC) y el índice de precios al productor (IPP). El IPC mide las variaciones de los precios al detalle de un conjunto de elementos como alimentos, vestuario y vivienda. El IPP (antiguamente llamado índice de precios al por mayor) mide las variaciones de los precios que cobran los fabricantes y mayoristas. Los índices Paasche definen una canasta familiar a la fecha y utilizan los precios de esos bienes en períodos previos. El índice de este tipo más conocido es el deflactor del PIB, que se utiliza en las CUENTAS NACIONALES de EE.UU. para diferenciar montos en dólares constantes de aquellos en dólares corrientes.

índice de precios al consumidor (IPC) Medición del costo de vida basado en la variación de los precios al detalle. Los ÍNDICES DE PRECIOS al consumidor se utilizan ampliamente para medir los cambios en el costo de mantener un determinado ESTÁNDAR DE VIDA. Se registran de manera periódica los precios de los bienes y servicios adquiridos normalmente por la población y se combinan en proporción a su importancia relativa. Este conjunto de precios se compara con el conjunto inicial de precios recopilado en el año base para determinar aumento o reducción porcentual. La población contemplada en el análisis puede restringirse a los trabajadores asalariados o a los habitantes de una ciudad. Se pueden utilizar índices especiales para grupos específicos de la población (p. ej., jubilados). Estos índices no consideran los cambios que se producen a través del tiempo en las compras de la población. Cuando los índices se modifican a fin de considerar las preferencias subjetivas, se denominan índices de utilidad constante. Se dispone de índices de precios al consumidor en más de 100 países.

Índico, océano Masa de agua salada que limita al oeste con África, al este con Australia, al norte con Asia y al sur con la Antártida. Con una superficie de 73.440.000 km^2 (28.360.000 mi^2), abarca aprox. el 14% de la superficie de la Tierra y es el menor de los tres grandes océanos del mundo (ver océanos ATLÁNTICO y PACÍFICO). Alcanza su profundidad máxima (7.450 m [24.442 pies]) en la fosa de Java. Entre sus mares marginales principales están el mar ROJO, el mar de ARABIA, el golfo PÉRSICO, el mar de ANDAMÁN, el golfo de BENGALA y la GRAN BAHÍA AUSTRALIANA. Contiene numerosas islas, entre las más grandes se encuentran MADAGASCAR, SRI LANKA y las islas Mascareñas.

indigenismo Movimiento latinoamericano que busca un papel social y político predominante para los indígenas, en aquellos países donde estos constituyen mayoría. Sus adherentes trazan una clara distinción entre indígenas y personas con ancestros europeos, quienes han dominado a las mayorías indígenas desde las conquistas española y portuguesa del s. XVI. En México, el movimiento logró desarrollar una gran influencia durante la revolución de 1910–20, y fue particularmente fuerte durante la presidencia de LÁZARO CÁRDENAS (1934–40), quien hizo serios esfuerzos para reconstituir el país de acuerdo con la herencia indígena del mismo. En el Perú estuvo asociado a los primeros años del movimiento APRA. El término indigenismo se hizo extensivo para designar a la corriente de la literatura hispanoamericana del s. XX, que denuncia las injusticias contra los pueblos indígenas y defiende sus derechos y reivindicaciones. Sus principales representantes son los novelistas CIRO ALEGRÍA en el Perú, ALCIDES ARGUEDAS en Bolivia y JORGE ICAZA en Ecuador. Una modalidad más reciente, el neoindigenismo, trasciende el plano social y aborda la cosmovisión indígena, al modo en que lo hizo el peruano José María Arguedas. Ambas líneas se diferencian, por su intencionalidad, del indianismo del s. XIX, que, por influjo del ROMANTICISMO, entregó visiones más idealizadas del indio americano, como expresión de la pureza en la vida primitiva.

índigo Sustancia COLORANTE azul obtenida únicamente a partir de algunas especies de ÍNDIGO. La extracción del colorante fue importante para la economía de la América colonial y lo siguió siendo en India hasta comienzos del s. XX. El índigo sintético ha reemplazado al colorante natural; en su forma química se reduce al compuesto amarillo soluble leucoíndigo, en cuya forma se aplica a fibras textiles y luego reoxidado a índigo (ver OXIDACIÓN-REDUCCIÓN).

índigo *o* **añil** Cualquier arbusto o hierba del género *Indigofera* de la familia de las Papilionáceas (ver LEGUMINOSA). En general, se dan en climas cálidos y son sedosos o vellosos. Las hojas normalmente se dividen en foliolos. Sus florecillas de color rosa, púrpura o blanca se dan en espigas o racimos. El fruto es una vaina. Algunas especies, en particular *I. sumatrana* e *I. arrecta*, fueron otrora una fuente importante de índigo o añil, un colorante azul marino oscuro.

indio americano, Movimiento *inglés* **American Indian Movement (AIM)** Organización de derechos civiles fundada en 1968, originalmente para ayudar a los AMERINDIOS urbanos desplazados por los programas del gobierno estadounidense. Más tarde amplió sus objetivos a demandas de independencia económica, autonomía de las zonas tribales, restitución de tierras ocupadas ilegalmente y protección de los derechos de los indios y de su cultura tradicional. Algunas de sus actividades de protesta resultaron violentas y recibieron amplia publicidad (ver WOUNDED KNEE). Los conflictos internos y el encarcelamiento de algunos dirigentes trajeron como consecuencia la disolución de su dirigencia nacional en 1978, aunque los grupos locales han continuado funcionando.

indio, derecho Instituciones y prácticas legales de India. El derecho indio está basado en una serie de fuentes, desde las costumbres de los antiguos VEDAS y la incorporación posterior del derecho indio, que en gran medida se relaciona con cuestiones de índole social como el matrimonio y las sucesiones. Después de las invasiones árabes del s. VIII en algunas zonas, especialmente en el norte, se introdujo el derecho islámico (ver SHARĪ'A). El COMMON LAW inglés se convirtió en derecho residual en los territorios bajo control colonial británico, mientras que los portugueses y los franceses aplicaron su propia legislación en sus colonias. A partir de su independencia (1947), India ha procurado elaborar un código civil único y actualizar su código penal.

Sellos pictográficos de Harappa, antigua civilización del valle del Indo.
FOTOBANCO

individuación Determinación según la cual un individuo identificado de cierto modo es numéricamente idéntico (o distinto) a un individuo identificado de otro modo (p. ej., Venus, conocida como "la estrella de la mañana", en la mañana y "la estrella de la tarde", en la tarde). Dado que el concepto de individuo parece requerir sea reconocible como tal en varias situaciones posibles, el problema de la individuación es de gran importancia en ONTOLOGÍA y LÓGICA. El problema de identificar a un individuo como existente en dos momentos diferentes de tiempo (identidad transtemporal) es una de las muchas formas que puede adoptar el problema de la individuación: ¿Qué hace a esa oruga idéntica a esta mariposa? ¿Qué hace a la persona que eres ahora idéntica a la persona que eras hace una década? En la LÓGICA MODAL, el problema de la individuación transmundana (o de la identidad transmundana) es importante, porque el modelo estándar de la semántica teórica para los sistemas de lógica modal supone que tiene sentido hablar del mismo individuo como existente en más de un MUNDO POSIBLE.

individualismo Filosofía política y social que pone el acento en la libertad individual. El individualismo moderno surgió en Gran Bretaña con las ideas de ADAM SMITH y JEREMY BENTHAM, y el concepto fue descrito por ALEXIS DE TOCQUEVILLE como parte fundamental del temperamento estadounidense. El individualismo engloba un sistema de valores, una teoría de la naturaleza humana y la creencia en cierto orden político, económico, social y religioso. De acuerdo con el individualismo, todos los valores se centran en el ser humano, el individuo tiene una importancia suprema y todos los individuos son moralmente iguales. El individualismo le da gran valor a la confianza en sí mismo, a la privacidad y al respeto mutuo. Desde el punto de vista negativo, se opone a la autoridad y a todas las formas de control sobre el individuo, especialmente cuando son ejercidas por el Estado. Como teoría de la naturaleza humana, el individualismo sostiene que los intereses de un adulto normal se satisfacen óptimamente al otorgársele la mayor libertad para escoger sus objetivos y los medios para alcanzarlos. La encarnación institucional del individualismo sigue estos principios. Todos los individualistas creen que la intervención del Estado en la vida de las personas debe reducirse al mínimo, y se debe limitar más que nada a mantener la ley y el orden, impedir que unos interfieran con otros y hacer cumplir los acuerdos (contratos) que se hayan alcanzado voluntariamente. El individualismo implica también un sistema de propiedad conforme al cual cada persona o familia goza del máximo de oportunidades para adquirir bienes y para administrarlos y disponer de ellos como mejor le parezca. Aunque el individualismo económico y el individualismo político –bajo la forma de la democracia– marcharon juntos por un tiempo, en el curso del s. XIX demostraron al fin y al cabo ser incompatibles, debido a que aquellos a quienes recientemente se les había concedido el derecho a voto comenzaron a exigir la intervención del Estado en el proceso económico. Las ideas individualistas perdieron terreno en la última parte del s. XIX y principios del s. XX con el auge de las organizaciones sociales a gran escala y el surgimiento de teorías políticas opuestas al individualismo, particularmente el COMUNISMO y el FASCISMO. Estas ideas resurgieron en la segunda mitad del s. XX con la derrota del fascismo, la caída del comunismo en la Unión Soviética y Europa oriental y la propagación de la democracia representativa en el mundo. Ver también LIBERTARISMO.

Indo, civilización del valle del (c. 2500–c. 1700 AC). La primera cultura urbana conocida del subcontinente indio y la de mayor extensión geográfica de las tres primeras civilizaciones del mundo. Se extendía desde cerca de la actual frontera irano-pakistaní en el mar de Arabia por el oeste, hasta cerca de Delhi por el este, y 800 km (500 mi) hacia el sur y 1.600 km (1.000 mi) hacia el nordeste. Es conocida por haber contado con dos grandes ciudades, Harappa y MOHENJO-DARO (en el actual Pakistán), cuyo gran tamaño sugiere la centralización en dos grandes estados o en un estado con dos capitales. Otra posibilidad es que Harappa haya sucedido a Mohenjo-Daro. Fue una civilización con escritura; su lengua ha sido identificada en forma tentativa como dravidiana. Cultivaban trigo, cebada y algodón, y habían domesticado gran número de animales (entre ellos, gatos, perros y ganado). Sus artefactos más conocidos son sellos pictográficos con figuras de animales reales e imaginarios. No está claro cómo y cuándo la civilización llegó a su fin; Mohenjo-Daro fue atacada y destruida a mediados del segundo milenio AC, pero en el sur hubo continuidad entre la civilización del valle del Indo y las civilizaciones de la EDAD DEL COBRE del centro y oeste de India.

Indo, río Río del Himalaya tibetano en Asia meridional. Es uno de los más largos del mundo, con 2.900 km (1.800 mi) de longitud. Su caudal anual, de 207 mil millones de m^3 (272 mil millones de yd^3), es el doble del volumen del NILO. Nace en el sudoeste del Tíbet y fluye hacia el noroeste a través de varios valles del HIMALAYA. Después de ingresar en la región de CACHEMIRA, continúa hacia el noroeste a través de las zonas de administración india y paquistaní desviándose luego hacia el sur para entrar en Pakistán. Alimentado por afluentes que provienen de la región del Panjab, entre ellos los ríos JHELUM, CHENAB, RAVI, BIAS y SUTLEJ, se ensancha y discurre en forma más lenta. Desemboca en el mar de Arabia. Desde tiempos remotos ha abastecido de agua para regadío a las llanuras de Pakistán.

El Indo a su paso por Pakistán, antes de desembocar en el mar de Arabia.
ROBERT HARDING/ROBERT HARDING WORLD IMAGERY/GETTY IMAGES

indoarias, lenguas *o* **lenguas índicas** Subgrupo principal de la rama indoaria de la familia de las lenguas INDOEUROPEAS. Más de 800 millones de personas hablan las lenguas indoarias, principalmente en India, Nepal, Pakistán, Bangladesh y Sri Lanka. El período indoario antiguo está representado por el SÁNSCRITO. El indoario medio (c. 600 AC–1000 DC) consta principalmente de los dialectos prácritos, entre ellos el PALI. La lengua indoaria moderna es en gran medida un único *continuum* de dialectos que se extiende en un espacio geográfico sin divisiones, de modo que las demarcaciones entre lenguas y dialectos son en cierta medida artificiales. La situación se complica por las distinciones entre las lenguas que compiten con la antigua tradición literaria, la identificación local por los hablantes nativos (como en los censos), las lenguas suprarregionales (como el HINDI moderno estándar y el URDU), y por las denominaciones introducidas por los lingüistas, especialmente las de GEORGE ABRAHAM GRIERSON. En el centro de la zona hablante de las lenguas indoarias (la "zona hindi"), que abarca el norte de India y se extiende hacia el sur hasta Madhya Pradesh, la lengua más común de la administración y la educación es el hindi estándar moderno. Las lenguas regionales importantes en la llanura india septentrional son: haryana, kauravi, braj, avadhi (o awadhi), chhattisgarhi, bhojpuri, magahi y maithili. Las lenguas regionales de Rajasthan incluyen el marwari, dhundhari, harauti y malvi. En las estribaciones de los Himalaya de Himachal Pradesh se hablan las lenguas que Grierson llamó pahari. Alrededor de la llamada "zona hindi", las lenguas más importantes, citadas siguiendo la dirección de los punteros del reloj, son: nepalés (pahari oriental), assamés, BENGALÍ, oriya, mahratta, gujarati (gujrati), sindhi, la lengua del sur, noroeste y norte de la provincia de Panjab en Pakistán (llamada panjabi occidental o lahnda por Grierson), el PANJABI y el dogri. En JAMMU Y CACHEMIRA y en el extremo norte de Pakistán se encuentran las lenguas dárdicas; las más importantes son: kashmiri, cachemir, shina y khowar. Las lenguas nuristani del noroeste de Afganistán suelen ser consideradas una rama separada del indoiranio. El cingalés (hablado en Sri Lanka), el divehi (hablado en las islas Maldivas), y el ROMANÍ (o cíngaro) son también lenguas indoarias.

Indochina Región correspondiente a la península del SUDESTE ASIÁTICO. El término que hoy ha sido reemplazado en gran medida por la expresión de Sudeste asiático, fue utilizado sobre todo por los occidentales para describir la mezcla de influencia cultural india y china que prevalece en la región. Conforme a ese uso, la península Indochina abarcaba principalmente Camboya, Laos y Vietnam (ver INDOCHINA FRANCESA), aunque a veces se extendía a Myanmar (Birmania), Tailandia y la parte continental de Malasia.

Indochina francesa Antigua denominación (hasta 1950) de la parte oriental del SUDESTE ASIÁTICO continental. En la actualidad, la región comprende los países de Camboya, Laos y Vietnam. Después de apoderarse de la zona en 1893, Francia proclamó la Unión Indochina. Durante la segunda guerra mundial fue ocupada por Japón, pero los franceses continuaron administrándola hasta 1945, año en que los japoneses los expulsaron. Tras la rendición nipona, el VIETMINH, bajo la dirección de HO CHI MINH, proclamó la República Democrática de Vietnam. Los franceses ocuparon nuevamente Laos y Camboya y crearon la Federación Indochina. Pronto estalló la primera de las guerras de INDOCHINA, y los franceses ratificaron los tratados (1949–50) que reconocían a Vietnam, Laos y Camboya como estados independientes en el seno de la UNIÓN FRANCESA. La región alcanzó plena independencia de Francia después de la Conferencia de Ginebra de 1954.

Indochina, guerras de Conflictos que tuvieron lugar en Vietnam, Laos y Camboya en el s. XX. El primero (1946–54; a menudo llamado guerra de Indochina francesa) involucró a Francia, que había impuesto un gobierno colonial en Vietnam (INDOCHINA FRANCESA), y a la recién independizada República Democrática de Vietnam bajo el liderazgo de HO CHI MINH; la guerra finalizó en 1954 con la victoria vietnamita. Vietnam fue dividido entonces en dos; el norte controlado por los comunistas y el sur apoyado por EE.UU. Pronto estalló la guerra entre ambos. Vietnam del Norte ganó la guerra de VIETNAM a pesar de la fuerte intervención estadounidense, y el país fue reunificado en 1976. Durante ese período, Camboya experimentó su propia guerra civil entre comunistas y no comunistas, venciendo los comunistas del JMER ROJO en 1975. Después de varios años de horrorosas atrocidades cometidas por el régimen de POL POT, los vietnamitas invadieron el país en 1979 e instalaron un gobierno títere. La lucha entre el Jmer Rojo y los vietnamitas continuó durante la década de 1980; Vietnam retiró sus tropas en 1989. Las elecciones de 1993, celebradas bajo supervisión de la ONU, establecieron un gobierno interino, y la monarquía fue restablecida en Camboya. En Laos, la victoria de Vietnam del Norte sobre Vietnam del Sur permitió a los comunistas del movimiento Pathet Lao obtener el control total del país.

indoeuropeas, lenguas Familia de lenguas con el mayor número de hablantes, distribuidos en la mayor parte de Europa, en zonas de asentamientos europeos y en gran parte de Asia meridional y sudoccidental. Descienden de una sola lengua, de la cual no existen registros. Se supone que se habló hace más de 5.000 años en las regiones esteparias al norte del mar Negro, y que alrededor de 3000 AC se dividió en varios dialectos. Las tribus migratorias extendieron su influencia en Europa y Asia; luego evolucionaron a través del tiempo como lenguas separadas. Las ramas principales son: lenguas

Anatolias, indoiranias (como las Indoarias e Iranias), Griego, lenguas Itálicas, Germánicas, Armenio, lenguas Celtas, Albanés, lenguas extintas Tocarias, Bálticas y Eslavas. El estudio del indoeuropeo comenzó en 1786 con Sir William Jones, quien sostuvo que el griego, latín, sánscrito, germánico y celta tenían un "origen común". En el s. XIX los lingüistas agregaron otras lenguas a la familia indoeuropea, y eruditos de la talla de Rasmus Rask establecieron un sistema de correspondencias de sonidos. Desde entonces, el protoindoeuropeo se ha reconstruido parcialmente por medio de la identificación de raíces comunes existentes en las lenguas derivadas de él y por el análisis de estructuras gramaticales compartidas.

Indogangética, llanura Región de fértiles llanuras situada en el centro-norte de India. Cruzada en el centro por el río Ganges, se extiende hacia el oeste desde el valle del Brahmaputra y el delta del Ganges hasta el valle del Indo. Alberga las zonas más ricas y densamente pobladas del subcontinente. La mayor parte de la llanura corresponde a tierras aluviales, depositadas por la extensa red fluvial de la región. La zona occidental recibe lluvias de verano tan abundantes que vastas áreas se transforman en ciénagas o lagos someros. La llanura se vuelve progresivamente más seca hacia el oeste, donde se une con el desierto de Thar.

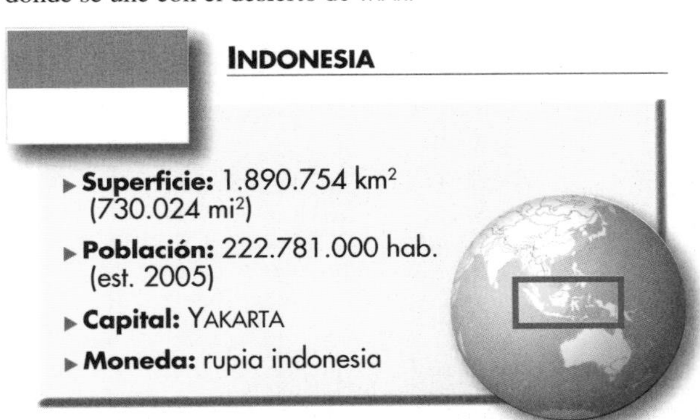

INDONESIA

- **Superficie:** 1.890.754 km² (730.024 mi²)
- **Población:** 222.781.000 hab. (est. 2005)
- **Capital:** Yakarta
- **Moneda:** rupia indonesia

Indonesia *ofic.* **República Indonesia** *ant.* **Indias Holandesas** País frente a las costas del Sudeste Asiático continental, compuesto por cerca de 13.670 islas, de las cuales más de 7.000 están deshabitadas. En Indonesia conviven más de 300 grupos étnicos diferentes, que se pueden agrupar en tres principales ramas: los musulmanes de Java y las islas vecinas, que se dedican al cultivo del arroz; los pueblos costeros musulmanes, entre ellos los Malayos de Sumatra, y los Dayaks y otros grupos étnicos. Idiomas: bahasa indonesio (oficial) y unas 250 lenguas de diferentes grupos étnicos. Religiones: Islam (más de 80%); hinduismo y budismo. La libertad de culto es garantizada por la constitución. El país se extiende a lo largo de 5.100 km (3.200 mi) desde Sumatra por el oeste hasta Nueva Guinea por el este. Otras islas importantes son Java (con más de la mitad de la población del país), Bali, Lombok, Sumbawa, Timor Occidental, Borneo (parcialmente), Célebes (Sulawesi), y Molucas septentrionales. Las islas se caracterizan por abruptas montañas volcánicas y selvas tropicales. El territorio registra gran cantidad sísmica; tiene 220 volcanes activos, entre ellos, el Krakatoa. Sólo un 10% del suelo es cultivable, destinado a la producción de arroz. Las principales exportaciones del país son petróleo, gas natural, productos madereros, vestuario y caucho. Es una república bicameral; el jefe de Estado y de Gobierno es el presidente. Algunos pueblos protomalayos emigraron a Indonesia desde el Asia continental antes de 1000 ac. Cerca del s. I dc se establecieron relaciones comerciales con China y comenzaron a predominar las influencias culturales hindúes y budistas, provenientes de India. En el s. XIII, los mercaderes indios llevaron el Islam al archipiélago; este se extendió por las islas, con excepción de Bali, que mantuvo su cultura y religión hindú. En el s. XVI comenzó la influencia europea, y los holandeses controlaron Indonesia desde fines del s. XVII hasta 1942, cuando se produjo la invasión japonesa. En 1945, Sukarno declaró la independencia de Indonesia, que fue reconocida parcialmente por los holandeses, quienes integraron en forma nominal la nación a los Países Bajos en 1949; Indonesia disolvió esta unión en 1954. En 1965, la represión de un supuesto intento de golpe causó la muerte de más de 300.000 personas que, según el gobierno, eran comunistas; en 1968 tomó el poder el general Suharto. En 1975–76 su gobierno incorporó por la fuerza el territorio de Timor Oriental a Indonesia, con grandes pérdidas humanas. En la década de 1990 el país se vio asediado por problemas políticos, económicos y ambientales, y Suharto fue depuesto en 1998. Un año después fue elegido presidente el líder musulmán Abdurrahman Wahid, pero fue removido de su cargo en 2001 por estar implicado en escándalos de corrupción. Lo reemplazó la vicepresidenta, Megawati Sukarnoputri, hija mayor de Sukarno. En 1999, el pueblo de Timor Oriental votó mayoritariamente en favor de la independencia de Indonesia, lo cual le fue reconocido; después de un período bajo supervisión de la ONU, Timor Oriental alcanzó soberanía plena en 2002.

Cultivo de arroz en Indonesia.
ARCHIVO EDIT. SANTIAGO

Indore Ciudad (pob., est. 2001: área metrop., 1.639.044 hab.) del oeste del estado de Madhya Pradesh, India central. Está situada al nordeste de Mumbai (Bombay); fue fundada como mercado agrícola en 1715 por terratenientes locales, quienes construyeron el templo de Indreshwar, del cual deriva el nombre de la ciudad. Se transformó en capital del principado de Indore, que pertenecía a la dinastía mahratta de Holkars. Bajo dominio británico, se convirtió en protectorado. Es la ciudad más populosa del estado y un importante centro comercial e industrial.

Indostán Denominación de India, que en el pasado se aplicaba a India septentrional para diferenciarla del Decán, o India meridional. Comprendía la región delimitada al norte por los Himalaya y al sur por los montes Vindhya y el río Narmada; incluía el valle del río Ganges desde Panjab hasta Assam. El término se aplicó también a la región más acotada de la cuenca superior del Ganges.

Indra En el antiguo Vedismo de India, el rey de los dioses y protector de los guerreros. Armado con relámpagos y rayos y fortalecido al beber el elixir del soma (una planta no identificada), venció a enemigos demoníacos y dio muerte al dragón que retenía las lluvias del monzón. En el hinduismo posterior fue degradado a dios de la lluvia y regente de los cielos. Fue padre de Arjuna, héroe del *Mahabharata*. También aparece en las mitologías budista y jainista.

Indre, río Río de la zona central de Francia, afluente del Loira. Nace en la región montañosa conocida como macizo Central Francés y fluye hacia el noroeste a través de tierras agrícolas hasta unirse con el Loira, tras un recorrido total de 265 km (165 mi).

inducción En Lógica, tipo de inferencia o argumento no válido en el cual las premisas proveen alguna razón para creer que la conclusión es verdadera. Una de las formas típicas del argumento inductivo consiste en ordenar las ideas de la parte al todo, de lo particular a lo general y de una muestra a una población entera. La inducción ha sido concebida tradicionalmente como opuesta a la DEDUCCIÓN. Muchos de los problemas de la lógica inductiva, entre ellos el que es conocido como el problema de la INDUCCIÓN, han sido abordados en los estudios de la metodología de las ciencias naturales. Ver también JOHN STUART MILL; filosofía de la CIENCIA; MÉTODO CIENTÍFICO.

inducción electromagnética FUERZA ELECTROMOTRIZ que se genera en un CIRCUITO al variar el campo magnético asociado con dicho circuito. Este fenómeno fue investigado por primera vez en 1830–31 por JOSEPH HENRY y MICHAEL FARADAY, quienes descubrieron que al aumentar o disminuir el CAMPO MAGNÉTICO en torno a un electroimán, se podía detectar una CORRIENTE ELÉCTRICA en un CONDUCTOR cercano independiente. Una corriente también puede ser inducida por el movimiento constante de un imán permanente entrando y saliendo de una bobina de alambre, o por un conductor en movimiento constante cerca de un imán estacionario. La fuerza electromotriz inducida es proporcional a la tasa o velocidad de cambio del flujo magnético enlazado por el circuito.

inducción electrostática Modificación de la distribución de CARGA ELÉCTRICA en un material bajo la influencia de la carga eléctrica de un objeto cercano. Ocurre siempre que un objeto cualquiera se coloque en un CAMPO ELÉCTRICO. Cuando un objeto cargado negativamente se acerca a un objeto neutro, induce una carga positiva en el lado más cercano de este último y una carga negativa en el lado más lejano. Si el lado negativo se conecta por un momento a tierra, la carga negativa puede escapar, de modo que el objeto queda cargado positivamente por inducción.

inducción, problema de la Problema que justifica la inferencia inductiva que va de lo observado a lo inobservado. Su formulación clásica proviene de DAVID HUME, quien notó que tales inferencias se apoyan típicamente en el supuesto de que el futuro será semejante al pasado, o en el supuesto de que acontecimientos de cierto tipo están necesariamente conectados, por la vía de una relación de causalidad, con acontecimientos de otro tipo. (1) Si nos preguntaran por qué creemos que el Sol saldrá mañana, diríamos que en el pasado la Tierra rotó sobre su eje cada 24 horas (más o menos), y que hay una uniformidad en la naturaleza que garantiza que tales hechos suceden siempre de la misma manera. ¿Pero cómo sabemos que la naturaleza es uniforme en este sentido? Podemos responder que, en el pasado, la naturaleza siempre ha exhibido este tipo de uniformidad, de modo que continuará siendo uniforme en el futuro. Pero esta inferencia está justificada sólo si suponemos que el futuro debe parecerse al pasado. ¿Cómo justificamos este supuesto? Podemos decir que en el pasado, el futuro resultó parecerse al pasado, de modo que en el futuro este volverá a resultar parecido al pasado. La inferencia es obviamente circular: funciona sólo al suponer tácitamente lo que se propone probar, a saber, que el futuro se parecerá al pasado. (2) Si nos preguntaran por qué creemos que sentiremos calor cuando nos acerquemos al fuego, diríamos que el fuego genera calor, i.e., hay una "conexión necesaria" entre el fuego y el calor, siempre que uno de ellos se presente, el otro debe sobrevenir. Pero, Hume pregunta, ¿qué es esta "conexión necesaria"? ¿La observamos acaso cuando vemos el fuego o sentimos el calor? Si no es así, ¿qué pruebas tenemos de que existe? Todo lo que tenemos es nuestra observación, en el pasado, de una "conjunción constante" de casos de fuego que van seguidos de casos de calor. Esta observación no muestra que, en el futuro, los casos de fuego continuarán siendo seguidos por casos de calor; decir que sí lo muestra es suponer que el futuro debe parecerse al pasado. Pero si nuestra observación es consistente con la posibilidad de que el fuego pueda no ir seguido de calor en el futuro, entonces no puede mostrar que hay una conexión necesaria entre los dos, conexión que hará que el calor siga al fuego cada vez que este se presenta. Por lo tanto, no hay justificación para creer que (1) el Sol saldrá mañana o que (2) sentiremos calor cuando nos acerquemos al fuego. Es importante notar que Hume no niega que él o cualquiera se forme creencias sobre el futuro por medio de la inducción; sólo niega que podamos saber con certeza que estas creencias son verdaderas. Los filósofos han respondido a los problemas de la inducción de distintos modos, pero ninguno ha concitado amplia aceptación

inductancia Propiedad de un CONDUCTOR, algunas veces en forma de bobina, que se mide por la magnitud de la FUERZA ELECTROMOTRIZ (fem) o voltaje, que se induce en él, en comparación con la velocidad de cambio de la CORRIENTE ELÉCTRICA que produce dicho voltaje. Una corriente eléctrica permanentemente cambiante produce un CAMPO MAGNÉTICO variable, el cual a su vez induce una fem en un conductor que esté presente en ese campo. La magnitud de ese voltaje es proporcional a la velocidad de cambio de la corriente. La inductancia es el factor de proporcionalidad. La unidad (SI) de inductancia es el henrio, en honor a JOSEPH HENRY; un henrio es equivalente a un voltio dividido por un amperio por segundo.

indulgencia En el CATOLICISMO ROMANO, la remisión del castigo temporal de un PECADO después de que este ha sido perdonado a través del SACRAMENTO de la penitencia. La teología de las indulgencias está basada en el concepto de que, aunque el pecado y su castigo eterno son perdonados a través de la penitencia, la justicia divina exige que el pecador pague su falta en esta vida o en el PURGATORIO. Las primeras indulgencias fueron ideadas para acortar el tiempo de penitencia a cambio de períodos de AYUNO, oraciones privadas, limosnas y pago monetario que eran usados con fines religiosos. El papa URBANO II concedió la primera indulgencia plenaria o absoluta a los participantes en la primera CRUZADA y los papas siguientes ofrecieron indulgencias con ocasión de cruzadas posteriores. Después del s. XII se usaron con más liberalidad y los abusos se hicieron comunes cuando fueron puestas a la venta a fin de obtener dinero para la Iglesia o para enriquecer a clérigos inescrupulosos. JAN HUS se opuso a ellas; las NOVENTA Y CINCO TESIS (1517) de MARTÍN LUTERO fueron en parte una protesta en contra de las mismas. En 1562, el concilio de TRENTO puso fin a los abusos, pero no a la doctrina en sí.

indulto En derecho, liberación de la culpa o remisión de la pena. Por lo general, la facultad de indultar es ejercida por el jefe del poder ejecutivo. El indulto puede ser total o condicional. El indulto condicional impone una pena menor u otra obligación. Algunos estados todavía prohíben que las personas indultadas ejerzan cargos públicos u obtengan títulos profesionales.

industria Conjunto de organizaciones que producen o suministran bienes, servicios o fuentes de ingreso. En economía, las industrias se clasifican habitualmente como primarias, secundarias y terciarias; las industrias secundarias se clasifican, a su vez, como pesadas y livianas. La industria primaria comprende la agricultura, silvicultura, pesca y minería, que incluye la explotación de canteras y la extracción de minerales. La industria secundaria, o industria fabril (ver FABRICACIÓN), procesa las materias primas suministradas por la industria primaria, transformándolas en bienes de consumo; también procesa bienes provenientes de otras industrias secundarias, o construye bienes de capital que se usan para fabricar bienes de consumo y bienes durables; la industria secundaria comprende también industrias de la construcción y productoras de energía. La industria terciaria, o industria de SERVICIOS, comprende los servicios bancarios, financieros, de seguros, de inversiones y de bienes raíces; el comercio mayorista, minorista y de reventa; los servicios de transporte, de información y comunicaciones; los servicios profesionales, de asesoría, legales y personales; el turismo, hotelería, restaurantes y sitios de esparcimiento; los servicios de reparaciones y mantenimiento; la educación y la enseñanza, y los servicios de salud, bienestar social, administrativos, policiales, de seguridad y de defensa.

industria pesquera Extracción, procesado y comercialización de productos del mar, ríos y lagos. La pesca es una de las primeras formas de producción de alimentos; compite con la agricultura y probablemente es más antigua. La industria pesquera emplea más de cinco millones de personas en todo el mundo. Los principales países involucrados en ella son Japón, China, EE.UU., Chile, Perú, India, Corea del Sur, Tailandia y los países del norte de Europa. Los productos obtenidos comprenden pescados de agua dulce y salada, mariscos, mamíferos y algas marinas. Se les procesa para consumo humano, alimentación animal, fertilizantes y como materia prima de otros productos comerciales básicos.

industrialización Proceso de conversión hacia un orden socioeconómico en el cual domina la INDUSTRIA. Los cambios que se produjeron en Gran Bretaña durante la REVOLUCIÓN INDUSTRIAL a fines del s. XVIII y durante todo el s. XIX abrieron la senda a los países en vías de industrialización de Europa occidental y Norteamérica. La industrialización trajo consigo la TECNOLOGÍA y también profundas consecuencias sociales. La liberación de los trabajadores de sus obligaciones feudales y tradicionales creó un mercado laboral libre, en el cual el empresario tuvo un papel muy destacado. Las ciudades atrajeron grandes cantidades de personas, concentrando a trabajadores en nuevas ciudades industriales y alrededor de fábricas. En ciertos sistemas de industrialización posteriores se intentó manipular algunos de sus elementos originales: la Unión Soviética eliminó al empresario; Japón estimuló y sustentó el papel del empresario; Dinamarca y Nueva Zelanda se industrializaron fundamentalmente mediante la comercialización y mecanización de la agricultura.

Industria pesquera: extracción de crustáceos en el mar del Norte.
FOTOBANCO

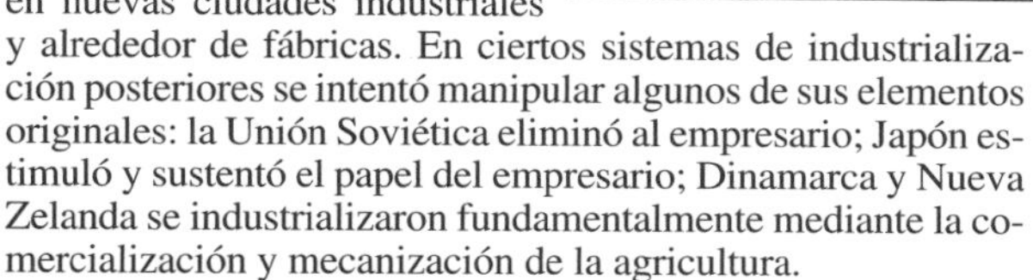

Indy, (Paul-Marie-Theodore-) Vincent d' (27 mar. 1851, París, Francia–1 dic. 1931, París). Compositor francés y maestro en su oficio. Formado en órgano y composición, rechazó el estilo francés imperante por considerarlo frívolo en comparación con la tradición musical alemana. Escribió varias obras teatrales importantes, entre ellas, *Fervaal* (1895) y *La leyenda de san Cristóbal* (1915), pero hoy son más conocidas sus obras orquestales como *Sinfonía sobre un canto francés de montaña* (1886), *Día de verano en la montaña* (1905) e *Istar* (1896). En 1894 fue uno de los fundadores de la academia musical llamada Schola Cantorum en París, donde se formaron varios de los compositores y músicos más destacados de Francia.

inercia Propiedad inherente a un cuerpo que hace que se oponga a cualquier fuerza que causa un cambio en su movimiento. Un cuerpo, tanto en reposo como en movimiento, se opone a las fuerzas que causan la ACELERACIÓN. La inercia de un cuerpo puede medirse por su MASA, la cual determina su resistencia a la acción de una fuerza, o por su momento de inercia en torno a un eje específico, el cual mide su resistencia a rotar bajo la acción de un TORQUE en torno a ese mismo eje.

inercia, momento de Medida cuantitativa de la INERCIA rotacional de un cuerpo. Al rotar un cuerpo en torno a un eje externo o interno (fijo o no), presenta oposición a cualquier cambio de su velocidad de rotación que puede ser causado por un TORQUE. El momento de inercia se define como la suma de los productos obtenidos multiplicando la masa de cada partícula de materia de un cuerpo dado por el cuadrado de su distancia al eje de rotación.

Inés, santa (c. siglo IV, Roma; festividad: 21 de enero). Legendaria mártir cristiana, santa patrona de las adolescentes. Según la tradición, era una hermosa virgen que rechazó todos sus pretendientes, declarando que no podía tener otro esposo que JESÚS. Los pretendientes rechazados informaron a las autoridades romanas que ella era cristiana, por lo que fue castigada confinándola en un burdel. Allí permaneció milagrosamente intacta; el único hombre que intentó violarla quedó ciego y ella lo sanó con la oración. Más tarde fue asesinada durante las persecuciones ordenadas por DIOCLECIANO.

infalibilidad papal En el CATOLICISMO ROMANO, doctrina según la cual el papa, cuando obra como maestro supremo y bajo ciertas condiciones, como cuando habla *ex cathedra* ("desde la cátedra"), no puede equivocarse cuando enseña sobre asuntos de fe o moral. Está basada en la creencia de que la Iglesia, a la que se ha confiado la misión docente de Jesús, será guiada por el Espíritu Santo para que permanezca fiel a sus enseñanzas. El concilio Vaticano Primero (1869–70) estableció las condiciones bajo las cuales se puede decir que un papa ha hablado en forma infalible: debe tener el propósito de exigir el asentimiento irrevocable de toda la Iglesia en algún aspecto de la fe o la moral. La doctrina continúa siendo un gran obstáculo para los esfuerzos ecuménicos y es tema de controversia incluso entre los teólogos católicos.

infancia En los seres humanos, período de vida entre el nacimiento y la pubertad (12 años aprox.). Es una época clave, en la cual se les configuran todos los resortes afectivos e intelectuales del individuo, y de cuyo correcto desarrollo depende buena parte del éxito o fracaso posterior de cada sujeto en su proyecto vital. En general, la infancia se divide en tres etapas: la lactancia, que va desde el nacimiento hasta la adquisición del lenguaje y la capacidad de caminar; la primera infancia, que corresponde al período entre el final del primer año hasta el sexto o séptimo año de vida, y la segunda infancia que se extiende hasta la PUBERTAD, con la cual se inicia la ADOLESCENCIA.

infante de marina *inglés* **marine** Integrante de una fuerza militar entrenada para prestar servicios en el mar y en operaciones terrestres relacionadas con campañas navales. Ya existían en tiempos tan remotos como el s. V AC, cuando las flotas griegas estaban tripuladas por *epibatai*, soldados marineros dotados de armamento pesado. En la Edad Media era frecuente que a soldados se les asignaran misiones a bordo de naves; no fue hasta las guerras navales del s. XVII que el rol claramente definido de los infantes de marina fue redescubierto en forma casi simultánea por británicos y holandeses, que formaron los dos primeros cuerpos de infantes de marina: el Royal Marine (1664) y el Koninklijke Nederlandse Corps Mariniers (1665). Ver también Infantería de Marina de los ESTADOS UNIDOS DE AMÉRICA.

infantería Tropa que combate a pie en la milicia. El término se aplica tanto a soldados con arma blanca, del tipo lanza y espada de los tiempos antiguos, como a tropas de los tiempos modernos, provistas con rifles automáticos y lanzacohetes. Su objetivo ha sido siempre apoderarse de posiciones y resguardarlas, y cuando es necesario, ocupar el territorio enemigo. Excepto por un dominio temporal de la CABALLERÍA en el período feudal, la infantería constituye desde antaño el elemento más numeroso de los ejércitos occidentales.

infanticidio Muerte causada a un recién nacido. Se lo ha interpretado con frecuencia como un método primitivo de CONTROL DE LA NATALIDAD y como un medio eugenésico (ver EUGENESIA) para eliminar a los niños débiles o no deseados; sin embargo, en la mayoría de las sociedades los niños son bienvenidos y sólo se les da muerte (o deja morir) en circunstancias excepcionales, p. ej., cuando hay pocas o nulas posibilidades de proporcionarles sustento. Hasta el s. XVIII en países europeos se eliminaban los bebés no deseados abandonándolos o dejándolos a la intemperie. El SACRIFICIO del primogénito, o la ofrenda a los dioses del bien más preciado, se menciona en la Biblia y en la historia de Egipto, Grecia, Roma e India.

infantil, desarrollo ver DESARROLLO INFANTIL

infarto del miocardio ver ATAQUE CARDÍACO

infección Contaminación del cuerpo por agentes externos, como BACTERIAS, HONGOS, PROTOZOOS, VIRUS y GUSANOS, y su reacción a ellos o a sus TOXINAS. Las infecciones se denominan subclínicas hasta que afectan perceptiblemente la salud, cuando se convierten en enfermedades infecciosas. La infección puede ser localizada (p. ej., un ABSCESO), confinada a un sistema corporal (p. ej., NEUMONÍA en los pulmones), o generalizada (p. ej., SEPTICEMIA). Los agentes infecciosos pueden entrar al cuerpo por inhalación, ingestión, transmisión sexual, paso al feto durante el embarazo o el nacimiento, contaminación de una herida o mordeduras de animales o insectos. El cuerpo responde con un ataque de los LEUCOCITOS contra el invasor, producción de ANTICUERPOS o ANTITOXINAS y, a menudo, alza de la temperatura. Los anticuerpos pueden producir INMUNIDAD transitoria o vitalicia. A pesar de progresos significativos en la prevención y el tratamiento de las enfermedades infecciosas, ellas siguen siendo una causa importante de dolencia y muerte, especialmente en regiones con saneamiento deficiente, malnutrición y hacinamiento.

infecundidad Incapacidad de una pareja de concebir y reproducirse. Se define como infecunda, después de un año de relaciones sexuales regulares sin CONTRACEPCIÓN. La incapacidad de concebir cuando se desea hacerlo puede deberse a un defecto en cualquiera de las etapas necesarias para la FECUNDIDAD (ver sistema REPRODUCTOR HUMANO). Aproximadamente una de cada ocho parejas es infecunda. La mayoría de los casos implica a la mujer, 30–40% al hombre y 10% responden a factores desconocidos. En las mujeres, las causas son problemas ovulatorios u hormonales, afecciones de las trompas de Falopio o un equilibrio químico hostil a los ESPERMIOS; en los hombres, las causas se asocian con la IMPOTENCIA y la escasez o anomalías de los espermios. Cualquiera de los miembros de la pareja puede tener bloqueadas las vías que los espermios deben recorrer, defecto que a menudo es tratable con cirugía. Los factores emocionales pueden contribuir; el retorno de la fecundidad puede requerir sólo orientación. Se puede estimular la liberación de ÓVULOS con drogas para la fecundidad (frecuentemente más de uno, que se traduce en NACIMIENTOS MÚLTIPLES). Los recuentos bajos de espermios pueden superarse reservando las relaciones sexuales para el tiempo de la ovulación, el período más fecundo. Si estos métodos no dan resultados, las parejas pueden recurrir a la INSEMINACIÓN ARTIFICIAL, FECUNDACIÓN IN VITRO o MATERNIDAD SUSTITUIDA, o bien, pueden elegir la alternativa de la ADOPCIÓN.

inferioridad, complejo de Sentimiento agudo de inferioridad personal que suele traducirse en timidez o agresividad exagerada (esto último por sobrecompensación). Aunque en algún momento fue un concepto de amplia aceptación en psicología, particularmente entre los seguidores de ALFRED ADLER, ha perdido gran parte de su utilidad debido a un uso popular abusivo e impreciso.

infierno Morada de los malhechores después de la muerte o estado de existencia de las almas condenadas al castigo posterior a la muerte. La mayoría de las religiones antiguas incluían el concepto de un lugar que separaba al bueno del malo o al vivo del muerto (p. ej., el tenebroso reino subterráneo de HADES en la religión griega, o el frío y oscuro inframundo de Nilfheim o HEL en la mitología nórdica). La visión de que el infierno es la última morada de los condenados después del Juicio Final es sostenida por el zoroastrismo, judaísmo, cristianismo y el Islam. El concepto judío de Gehenna, como una región infernal de castigo para los malvados, fue la base para la visión cristiana del infierno como el ardiente reino de Satanás y sus ángeles perversos y un lugar de castigo para quienes mueren sin arrepentirse de sus pecados. En el hinduismo, el infierno es sólo una etapa en el paso del alma a través de las fases de la reencarnación. Las escuelas budistas tienen diversas concepciones del infierno, que generalmente implican algún tipo de castigo o purgatorio. En el jainismo, el infierno es un purgatorio en el cual los pecadores son atormentados por demonios hasta acabar con la maldad de sus vidas.

Las mandíbulas del infierno, iluminación del libro de los Salmos de Enrique de Blois (MS. Cotton Nero CIV, folio 39); Biblioteca Británica.

GENTILEZA DEL DIRECTORIO DE LA BIBLIOTECA BRITÁNICA

infinito En matemática, concepto de un proceso sin fin. Representado por el símbolo ∞, a menudo se comete el error de considerarlo el número más grande o un lugar en la recta de los números reales. Por el contrario, es la idea de un límite, como en la expresión $x \to \infty$, la cual sugiere que la variable x aumenta sin límite. Por ejemplo, la función $f(x) = 1/x$, o sea, el recíproco de x, tiende a 0 a medida que x tiende hacia infinito como un límite. Este proceso de acercamiento es crucial en cálculo para la definición de DERIVADA e INTEGRAL, como también en muchos otros conceptos del ANÁLISIS matemático.

inflación En COSMOLOGÍA, período hipotético de expansión exponencial del universo poco después del BIG BANG, lo cual podría explicar algunas de las propiedades que se observan en el universo, como la distribución de materia y energía. Las llamadas teorías de GRAN UNIFICACIÓN de las fuerzas de la naturaleza sugieren que la inflación podría haber ocurrido unos 10^{-32} segundos después del big bang, cuando la FUERZA NUCLEAR FUERTE se desacopló de la FUERZA NUCLEAR DÉBIL y de la FUERZA ELECTROMAGNÉTICA. Durante este intervalo de tiempo, el universo se habría expandido más de 100 órdenes de magnitud. En el contexto de la RELATIVIDAD general, la inflación ocurrió cuando el universo se encontraba en un estado de densidad de energía no nula (llamado estado de "falso vacío").

inflación En economía, aumento del nivel de PRECIOS. En general se considera que la inflación es un aumento desmesurado del nivel general de precios. Normalmente se utilizan cuatro teorías para explicar la inflación. La primera y la más antigua, es la teoría cuantitativa promovida en el s. XVIII por DAVID HUME, que supone que los precios se incrementan en la medida en que aumenta la oferta de dinero. MILTON FRIEDMAN perfeccionó la teoría cuantitativa a mediados del s. XX y sostuvo que para mantener precios estables se debe aumentar la oferta de dinero a una tasa igual a la tasa de expansión de la economía. Un segundo planteamiento es el de la teoría de la determinación del ingreso de JOHN MAYNARD KEYNES, que supone que la inflación se produce cuando la demanda de bienes y servicios es mayor que la oferta. Ello obliga al gobierno a controlar la inflación mediante el ajuste del gasto y de los impuestos y el aumento o reducción de las tasas de interés. Un tercer planteamiento corresponde a la teoría de la inflación provocada por el alza de los costos, según la cual la inflación se deriva de un fenómeno conocido como espiral de precios y salarios, en que las demandas salariales de los trabajadores llevan a los empleadores a aumentar los precios para absorber sus mayores costos, lo que a su vez prepara el terreno para una nueva ronda de demandas salariales. Un cuarto planteamiento corresponde al de la teoría estructural, que pone énfasis en los desajustes estructurales de la economía, por ejemplo, cuando las importaciones de los países en desarrollo tienden a aumentar más rápido que las exportaciones y como consecuencia de ello se reduce el valor internacional de la moneda del país en desarrollo y aumentan por ende los precios internos. Ver también DEFLACIÓN, ÍNDICE DE PRECIOS.

inflamación Reacción local de los tejidos vivos ante lesiones o enfermedades, entre otras, quemaduras, neumonía, lepra, tuberculosis y artritis reumatoide. Sus signos cardinales son calor, enrojecimiento, hinchazón y dolor. El proceso se inicia con una breve contracción de las arteriolas vecinas (ver ARTERIAS). Luego se dilatan y se colman los CAPILARES con sangre, de la cual salen líquidos, proteínas del PLASMA y LEUCOCITOS hacia los tejidos agredidos, produciendo hinchazón mientras atacan las causas de la lesión. La inflamación aguda inicial puede tener cualquiera de cuatro resultados: resolución (retorno a la normalidad), organización (formación de un nuevo tejido; ver CICATRIZ), supuración (formación de pus; ver ABSCESO) o inflamación crónica. A veces el tratamiento, como los ANTIBIÓTICOS para bacterias o la extirpación de un cuerpo extraño irritante, puede eliminar la causa. Si no es así, pueden administrarse medicamentos antiinflamatorios (p. ej., CORTISONA o ASPIRINA), o bien, aplicar remedios sencillos (p. ej., compresas frías o calientes).

inflorescencia Agrupamiento de flores situadas en una rama o en una serie de ellas, que en su conjunto constituyen una flor grande y vistosa. Se clasifican conforme si las flores están dispuestas a lo largo de un eje principal (pedúnculo) o de ramas secundarias que salen del eje principal, y de acuerdo al calendario y posición de la floración. En las inflorescencias de crecimiento definido, las flores más jóvenes están en la base o por el exterior (p. ej., flores de la CEBOLLA). En las de crecimiento indefinido, las flores más jóvenes están en la parte superior o en el centro (p. ej., flores de ESCROFULARIÁCEAS, MUGUETES y de *Astilbe*). Otras inflorescencias indefinidas son los AMENTOS colgantes, masculinos y femeninos, de los ROBLES, la espiga de la CEBADA y la cabezuela plana (capítulo) del DIENTE DE LEÓN.

influenza *o* **gripe** INFECCIÓN viral aguda de las vías respiratorias superior o inferior. Los VIRUS de la influenza A (los más comunes), B y C producen síntomas similares, pero la infección o la vacunación con uno de ellos no otorga inmunidad contra los otros. Aparecen escalofríos, fatiga y dolores musculares bruscamente. La temperatura alcanza pronto los 38–40 °C (101–104 °F). Los dolores de cabeza, musculares, abdominales y articulares pueden acompañarse de dolor de garganta. La recuperación se inicia dentro de tres o cuatro días, y los síntomas respiratorios se hacen más prominentes. El reposo en cama, la ingestión abundante de líquido y aspirina u otros medicamentos febrífugos constituyen el tratamiento estándar. La influenza A tiende a ocurrir en pandemias anuales ondulantes. La mortalidad es habitualmente baja, pero en algunos brotes raros (ver epidemia de INFLUENZA DE 1918–19) ha alcanzado enormes proporciones. La mayoría de las muertes son causadas por NEUMONÍA o BRONQUITIS.

influenza aviaria Enfermedad infecciosa de las vías respiratorias, causada por ciertas cepas de VIRUS influenza tipo A que pueden afectar a diferentes animales, especialmente a los seres humanos y las aves. Sus síntomas son fiebre, tos, respiración agitada, con o sin diarrea o conjuntivitis e infiltrados pulmonares visibles en la radiografía de tórax. Afecta de preferencia a adultos jóvenes. Puede ser de moderada intensidad o extremadamente grave, y causar incluso la muerte de los pacientes debido a NEUMONÍA e insuficiencia respiratoria. En los últimos años se han detectado brotes limitados en Hong Kong, el Sudeste asiático y Europa, que han tenido su origen en la manipulación directa de aves de corral infectadas, especialmente gallinas y patos, donde se han identificado las cepas H7N7 y H5N1 del virus aviario. La probabilidad de contagio de un humano a otro es escasa. Su tratamiento puede requerir de ventilación mecánica. No se ha comprobado la efectividad de los medicamentos antivirales en la enfermedad.

influenza de 1918–19, epidemia de *o* **epidemia de influenza española** El más grave de los brotes de INFLUENZA del s. XX. Aparentemente comenzó con una cepa muy suave en un campamento del ejército de EE.UU., a comienzos de marzo de 1918. Las tropas enviadas a combatir en la primera guerra mundial diseminaron el virus por Europa occidental. En casi todos los lugares habitados del mundo hubo brotes, propagándose desde los puertos hacia las ciudades por las rutas de transporte. A menudo la NEUMONÍA se desarrollaba rápidamente y al cabo de dos días resultaba fatal. Registrada entre las epidemias más letales de la historia, dejó un saldo de unos 25 millones de muertos; lo desusado es que la mitad de las muertes ocurrían en pacientes entre 20 y 40 años de edad.

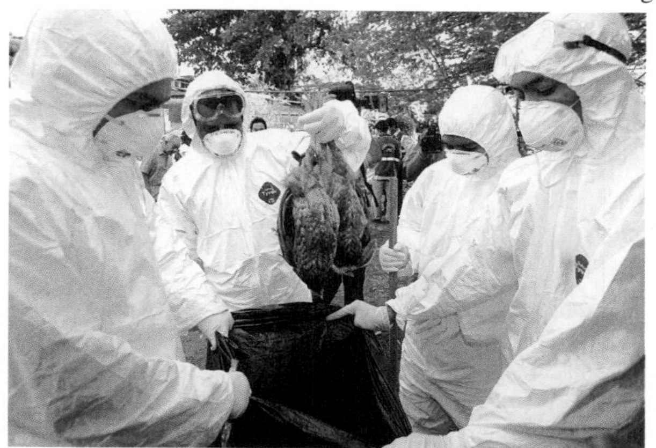

Funcionarios del ministerio de salud de Malasia en una operación de exterminio de gallinas infectadas con la cepa H5N1, causante de la influenza aviaria.
FOTOBANCO

información privilegiada, abuso de Utilización ilegal de información privilegiada a fin de obtener ganancias en operaciones financieras. Desde 1934, la SECURITIES AND EXCHANGE COMMISSION (SEC) (Comisión del mercado de valores) prohíbe efectuar operaciones mientras se esté en posesión de información privada de carácter esencial. Ver también ARBITRAJE, MICHAEL R. MILKEN.

informalismo Estilo pictórico no figurativo surgido en Europa como respuesta al ambiente de desazón luego de la segunda guerra mundial. El existencialismo dominó las corrientes de pensamiento y los artistas comenzaron a expresarse de modo más visceral y espontáneo, privilegiando tanto el poder evocador de los materiales como la espontaneidad en la ejecución. Surgió una estética centrada en lo abstracto, lo subjetivo e incluso lo irracional. Sus máximos exponentes fueron JEAN DUBUFFET, ANTONI TÁPIES y Hans Hartung.

informática Disciplina que se ocupa de los procesos de almacenamiento y transferencia de información por medio de computadoras. Intenta agrupar conceptos y métodos de disciplinas tan variadas como bibliotecología, ciencia de la informática e ingeniería, lingüística y psicología, para desarrollar técnicas y dispositivos que ayuden al manejo de la información. En su etapa inicial en la década de 1960, la informática estaba preocupada principalmente de la aplicación de las nuevas tecnologías computacionales al procesamiento y administración de documentos. Desde entonces, las tecnologías de informática aplicada y los estudios teóricos de la informática han influido en muchas otras disciplinas. La ciencia de la computación y de la ingeniería todavía tiende a absorber los temas tecnológicos y teóricos, y la ciencia de la administración, los temas de sistemas de información.

ING Groep NV Institución financiera global de origen holandés que cuenta con servicios bancarios, de seguros y administración de activos. Se creó luego de que las restricciones para fusiones entre aseguradores y bancos fuera levantada en 1990. Un año después la fusión entre la compañía de seguros Nationale-Nederlanden (formada tras la fusión de Nationale Levensverzekering-Bank con De Nederlanden van en 1845) y la compañía bancaria NMB Postbank Groep (formado en 1986 de la fusión del NMB Bank con el Postbank). Desde la fusión, el grupo ING ha experimentado una década de rápida expansión, principalmente a través de un crecimiento autónomo, aunque también ha realizado importantes adquisiciones internacionales. Ejemplos destacados de esto último fueron el banco de inversiones y firma de administración de activos Barings en 1995, la empresa aseguradora estadounidense Equitable of Iowa Companies en 1997, el banco belga Brussels Lambert en 1998, el banco alemán BHF en 1999 y las empresas aseguradoras ReliaStar, Aetna Financial Services y Aetna International en 2000, el banco polaco Slaski y la empresa aseguradora mexicana Seguros Comercial América en 2001. Sus oficinas centrales se encuentran en Amsterdam.

Inge, William (Motter) (3 may. 1913, Independence, Kan., EE.UU.–10 jun. 1973, Hollywood Hills, Cal.). Dramaturgo y guionista estadounidense. Ejerció como profesor secundario (1937–49) y veladamente escribió crítica teatral para el periódico *St. Louis Star-Times* (1943–46). Su primera obra, *Farther off from Heaven* (1947), fue reescrita para Broadway bajo el título *La oscuridad de más arriba de las estrellas* (1957; película, 1960). Sus obras más conocidas son *Vuelve, pequeña Sheba* (1950; película, 1952), *Picnic* (1953, Premio Pulitzer; película, 1956) y *Parada de autobús* (1955; película, 1956), junto con el guión de *Esplendor en la hierba* (1961, premio de la Academia). Fue uno de los primeros dramaturgos que indagó en la vida pueblerina del Medio Oeste estadounidense.

Puente Vasco da Gama en Lisboa, considerada la mayor obra de ingeniería civil de Portugal de fines del s. XX.
ARCHIVO EDIT. SANTIAGO

ingeniería Conjunto de conocimientos y técnicas que permiten aplicar la ciencia a la conversión óptima de los recursos naturales en usos para la humanidad. La ingeniería se basa principalmente en la física, química y matemática, y sus extensiones, como son la ciencia de los MATERIALES, MECÁNICA de sólidos y de fluidos, TERMODINÁMICA, procesos de transferencia y de variación, y análisis de sistemas. La ingeniería se asocia con una gran cantidad de conocimientos específicos por lo que la preparación para la práctica profesional de un ingeniero involucra una formación prolongada e intensa en la aplicación de esos conocimientos. Los ingenieros emplean dos tipos de recursos naturales: los materiales y la ENERGÍA. Los materiales tienen usos que reflejan sus propiedades: su resistencia, su facilidad de elaboración, su liviandad o su durabilidad; su capacidad aislante o conductora, y sus propiedades químicas, eléctricas o acústicas. Las fuentes más importantes de energía son los combustibles fósiles (carbón, petróleo, gas), el viento, la luz solar, las caídas de agua y la fisión nuclear. Ver también INGENIERÍA AEROESPACIAL; INGENIERÍA CIVIL; INGENIERÍA GENÉTICA; INGENIERÍA MECÁNICA; INGENIERÍA MILITAR; INGENIERÍA QUÍMICA.

Ingeniería aeroespacial: pruebas de instalación entre el US Microgravity Laboratory 1 y la aeronave Columbia, Centro Espacial Kennedy.
ARCHIVO EDIT. SANTIAGO

ingeniería aeroespacial Campo de la INGENIERÍA que se ocupa del desarrollo, diseño, construcción, pruebas y operación de AVIONES y NAVES ESPACIALES. La disciplina tiene sus raíces en el vuelo de GLOBOS, PLANEADORES y DIRIGIBLES, y se amplió en la década de 1960 para incluir los vehículos espaciales. Las tecnologías principales son las de la AERODINÁMICA, propulsión, estructura y estabilidad de las máquinas aéreas, y su control. Los ingenieros aeroespaciales colaboran en el diseño de nuevos productos en centros de investigación académicos, industriales y gubernamentales. Al diseño le siguen las pruebas de vuelo con prototipos y finalmente tiene lugar la producción en serie de los productos y su operación. Hitos importantes en la ingeniería aeroespacial son el fuselaje monocasco metálico, el ala en voladizo del monoplano, el MOTOR DE REACCIÓN, el vuelo supersónico y el vuelo espacial.

ingeniería civil Conjunto de técnicas relativas al diseño y construcción de obras estructurales que sirven al público en general, como PUENTES, CANALES, REPRESAS, puertos, FAROS, CARRETERAS, TÚNELES y obras ambientales (p. ej., plantas de abastecimiento de AGUAS). El campo moderno de la profesión comprende también la construcción de centrales eléctricas, aviones y aeropuertos, plantas de procesamiento químico e instalaciones para el tratamiento de aguas. Hoy la ingeniería civil implica la investigación de lugares para emplazar las obras civiles, los estudios de factibilidad de los proyectos, el diseño y análisis estructural y la construcción y mantenimiento de las instalaciones. El diseño de las obras de ingeniería requiere la aplicación de teorías de diseño de variados campos (p. ej., hidráulica, termodinámica, física nuclear). Las investigaciones en análisis estructural y tecnología de materiales, como acero y hormigón, han abierto el camino a nuevos conceptos y mayor economía de materiales. El análisis que hace un ingeniero de un problema de construcción determina el sistema estructural que se utilizará. Los diseños estructurales son analizados rigurosamente por computadoras para determinar su resistencia a sobrecargas propias de su uso o provocadas por fenómenos de la naturaleza.

ingeniería eléctrica Rama de la INGENIERÍA que se ocupa de las aplicaciones prácticas de la ELECTRICIDAD en todas sus formas, incluyendo las de la ELECTRÓNICA. La ingeniería eléctrica trata de los sistemas y aparatos eléctricos para proporcionar alumbrado y energía. La ingeniería electrónica trata de la comunicación por cable y por RADIO, los sistemas electrónicos de programa de almacenado de las COMPUTADORAS de RADAR de control automático. La primera aplicación práctica de la electricidad fue el TELÉGRAFO, en 1837. La ingeniería eléctrica surgió como una disciplina en 1864 cuando JAMES CLERK MAXWELL condensó las leyes básicas de la electricidad en forma matemática y predijo que la radiación de la energía electromagnética se presentaría en una forma conocida más tarde como ondas de radio. El ingeniero eléctrico propiamente tal no surgió hasta el invento del TELÉFONO (1876) y de la LÁMPARA INCANDESCENTE (1878).

ingeniería genética Conjunto de técnicas que permiten la manipulación, modificación y RECOMBINACIÓN artificial de las moléculas de ADN o de otro ácido NUCLEICO para modificar un organismo o una población de organismos. El término designaba inicialmente a cualquiera de una amplia gama de técnicas para modificar o manipular organismos mediante la herencia y la reproducción. Ahora, denota el campo más limitado de la tecnología de ADN recombinante o clonación de genes, en la que las moléculas de ADN de dos o más fuentes se combinan, ya sea en forma intracelular o en tubos de ensayo, y luego se insertan en organismos huéspedes donde son capaces de reproducirse. Esta técnica se usa para producir nuevas combinaciones genéticas de valor para la ciencia, medicina, agricultura e industria. Mediante las técnicas de ADN recombinante se han creado bacterias capaces de sintetizar insulina, interferón y hormona de crecimiento humanas; una vacuna contra la hepatitis B y otras sustancias útiles en medicina. Los métodos de ADN recombinante, en conjunto con el desarrollo de una técnica para producir anticuerpos en grandes cantidades, han causado impacto en el diagnóstico médico y en la investigación del cáncer. Las plantas han sido adaptadas genéticamente para fijar el nitrógeno y producir sus propios pesticidas. Se han producido bacterias capaces de biodegradar el petróleo para emplearlas en la limpieza de derrames de este compuesto. La ingeniería genética también hace temer la existencia de manipulaciones genéticas adversas y sus consecuencias (p. ej., bacterias resistentes a los antibióticos o nuevas cepas patógenas). Ver también BIOTECNOLOGÍA; BIOLOGÍA MOLECULAR.

ingeniería geológica Disciplina científica preocupada de la aplicación de los conocimientos geológicos a problemas de ingeniería, como ubicación y diseño de represas, determinación de la estabilidad de taludes para propósitos de construcción y determinación del riesgo de terremotos, inundaciones o asentamientos en áreas donde se proyecta la construcción de caminos, tuberías, puentes, embalses u otras obras de ingeniería.

ingeniería humana ver ERGONOMÍA

ingeniería industrial Aplicación de los principios de la INGENIERÍA y las técnicas de la administración científica para mantener altos niveles de productividad a un costo óptimo en las empresas industriales. FREDERICK W. TAYLOR sentó las bases de la medición científica del trabajo y Frank Gilbreth (n. 1868–m. 1924) y Lillian Gilbreth (n. 1878–m. 1972) la perfeccionaron con sus estudios de TIEMPO Y MOVIMIENTO. El resultado fue la simplificación de los procesos de producción, permitiendo que los trabajadores aumentaran la producción. El ingeniero industrial selecciona herramientas y materiales que sean más eficientes y menos costosos para la empresa. El ingeniero determina también la secuencia de operaciones en la producción y el diseño de las instalaciones de plantas o fábricas. Ver también ERGONOMÍA.

ingeniería mecánica Rama de la INGENIERÍA que se ocupa del diseño, fabricación, instalación y operación de MOTORES, MÁQUINAS y procesos de FABRICACIÓN. La ingeniería mecánica comprende la aplicación de los principios de la DINÁMICA, del control, de la TERMODINÁMICA y la transferencia de calor, de la MECÁNICA DE FLUIDOS, la RESISTENCIA DE MATERIALES, la ciencia de los MATERIALES, la ELECTRÓNICA y la MATEMÁTICA. Trata también de MÁQUINAS HERRAMIENTAS, vehículos motorizados, maquinaria textil, empaquetadoras, máquinas para imprimir, para trabajar metales, para soldadura autógena, para climatización y refrigeración, maquinaria agrícola y muchas otras esenciales para procesos industriales.

ingeniería militar Conjunto de conocimientos y técnicas que permiten diseñar y construir obras y edificios militares, y mantener las líneas de transporte y comunicaciones estratégicas. Comprende tanto el soporte táctico (ver TÁCTICA) en el campo de batalla, como la construcción de FORTIFICACIONES y la demolición de instalaciones enemigas, así como el soporte estratégico (ver ESTRATEGIA) fuera del frente, mediante la construcción o mantenimiento de aeródromos, puertos, carreteras, líneas férreas, puentes y hospitales. La hazaña de ingeniería militar más notable de la antigüedad fue la GRAN MURALLA china. Los ingenieros militares más destacados del mundo occidental antiguo fueron los romanos, quienes conservaron su poderio mediante la construcción no sólo de fortificaciones y guarniciones, sino también de caminos, puentes, acueductos, puertos y faros. Ver también INGENIERÍA CIVIL.

ingeniería química Disciplina académica y actividad industrial que se ocupa del desarrollo de los procesos y del diseño y funcionamiento de las plantas para modificar las condiciones físicas o químicas de los materiales. Con sus orígenes en la industria de la química inorgánica y de la química del carbón de Europa occidental, y en la industria de refinación del petróleo en América del Norte, esta disciplina fue catapultada por la necesidad de suministrar productos químicos durante las dos guerras mundiales. El campo abarca la investigación, diseño, construcción, operación, ventas y actividades de gestión. Los ingenieros químicos deben tener dominio de la química (como la naturaleza de las REACCIONES QUÍMICAS, los efectos de TEMPERATURA y PRESIÓN en el EQUILIBRIO, y los efectos de los CATALIZADORES sobre la VELOCIDAD DE REACCIÓN), la física y la matemática. El aspecto de ingeniería, que involucra el flujo de fluidos (ver DEFORMACIÓN Y FLUJO) y transferencia de CALOR y MASA, se descompone en "operaciones unitarias" que comprenden la VAPORIZACIÓN, DESTILACIÓN, ABSORCIÓN, filtración, extracción, cristalización, agitación y mezcla, secado, y reducción de tamaño; cada una es descrita matemáticamente y sus principios se aplican a cualquier material. Los ingenieros químicos trabajan no sólo en la industria química y petrolera, sino también en industrias procesadoras, como las de alimentos, papel, textiles, plásticos, nuclear y biotecnología.

Inglaterra Parte meridional de la isla de Gran Bretaña, limitada al norte por Escocia y al oeste por Gales. Superficie: 130.410 km^2 (50.351 mi^2). Población (2001): 49.138.831 hab. Es la unidad territorial más extensa del REINO UNIDO DE GRAN BRETAÑA E IRLANDA DEL NORTE. De manera errónea el término Inglaterra se usa a menudo como sinónimo de la isla de GRAN BRETAÑA e incluso del reino en su conjunto. Pese a la herencia política, económica y cultural que ha perpetuado su nombre, Inglaterra ya no existe oficialmente como país ni goza de un estatus político dentro del Reino Unido. Es un territorio de colinas y mesetas, con un litoral de 3.200 km (2.000 mi) de largo. Una importante cadena montañosa, los PENINOS, divide el norte de Inglaterra, mientras los montes CHEVIOT marcan la frontera con Escocia. Al sudoeste se encuentran los montes Cotswold y las mesetas de Exmoor y Dartmoor, al sudeste los Downs y al sur la llanura de Salisbury. Pese a tener un clima marítimo relativamente templado, el tiempo es inestable. Inglaterra se divide en ocho regiones geográficas citadas a menudo como las regiones del país, pero no cumplen función administrativa alguna. El sudeste, centrado en LONDRES, es la principal de ellas en términos económicos. Posee una amplia gama de industrias manufactureras e intensivas en tecnología, además de empresas comerciales. La zona de WEST MIDLANDS, en el centro-oeste de Inglaterra, es una región manufacturera diversificada, cuyo centro es BIRMINGHAM. En ella se encuentra la ciudad natal de Shakespeare, STRATFORD-UPON-AVON. En la zona de East Midlands, situada en el centro-este de Inglaterra y también manufacturera, se encuentran algunas de las mejores tierras agrícolas de Inglaterra. ANGLIA ORIENTAL constituye el extremo oriental de Inglaterra. Es principalmente una región agrícola, aunque también se han desarrollado industrias intensivas en tecnología. MANCHESTER y LIVERPOOL son las principales ciudades industriales del noroeste, una región de larga tradición en la producción textil, que rápidamente fue reemplazada por una diversificada actividad manufacturera. La región de HUMBERSIDE está situada en el este y destaca por sus textiles y siderúrgicas, aunque su economía se ha diversificado y posee extensas tierras de cultivo. La región norte se extiende hasta la frontera escocesa; en ella destaca LAKE DISTRICT, famoso centro de ingeniería y fabricación de productos farmacéuticos. La región del sudoeste, que incluye a CORNUALLES, tiene una creciente actividad turística y algunas zonas en proceso de industrialización. Inglaterra ha destacado especialmente por su larga y prolífica tradición literaria, como asimismo, por su arquitectura, pintura, teatros, museos y universidades (ver Universidad de OXFORD; Universidad de CAMBRIDGE). También ha desempeñado un papel fundamental en la música rock (ver BRITISH INVASION).

Inglaterra, Banco de BANCO CENTRAL de Gran Bretaña con sede en Londres. Constituido conforme a una ley del parlamento en 1694, se transformó a poco andar en la institución financiera más grande y prestigiosa de Inglaterra. Sólo asumió las responsabilidades de un banco central en el s. XIX y fue de propiedad privada hasta 1946, cuando fue nacionalizado.

Inglaterra, batalla de (jun. 1940–abr. 1941). Serie de intensos ataques de la fuerza aérea alemana sobre Gran Bretaña en la segunda GUERRA MUNDIAL. Las incursiones aéreas, realizadas con el fin de preparar el camino para la invasión alemana, estuvieron dirigidas contra los puertos británicos y de las bases de la ROYAL AIR FORCE (RAF). En septiembre de 1940 los bombardeos se dirigieron sobre Londres y otras ciudades en "ataques relámpago" durante 57 noches consecutivas, seguido por incursiones intermitentes hasta abril de 1941. Aunque sobrepasada en número, la RAF logró rechazar la fuerza aérea alemana gracias a mejores tácticas, avanzadas defensas aéreas y desciframiento de los códigos secretos de los alemanes.

Inglaterra, Iglesia de *o* **Iglesia anglicana** Iglesia nacional inglesa y la madre Iglesia de la Comunión anglicana. El cristianismo llegó a Inglaterra en el s. II y aunque casi fue suprimido por las invasiones anglosajonas, fue restablecido después de la misión de san AGUSTÍN DE CANTERBURY en 597. Los conflictos medievales entre la Iglesia y el Estado culminaron en el rompimiento de ENRIQUE VIII con el catolicismo tras la REFORMA. Cuando el papa rehusó anular el matrimonio de Enrique con CATALINA DE ARAGÓN, el rey promulgó la ley de Supremacía (1534), que declaró al monarca inglés jefe de la Iglesia de Inglaterra. Bajo el reinado de su sucesor, EDUARDO VI, se establecieron más reformas protestantes. Después de un lustro de reacción católica bajo el reinado de MARÍA I TUDOR, ISABEL I ascendió al trono (1558) y la Iglesia de Inglaterra fue restablecida. El Libro de PLEGARIAS COMUNES (1549) y los Treinta y nueve Artículos (1571) pasaron a ser los estándares de la liturgia y la doctrina. El surgimiento del PURITANISMO en el s. XVII llevó a las guerras civiles INGLESAS; durante la Commonwealth, la Iglesia de Inglaterra fue suprimida, pero fue restablecida en 1660. El movimiento evangélico en el s. XVIII resaltó la herencia protestante de la Iglesia, mientras que el movimiento de OXFORD del s. XIX enfatizó su herencia católica. La Iglesia de Inglaterra ha mantenido una forma episcopal de gobierno y está encabezada por el arzobispo de Canterbury. En 1992, la institución resolvió por votación ordenar mujeres como sacerdotes. En EE.UU., la Iglesia PROTESTANTE EPISCOPAL desciende de esta y continúa vinculada a ella.

inglés Lengua perteneciente a la rama de las lenguas GERMÁNICAS, de la familia de las lenguas INDOEUROPEAS, hablada en forma muy generalizada en seis continentes. Es la lengua principal de EE.UU., Gran Bretaña, Canadá, Australia, Irlanda, Nueva Zelanda, Sudáfrica y diversos países insulares del Caribe y del Pacífico. También es lengua oficial en India, Filipinas y muchos países del África subsahariana. Ocupa el segundo lugar entre las lenguas más habladas en el mundo: es la lengua materna de más de 350 millones de personas, la lengua extranjera más ampliamente enseñada y la lengua internacional de las ciencias y los negocios. El inglés se atiene principalmente al orden de las palabras (por lo general, sujeto-verbo-complemento) para indicar relaciones entre ellas (ver SINTAXIS). Se escribe según el alfabeto LATINO y está relacionado en forma estrecha con el FRISÓN, ALEMÁN y NEERLANDÉS. La historia del inglés comenzó con la migración a Gran Bretaña de los jutos, anglos y SAJONES desde Alemania y Dinamarca en los s. V–VI. La conquista NORMANDA en 1066 introdujo muchas palabras francesas. Los vocablos griegos y latinos comenzaron a incorporarse en el s. XV, y el inglés moderno se estima data de 1500. El inglés introduce con facilidad palabras de otras lenguas y ha acuñado muchos términos nuevos para referirse a los avances tecnológicos.

inglés antiguo *o* **anglosajón** Lengua escrita y hablada en Inglaterra antes de 1100 DC. Pertenece al grupo anglofrisio de las lenguas GERMÁNICAS. Se conocen cuatro dialectos: de Northumbria (norte de Inglaterra y sudeste de Escocia), de Mercia (Inglaterra central), de Kent (sudeste de Inglaterra) y sajón occidental (sur y sudoeste de Inglaterra). Los dialectos de Mercia y Northumbria suelen denominarse dialectos anglos. La mayoría de los escritos en inglés antiguo que se conservan pertenecen al dialecto sajón occidental; *Beowulf* es el gran poema épico del inglés antiguo. El primer período de extensa actividad literaria ocurrió en el s. IX. El inglés antiguo tenía tres géneros (masculino, femenino y neutro) para los sustantivos y adjetivos; los sustantivos, pronombres y adjetivos tenían también inflexiones correspondientes al caso gramatical. Además, existía un mayor número de verbos irregulares que en el inglés moderno, y el vocabulario tenía una cantidad mucho mayor de términos germánicos. Ver también INGLÉS; INGLÉS MEDIO.

inglés medio Lengua vernácula hablada y escrita en Inglaterra c. 1100–1500, derivada del INGLÉS ANTIGUO y antepasado del inglés moderno. Se puede dividir en tres períodos: inicial, central y tardío. El período central se caracterizó por el préstamo de muchas palabras anglonormandas y el surgimiento del dialecto londinense, utilizado por poetas como JOHN GOWER y GEOFFREY CHAUCER en una etapa de florecimiento de la literatura inglesa en el s. XIV. Los dialectos del inglés medio suelen dividirse en cuatro grupos: del sur, de la zona centro-este, de la zona centro-oeste y del norte.

Geoffrey Chaucer, poeta que estableció el inglés medio como la lengua literaria de Inglaterra.
FOTOBANCO

inglesa, escuela Escuela pictórica dominante en la Inglaterra del s. XVIII hasta c. 1850. En 1730–50 WILLIAM HOGARTH perfeccionó dos formas pictóricas británicas distintivas: las escenas de género, que presentaban el "tema moral moderno", y el retrato colectivo a pequeña escala o "escenas de tertulia". El retrato a escala natural fue popularizado por JOSHUA REYNOLDS y THOMAS GAINSBOROUGH; la tradición paisajista fue fundada por RICHARD WILSON; y la pintura histórica fue practicada por dos pintores nacidos en Norteamérica, BENJAMIN WEST y JOHN SINGLETON COPLEY. El florecimiento del arte romántico inglés estuvo encarnado por los paisajes de J.M.W. TURNER y JOHN CONSTABLE. El arte del período rivalizó con el del continente y tuvo gran influencia sobre la pintura europea.

inglesas, guerras civiles (1642–51). Conflicto armado en las islas Británicas entre las fuerzas del parlamento y los partidarios de la monarquía (realistas). Durante algún tiempo se incubó la tensión entre CARLOS I y la Cámara de los Comunes y tras el fracasado intento del monarca de arrestar a cinco miembros del parlamento, ambos bandos se prepararon para el conflicto bélico. La primera fase de las guerras (1642–46) se caracterizó inicialmente por combates que no tuvieron un resultado decisivo, pero las victorias obtenidas por las fuerzas parlamentarias al mando de OLIVER CROMWELL en las batallas de MARSTON MOOR y NASEBY cambiaron el curso del conflicto. En 1646 las fuerzas realistas se dispersaron. En 1647 Carlos I negoció la obtención de ayuda militar con un grupo de escoceses, lo que dio inicio a la segunda fase de las guerras, que consistió en una serie de rebeliones realistas y en una invasión escocesa. Todas terminaron en el fracaso y Carlos I fue ejecutado en 1649. La lucha continuó y las fuerzas realistas al mando de CARLOS II invadieron Inglaterra en 1651. Las fuerzas parlamentarias derrotaron a los realistas en Worcester en 1651 y Carlos II huyó al extranjero, hecho que dio por terminadas las guerras civiles. Su consecuencia política fue el establecimiento de la República (Commonwealth) y del Protectorado. Ver también NUEVO EJÉRCITO MODELO, Pacto y Liga SOLEMNE.

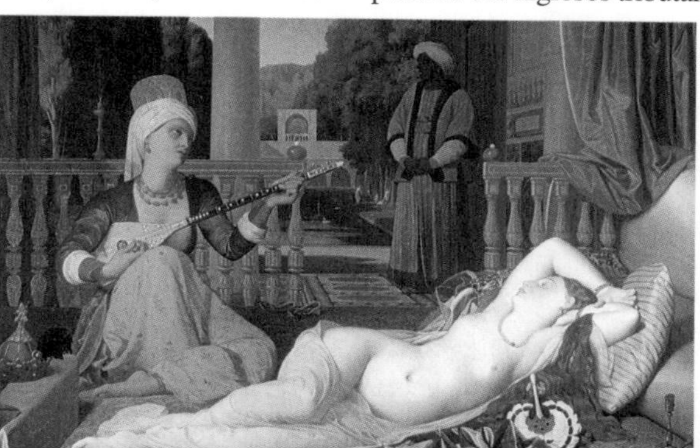

"Odalisca y su esclava", obra de Jean-Auguste-Dominique Ingres, 1830–40.
FOTOBANCO

Ingres, Jean-Auguste-Dominique (29 ago. 1780, Montauban, Francia–14 ene. 1867, París). Pintor francés. Estudió con JACQUES-LOUIS DAVID en París antes de asistir a la École des Beaux-Arts (1799–1801), donde ganó el Premio de Roma. Los críticos descalificaron una de sus primeras obras públicas, el imponente retrato de *Napoleón entronizado* (1806), por considerarla rígida y arcaica, pero dicho estilo había sido desarrollado por él intencionalmente. En Italia (1806–24) prosperó con sus retratos y pinturas históricas. Sus dibujos de retratos, realizados en pequeño formato, están ejecutados meticulosamente. De regreso en París, recibió por fin el reconocimiento de la crítica y fue admitido en la Academia de Bellas Artes con *El voto de Luis XIII* (1824). Sucedió a David como líder de la pintura francesa neoclásica (ver CLASICISMO Y NEOCLASICISMO), estilo que era la antítesis del sublime ROMANTICISMO de artistas contemporáneos como EUGÈNE DELACROIX, principal rival de Ingres. En 1825 abrió un taller que se convirtió en uno de los más grandes de París. A mediados de 1840 ya era uno de los retratistas de sociedad más solicitados. Algunas de sus obras posteriores más notables representan desnudos femeninos, que suelen caracterizarse por su forma alargada. Ninguno de sus numerosos alumnos se destacó, pero se puede observar su influencia en la obra de EDGAR DEGAS, PIERRE-AUGUSTE RENOIR y PABLO PICASSO.

ingreso disponible Parte del ingreso de un individuo de la que puede disponer a su absoluto arbitrio. Para calcular el ingreso disponible es necesario determinar el ingreso total, lo que comprende sueldos y salarios, pagos de intereses y dividendos y utilidades comerciales, sino también los ingresos de transferencia, como las prestaciones de seguridad social, pensiones y alimentos. Se deben restar los pagos obligatorios, entre los que se incluyen los impuestos sobre los ingresos personales y los aportes obligatorios al seguro social. El ingreso disponible puede destinarse al CONSUMO o al AHORRO.

ingreso, política de Esfuerzo colectivo del gobierno para controlar los ingresos de la MANO DE OBRA y del CAPITAL, lo que habitualmente implica restringir los aumentos de sueldos y PRECIOS. A menudo, el término alude a las políticas orientadas a controlar la INFLACIÓN, pero también puede referirse a los esfuerzos destinados a modificar la distribución del ingreso entre trabajadores, industrias, localidades geográficas o grupos ocupacionales. Ver también CONTROL DE PRECIOS Y SALARIOS.

ingresos fiscales, participación en los Acuerdo de financiamiento conforme al cual una unidad de gobierno otorga parte de sus ingresos tributarios a otra unidad de gobierno. Por ejemplo, las provincias o estados pueden compartir sus ingresos con los gobiernos locales, o bien los gobiernos nacionales pueden compartir sus ingresos con las provincias o estados. Existen leyes que determinan las fórmulas de participación en los ingresos, limitan los controles que la unidad que otorga el dinero puede ejercer sobre el receptor, y especifican si el receptor debe entregar fondos de contrapartida. Se han utilizado diversas formas de participación en los ingresos en distintos países, como Canadá, India y Suiza. En 1972–86, EE.UU. mantuvo un programa de participación en los ingresos en que los gobiernos de los estados y locales recibían fondos federales que podían gastarse a su arbitrio.

inhibición En enzimología, fenómeno en el que un compuesto (un inhibidor), habitualmente de estructura similar a la sustancia (sustrato) sobre la cual actúa una ENZIMA, interactúa con la enzima de manera que el complejo resultante no puede reaccionar del modo usual o no puede formar el producto habitual. El inhibidor puede funcionar combinándose con la enzima en el sitio donde ocurre habitualmente la reacción (inhibición competitiva) o en otro sitio (inhibición no competitiva). Ver también control ALOSTÉRICO; REPRESIÓN; inhibición por RETROALIMENTACIÓN.

inhibición En psicología, represión consciente o inconsciente de pensamientos o comportamientos espontáneos a causa de impedimentos psicológicos, entre ellos los controles sociales internalizados. La inhibición cumple funciones sociales útiles, como la de protegerse a sí mismo y a otros de un daño y permitir el aplazamiento de la gratificación derivada de actividades placenteras. La ausencia extrema de inhibición así como la inhibición excesiva pueden resultar destructivas para el individuo. La inhibición desempeña también un papel importante en el APRENDIZAJE, pues un organismo debe aprender a refrenar ciertas conductas instintivas o pautas de comportamiento previamente aprendidas para dominar nuevas pautas. En PSICOFISIOLOGÍA, la inhibición se refiere a la supresión de la actividad eléctrica nerviosa.

inhibición por retroalimentación ver inhibición por RETROALIMENTACIÓN

Iniciativa de Defensa Estratégica *inglés* **Strategic Defense Initiative (SDI)** *también llamada* **guerra de las galaxias** Sistema de defensa estratégica contra ataques nucleares propuesto por EE.UU. Anunciado en 1983 por el pdte. RONALD REAGAN como un esfuerzo de 20 años y US$ 20 mil millones, el SDI estaba destinado a defender a EE.UU. de un ataque frontal soviético, mediante la intercepción en vuelo de los MISILES BALÍSTICOS INTERCONTINENTALES. La intercepción debía ser realizada mediante tecnología que aún no estaba desarrollada, que incluía misiles y estaciones láser terrestres y espaciales con sistema de control computarizado. El componente espacial del SDI llevó a que fuera burlonamente motejado "guerra de las galaxias", por el popular filme de ciencia ficción. A pesar de que el programa fue duramente criticado por políticos opositores y por defensores del control de armas, como inoperante y como una peligrosa violación del Tratado sobre misiles antibalísticos (*ABM*, por su sigla en inglés) de 1972, el congreso le asignó fondos para su iniciación. Los primeros esfuerzos de desarrollo fueron en gran medida fracasos, y con la caída de la Unión Soviética, en 1991, el concepto perdió urgencia. Durante las administraciones Bush (padre) y Clinton, la defensa contra misiles balísticos fue redimensionada al objetivo de proteger a EE.UU. de un ataque limitado por parte de un estado "villano", o de un misil aislado lanzado en forma accidental. En 2002, EE.UU. se retiró del tratado ABM para iniciar activamente el ensayo de un programa antimisiles limitado. Ver también MISIL ANTIBALÍSTICO.

iniciativa y referéndum Mecanismos electorales en virtud de los cuales los votantes expresan su opinión en relación con alguna política de gobierno o propuesta legislativa. Referendos obligatorios son aquellos exigidos por la ley. Los optativos son aquellos que se convocan cuando un determinado número de votantes firma una PETICIÓN en que exigen que una ley aprobada por la legislatura sea ratificada por el pueblo. Unos y otros deben distinguirse de los referendos voluntarios en los que es la propia legislatura la que somete un asunto determinado a la decisión de los votantes o para sondear la opinión pública. Las iniciativas se aplican para invocar el voto popular en relación con una propuesta de ley o una reforma constitucional. Las iniciativas directas se someten a la decisión popular después de su aprobación por un número determinado de votantes; las indirectas se someten a la legislatura. En Suiza se han celebrado cerca de la mitad de la totalidad de los referendos nacionales que se han celebrado en el mundo. En EE.UU. se suele recurrir a referendos a nivel local o de los estados. A fines del s. XX, el mecanismo del referéndum se empleó más frecuentemente en Europa, para decidir políticas públicas respecto de sistemas electorales, tratados y acuerdos de paz (p. ej., el tratado de MAASTRICHT), y temas sociales. Ver también PLEBISCITO.

injerto En horticultura, operacion que consiste en aplicar parte de una planta (llamada injerto, yema o púa de injerto) dentro o sobre un tallo, una raíz o una rama de otra (llamada planta madre, patrón o portainjerto), de modo tal que se sueldan y el binomio sigue creciendo. Se usa para varios fines: restablecer árboles lesionados, producir árboles y arbustos enanos, aumentar la resistencia de las plantas a ciertas enfermedades, preservar características varietales, adaptar variedades a condiciones edáficas o climáticas adversas, asegurar la polinización, producir plantas multifrutales o multiflorales, y propagar ciertas especies (como los rosales híbridos) que no pueden hacerlo de otro modo. En teoría, se puede injertar cualquier par de plantas con un parentesco botánico estrecho y que tenga un CÁMBIUM continuo. Los injertos entre especies del mismo género prosperan a menudo y entre géneros, raras veces, pero entre familias fallan casi siempre.

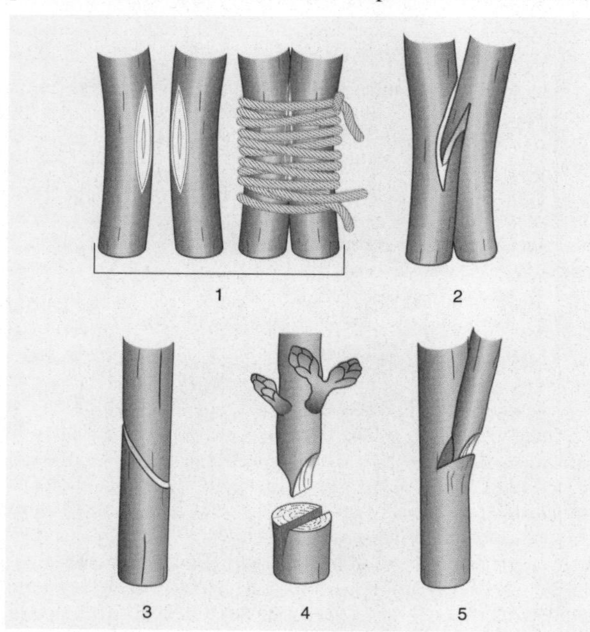

Algunos métodos de injerto: (1) injerto de empalme simple, que muestra las superficies descortezadas del patrón y el injerto, las que se adosan y se amarran. (2) injerto de lengüeta, (3) injerto de acoplamiento, (4) injerto de cuña, (5) injerto de cuña lateral.

injuria Toda expresión proferida o actuación ejecutada en deshonra, descrédito o menosprecio de otra persona. El DELITO se puede cometer no sólo manifiestamente, sino por medio de alegorías, caricaturas, emblemas o alusiones. La injuria es un delito formal y no material, puesto que existe aun cuando no resulte de ella perjuicio alguno para la víctima en su honra o crédito o reputación. Para que exista injuria es necesario que el agente tenga conciencia de que su conducta (palabra, acto o gesto) es idónea para ofender y que actúe con *animus injuriandi*, es decir, con la intención o ánimo de injuriar, de ofender, de deshonrar o desacreditar a la víctima.

Inkatha ver PARTIDO DE LA LIBERTAD INKATHA

Inland Passage ver INSIDE PASSAGE

Inmaculada Concepción En el CATOLICISMO ROMANO, el dogma de que MARÍA fue concebida sin PECADO ORIGINAL. Entre sus primeros exponentes estaban san JUSTINO MÁRTIR y san IRENEO; entre quienes se opusieron estuvieron san BUENAVENTURA y santo TOMAS DE AQUINO. En 1439, el concilio de BASILEA estableció que la creencia estaba en conformidad con la fe católica; en 1709, el papa Clemente XI declaró la festividad de la Inmaculada Concepción un día sagrado obligatorio. En 1854, PÍO IX promulgó una bula papal que la convirtió en dogma oficial de la Iglesia. Ver también MATERNIDAD DIVINA.

inmune, sistema Células, productos celulares, órganos y estructuras corporales participantes en la detección y destrucción de un agente extraño, como bacterias, virus y células cancerosas. La INMUNIDAD se basa en la capacidad del sistema de lanzar defensas contra tales invasores. Para que el sistema funcione bien, debe ser capaz de distinguir entre los materiales de su cuerpo (propios) y los extraños (ajenos). Si no logra hacer la distinción pueden producirse enfermedades AUTOINMUNES. Una respuesta exagerada o inapropiada del sistema inmune frente a sustancias inocuas (p. ej., polen, caspa de animales) puede redundar en ALERGIAS. Entre las células principales del sistema están los LINFOCITOS, que reconocen los ANTÍGENOS, y las células accesorias afines (como los fagocitos macrófagos, que engloban y destruyen los materiales extraños). Los linfocitos se originan de células troncales de la MÉDULA ÓSEA. Los linfocitos T (CÉLULAS T) migran al TIMO para madurar y los linfocitos B (CÉLULAS B) maduran en la médula ósea. Los linfocitos maduros entran al torrente sanguíneo y muchos quedan alojados, junto con las células accesorias, en diferentes tejidos, entre ellos, BAZO, GANGLIOS LINFÁTICOS, AMÍGDALAS FARÍNGEAS y mucosa intestinal. Los órganos o tejidos que contienen tales concentraciones se denominan linfáticos. Dentro de estos órganos y tejidos, los linfocitos están confinados en una delicada red de tejido conectivo que los canaliza de manera tal que entran en contacto con los antígenos. Las células T y B pueden madurar y multiplicarse aún más en el TEJIDO LINFÁTICO si es bien estimulado. El líquido (LINFA) que drena desde los tejidos linfáticos es llevado a la sangre por los vasos linfáticos. Los ganglios linfáticos, distribuidos a lo largo de estos vasos, filtran la linfa, exponiendo los macrófagos y los linfocitos que contiene cualquier antígeno que esté presente. El bazo juega un papel similar, muestreando la sangre para detectar la presencia de antígenos. La capacidad de los linfocitos para pasar entre el tejido linfático, la sangre y la linfa es un elemento importante en el funcionamiento del sistema. Ver también INMUNODEFICIENCIA; INMUNOLOGÍA.

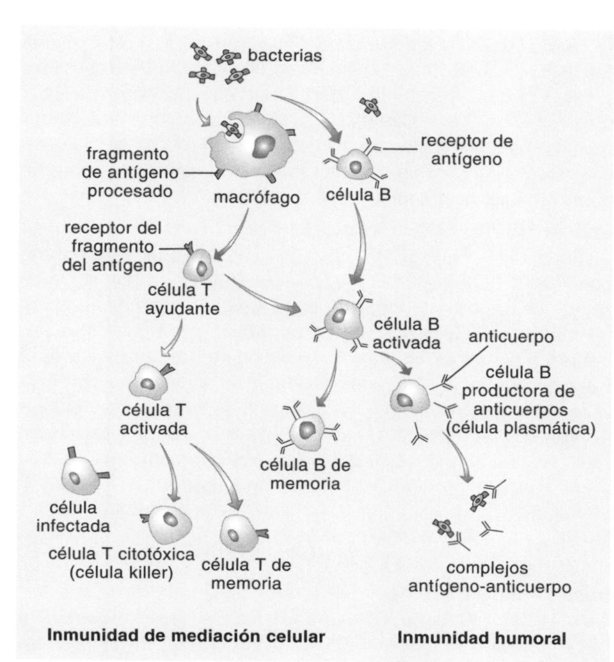

La inmunidad adquirida depende de las actividades de los linfocitos T y B (células T y B). Una parte de la inmunidad adquirida, la inmunidad humoral, comprende la producción de anticuerpos por las células B. La otra parte, la inmunidad de mediación celular, entraña la actividad de las células T. Cuando un antígeno (por ejemplo, una bacteria) ingresa al cuerpo, los macrófagos lo atacan, atrapan, procesan y despliegan parte de él en su superficie celular. Las células T ayudantes reconocen el antígeno desplegado e inician la maduración y proliferación de otras células T. Se desarrollan células T citotóxicas (*killer*), que atacan a las células extrañas o infectadas. Estimuladas por la presencia del antígeno, las células B se activan por medio de las células T ayudantes para dividirse y formar células productoras de anticuerpos (células plasmáticas). El anticuerpo liberado se une al antígeno, marcando la célula para su destrucción. Además, las células T ayudantes inducen el desarrollo de las células T y B de memoria, necesarias para establecer respuestas inmunológicas futuras ante una reinfección con el mismo agente patógeno.

inmunidad Capacidad de resistir el ataque o superar la infección de microbios invasores o parásitos más grandes. La inmunidad se basa en el buen funcionamiento del sistema INMUNE del cuerpo. En la inmunidad natural o innata, los mecanismos inmunes presentes al nacer operan contra una gran variedad de microbios, hayan o no estado en contacto con ellos previamente. Las respuestas inmunitarias adquiridas, adaptadas para actuar contra un microbio determinado o sus productos, son estimuladas por la presencia previa de ese microbio. La infección precedente con un patógeno en particular, así como con las VACUNAS, producen este tipo de inmunidad. Los mecanismos de inmunidad natural comprenden las barreras físicas (como la piel) y químicas (como las enzimas bactericidas presentes en la saliva). Los microbios que penetran las barreras naturales se encuentran con sustancias (como el interferón) que inhiben su crecimiento o reproducción. Los fagocitos (células que ingieren partículas) rodean y destruyen a los microbios invasores, y las células *killer* naturales perforan su membrana externa. La inmunidad innata no confiere resistencia o inmunidad perdurable. La inmunidad adquirida se basa en el reconocimiento del ANTÍGENO por las CÉLULAS B y las CÉLULAS T, y se activa cuando los mecanismos innatos son insuficientes para detener la invasión ulterior de los patógenos. Las células T citotóxicas o *killer* destruyen las células extrañas o infectadas. Las células T ayudantes inducen a las células B, estimuladas por la presencia del antígeno, a proliferar como células secretoras de anticuerpos o células plasmáticas. Los ANTICUERPOS producidos por las células plasmáticas se fijan a las células portadoras de antígenos, marcándolas para ser destruidas. La inmunidad adquirida depende de la supervivencia a largo plazo de las células sensibilizadas T y B de la memoria inmunitaria, que pueden proliferar rápidamente cuando se produce una reinfección con el mismo patógeno. Ver también INMUNODEFICIENCIA; INMUNOLOGÍA; LEUCOCITO; sistema RETICULOENDOTELIAL.

inmunidad En derecho, exención de responsabilidad. De conformidad con los tratados internacionales, los representantes diplomáticos no están sometidos a la legislación local, sea civil o criminal. En muchos países, jueces, legisladores y funcionarios de gobierno, incluido el jefe de Estado, gozan de inmunidad limitada o absoluta, que los exime de responsabilidad por actos ilícitos u omisiones derivados del cumplimiento de sus funciones. La fiscalía puede otorgar inmunidad a un testigo sospechoso de haber realizado una actividad ilícita a cambio de su testimonio contra otros sospechosos.

inmunodeficiencia Defecto de la INMUNIDAD en que se altera la capacidad del organismo para resistir las infecciones. El sistema INMUNE puede fallar por muchas razones. Los trastornos de la inmunidad causados por defectos genéticos se hacen por lo general evidentes en los primeros años de vida. Otros pueden adquirirse a cualquier edad por infecciones (p. ej., el SIDA) o por INMUNOSUPRESIÓN. Los elementos de la respuesta inmunitaria que pueden ser afectados son los LINFOCITOS, otros LEUCOCITOS, los ANTICUERPOS y el COMPLEMENTO. La inmunodeficiencia combinada severa (IDCS), que tiene su origen en múltiples defectos genéticos, afecta la totalidad de esos elementos. Según su causa, el tratamiento puede consistir en la administración de inmunoglobulinas, el trasplante de médula ósea o la terapia de la enfermedad subyacente.

inmunodeficiencia humana, virus de la ver VIH

inmunología Ciencia que estudia las defensas del cuerpo contra los microorganismos patógenos y de los trastornos de esas defensas. Desde el empleo de una VACUNA contra la VIRUELA por EDWARD JENNER, en 1796, la inmunología ha logrado un conocimiento amplio y complejo sobre el papel de los microorganismos en las enfermedades y sobre la formación, movilización, acción e interacción de los ANTICUERPOS y de las células reactivas a los antígenos. Abarca el tratamiento de las ALERGIAS, la INMUNOSUPRESIÓN después de TRASPLANTES de órganos para prevenir el rechazo, y el estudio de las enfermedades AUTOINMUNES y de las INMUNODEFICIENCIAS. El SIDA ha promovido una investigación intensa sobre estas últimas.

inmunosupresión Supresión de la INMUNIDAD con drogas, generalmente para evitar el rechazo de un TRASPLANTE de órgano. Su propósito es permitir que el receptor acepte el órgano permanentemente sin efectos secundarios molestos. En algunos casos, la dosis puede reducirse o incluso suprimirse sin que haya rechazo. También se usa en el tratamiento de ciertas enfermedades AUTOINMUNES y la prevención de la ERITROBLASTOSIS FETAL. Su principal inconveniente reside en el alto riesgo de infecciones por la duración del tratamiento, y de LINFOMAS, en casos de inmunosupresión prolongada.

Inn, río Afluente principal del DANUBIO. Nace en Suiza y sigue un curso de 510 km (317 mi) hacia el nordeste, atravesando el oeste de Austria occidental y el sur de Alemania. En Suiza el río se denomina Engadine. En Austria atraviesa la ciudad de INNSBRUCK, fluye a través de los ALPES bávaros, penetra en Alemania por BAVIERA y desde ahí continúa en dirección nordeste. Al unirse con el Danubio en Passau forma parte de la frontera entre Austria y Alemania.

Inness, George (1 may. 1825, Newburgh, N.Y., EE.UU.–3 ago. 1894, Bridge of Allen, Stirling, Escocia). Paisajista estadounidense. De formación autodidacta. Sus primeras pinturas estuvieron influenciadas por la escuela del RÍO HUDSON. Pasó mucho tiempo en Europa estudiando las obras de la escuela de BARBIZON. Entre c. 1855–74 desarrolló la cualidad luminosa y atmosférica por la que se reconocen sus paisajes. La influencia de CAMILLE COROT es evidente en sus imágenes de grandes extensiones realizadas en profundidad. Sus obras posteriores están marcadas por el predominio del color sobre la forma. Su sentido místico se intensificó con el tiempo, y las pinturas tendieron a disolverse en colores vibrantes sin contornos ni construcción formal. Ver también LUMINISMO.

Inniskilling ver ENNISKILLEN

innovación En TECNOLOGÍA, mejoramiento de un artefacto. La distinción entre algún elemento novedoso en un invento y algo ya existente es materia del derecho de PATENTES. El Renacimiento fue un período de extraordinaria innovación: Leonardo da Vinci produjo diseños ingeniosos de submarinos, aviones y helicópteros y dibujos de complicados juegos de engranaje y de patrones de flujo de líquidos. La tecnología proporcionó a la ciencia instrumentos que realzaron enormemente sus poderes, como por ejemplo, el telescopio de Galileo. Ciencias nuevas como la termodinámica también han realizado su aporte a la tecnología, como la concepción teórica que culminó en el invento de la máquina de vapor. En el s. XX, las innovaciones en la tecnología de los semiconductores han aumentado el rendimiento y disminuido los costos de los materiales y dispositivos electrónicos, por un factor de un millón, un logro sin paralelo en la historia de cualquier tecnología.

Inns of Court Cuatro asociaciones británicas integradas por estudiantes y profesionales del derecho, que tienen la prerrogativa exclusiva de aceptar el ingreso de otros al ejercicio profesional. Están conformadas por: Lincoln's Inn, Gray's Inn, Inner Temple y Middle Temple. Todas ellas están ubicadas en Londres y datan de la Edad Media. Hasta el s. XVII, cuando se creó la Inn of Chancery (para proporcionar capacitación en materia de preparación de ÓRDENES JUDICIALES y otros documentos legales que se utilizan en los tribunales de EQUITY), las Inns of Court tenían el monopolio de la enseñanza del derecho. En el s. XIX surgieron las escuelas de derecho modernas.

Castillo de Fürstenburg con tejado de cobre dorado (al fondo, izquierda), Innsbruck, Austria.
LOUIS GOLDMAN–RAPHO/PHOTO RESEARCHERS

Innsbruck Ciudad (pob., 2001: 113.392 hab.) del oeste de Austria, a orillas del río INN y al sudoeste de SALZBURGO. En el s. XII era un pueblo mercantil que se encontraba junto a un puente (*Brücke*) sobre el Inn. En 1239 recibió la carta que le otorgaba el título de ciudad; en 1363 pasó a manos de la dinastía HABSBURGO y en 1420 se convirtió en la capital del TIROL. En 1806, Napoleón cedió la ciudad a BAVIERA y en 1809 fue escenario del levantamiento de los patriotas tiroleses contra los bávaros y los franceses. La ciudad antigua tiene calles estrechas con edificaciones medievales típicas con arcos. Innsbruck es un centro de deportes invernales; en 1964 y 1976 fue sede de los JUEGOS OLÍMPICOS de Invierno.

Inocencio III *orig.* **Lotario de Segni** (1160/61, castillo Gavignano, cerca de Roma, Estados Pontificios–16 jul. 1216, Perugia). Papa (1198–1216). Inocencio, que tenía una sólida formación en teología y derecho canónico, llevó al papado medieval a la cúspide de su prestigio y poderío. Coronó a OTÓN IV como emperador del Sacro Imperio romano, pero la determinación de este último de unir Germania y Sicilia lo disgustó, y en 1212 dio su apoyo al candidato Hohenstaufen, FEDERICO II. Después de excomulgar al rey JUAN sin Tierra de Inglaterra por rehusarse a reconocer a STEPHEN LANGTON como arzobispo de Canterbury, obligó a Juan a someterse y a proclamar a Inglaterra feudo de la Santa Sede (1213). Inició la cuarta CRUZADA, que capturó Constantinopla, y la CRUZADA CONTRA LOS ALBIGENSES, que intentó suprimir la herejía en el sur de Francia. Aprobó las órdenes mendicantes fundadas por santo DOMINGO y san FRANCISCO DE ASÍS, y convocó el cuarto concilio de LETRÁN, que promulgó la doctrina de la TRANSUSTANCIACIÓN y estableció la obligación para todos los cristianos de confesarse al menos una vez al año.

Inocencio IV *orig.* **Sinibaldo Fieschi** (s. XII, Génova–7 dic. 1254, Nápoles). Papa (1243–54). Su enfrentamiento con FEDERICO II, emperador del Sacro Imperio romano, constituyó un importante capítulo en el conflicto entre el papado y el imperio. Recién elegido pontífice, fue presionado por Federico para que revocara su excomunión, pero interrumpió las negociaciones, huyó de Roma y se refugió en Francia (1244); más tarde condenó a Federico e instó la elección de un nuevo emperador. Interesado en la evangelización de Oriente, convenció a LUIS IX para que encabezara una cruzada y envió misioneros a evangelizar a los mongoles. Regresó a Roma en 1253 y otorgó el trono siciliano a Edmundo, hijo de ENRIQUE III de Inglaterra, pero el ejército papal fue derrotado por MANFREDO, hijo de Federico, en 1254.

İnönü, İsmet (24 sep. 1884, Esmirna, Imperio otomano–25 dic. 1973, Ankara, Turquía). Oficial de ejército y estadista turco. Cuando el Imperio OTOMANO se rindió en la primera guerra mundial (1918), ocupaba el cargo de subsecretario de guerra. Se convirtió en primer ministro en 1923 y a la muerte de MUSTAFÁ KEMAL ATATÜRK en 1938, en pdte. de la república y jefe del Partido Popular Republicano. En 1950 le sucedió como primer mandatario Celâl Bayar y pasó a dirigir la oposición, asumiendo el papel de defensor de la democracia. Después de un golpe de Estado en 1960, formó tres gobiernos de coalición, pero en las elecciones de 1965 y 1969 su partido sufrió derrotas aplastantes.

inosilicato Cualquier miembro de una clase de compuestos inorgánicos que poseen estructuras caracterizadas por tetraedros de sílice (un átomo central de silicio rodeado por cuatro átomos de oxígeno en los vértices del tetraedro) dispuestos en cadenas. Dos de los átomos de oxígeno de cada tetraedro son compartidos con otros tetraedros, formando una cadena de longitud potencialmente infinita. Los ANFÍBOLES y los PIROXENOS son ejemplos de minerales inosilicatos.

Inoue Enryō (18 mar. 1858, provincia de Echigo, Japón–6 jun. 1919, Dairen, Manchuria). Filósofo japonés. Después de estudiar en el templo principal del BUDISMO DE LA TIERRA PURA en Japón, se licenció en filosofía en la Universidad Imperial de Tokio. Se opuso a la occidentalización de Japón y a la conversión de funcionarios al cristianismo. En 1887 fundó el Instituto Filosófico para fomentar el estudio del BUDISMO. Como parte de su campaña para librar a Japón de supersticiones asociadas con el folclore y la mitología, estableció un instituto espiritista en Tokio.

Inquisición En la EDAD MEDIA, procedimiento judicial que se utilizó para combatir la HEREJÍA; desde principios de la era moderna, institución judicial católica de carácter formal. La *Inquisitio*, término latino que significa investigación o pesquisa, era un procedimiento legal que consistía en la recopilación de pruebas y la realización de un juicio criminal. Su uso en contra de los herejes CÁTAROS y VALDENSES fue aprobado por el papa GREGORIO IX en 1231. Los sospechosos de herejía eran arrestados, interrogados y juzgados; el uso de la tortura fue aprobado por INOCENCIO IV en 1252. Los castigos iban desde la oración y el ayuno hasta la prisión; los herejes condenados que rehusaban retractarse podían ser ejecutados por las autoridades laicas. Los inquisidores fueron muy activos durante la Edad Media en el norte de Italia y el sur de Francia. La Inquisición española fue autorizada por SIXTO IV en 1478; el papa intentó más tarde limitar su poder, pero la corona de España se opuso. El auto de fe, ceremonia pública en que se pronunciaban las sentencias, era una intrincada celebración, y el gran inquisidor TOMÁS DE TORQUEMADA fue responsable de la quema de cerca de 2.000 herejes en la estaca. La Inquisición española se estableció también en México, Perú, Sicilia (1517) y los Países Bajos (1522), y no fue suprimida completamente en España sino hasta principios del s. XIX.

Hereje condenado a la tortura por la Inquisición.
FOTOBANCO

insecticida Cualquiera de un extenso grupo de sustancias que se utilizan para exterminar INSECTOS. Se usan principalmente para controlar pestes que infestan plantas de cultivo y sembrados, o para eliminar insectos portadores de enfermedades en áreas específicas. Los insecticidas inorgánicos comprenden compuestos de ARSÉNICO, PLOMO y COBRE. Algunos insecticidas orgánicos son de origen natural, como rotenona, piretrinas y NICOTINA (ver TOXINA). Otros son sintéticos, como los HIDROCARBUROS clorados (p. ej., DDT, dieldrin y lindano); los carbamatos, relacionados con la UREA (p. ej., carbaril, carbofurano), y los parationes y ÉSTERES orgánicos de FÓSFORO. Algunas HORMONAS de insectos pueden ser consideradas como una clase. Los insecticidas pueden afectar el sistema NERVIOSO, inhibir ENZIMAS esenciales o prevenir la maduración de la LARVA (p. ej., la hormona juvenil). Algunos son VENENOS estomacales, otros, de inhalación y otros, venenos de contacto. Los agentes como los aceites inertes actúan en forma mecánica, bloqueando los poros de la respiración. Los insecticidas varían no sólo en efectividad contra los insectos que pueden desarrollar resistencia, sino también en la toxicidad para las especies no objeto de exterminio (como los seres humanos) y en efectos ambientales; muchos de los más dañinos (p. ej., DDT) han sido prohibidos o se ha limitado su uso.

insectívoro Cualquier miembro del orden Insectivora de mamíferos, como ERIZOS, TOPOS y a veces MUSARAÑAS (algunas consideradas PRIMATES por ciertos expertos) o, más en general, cualquier animal que se alimenta principalmente de insectos. Los insectívoros mamíferos son por lo general pequeños, activos y nocturnos. Habitan en casi todo el mundo, salvo la Antártida, Australia y Sudamérica. La mayoría de las especies es solitaria (exceptuando durante el celo) y de vida breve.

insecto Cualquier miembro de la clase Insecta, la más grande de los ARTRÓPODOS, que abarca cerca de 1 millón de especies conocidas (un 75% de todos los animales) y unas 5–10 millones de especies estimadas no descritas. Su cuerpo tiene tres segmentos: cabeza, tórax (con tres pares de patas y normalmente dos pares de alas) y un abdomen multisegmentado. Muchas especies experimentan una METAMORFOSIS completa. Hay dos subclases: Apterygota (formas primitivas, ápteras, que comprenden la LEPISMA y el colémbolo) y Pterygota (más avanzadas, aladas o formas secundariamente ápteras). Los cerca de 27 órdenes de Pterygota se clasifican normalmente según la forma del ala: p. ej., Coleoptera (ver COLEÓPTEROS), Diptera (ver DÍPTEROS), Heteroptera. Se encuentran en casi todos los hábitats terrestres o de agua dulce y en algunos marinos.

insecto hoja Cualquiera de unas 25 especies de insectos verdes aplanados (familia Phylliidae) de aspecto foliforme. Habitan desde India hasta las islas Fiji y miden unos 60 mm (2,3 pulg.) de largo. La hembra posee grandes alas delanteras coriáceas (tégmenes) que descansan borde a borde sobre el abdomen y parecen, por su dibujo venoso, la costilla y venas de una hoja. Las alas posteriores carecen de función. Los machos tienen tégmenes pequeños y alas posteriores funcionales, anchas, no foliformes. Los insectos de eclosión reciente son color rojizo, pero se ponen verdes después de comer hojas.

insei (japonés: "gobierno enclaustrado"). Gobierno de los emperadores retirados, que habían adherido a votos budistas y vivían en claustro. A fines del s. XI y durante el s. XII, el control del gobierno de Japón pasó de la familia FUJIWARA, que se había mantenido en el poder a través de matrimonios con la familia imperial, a los emperadores enclaustrados. Mediante la abdicación en favor de un hijo, dichos emperadores escaparon del control de los regentes y cancilleres Fujiwara; una vez dentro de un templo o monasterio, se rodearon de aristócratas capacitados que no pertenecían a la familia Fujiwara. En un período de creciente colapso de la autoridad central, se acataban los edictos del emperador enclaustrado, no los del emperador reinante. Esta práctica llegó a su fin con el reinado del emperador GO-DAIGO (1318–39). Ver también SHOEN.

inseminación artificial Introducción de semen en la vagina o cuello uterino por medios diferentes al coito. Fue desarrollada originalmente para la fecundación de animales a comienzos del s. XX en Rusia. Ahora se emplea para inducir embarazos en mujeres cuyas parejas son estériles. El semen de la pareja (u otro donante) se introduce con una jeringa. Aunque tiene un éxito moderado, la inseminación artificial en seres humanos suscita problemas morales que aún no han sido resueltos. En el caso del ganado, el semen supercongelado puede almacenarse por largo tiempo sin que pierda su fecundidad, permitiendo así que un solo toro semental procree hasta 10.000 terneros al año.

inseparables Cualquiera de nueve especies de LOROS pequeños (género *Agapornis*, subfamilia Psittacinae) de África y Madagascar. Son populares como mascotas por sus colores llamativos y la aparente cercanía afectuosa de las parejas. Tienen un largo de 10–16 cm (4–6 pulg.), son fornidas y de cola corta. La mayoría tiene un pico rojo y un anillo conspicuo en el ojo. Ambos sexos lucen iguales. Buscan semillas en grandes bandadas, en bosques y matorrales y pueden dañar cultivos. Resistentes y longevas, se enfrentan a otras aves y tienen un graznido fuerte. Aunque difíciles de domesticar, se les puede enseñar trucos, y dentro de ciertos límites, imitar la voz humana.

Inside Passage *o* **Inland Passage** Ruta marítima natural bajo protección en la costa de EE.UU. y Canadá, que va desde SEATTLE, Wash., hasta Skagway, Alaska. Se extiende en dirección noroeste por más de 1.600 km (1.000 mi) y consta de

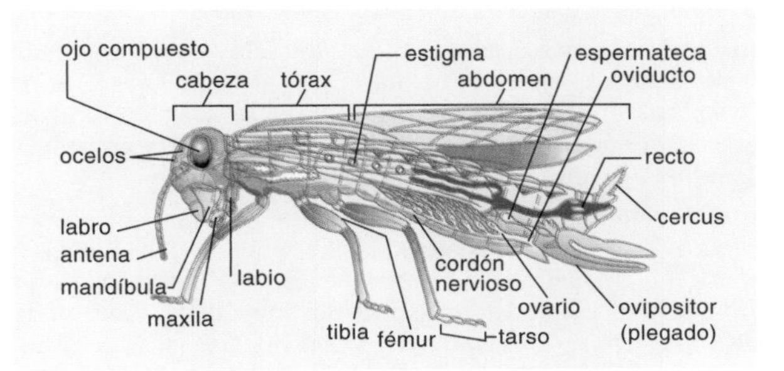

Anatomía de un insecto tipo. Generalmente, el cuerpo se divide en tres partes: cabeza, tórax y abdomen. La cabeza tiene apéndices modificados en piezas bucales y antenas con órganos sensoriales. Las piezas bucales incluyen mandíbulas dentadas y maxilas cortantes que se encuentran detrás del "labio superior" o labro. Un segundo par de maxilas, parcialmente unidas, forman el "labio inferior" o labio. Un adulto, por lo general, tiene tanto ojos simples (ocelos) como ojos compuestos facetados más complejos, así como un par de alas en el tórax. El segmento tarsal de la pata articulada, frecuentemente tiene garras con almohadillas adhesivas, las que permiten al insecto sujetarse a superficies lisas. En algunos insectos (como grillos y cucarachas) hay un par de sensores (cerci) con órganos sensoriales situados en el extremo del abdomen. Unos orificios diminutos (estigmas) situados en el tórax y el abdomen, permiten el paso del oxígeno y liberan el dióxido de carbono de túbulos aéreos internos o tráqueas. El esperma del macho se almacena en la espermateca de la hembra hasta que un óvulo liberado por el ovario pasa por el oviducto. La hembra puede tener un ovipositor para depositar los huevos.

canales y estrechos entre el continente y las islas (como la isla VANCOUVER) que la resguardan de las tormentas del Pacífico. Es una ruta privilegiada para el tráfico costero hacia Alaska. Entre los puertos de la provincia de Columbia Británica se cuentan VICTORIA, VANCOUVER y Prince Rupert; mientras que los que se encuentran en Alaska son Ketchikan, Wrangell y JUNEAU.

insolvencia Situación en la cual el pasivo es superior al activo, de modo que los acreedores no pueden pagarse. Es una situación financiera que a menudo antecede a la QUIEBRA. En el contexto de la justicia de *equity*, es la incapacidad de pagar las deudas cuando se hacen exigibles. Desde el punto de vista contable, la insolvencia significa que el total del pasivo es superior al activo total.

insomnio Incapacidad de dormir adecuadamente. Entre sus causas pueden mencionarse condiciones deficientes del dormir, desórdenes circulatorios o cerebrales, desórdenes respiratorios (p. ej., la apnea del sueño), trastornos mentales (p. ej., tensión o depresión) e incomodidad física. El insomnio leve puede tratarse mediante el mejoramiento de las condiciones del dormir o mediante remedios tradicionales, como baños tibios, leche o relajación sistemática. La apnea y el insomnio asociado pueden ser tratados quirúrgica o mecánicamente (con respiradores). El insomnio grave o crónico puede requerir el uso temporal de barbitúricos o tranquilizantes, pero, como estas drogas suelen ser adictivas, pueden tener una eficacia decreciente conforme el organismo se vuelve tolerante a ellas. Otros métodos de tratamiento son, por ejemplo, la PSICOTERAPIA y la HIPNOSIS.

instalaciones Cualquier elemento de un edificio que opera mecánicamente, como los sistemas de PLOMERÍA, ASCENSORES, ESCALERAS MECÁNICAS, CALEFACCIÓN y CLIMATIZACIÓN. La introducción de la mecanización en los edificios, a principios del s. XX, trajo consigo ajustes importantes; los nuevos equipos exigían una planta de mayor superficie y el equipo a cargo del diseño comenzó a incluir ingenieros eléctricos e ingenieros especializados en calefacción, VENTILACIÓN y climatización. La calefacción y refrigeración cambiaron en forma drástica. Los edificios modernos, con sus grandes ganancias de energía térmica, convierten la calefacción central en poco más que un complemento. La eliminación del calor es un problema mucho más serio, especialmente en climas cálidos. Los techos de los edificios altos son ocupados por torres de enfriamiento y PENTHOUSES de servicios; a menudo se destinan pisos completos para alojar ventiladores, compresores, enfriadores de agua, calderas, bombas y generadores.

instigación En DERECHO PENAL, acto de pedir, inducir u ordenar a alguien que cometa un delito. El instigador se convierte en cómplice del delito. El término también se refiere al acto de obtener sobornos, así como al delito que comete la prostituta que ofrece favores sexuales a cambio de dinero.

instinto Respuesta involuntaria de un animal, cuya consecuencia es un patrón conductual predecible y relativamente fijo. La conducta instintiva es un mecanismo heredado que sirve para facilitar la supervivencia de un animal o especie. Es muy evidente en los combates y la actividad sexual. La forma más simple es el REFLEJO. Todos los animales tienen instinto, pero en general, mientras más elevada sea la forma animal más flexible será la conducta. En los mamíferos, la conducta aprendida a menudo prevalece sobre la instintiva.

Instituto de Artes de California *llamado* **CalArts** Institución privada de educación superior ubicada en Valencia, EE.UU. Creada en 1961, luego de la fusión de dos institutos de arte, fue el primero del país en especializarse en programas de posgrado en artes visuales y artes interpretativas. Consta de cinco escuelas –arte, danza, cine y vídeo, música y teatro– y una división de estudios de crítica. Todas las escuelas otorgan los grados de bachiller y de maestría (B.F.A. y M.F.A.). Un programa de artes de tipo comunitario auspicia trabajos con estudiantes jóvenes de zonas socialmente desfavorecidas de la ciudad de Los Ángeles.

Instituto de Tecnología de Massachusetts ver MIT

Instituto Tecnológico de California *llamado* **Caltech** Universidad e instituto de investigaciones estadounidense, de carácter privado y sumamente selectivo, ubicado en Pasadena. Creado en 1891, ofrece instrucción e investigación de pregrado y posgrado en ciencia pura y aplicada y en ingeniería. Es considerado uno de los principales centros de investigación científica del mundo. En 1958, su Jet Propulsion Laboratory, en colaboración con la NASA, lanzó el Explorer I, el primer satélite estadounidense. Caltech administra observatorios astronómicos en Monte Palomar, Owens Valley y Big Bear Lake, Cal., y en Mauna Kea, Hawai. Entre otras de sus instalaciones cabe destacar los laboratorios sismológicos, y de biología marina y un centro para el estudio de la radioastronomía.

Instituto Tecnológico de Georgia *llamado* **Georgia Tech** Institución pública de educación superior con sede en Atlanta, Ga., EE.UU., fundada en 1885. Está compuesto por *colleges* (colegios universitarios) de arquitectura, computación, ingeniería, ciencias y políticas públicas y administración. Ofrece programas de pregrado y posgrado. Georgia Tech alberga un centro de investigación nuclear y varios otros centros de INVESTIGACIÓN Y DESARROLLO.

instrucción militar Adiestramiento que se imparte a los soldados para el desempeño de sus tareas mediante la práctica de ciertos movimientos preestablecidos. Entrena a los soldados en formaciones de batalla, los familiariza con las armas, y desarrolla un sentido de trabajo en equipo y de disciplina. Hoy, la instrucción de formación cerrada se centra en desfiles, paradas y otras ceremonias que involucran marchas; la instrucción de combate se focaliza en la práctica de maniobras de batalla más desperdigadas. Fue introducida por los griegos, quienes practicaban las maniobras de la FALANGE. El cuidadoso entrenamiento de las LEGIONES fue uno de los principales factores de dominación del Imperio romano. Después de la decadencia de Roma, la instrucción militar desapareció en gran medida, y las batallas se transformaron en desordenados combates todos contra todos. GUSTAVO II ADOLFO de Suecia fue el primero en reintroducir las técnicas de instrucción militar en Europa a comienzos del s. XVII.

instrumentación En TECNOLOGÍA, el desarrollo y uso de equipos precisos de medición, análisis y control. Entre los instrumentos de medición más antiguos que se conocen está la esfera armilar, un instrumento astronómico usado en la antigua China y en Grecia. La BRÚJULA fue un inmenso adelanto en la instrumentación para la navegación que data del s. XI. El teodolito hizo posible la determinación exacta de un punto sobre el terreno, ya en el s. XVIII. La instrumentación se desarrolló rápidamente con la REVOLUCIÓN INDUSTRIAL. La producción fabril requería instrumentos de precisión, como el MICRÓMETRO de tornillo, el cual podía medir 0,0025 mm (0,0001 pulg.). La aplicación industrial de la electricidad requirió instrumentos para medir la corriente, el voltaje y la resistencia eléctrica. Hoy, la mayoría de los procesos industriales recurren a la instrumentación para monitorizar propiedades químicas, físicas y ambientales. Asimismo, hay una gran variedad de instrumentos que se usan tanto en medicina como en investigación biomédica. Ver también ANÁLISIS.

instrumentalismo *o* **experimentalismo** Filosofía desarrollada por JOHN DEWEY, que afirma que lo más importante en una cosa o idea es su valor como instrumento de acción y que la verdad de una idea se halla en su utilidad. Dewey prefirió este término al de PRAGMATISMO para denominar la filosofía en que se basaban sus concepciones sobre educación. Su escuela afirmaba que la cognición ha evolucionado no por propósitos especulativos o metafísicos, sino por el propósito práctico de una adaptación exitosa. Las ideas son concebidas como instrumentos para transformar la inquietud surgida al enfrentar un problema y lograr la satisfacción de resolverlo.

instrumento negociable Documento transferible (p. ej., una letra, cheque o pagaré bancario) que contiene la promesa u orden incondicional de pagar al tenedor legítimo una suma de dinero determinada a la vista o en un plazo determinado. En EE.UU., esta materia está regulada por el código uniforme de comercio.

insuficiencia cardíaca Incapacidad de uno o ambos lados del CORAZÓN para bombear la sangre suficiente al cuerpo. Sus causas comprenden la CARDIOPATÍA PULMONAR, HIPERTENSIÓN y ATEROESCLEROSIS coronaria. La persona con insuficiencia del lado izquierdo del corazón sufre disnea de decúbito, ahogos nocturnos e hipertensión venosa pulmonar. El paciente con insuficiencia del lado derecho presenta hipertensión venosa sistémica, hepatomegalia y acumulación de líquido en las piernas. La persona con insuficiencia de ambos ventrículos presenta cardiomegalia y latidos cardíacos en tres tiempos. El tratamiento consiste en reposo en cama, medicamentos como DIGITALINA, control de la retención excesiva de agua y sal, y la supresión de la causa subyacente. Ver también INSUFICIENCIA CARDÍACA CONGESTIVA.

insuficiencia cardíaca congestiva Afección cardíaca que se traduce en la acumulación de líquido en los pulmones y otros tejidos corporales. Se relaciona sobre todo con la retención de agua y sal en los tejidos más que con la reducción directa del flujo sanguíneo. La sangre se apoza en las venas (congestión vascular), porque el corazón no bombea con la eficiencia suficiente para permitirle que retorne. Puede variar desde síntomas mínimos hasta EDEMA pulmonar agudo, o un estado de CHOQUE que lleve rápidamente a la muerte. Los estados crónicos, de gravedad variable, pueden durar años. Los síntomas tienden a empeorar con los intentos del organismo de compensar la afección, pues con ello se crea un círculo vicioso. El paciente tiene dificultad para respirar, inicialmente durante los esfuerzos, y más tarde incluso en reposo. El tratamiento se orienta a aumentar la fuerza de las contracciones del miocardio, reducir la acumulación de líquido y suprimir la causa subyacente de la insuficiencia.

insuficiencia renal ver insuficiencia RENAL

insulina HORMONA polipeptídica (ver PÉPTIDO) que regula los niveles de GLUCOSA en la sangre. Secretada por los islotes de LANGERHANS en el PÁNCREAS cuando aumenta la glucosa en la sangre, como después de una comida, ayuda a transferir la glucosa a las células del organismo para que sea oxidada (ver OXIDACIÓN-REDUCCIÓN) para liberar energía, o convertida y almacenada como ácidos GRASOS o GLUCÓGENO. Cuando disminuye la glucosa en la sangre, la secreción de insulina se detiene y el hígado libera más glucosa a la sangre. La insulina tiene varias funciones relacionadas en el hígado, los músculos y otros tejidos, controlando el balance de la glucosa con los compuestos relacionados. Entre los desórdenes asociados con la insulina se cuentan la DIABETES MELLITUS y la HIPOGLICEMIA. FREDERICK BANTING y J.J.R. MACLEOD obtuvieron el Premio Nobel en 1923 por el descubrimiento de la insulina, y FREDERICK SANGER recibió esta distinción en 1958 por determinar su secuencia de aminoácidos.

insumo-producto, análisis Análisis económico desarrollado por WASSILY LEONTIEF, en que se examina la interdependencia de varios sectores productivos de una economía considerando el producto de cada industria como producto de CONSUMO y como factor en su propia producción y en la de otros productos. Por ejemplo, en un análisis insumo-producto se puede desglosar la producción total de camiones de un país y mostrar que algunos se utilizan en la fabricación de más camiones, una parte en la agricultura, otros en la producción de viviendas, y así sucesivamente. Un análisis insumo-producto normalmente se resume en un cuadro cuadriculado que muestra cuáles son las compras y ventas de varias industrias entre sí.

intaglio ver HUECOGRABADO

integración En CÁLCULO, el proceso de encontrar una FUNCIÓN cuya DERIVADA es una función dada. El término, que algunas veces se usa indistintamente con "antidiferenciación", se indica en forma simbólica con el signo de integral $\int$. (El DIFERENCIAL dx casi siempre lo sigue para indicar que x es la VARIABLE). Las reglas básicas de integración son: (1) $\int(f + g)dx = \int f dx + \int g dx$ (donde f y g son funciones de la variable x), (2) $\int kf dx = k\int f dx$ (k es una constante), y (3) $\int x^n dx = \left(\frac{1}{n+1}\right)x^{n+1} + C$ (C es una constante). Nótese que se puede agregar cualquier valor constante a una integral indefinida sin que cambie su derivada. De este modo, la integral indefinida de $2x$ es $x^2 + C$, donde C puede ser cualquier número real. Una integral definida es una integral indefinida evaluada sobre un intervalo. El resultado no se ve afectado por la elección del valor de C. Ver también DERIVACIÓN.

integración vertical Forma de organización comercial en que una empresa controla todas las etapas de producción de un bien, desde la adquisición de materias primas hasta la venta al detalle del producto final. Un ejemplo actual es la industria del petróleo, en que una sola empresa es por lo general propietaria de los pozos petrolíferos, refina el crudo y vende gasolina en las estaciones de servicio. Por el contrario, en una integración horizontal, una empresa persigue controlar totalmente una sola etapa de producción o una sola industria, lo que le permite aprovechar las economías de escala, pero se traduce en una menor competencia.

integral Concepto fundamental del CÁLCULO relacionado con áreas y otras cantidades modeladas por FUNCIONES. Una integral definida da el área entre la línea que grafica una función y el eje horizontal, entre las rectas verticales en los puntos extremos de un intervalo. También permite calcular los cambios netos en un sistema sobre un intervalo, conduciendo así, por ejemplo, a fórmulas para el trabajo total realizado por una fuerza variable, o para la distancia total recorrida por un objeto que se mueve con velocidad variable. Cuando sólo se especifica la función, sin definir el intervalo de integración, se la denomina integral indefinida. El proceso de calcular una integral tanto definida como indefinida se llama INTEGRACIÓN. De acuerdo al teorema fundamental del CÁLCULO, una integral definida puede calcularse usando su antiderivada (una función cuya tasa o velocidad de cambio, es decir, su derivada, es igual a la función que se está integrando). Las integrales se generalizan a un número mayor de dimensiones (es decir, de variables independientes) mediante INTEGRALES MÚLTIPLES. Ver también INTEGRAL CURVILÍNEA; INTEGRAL DE SUPERFICIE.

integral curvilínea En matemática, la INTEGRAL de una FUNCIÓN de varias VARIABLES definida sobre una RECTA o curva que se ha expresado en términos de longitud de arco (ver LONGITUD DE UNA CURVA). Una integral definida ordinaria se determina sobre un segmento de línea recta, mientras una integral curvilínea puede usar una trayectoria más general, tal como una parábola o un círculo. Las integrales curvilíneas se utilizan extensamente en la teoría de funciones de VARIABLE COMPLEJA.

integral de superficie En cálculo, la INTEGRAL de una función de varias variables calculada sobre una SUPERFICIE. Para funciones de una sola variable, las integrales definidas se calculan sobre intervalos en el eje x y dan como resultado un área. Para funciones de dos variables, las integrales dobles en su forma más simple se calculan sobre regiones rectangulares y dan volúmenes como resultado. De manera más general, una integral calculada sobre un plano o sobre una superficie curva da como resultado una integral de superficie que representa un volumen, aunque también tiene muchas aplicaciones no geométricas.

integral múltiple En CÁLCULO, la INTEGRAL de una FUNCIÓN de más de una variable. Así como la integral de una función de una variable sobre un intervalo da como resultado un área, la integral doble de una función de dos variables calculada sobre una región da como resultado un volumen. Las funciones de tres variables tienen integrales triples, y así sucesivamente. Al igual que la integral simple, tales elaboraciones son útiles para calcular el cambio neto en una función como resultado de cambios parciales en sus variables.

integumento Envoltura del cuerpo que lo protege del mundo exterior y de la desecación. En los seres humanos y otros mamíferos está representada por la PIEL (incluida la epidermis externa y la dermis interna) y sus estructuras conexas, como el PELO, UÑAS y las GLÁNDULAS SEBÁCEAS y SUDORÍPARAS.

Intel Corp. Empresa estadounidense fabricante de circuitos semiconductores para computadoras. Intel fue fundada en 1968 con la razón social NM Electronics por ROBERT NOYCE y Gordon Moore, inventores del circuito integrado, para fabricarlos a gran escala. A principios de la década de 1970, la empresa introdujo los chips semiconductores más potentes conocidos hasta entonces, los que pronto reemplazaron a los núcleos magnéticos que previamente se utilizaban en las memorias de las computadoras. IBM CORP. decidió usar el MICROPROCESADOR Intel 8088 (introducido en 1978) en su primera COMPUTADORA PERSONAL (el PC IBM), con lo que los microprocesadores Intel se transformaron en un componente estándar de todas las máquinas tipo PC. Aunque finalmente otros fabricantes desarrollaron microprocesadores compatibles con Intel, más del 75% de los PC continúan funcionando con procesadores Intel a principios del s. XXI.

inteligencia En educación, capacidad para aprender, o comprender y manejar situaciones nuevas o difíciles. En psicología, el término puede designar más específicamente la capacidad de adquirir y aplicar conocimientos para manipular el medio circundante o para pensar en forma abstracta, lo cual puede medirse con criterios objetivos (como la prueba de CI). Se estima en general que la inteligencia resulta de una combinación de características hereditarias y factores ambientales (de desarrollo y sociales). El asunto sigue siendo objeto de fuertes debates, y muchos han intentado mostrar que ya sea lo biológico (especialmente los genes) o lo ambiental (especialmente las condiciones que reflejan la clase socioeconómica) son, de modo más o menos exclusivo, responsables de producir diferencias en cuanto a inteligencia. Los estudios que pretenden mostrar vínculos entre herencia étnica e inteligencia han resultado particularmente controversiales, y en su mayoría han sido rechazados por la comunidad científica. Suele decirse que la inteligencia general comprende diversas habilidades específicas (habilidad verbal, habilidad para aplicar la lógica en la solución de problemas, etc.), pero los críticos sostienen que esa división no refleja la naturaleza de la cognición y que se requieren otros modelos, basados tal vez en el PROCESAMIENTO DE INFORMACIÓN, para comprender de mejor forma el fenómeno. A veces se observa que una gran inteligencia (medida por las pruebas) se correlaciona con el logro social, pero la mayoría de los expertos creen que hay otros factores que son importantes y que la inteligencia no es garante del éxito (ni su carencia es garante del fracaso). Ver también CREATIVIDAD; INTELIGENCIA ARTIFICIAL.

inteligencia En operaciones de gobierno y militares, información evaluada concerniente a los recursos bélicos, actividades y planes probables de acción de naciones que no necesariamente son enemigas o adversarias. El término también se refiere a la recolección, análisis y distribución de dicha información y a la intervención subrepticia en los asuntos políticos o económicos de otros países, actividad comúnmente conocida como "acciones encubiertas". La inteligencia es un componente importante del poderío nacional y un elemento fundamental en la toma de decisiones en relación con la seguridad nacional, la defensa y la política exterior. La inteligencia se maneja en tres niveles: estrategia, táctica y contrainteligencia. Pese a la imagen pública de los operativos de inteligencia como asuntos en que intervienen agentes secretos, buena parte del trabajo de inteligencia supone la poco apasionante búsqueda de fuentes "abiertas", como emisiones radiales y publicaciones. Entre las fuentes encubiertas de inteligencia están la inteligencia de imágenes, que comprende los reconocimientos aéreos y espaciales, la inteligencia de señales, que incluye la escucha electrónica y el desciframiento de CÓDIGOS, y la inteligencia humana, que entraña el trabajo de los agentes secretos en la forma clásica en que los espías desarrollan su oficio. Entre las organizaciones de inteligencia destacadas figuran la CIA en EE.UU., el Servicio de Seguridad Federal en Rusia, el MI5 y MI6 en Gran Bretaña, y el MOSSAD en Israel.

inteligencia artificial (IA) Capacidad de una máquina para ejecutar tareas que requieren de la inteligencia humana. Las aplicaciones típicas comprenden juegos, traducción de lenguaje, SISTEMAS EXPERTOS y ROBÓTICA. Aunque la maquinaria pseudointeligente se remonta a la antigüedad, los primeros indicios de inteligencia verdadera aparecieron con el desarrollo de la COMPUTADORA DIGITAL en la década de 1940. La inteligencia artificial, o al menos la apariencia de inteligencia, se ha desarrollado en paralelo con el poder de procesamiento computacional, el cual aparece como el principal factor limitante. Los primeros proyectos de IA, como el juego de ajedrez y la solución de problemas matemáticos, son vistos actualmente como triviales en comparación con el RECONOCIMIENTO DE PATRONES visuales, toma de decisiones complejas y el uso del lenguaje natural. Ver también test de TURING.

El ajedrecista ruso Garri Kaspárov desafiando a su opositor, una computadora IBM dotada de inteligencia artificial.
FOTOBANCO

intención En lógica y psicología escolástica, concepto que describe un modo de ser o relación entre la mente y un objeto. Se sostiene que al conocer la mente tiende hacia su objeto, y una cosa en tanto conocida, o en la mente cognoscente, tiene un "ser intencional", como ocurre con el cuadrado del círculo, lo cual, aunque imposible, puede ser un objeto de intención. En teoría de la acción, la intención se interpreta en un sentido diferente, pero relacionado, como sucede al actuar con la intención de lograr un propósito específico. Una cuestión importante en la teoría de la acción es la de la relación entre tener una intención específica al hacer algo y hacer la misma cosa intencionalmente. ¿Es necesaria una intención para la acción intencional y, si es así, es causa de tal acción o algún otro tipo de fundamento de ella?

intencionalidad Propiedad de estar orientado hacia un objeto. La intencionalidad se muestra en varios fenómenos mentales. Así, si una persona experimenta una emoción hacia un objeto, tiene una actitud intencional hacia él. Otros ejemplos de actitudes intencionales hacia un objeto son: buscar el objeto, creer y pensar en él. Las actitudes intencionales comprenden también ACTITUDES PROPOSICIONALES. Una característica de la intencionalidad es la "inexistencia": un individuo puede estar relacionado intencionalmente con un objeto que no existe. Así, lo que un individuo busca (y busca intencionalmente) puede no existir, y un acontecimiento que cree que va a ocurrir puede no ocurrir en absoluto. Otra característica es la opacidad referencial: una oración que adscribe verazmente un estado intencional a un individuo puede tornarse falsa cuando el objeto de tal estado es sustituido por una descripción alternativa del objeto. Supóngase que la lapicera del sujeto es la millonésima lapicera producida este año, así que "su lapicera" y "la millonésima lapicera producida este año" tienen la misma referencia. Puede ser verdadero decir que el individuo se halla en el estado intencional de buscar su lapicera, pero puede ser falso decir que se halla en el estado intencional de buscar la millonésima lapicera producida este año; de manera similar, puede creer que esta es su lapicera, pero no creer que esta sea la millonésima lapicera producida este año.

intendente *u* **oficial de intendencia** Oficial que supervisa el acuartelamiento y movimiento de tropas. El cargo existe en Europa por lo menos desde el s. XV. El ministro de guerra francés, bajo LUIS XIV, creó un departamento del intendente general que se dedicó a distribuir almacenes estratégicamente ubicados a través de la campiña, con alimentos, forraje, municiones y equipamiento. En algunos países europeos, ya en el s. XVIII, sus tareas comprendían la coordinación de las marchas y despliegues, y dar forma a las órdenes operacionales; en EE.UU. permanecieron hasta 1962 como funcionarios logísticos y administrativos especializados cuando el Cuerpo de intendencia fue absorbido por otros organismos.

interacción fundamental En física, el efecto de cualquiera de las cuatro fuerzas fundamentales: gravitacional, electromagnética, nuclear fuerte y nuclear débil. Todas las fuerzas naturales conocidas pueden reducirse a estas interacciones fundamentales. La GRAVITACIÓN es la fuerza de atracción entre cualquier par de objetos que tienen MASA; causa la caída de los objetos a tierra al soltarlos y mantiene las órbitas de los planetas en torno al Sol. La FUERZA ELECTROMAGNÉTICA es responsable de la atracción y repulsión entre las CARGAS ELÉCTRICAS y explica el comportamiento químico de los ÁTOMOS y las propiedades de la LUZ. La FUERZA NUCLEAR FUERTE liga los QUARKS entre sí en los PROTONES, NEUTRONES y otros HADRONES y también mantiene ligados entre sí los protones y neutrones en un NÚCLEO atómico, venciendo la repulsión eléctrica entre los protones, que tienen la misma carga positiva. La FUERZA NUCLEAR DÉBIL se observa en ciertas formas de desintegración radiactiva (ver RADIACTIVIDAD) y en reacciones que son la fuente de la energía del Sol y otras estrellas.

interaccionismo En sociología, perspectiva teórica según la cual los procesos sociales (como el conflicto, la cooperación, la formación de la identidad) se explican a partir de la interacción humana. Fue GEORG SIMMEL quien primero señaló que la "sociedad es simplemente el nombre de una serie de personas conectadas por interacción". En EE.UU., JOHN DEWEY, Charles H. Cooley y, sobre todo, GEORGE HERBERT MEAD propusieron el interaccionismo simbólico, teoría que postula que el pensamiento y el yo no forman parte de las capacidades humanas innatas, sino que surgen por la interacción social, i.e., por la comunicación con otros mediante el uso de SÍMBOLOS. Para los interaccionistas simbólicos, el individuo siempre está involucrado en el proceso de socialización, i.e., siempre está modificando su pensamiento, su rol y su conducta por medio del contacto con otros individuos. Otros teóricos, como ALFRED SCHUTZ, se basaron en la FENOMENOLOGÍA para ampliar el interaccionismo, iniciativa que condujo a la creación de campos como la SOCIOLINGÜÍSTICA y etnometodología, el estudio de las actividades humanas generadoras de sentido. Ver también ERVING GOFFMAN.

interaccionismo En filosofía de la MENTE, especie de DUALISMO mente-cuerpo que sostiene que la mente y el cuerpo, aunque sustancias separadas y distintas, interactúan causalmente. Los interaccionistas afirman que un suceso mental (como cuando alguien tiene la intención de poner las manos en el fuego) puede ser la causa de una acción física. A la inversa, el suceso físico (la mano que se pone en contacto con el fuego) puede ser la causa de un suceso mental (el experimentar un dolor intenso). La formulación clásica del interaccionismo se debe a RENÉ DESCARTES, quien no pudo explicar cómo ocurre la interacción más allá de conjeturar que tiene lugar en la glándula pineal. Este problema llevó a algunos filósofos a negar que hubiese interacción real entre la mente y el cuerpo y a explicar las manifestaciones en contrario, recurriendo a una intervención divina capaz de crear efectos mentales o físicos en correspondencia con causas físicas o mentales (ver OCASIONALISMO) o recurriendo a una "armonía preestablecida", divinamente ordenada, entre el curso de los sucesos mentales y el de los sucesos físicos. BARUCH SPINOZA propuso una teoría monista en que mente y cuerpo eran dos atributos de una sola sustancia subyacente. Ver también DUALISMO; el problema MENTE-CUERPO.

intercambiador de calor ver intercambiador de CALOR

intercambio, términos de Relación entre los precios a los que un país vende sus exportaciones y los precios que paga por sus importaciones. Si los precios de las exportaciones de un país aumentan en relación con los precios de las importaciones, se dice que sus términos de intercambio (balanza comercial) han adoptado una tendencia favorable, ya que, en efecto, ahora recibe más importaciones por cada unidad de bienes exportados. Los términos de intercambio, que dependen de la oferta y demanda mundial de los bienes comercializados, indican la forma en que se distribuirán las ganancias del comercio internacional entre los países participantes. Un cambio abrupto en los términos de intercambio de un país (p. ej., una caída drástica en los precios de su exportación principal) puede ocasionar graves problemas en su BALANZA DE PAGOS. Ver también VENTAJA COMPARATIVA.

intercolumnio En arquitectura, el espacio entre dos columnas que soportan un ARCO o un CORNISAMENTO. En la arquitectura clásica, renacentista y barroca se utilizó un sistema codificado por VITRUBIO, en el cual la medida se expresaba en términos de los diámetros de las columnas (p. ej., dos columnas están separadas por tres diámetros). Este sistema expresó en forma conveniente la medida de una unidad espacial, cuyo tamaño variaba de un edificio a otro, según el ORDEN clásico usado.

interés Precio pagado por el uso de CRÉDITO o DINERO. Normalmente corresponde a un porcentaje del dinero tomado en préstamo y se calcula sobre una base anual. El prestamista cobra intereses como pago por no disponer de su dinero durante un período. La tasa de interés refleja el riesgo de efectuar préstamos y es mayor en el caso de los préstamos considerados de alto riesgo. Esta relación se conoce como compensación riesgo/retorno. Tal como los precios de bienes y servicios, las tasas de interés responden a la OFERTA Y DEMANDA. Dentro de las teorías que explican la necesidad de aplicar intereses se encuentran la teoría de la preferencia temporal, según la cual el interés es el aliciente para dedicarse a actividades que demandan tiempo, pero son más productivas, y la teoría de la PREFERENCIA POR LA LIQUIDEZ de JOHN MAYNARD KEYNES, según la cual el interés es el incentivo para sacrificar un grado deseado de liquidez por una obligación contractual no realizable. Las tasas de interés también pueden utilizarse como herramienta para la implementación de la política MONETARIA (ver TASA DE DESCUENTO). Las tasas de interés elevadas pueden estancar la economía porque los consumidores, empresas y compradores de viviendas tienen dificultades para obtener créditos. Por su parte, las tasas de interés bajas tienden a estimular la economía y a incentivar la INVERSIÓN y el CONSUMO.

interfaz gráfica de usuario *inglés* **graphical user interface (GUI)** Formato de presentación computacional que permite al usuario seleccionar comandos, llamar archivos, iniciar programas y hacer otras tareas rutinarias usando un RATÓN para señalar símbolos gráficos (iconos) o listas de menú de opciones en la pantalla en lugar de digitar el texto de los comandos. La primera la GUI que se usó en una COMPUTADORA PERSONAL apareció en Lisa de Apple Computers, introducida en 1983; su GUI fue la base del tan exitoso Macintosh (1984) de Apple. El estilo de la GUI de Macintosh fue adaptado ampliamente por otros fabricantes de computadoras personales y *software* para PC. En 1985 Microsoft Corp. introdujo WINDOWS, una GUI (la cual más tarde se convirtió en un sistema operativo) que dio a las computadoras basadas en MS-DOS muchas de las capacidades de Macintosh. Además de ser usadas como interfaz para el sistema operativo, las GUI son utilizadas en otro tipo de *software*, como los NAVEGADORES y los programas de aplicación.

interferencia En física, el efecto neto de combinar (i.e., superponer) dos o más trenes de ONDAS que se propagan en trayectorias que coinciden o se interceptan. Ocurre interferencia constructiva si dos componentes tienen la misma FRECUENCIA y FASE; las amplitudes de onda se refuerzan. Ocurre interferencia destructiva cuando las dos ondas están desfasadas en medio período (ver MOVIMIENTO PERIÓDICO); si las ondas son de igual amplitud, se cancelan entre sí. Dos ondas que se propagan en la misma dirección, pero que difieren en forma leve en frecuencia, interfieren entre sí constructivamente a intervalos regulares dando como resultado una frecuencia de pulsación llamada BATIMIENTO. Dos ondas que se propagan en direcciones opuestas, pero que tienen la misma frecuencia, interfieren entre sí de manera constructiva en algunos lugares y destructiva en otros, dando como resultado una onda estacionaria.

interferometría En astronomía, técnica que consiste en la observación simultánea de señales electromagnéticas (ver RADIACIÓN ELECTROMAGNÉTICA) de origen cósmico por medio de dos o más telescopios o radioantenas y la síntesis de las señales por una computadora. Las imágenes producidas con esta técnica tienen una resolución similar a la que se obtendría con un solo instrumento, con una abertura del tamaño combinado de aquellas correspondientes a los instrumentos empleados. La interferometría, utilizada en particular en RADIOASTRONOMÍA Y ASTRONOMÍA RADÁRICA y más recientemente en astronomía óptica, emplea la interferencia constructiva y destructiva de las ondas electromagnéticas en trayectorias convergentes. La interferencia aparece por la diferencia de tiempo que tardan las señales en llegar desde la fuente hasta los distintos instrumentos, los cuales pueden estar separados por unos pocos metros hasta por miles de kilómetros. Por medio de análisis computacional de los patrones de interferencia, puede determinarse con gran precisión la posición y diámetro angular de la fuente como asimismo sus variaciones de intensidad. La interferometría se usa, por ejemplo, para medir el diámetro de estrellas, el tamaño de áreas gaseosas de formación de estrellas y las distancias entre componentes de sistemas estelares múltiples (ver ESTRELLA BINARIA). También permite el estudio de QUASARES lejanos y los jets que ellos emiten.

interferón Cualquiera de varias PROTEÍNAS relacionadas, producidas por todos los VERTEBRADOS y posiblemente por algunos invertebrados. Desempeñan un rol importante en la resistencia a infecciones. Es la defensa más rápida en producirse y más importante del cuerpo contra los VIRUS. También puede combatir BACTERIAS y parásitos (ver PARASITISMO), inhibir la división celular y promover o impedir la diferenciación celular. El efecto del interferón es indirecto –reacciona con las células en riesgo, las cuales entonces resisten la multiplicación del virus– en contraste con los ANTICUERPOS, los cuales actúan combinándose directamente con un virus específico. Se distinguen varios tipos de interferones, que se diferencian por sus características como proteínas y por el tipo de células que los producen. En la actualidad se elaboran algunos mediante INGENIERÍA GENÉTICA. Las expectativas iniciales de que el interferón sería una droga milagrosa para una amplia variedad de enfermedades se redujeron debido a sus serios efectos colaterales, pero unas cuantas enfermedades poco comunes responden a ella.

interleucina Cualquiera de un tipo de PROTEÍNAS de origen natural, importantes en la regulación de la función del LINFOCITO. Varios tipos se reconocen como componentes cruciales del sistema inmunitario del organismo (ver INMUNIDAD). Los ANTÍGENOS y los microbios estimulan la producción de interleucinas, las cuales inducen la producción de diversos tipos de linfocitos en una serie de reacciones complejas, que aseguran un suministro abundante de CÉLULAS T que atacan a agentes infecciosos específicos.

Internacional Comunista ver KOMINTERN

Villa Savoye, Poissy, Francia, residencia de estilo internacional diseñada por Le Corbusier, 1929–30.
FOTOBANCO

internacional, estilo Estilo arquitectónico desarrollado en Europa y EE.UU. en las décadas de 1920–30, que dominó la arquitectura occidental de mediados del s. XX. El término fue empleado por primera vez en 1932 por Henry-Russell Hitchcock y PHILIP JOHNSON en su libro *Estilo internacional: la arquitectura desde 1922*. Las características más comunes del estilo son: formas rectilíneas, espacios interiores abiertos, amplias extensiones de vidrio, uso del acero y HORMIGÓN ARMADO, y superficies planas, luminosas y desprovistas de ornamentación. WALTER GROPIUS, LUDWIG MIES VAN DER ROHE y LE CORBUSIER figuran entre los arquitectos a quienes más se asocia con el estilo. Ver también BAUHAUS.

Internacional, Primera ver PRIMERA INTERNACIONAL

Internacional Socialista ver SEGUNDA INTERNACIONAL

International Brotherhood of Teamsters, Chauffeurs, Warehousemen and Helpers of America (IBT) ver TEAMSTERS UNION

International Business Machines Corporation ver IBM CORP.

International Herald Tribune Periódico editado en París. Ha sido durante mucho tiempo la principal fuente de noticias anglófonas para los expatriados, turistas y hombres de negocios estadounidenses en Europa. Sus orígenes están en el *Paris Herald* (fundado en 1887). Una fusión en 1924 entre su progenitor, *New York Herald*, y *New York Tribune*, fue el origen del *New York Herald-Tribune* y del *Paris Herald Tribune*. La edición parisiense, que prosperaba cuando su matriz desapareció en 1966, fue rebautizada al ser rescatada por una operación conjunta entre el *New York Times*, el *Washington Post* y Whitney Communications. La New York Times Co. y la Washington Post Co. se transformaron en copropietarias del diario en 1991. En 2003, The New York Times Co. pasó a ser la propietaria exclusiva del diario.

International Standard Book Number ver ISBN

International Telephone and Telegraph Corp. (ITT) Ex empresa de telecomunicaciones estadounidense. Fue fundada en 1920 por Sosthenes y Hernand Behn como una SOCIEDAD DE CARTERA de sus compañías de teléfonos y telégrafos en el Caribe. Se expandió al mercado europeo y se transformó en un importante fabricante en el ámbito de las telecomunicaciones. En las décadas de 1960–70, ITT se transformó en un conglomerado al adquirir empresas como Sheraton Corp. y Hartford Fire Insurance Co. En 1987 liquidó sus negocios de telecomunicaciones y en 1995 se dividió en tres compañías: ITT Hartford Group Inc. (seguros), ITT Industries Inc. (dispositivos electrónicos de defensa y repuestos de automóviles), y una "nueva" ITT Corp. que se fusionó con Starwood Lodgings en 1997.

internet RED DE COMPUTADORAS de acceso público que interconecta muchas redes menores mundiales. Nació de un programa llamado ARPANET (Advanced Research Projects Agency Network) del Departamento de Defensa de EE.UU., establecido en 1969, con conexiones entre computadoras de la Universidad de California en Los Ángeles, el Stanford Research Institute, la Universidad de California en Santa Bárbara y la Universidad de Utah. El propósito de ARPANET era realizar investigaciones en redes de computadoras para proveer sistemas de comunicaciones seguros y perdurables en caso de guerra. A medida que la red se expandía con rapidez, académicos e investigadores en otros campos empezaron a usarla también. En 1971 fue desarrollado el primer programa para enviar CORREO ELECTRÓNICO a través de una red de distribución; para 1973, año en que se hicieron conexiones internacionales a ARPANET (desde Gran Bretaña y Noruega), el correo electrónico o *e-mail* representaba la mayoría del tráfico en ARPANET. La década de 1970 también vio el desarrollo de las listas de correo, FOROS DE INTERCAMBIO, BBS y PROTOCOLOS de comunicaciones TCP/IP, los cuales fueron adoptados como protocolos estándares para ARPANET en 1982–83, lo que condujo a una amplia difusión del término internet. En 1984 fue introducido el sistema de direccionamiento de NOMBRE DE DOMINIO. En 1986, la Fundación nacional para la ciencia estableció el NSFNET, una red de redes capaz de manejar un tráfico muchísimo mayor, y en un año más de 10.000 anfitriones se conectaron a internet. En 1988, las conversaciones en tiempo real a través de la red fueron posibles con el desarrollo de los protocolos de conversación de internet (ver CHAT). En 1990, ARPANET dejó de existir, quedando atrás la NSFNET, y estuvo disponible el primer acceso a internet mediante discado telefónico comercial. En 1991, la WWW fue liberada al público (a través de FTP). El NAVEGADOR Mosaic fue lanzado en 1993 y su popularidad llevó a la proliferación de sitios y usuarios de la WWW. En 1995, el NSFNET derivó a un rol de red de investigación, dejando que el tráfico de internet fuera conducido a través de proveedores de red en lugar de las supercomputadoras NSF. En aquel año la web se convirtió en la parte más popular de internet, sobrepasando en volumen de tráfico a los protocolos FTP. Para 1997 había más de 10 millones de anfitriones en internet y más de un millón de nombres de dominio registrados. En la actualidad se puede tener acceso a internet vía señales de radio, líneas de televisión por cable, satélites y conexiones por fibra óptica, aunque la mayoría del tráfico aún utiliza parte de la red pública de telecomunicaciones (el teléfono). La internet está ampliamente ligada al vasto y significativo desarrollo que afectará casi todos los aspectos de la cultura humana y del comercio en formas que aún no podemos ni imaginar.

Interpol *ofic.* **Organización internacional de policía criminal** Organización internacional cuyo propósito es combatir la delincuencia internacional. Interpol promueve la más amplia asistencia mutua posible entre las autoridades policiales de los países afiliados y busca establecer y desarrollar todas las instituciones que permitan contribuir efectivamente a la prevención y represión de los delitos comunes. Fue fundada en Austria en 1923 con 20 países miembros; después de la segunda guerra mundial su sede se trasladó a París. A comienzos del s. XX, sus miembros superaban los 180 países. Interpol persigue a los delincuentes que operan en más de un país (p. ej., los contrabandistas), aquellos que permanecen en un país pero cuyos delitos afectan a otros países (p. ej., los falsificadores de monedas extranjeras) y aquellos que cometen un delito en un país y huyen a otro.

interpolación En matemática, la ESTIMACIÓN del valor entre dos puntos de datos conocidos. Un ejemplo simple es calcular el promedio (ver MEDIA, MEDIANA Y MODA) entre las poblaciones de censos realizados a diez años de distancia, para estimar la población en el quinto año. Las estimaciones fuera del conjunto de puntos de datos (p. ej., predecir en el caso anterior la población cinco años después del segundo censo) se llama extrapolación. Si se dispone de más de dos puntos de datos, una curva se puede ajustar a los datos mejor que una recta. La curva más simple que se puede ajustar es la curva correspondiente a un POLINOMIO. Sólo un polinomio de un grado dado –el polinomio de interpolación– pasa por todos y cada uno de los puntos de datos.

interrogatorio En DERECHO PENAL, proceso de interrogar formal y sistemáticamente a un sospechoso a fin de obtener de él respuestas incriminatorias. El proceso escapa en gran medida a la reglamentación por ley, aunque en EE.UU. se han impuesto limitaciones relativamente complejas a la policía en esta materia a fin de proteger los derechos del INCULPADO.

intervalo En música, la distancia entre dos tonos, tanto si suenan en forma sucesiva (intervalo melódico) o simultánea (intervalo armónico). En la música occidental, los intervalos generalmente reciben su nombre de acuerdo con el número de grados comprendidos dentro de una TONALIDAD dada; así, el ascenso de do a sol (do-re-mi-fa-sol) se denomina una quinta, porque el intervalo abarca cinco grados de la escala. Hay cuatro intervalos perfectos: prima o unísono, octava, cuarta y quinta. Los otros intervalos (segundas, terceras, sextas, séptimas) tienen formas mayores y menores que difieren en tamaño por medio tono (semitono). Tanto los intervalos perfectos como los mayores pueden ser aumentados en medio tono. Los intervalos perfectos y menores pueden ser disminuidos en medio tono.

Ejemplos de intervalos musicales simples.

intestinal, gas ver GAS INTESTINAL

intestino delgado Tubo largo, estrecho y enrollado en que se lleva a cabo casi toda la DIGESTIÓN. Mide 6,7–7,6 m (22–25 pies) desde el ESTÓMAGO hasta el INTESTINO GRUESO. El mesenterio, una estructura membranosa, lo sujeta y contiene sus vasos sanguíneos, sus nódulos linfáticos y su grasa aislante. El sistema NERVIOSO AUTÓNOMO le aporta los nervios parasimpáticos que inician la PERISTALSIS y los nervios simpáticos que la suprimen. Está recubierto de proyecciones diminutas digitiformes (vellosidades) que aumentan enormemente su superficie para la secreción de ENZIMAS y la absorción de alimentos. Sus tres porciones, DUODENO, yeyuno e ÍLEON, tienen diferentes características. Los alimentos tardan tres a seis horas en transitar por el intestino delgado, salvo que trastornos como la GASTROENTERITIS, la diverticulosis o la obstrucción lo impidan.

intestino grueso Última porción del intestino. Tiene 1,5 m (5 pies) aprox. de largo, es más ancho que el INTESTINO DELGADO, y su pared interna es lisa. En su primera mitad, las ENZIMAS del intestino delgado completan la digestión, y las bacterias producen varias vitaminas B y vitamina K. Al cabo de 24 a 30 horas, sus movimientos de batido fragmentan las fibras de celulosa resistentes y exponen el QUIMO a las paredes del COLON, que absorben el agua y los electrólitos; la absorción es su función principal, junto con almacenar la materia fecal para luego expulsarla. El "movimiento de masa" más vigoroso (reflejo gastrocólico) se produce sólo dos o tres veces al día para impulsar el material de desecho hacia el canal ANAL. Entre sus afecciones más comunes se cuentan COLITIS ULCEROSA y diverticulosis (ver DIVERTÍCULO), PÓLIPOS y TUMORES.

intifada (árabe: "insurrección"). Revuelta palestina (1987–93, 2000–05) contra la ocupación israelí de la franja de GAZA y CISJORDANIA. Aunque inicialmente fue una reacción espontánea a 20 años de ocupación y condiciones económicas cada vez peores, pronto fue controlada por la OLP, Organización para la Liberación de Palestina. Sus tácticas incluyeron la huelga, el boicot y el enfrentamiento con las tropas israelíes. La Cruz Roja Internacional estimó que unos 800 palestinos, de los cuales más de 200 eran menores de 16 años, murieron en manos de las fuerzas de seguridad israelíes en 1990. Varias decenas de israelíes fueron muertos durante el mismo período. La presión ejercida por la *intifada* contribuyó a materializar el acuerdo OLP-Israelí de 1993 sobre el autogobierno palestino. Sin embargo el quiebre de nuevas negociaciones llevadas a cabo a fines de 2000 llevó a otra explosión de violencia, que rápidamente llegó a ser conocida como la segunda *intifada* o de Aqṣā, llamada así por la mezquita de Aqṣā en Jerusalén, donde comenzó la lucha, que se prolongó hasta 2005. Ver también YĀSIR ʿARAFĀT; al-FATAH; ḤAMĀS.

intimidad, derecho a la Derecho de las personas a la protección de su vida privada. Aunque la Constitución de EE.UU. no lo menciona en forma expresa, se ha sostenido que la BILL OF RIGHTS reconoce implícitamente el derecho a la intimidad que protege a las personas de la intromisión injustificada del gobierno en materias como el matrimonio y la anticoncepción. El derecho a la intimidad puede supeditarse a los intereses superiores del Estado. En materia de RESPONSABILIDAD EXTRACONTRACTUAL, el derecho a la intimidad es el derecho a que la vida y los asuntos privados de una persona no se vean expuestos a la atención pública o a ser objeto de otro tipo de intromisión indebida. La protección de la vida privada de los funcionarios públicos y de las personas que la ley define como "personalidades públicas" (p. ej., las estrellas de cine) es menos amplia que aquella de que gozan las demás personas.

intocable En la sociedad india, antigua clasificación que agrupa a personas de bajo estatus y a los excluidos del sistema de CASTAS hindú. Actualmente, se usa el término *Dalit* para designar a tales personas (de preferencia al término *Harijan*, utilizado por MOHANDAS K. GANDHI, el cual es considerado condescendiente por los propios *Dalit*) y su crítica situación es reconocida por la constitución y la legislación india. Los grupos considerados tradicionalmente intocables estaban constituidos por personas cuyas ocupaciones o hábitos de vida entrañaban actividades consideradas impuras, como quitar la vida para sustentarse (p. ej., pescadores); matar o disponer de ganado muerto o trabajar con sus pieles; entrar en contacto con desechos humanos (p. ej., barrenderos); y comer carne de ganado, cerdo o ave. Muchos intocables se convirtieron a otras religiones para escapar de la discriminación. La legislación india hoy clasifica a los Dalit bajo el término de *scheduled castes* (castas catalogadas) y les otorga ciertos privilegios especiales.

intolerables, leyes *o* **leyes de coerción** *inglés* **Intolerable Acts** (1774). Cuatro medidas punitivas aprobadas por el Parlamento británico contra las colonias norteamericanas. La bahía de Boston se cerró hasta que se pagó una compensación por el té destruido en el BOSTON TEA PARTY; se anuló el estatuto de la colonia de Massachusetts y se instaló un gobernador militar; los funcionarios británicos acusados de delitos sujetos a la pena capital podían ir a juicio en Inglaterra, y se repuso la medida de hospedar a soldados británicos en hogares norteamericanos. La ley de QUEBEC aumentó estas medidas opresivas. Las leyes, que los colonizadores tildaron de "intolerables", tuvieron por consecuencia la convocación del Congreso CONTINENTAL.

intoxicación alimentaria Enfermedad gastrointestinal aguda causada por la ingestión de alimentos que contienen TOXINAS. Estas pueden ser VENENOS presentes en forma natural en plantas y animales, contaminantes químicos o productos tóxicos de microorganismos. La mayoría de los casos se deben a bacterias (como SALMONELLAS y ESTAFILOCOCOS) y sus toxinas (como el BOTULISMO). Algunas cepas de E. COLI pueden causar enfermedades graves. Entre los venenos químicos están los metales pesados (ver INTOXICACIÓN POR MERCURIO), provenientes de los propios alimentos o extraídos de los implementos de cocina por alimentos ácidos. Los aditivos alimentarios pueden causar efectos tóxicos acumulativos duraderos. Ver también ENVENENAMIENTO POR PESCADO; ENVENENAMIENTO POR HONGOS.

intoxicación medicamentosa *o* **envenenamiento por drogas** Efectos dañinos de los medicamentos por sobredosis o sensibilidad a las dosis habituales. Muchas drogas son peligrosas; el margen entre dosis y sobredosis suele ser estrecho. Una dosis normalmente segura puede ser tóxica en algunas personas, con el tiempo, o en combinación con ciertos alimentos, alcohol u otras drogas. Las salvaguardas para evitar la intoxicación medicamentosa son primero las pruebas en animales, luego en voluntarios humanos, y por último, en pacientes. Las drogas cuya automedicación es peligrosa sólo están a disposición de los médicos o mediante receta. Los farmacéuticos asesoran al público sobre el empleo adecuado.

intoxicación por mercurio Efectos nocivos de compuestos de MERCURIO. El mercurio se emplea en la manufactura de pinturas, diferentes artículos para el hogar y pesticidas; los productos terminados y los desechos liberados en el aire y el agua pueden contener mercurio. La CADENA ALIMENTARIA acuática puede concentrar compuestos de mercurio orgánico en peces y mariscos, los cuales, si son ingeridos por seres humanos, pueden afectar el sistema NERVIOSO central, alterar las funciones de los músculos, de la visión y del cerebro, traduciéndose en PARÁLISIS y, en algunos casos, causar la muerte (ver enfermedad de MINAMATA). La intoxicación aguda produce inflamación grave del tracto digestivo. El mercurio se acumula en los riñones, causando UREMIA y muerte. La intoxicación crónica, por inhalación ocupacional o absorción cutánea, produce sabor metálico en la lengua, inflamación oral, línea azulosa en las encías, dolores y temblor en las extremidades, pérdida de peso y cambios mentales (depresión y aislamiento). Los medicamentos mercuriales pueden producir reacciones de sensibilidad, a veces fatales. En los niños pequeños, la acrodinia (enfermedad rosada) probablemente se debe a un compuesto orgánico de mercurio empleado en pinturas para casas.

intoxicación por plomo *o* **plumbismo** Intoxicación por acumulación de PLOMO en el cuerpo. En grandes dosis produce gastroenteritis en adultos y trastornos cerebrales en niños. La exposición crónica produce anemia, constipación, espasmos abdominales, confusión, parálisis progresiva y, a veces, cáncer cerebral. Los niños son muy susceptibles al daño neural y encefálico; las pruebas finas demuestran que incluso niveles bajos de plomo pueden dañar a los niños y se asocian a problemas conductuales. Entre las fuentes domésticas se cuentan las pinturas a base de plomo, las cañerías de agua potable plomadas y la vajilla de vidrio plomado. Los bebés que se llevan cosas a la boca son los que tienen más riesgo. Otros factores de riesgo son trabajar en lugares donde se emplea plomo y la exposición a ciertos insecticidas. La eliminación gradual del plomo en la gasolina se completó en EE.UU. en 1996; en el resto del mundo se han implementado prohibiciones similares. El tratamiento consiste en administrar ANTÍDOTOS que fijan o quelan (ver QUELATO) el plomo presente en los tejidos.

introvertido y extrovertido Tipos básicos de personalidad, según las teorías de CARL GUSTAV JUNG. El introvertido, que dirige sus pensamientos y sentimientos hacia dentro, suele ser tímido, contemplativo y reservado. El extrovertido, que dirige la atención hacia otras personas y hacia el mundo exterior, generalmente es sociable, impresionable y agresivo. Esta tipología se considera hoy demasiado simplista, porque casi nadie puede ser descrito como completamente introvertido o completamente extrovertido.

intuición En filosofía, forma de conocimiento independiente de la razón u observación. Como tal, la intuición es concebida como una fuente original e independiente de conocimiento, ya que está designada para dar cuenta precisamente de aquellos tipos de conocimiento que otras fuentes no pueden proveer. El conocimiento de algunas verdades necesarias y principios morales básicos es explicado a veces de esta manera. Un sentido técnico de intuición, derivado de IMMANUEL KANT, se refiere a la conciencia inmediata de las entidades individuales; la intuición (*Anschauung*) en este sentido puede ser empírica (p. ej., conciencia de datos de los sentidos) o pura (p. ej., conciencia a priori del espacio y el tiempo como formas de todas las intuiciones empíricas). Tal como la concibieron BARUCH SPINOZA y HENRI BERGSON, la intuición es un conocimiento concreto del mundo en cuanto un todo interconectado, en contraste con el conocimiento "abstracto", fragmentado, proveniente de la ciencia y la observación.

intuicionismo Escuela de pensamiento matemático introducida por el matemático holandés Luitzen Egbertus Jan Brouwer (n. 1881–m. 1966). En contraste con el PLATONISMO matemático, que sostiene que los conceptos matemáticos existen independientemente de cualquier realización humana de ellos, el intuicionismo sostiene que sólo son legítimos aquellos conceptos matemáticos que pueden ser demostrados o construidos, siguiendo un número finito de pasos. Pocos matemáticos han estado dispuestos a abandonar los vastos reinos de las matemáticas edificadas sobre pruebas no constructivas.

intuicionismo En metaética, forma de COGNITIVISMO que postula que los enunciados morales pueden ser conocidos en forma inmediata como verdaderos o falsos por medio de una intuición racional. En los s. XVII–XVIII, el intuicionismo fue defendido por RALPH CUDWORTH, Henry More (n. 1614–m. 1687), Samuel Clarke (n. 1675–m. 1729) y Richard Price (n. 1723–m. 1791); en el s. XX, algunos de sus defensores fueron H.A. Prichard (n. 1871–m. 1947), G.E. MOORE y DAVID ROSS. Los intuicionistas han diferido en cuanto a los tipos de verdades morales que están sujetas a la aprehensión directa. Por ejemplo, mientras Moore pensaba que es evidente por sí mismo que ciertas cosas son moralmente valiosas, Ross creía que sabemos inmediatamente que es nuestro deber realizar actos de cierto tipo.

Invernadero de plantas y flores ornamentales para jardinería y paisajismo.
STOCKXPERT

inuit ver ESQUIMAL

inundación *o* **crecida** Aumento del nivel de agua, que llega al desbordamiento de sus orillas naturales o artificiales y cubre tierra normalmente seca, como en el caso de un río que desborda formando una llanura de inundación. Las crecidas incontrolables que pueden causar daños significativos resultan de precipitaciones excesivas en un breve período de tiempo, pero también pueden ser el resultado de deshielos primaverales que aumentan el caudal de los ríos, o de TSUNAMIS. Las medidas más comunes para el control de las inundaciones son el mejoramiento de canales, la construcción de diques y embalses, y la implementación de programas de conservación del suelo y de los bosques para retardar y absorber el escurrimiento de aguas.

Invar Marca registrada de una ALEACIÓN de HIERRO (64%) y níquel (36%), que se expande muy poco por efecto del calor. Inicialmente se usó el Invar para establecer las normas de medición de longitud y ahora se emplea para cintas de medir en topografía, en relojes y otros dispositivos termosensibles. El nombre expresa la invariabilidad de sus dimensiones. Invar fue desarrollado por Charles-Édouard Guillaume (n. 1861–m. 1938), que obtuvo el Premio Nobel de Física en 1920.

Invencible Armada ver ARMADA INVENCIBLE

inventario En comercio, asiento de bienes que una empresa mantiene en existencia; comprende productos terminados para la venta, artículos en proceso de producción, materias primas e insumos que se ocuparán en el proceso de elaboración de productos destinados a la venta. Los inventarios aparecen como activos en el BALANCE de una empresa. La rotación del inventario, que indica a qué ritmo los productos se convierten en dinero, es un factor clave en la evaluación de la situación financiera de una empresa. Los inventarios pueden contabilizarse al costo o al valor de mercado en los estados financieros.

invernadero Construcción diseñada para proteger plantas delicadas o fuera de temporada contra el frío o el calor excesivos. Normalmente es una estructura cerrada de plástico o vidrio, con una armazón de aluminio, acero galvanizado o de maderas como pino, cedro o ciprés y que se usa para producir frutas, vegetales, flores y cualquier otra planta que requiera condiciones de temperatura especiales. Se tempera parcialmente con el sol y en parte con medios artificiales. Este ambiente controlado se puede adaptar a las necesidades de plantas determinadas.

invernadero, efecto Calentamiento de la superficie de la Tierra y de la atmósfera inferior, que tiende a intensificarse con el aumento del dióxido de carbono y de algunos otros gases en la atmósfera. La luz visible del Sol calienta la superficie terrestre. Parte de esta energía se vuelve a emitir en la forma de una onda larga de RADIACIÓN INFRARROJA, mucha de la cual es absorbida por moléculas de dióxido de carbono y de vapor de agua en la atmósfera, y es irradiada nuevamente de vuelta a la superficie terrestre como más calor. Este proceso es análogo a los paneles de vidrio de un invernadero que dejan pasar la luz solar pero retienen el calor. Al atrapar la luz infrarroja, la superficie de la Tierra y la atmósfera inferior se calientan más de lo que lo harían de otro modo. El incremento

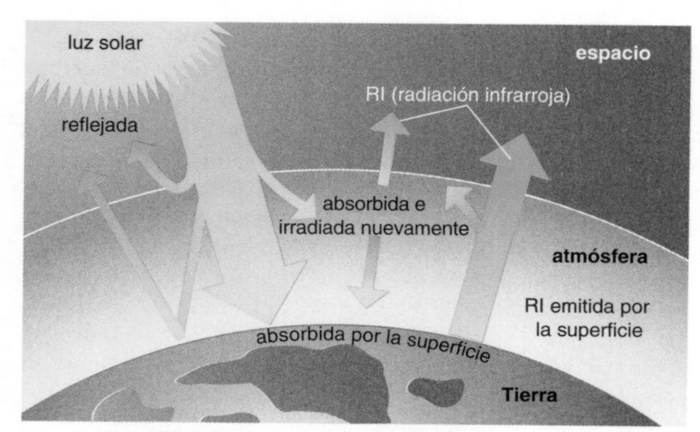

Parte de la luz solar que llega a la Tierra es reflejada por la atmósfera y la superficie terrestre, pero el grueso de ella es absorbida por la superficie, la cual se calienta. A su vez, la superficie emite radiación infrarroja (RI), parte de la cual escapa al espacio. Sin embargo, una fracción es absorbida por los gases invernadero de la atmósfera (especialmente dióxido de carbono, agua y metano) y es irradiada nuevamente en todas direcciones, en parte al espacio y en parte de vuelta a la superficie, que se recalienta al igual que la atmósfera inferior.

de la cantidad de dióxido de carbono en la atmósfera, causado por la combustión extensiva de COMBUSTIBLES FÓSILES, puede intensificar el efecto invernadero y causar cambios climáticos en el largo plazo. El aumento de las concentraciones atmosféricas de otros gases como CLOROFLUOROCARBONOS, ÓXIDO NITROSO y METANO también pueden agravar las condiciones de invernadero. Se estima que desde el inicio de la Revolución industrial la cantidad de dióxido de carbono atmosférico ha aumentado en 30%, mientras que la cantidad de metano se ha duplicado. Hoy en día, EE.UU. es responsable de aproximadamente un quinto de todas las emisiones de gases de efecto invernadero producidas por el ser humano. Ver también RECALENTAMIENTO DE LA TIERRA.

Inverness Burgo y centro (pob., 1991: 41.234 hab.) administrativo de la región de Highland, en el cond. histórico de Inverness-shire, noroeste de Escocia. Situado a orillas del río Ness y el canal Caledoniano, ha sido por largo tiempo el centro de las Highlands escocesas (Tierras Altas). En el s. VI fue la capital del reino picto de Brude. En el s. XII se había convertido en un burgo de las cercanías del castillo de MALCOLM III CANMORE. Hoy, Inverness es un centro educacional y turístico. Su industria manufacturera se ha desarrollado en forma paralela al crecimiento de la industria petrolera submarina.

inversión Proceso de intercambio de un ingreso por un activo que según lo previsto producirá ganancias en una fecha posterior. Un inversionista evita el CONSUMO en el presente con la esperanza de obtener un retorno mayor en el futuro. La inversión puede verse afectada por las tasas de INTERÉS, dado que la tasa de inversión aumenta cuando las tasas de interés caen, pero existen otros factores más difíciles de medir que también pueden ser importantes, por ejemplo, las expectativas del sector comercial respecto de la demanda y las utilidades futuras, los cambios técnicos en los métodos de producción y los costos relativos previstos de la MANO DE OBRA y del CAPITAL. No se puede realizar una inversión sin AHORRO, dado que este es la fuente de financiamiento. La inversión es un factor que contribuye al crecimiento económico porque aumenta la capacidad de producción de una economía.

inversión térmica En meteorología, aumento de la temperatura del aire con la altitud. Tal incremento representa invertir las condiciones normales de temperatura de la TROPOSFERA, donde la temperatura suele decrecer con la altitud. Las inversiones térmicas juegan un papel importante en la determinación de la forma de las nubes, en la precipitación y en la visibilidad. Una inversión actúa como una cubierta, impidiendo el movimiento ascendente del aire que se encuentra por debajo ella. Donde existe una inversión pronunciada a baja altitud, las nubes de convección no pueden crecer a suficiente altura para producir lluvias y, al mismo tiempo, la visibilidad puede reducirse mucho por los contaminantes atrapados (ver SMOG). Debido a que el aire cerca de la base de la inversión es frío, con frecuencia hay niebla.

invertebrado Cualquier animal que carece de columna vertebral, o espina dorsal. Comprenden los PROTOZOOS, ANÉLIDOS, CNIDARIOS, EQUINODERMOS, PLATELMINTOS, NEMATODOS, MOLUSCOS y ARTRÓPODOS. Más del 90% de los animales vivos son invertebrados. De distribución mundial, su tamaño varía desde protozoos minúsculos a calamares gigantes. Tienen poco en común, excepto la ausencia de una columna vertebral. En general, tienen un cuerpo blando y un esqueleto externo en el cual se insertan músculos y que les sirve de protección. Ver también VERTEBRADO.

investigación de operaciones Aplicación de métodos científicos a la dirección y administración de sistemas militares, gubernamentales, comerciales e industriales. Comenzó durante la segunda guerra mundial en Gran Bretaña, cuando equipos de científicos trabajaron con la Royal Air Force para mejorar la detección por radar de aeronaves enemigas, llevando a esfuerzos coordinados para mejorar todo el sistema de alerta temprana, defensa y abastecimiento. Se caracteriza por un enfoque de sistemas, o de ingeniería de sistemas, en el cual equipos de investigación interdisciplinaria adaptan métodos científicos a problemas de gran escala que deben ser modelados, debido a que las pruebas de laboratorio son imposibles. Algunos ejemplos son la distribución y reemplazo de recursos, el control de inventario y la programación de proyectos de construcción de gran escala.

investigación y desarrollo (I&D) En la industria, dos procesos estrechamente relacionados, por medio de los cuales se crean nuevos productos y nuevas formas de productos antiguos a través de la innovación tecnológica. El trabajo se concentra por lo general en dos tipos de investigación: básica y aplicada. La investigación básica está orientada a una meta genérica (p. ej., la investigación genética en un laboratorio farmacéutico). La investigación aplicada orienta los resultados de la investigación básica a las necesidades de una industria específica y culmina con el desarrollo de productos o procesos, nuevos o modificados. Además de realizar la investigación básica o aplicada y de desarrollar modelos, el personal a cargo puede evaluar el rendimiento y el costo del nuevo producto o proceso.

invierno nuclear Devastación medioambiental que algunos científicos sostienen como resultante de una guerra nuclear. Según la hipótesis, la causa básica se debería a las explosiones de las ojivas nucleares, las cuales provocarían enormes incendios (tormentas de fuego). El humo, hollín y polvo serían enviados a la atmósfera y llevados por el viento formarían un cinturón que envolvería el hemisferio norte. Las nubes bloquearían casi toda la luz solar y las temperaturas superficiales descenderían durante varias semanas. La penumbra, las heladas mortíferas y las temperaturas bajo cero, combinadas con altas dosis de RADIACIÓN, interrumpirían la fotosíntesis de las plantas y podrían por lo tanto destruir gran parte de la vegetación y de la vida animal en el planeta. Otros científicos discuten los resultados de los cálculos originales y aunque dicha guerra nuclear sería indudablemente devastadora, el nivel de daño en la vida terrestre aún es controversial.

invierno, guerra de ver guerra RUSO-FINESA

inyección de combustible En un MOTOR DE COMBUSTIÓN INTERNA, la introducción de combustible en los cilindros por medio de una bomba, en vez de entrar por la succión creada por el movimiento de los pistones (ver PISTÓN Y CILINDRO). En los MOTORES DIÉSEL, que carecen de BUJÍAS DE ENCENDIDO, el calor creado por el aire comprimido del pistón enciende el combustible que se ha bombeado al cilindro como un chorro pulverizado. En los motores con encendido por chispa se usan a menudo bombas de inyección de combustible en lugar de los CARBURADORES convencionales, que distribuyen el combustible en forma más pareja hacia los cilindros que el carburador; se puede desarrollar una mayor potencia y reducir las emisiones inconvenientes. En los motores de combustión continua, como las TURBINAS de gas y los COHETES de combustible líquido que no tienen pistones para crear la succión, son imprescindibles los sistemas de inyección de combustible.

Io En la mitología GRIEGA, hija de Ínaco, dios fluvial de la Argólida. Provocó los celos de HERA cuando ZEUS se enamoró de ella. Zeus la convirtió en una vaquilla blanca para protegerla. Hera envió a Argos, una criatura de múltiples ojos, para que vigilara a la vaquilla, pero Zeus envió a HERMES para que hiciera dormir a Argos y lo matara. Hera envió luego a un tábano para que acosara a Io, quien huyó a través de Europa y cruzó las masas de agua llamadas más tarde mar Jónico y BÓSFORO ("vado de la vaca") en su honor. Cuando llegó a Egipto retomó su forma original. Más tarde fue identificada con la diosa egipcia ISIS.

ion *o* **ión** ÁTOMO o grupo de átomos con una o más CARGAS ELÉCTRICAS positivas o negativas. Los iones cargados positivamente se denominan CATIONES y los que tienen carga negativa, ANIONES. Los iones se forman cuando se agregan o remueven ELECTRONES a MOLÉCULAS neutras o a otros iones, como los átomos de sodio (Na) y cloro (Cl), que reaccionan para formar Na^+ y Cl^-; cuando los iones se combinan con otras partículas, como los cationes de hidrógeno (H^+) y el amoníaco (NH_3), que se combinan para formar cationes de amonio (NH_4^+); o cuando un ENLACE COVALENTE entre dos átomos se rompe de tal manera que las partículas resultantes se cargan, como el agua (H_2O) que se disocia (ver DISOCIACIÓN) en hidrógeno e iones hidróxido (H^+ y OH^-). Muchas sustancias cristalinas (ver CRISTAL) están compuestas de iones mantenidos en patrones geométricos regulares por la atracción entre partículas con carga opuesta. Los iones emigran al electrodo de carga opuesta en un CAMPO ELÉCTRICO y son los conductores de corriente en las celdas electrolíticas (ver ELECTRÓLISIS). Los compuestos que forman iones reciben el nombre de ELECTRÓLITOS. También se forman iones en los gases cuando son calentados a temperaturas muy altas o cuando una descarga eléctrica pasa a través de ellos (ver PLASMA).

Ionesco, Eugène *orig.* **Eugen Ionescu** (26 nov. 1909, Slatina, Rumania–28 mar. 1994, París, Francia). Dramaturgo francés de origen rumano. Se educó en Bucarest y París, ciudad donde fijó su residencia en 1945. Su primera obra, *La cantante calva* (1950), una pieza de "antiteatro" de un acto, revolucionó el arte dramático y fue fundamental para iniciar el TEATRO DEL ABSURDO. Después escribió otras obras de un acto en las cuales los sucesos ilógicos creaban situaciones tanto cómicas como grotescas, entre las que se cuentan *La lección* (1951), *Las sillas* (1952) y *El nuevo inquilino* (1955). *El rinoceronte* (1959) es su obra larga más popular que retrata un pueblo francés donde todos los habitantes se transforman en rinocerontes. Otras obras son *El rey se muere* (1962) y *El peatón del aire* (1963). Fue nombrado miembro de la Academia Francesa en 1970.

Eugène Ionesco, 1959.
MARK GERSON

ionización Proceso por el cual ÁTOMOS o MOLÉCULAS eléctricamente neutros son convertidos en átomos o moléculas (IONES) eléctricamente cargados por la remoción o adición de ELECTRONES de carga negativa. Es una de las principales maneras en que la RADIACIÓN transfiere energía a la materia y, por tanto, de detectar radiación. En general, la ionización ocurre siempre que exista propagación de partículas cargadas con suficiente energía, o de energía radiante, a través de gases, líquidos o sólidos. Un cierto nivel mínimo de ionización existe en la atmósfera de la Tierra debido a la continua absorción de RAYOS CÓSMICOS del espacio y de RADIACIÓN ULTRAVIOLETA del Sol.

ionosfera Región de la atmósfera de la Tierra en la cual la cantidad de iones, o partículas eléctricamente cargadas, es lo suficientemente grande para afectar la propagación de ondas de radio. La ionosfera comienza a una altitud de 50 km (30 mi) pero es más distinguible sobre los 80 km (50 mi). La IONIZACIÓN es causada de forma preferente por la radiación solar en longitudes de onda ultravioleta y de rayos X. La ionosfera es responsable de la propagación a gran distancia, por reflexión, de señales de radio en las bandas de onda corta y larga.

Iowa Estado (pob., 2000: 2.926.324 hab.) del centro-oeste de EE.UU. Limita con los estados de Minnesota, Wisconsin, Illinois, Missouri, Nebraska y Dakota del Sur; abarca una superficie de 145.755 km^2 (56.276 mi^2). Su capital es DES MOINES. El río DES MOINES cruza el estado desde el noroeste hacia el sudeste. El río MISSISSIPPI conforma su límite oriental, mientras que los ríos MISSOURI y Big Sioux definen partes de su límite occidental. Habitaban la región los indios SAUK, FOX, iowa y SIOUX cuando llegaron los exploradores franceses LOUIS JOLLIET y JACQUES MARQUETTE en 1673. EE.UU. se apoderó de Iowa como parte de la adquisición de LUISIANA en 1803. Después de la guerra de Halcón Negro y de que los indios sauk y fox cedieron la parte oriental de Iowa en la década de 1830, la colonización de población blanca avanzó rápidamente. En 1838, Iowa se convirtió en territorio y en 1846 pasó a ser el 29° estado. Después de la guerra de Secesión, la expansión del ferrocarril atrajo grandes oleadas de inmigrantes desde el este y de Europa. El crecimiento de la población disminuyó después de la primera guerra mundial. La economía de Iowa se basa en la agricultura y encabeza la producción ganadera en EE.UU.

Iowa, Universidad de Universidad pública con sede en la ciudad de Iowa, EE.UU. Fundada en 1847, fue la primera universidad pública en admitir estudiantes de ambos sexos en idénticas condiciones, además de ser la primera en otorgar grados avanzados en las artes creativas. Está compuesta por *colleges* (colegios universitarios) de artes liberales, administración de negocios, odontología, derecho, medicina, enfermería, farmacia, educación e ingeniería, y de escuelas de periodismo, música y trabajo social. El campus es la sede del reconocido Writers' Workshop and International Writing Program (Taller de escritores y programa internacional de escritores).

Iowa, Universidad del estado de Universidad pública con sede en Ames, EE.UU. Fundada en 1858, fue la primera universidad del estado en crear una escuela de veterinaria. Está compuesta por los *colleges* (colegios universitarios) de agronomía, administración de empresas, diseño, educación, ingeniería, ciencias de la familia y del consumidor, artes liberales y ciencias, y medicina veterinaria. Entre las instalaciones del campus destacan varios centros de investigación agropecuaria.

IP, dirección Número que identifica de forma única cada computadora en INTERNET. Una dirección IP (protocolo de internet) de una computadora puede ser asignada en forma permanente o asignada cada vez que esta se conecta a internet por un PROVEEDOR DE SERVICIOS DE INTERNET. A fin de satisfacer el enorme crecimiento en el número de dispositivos conectados a internet, el protocolo estándar de 32 bit, conocido como IPv4, comenzó a ser reemplazado por el protocolo de 128 bit, IPv6, en el año 2000. Ver también nombre de DOMINIO; TCP/IP; URL.

IPC ver ÍNDICE DE PRECIOS AL CONSUMIDOR

ipecacuana RIZOMAS y raíces deshidratadas de cualquiera de dos plantas de América tropical (*Cephaelis acuminata* y *C. ipecacuanha*) de la familia de las RUBIÁCEAS. Se ha usado desde tiempos antiguos especialmente como fuente de un medicamento para tratar envenenamientos, ya que induce náuseas y vómitos. El nombre también alude a la droga propiamente tal.

I-pin ver YIBIN

Ipoh Ciudad (pob., est. 2000: 566.211 hab.) del este de MALASIA. Su nombre deriva de un árbol local, cuya resina venenosa utilizaban los aborígenes para cazar. La ciudad actual data de la década de 1890, fecha en que se instalaron en la zona compañías británicas dedicadas a la extracción de estaño. Los británicos llevaron mano de obra china para trabajar en las minas, cuyos descendientes predominan actualmente en la ciudad. Ipoh es la capital minera de Malasia.

Ipso, batalla de (301 AC). Batalla librada en Ipso, Frigia, en la que ANTÍGONO I MONOFTALMOS y su hijo DEMETRIO I POLIORCETES fueron derrotados por Lisímaco de Tracia, SELEUCO I NICÁTOR de Babilonia, TOLOMEO I SÓTER de Egipto y Casandro de Macedonia. Antígono murió en la batalla y su territorio en Asia pasó a poder de sus enemigos, pero Demetrio conservó sus posesiones en Grecia y Macedonia. La batalla formó parte de la lucha por el control de territorios que habían integrado el imperio de ALEJANDRO MAGNO.

Ipswich Ciudad y municipio (pob., 2001: 117.074 hab.) del cond. administrativo e histórico de SUFFOLK, Inglaterra. Situada al nordeste de LONDRES, se constituyó oficialmente en 1200. Prosperó como puerto gracias a la exportación textil de Anglia Oriental desde la época medieval hasta el s. XVII. En la actualidad es un mercado agrícola y centro de servicios. Sus principales sitios de interés son la mansión Christchurch del s. XVI y la posada de Great White Horse que CHARLES DICKENS menciona en su novela *Papeles póstumos del club Pickwick*. Es la cuna del cardenal THOMAS WOLSEY.

Iqaluit *ant.* **Frobisher Bay** Ciudad (pob., 2001: 5.236 hab.) y capital del Territorio de Nunavut, Canadá. Ubicada en la parte sudoriental de la isla de BAFFIN, es la comunidad más grande en el oeste del Ártico canadiense. Se estableció como factoría en 1914 y fue una base aérea durante la segunda guerra mundial. Posteriormente se instalaron allí los campamentos de construcción de estaciones de radar de alerta temprana DEW (Distant Early Warning). Cuenta con una estación meteorológica y un hospital. En 1999 se convirtió en capital del territorio de Nunavut.

Iqbal, Sir Muhammad (9 nov. 1877, Sialkot, Panjab, India–21 abr. 1938, Lahore, Panjab, Pakistán). Poeta y filósofo indio musulmán. Primero cobró fama por su poesía, compuesta en estilo clásico para ser recitada en público, razón por la cual su obra se hizo conocida entre los analfabetos. Su visión fue cada vez más panislámica, como se advierte en el largo poema *Los secretos del yo* (1915), escrito en persa para que llegara a un público musulmán más amplio. En su obra hace un llamado a la revitalización del Islam, y aboga por un Estado musulmán independiente, anhelo que se materializaría finalmente con la fundación de Pakistán en 1947 y que lo llevaría a ser aclamado padre de la patria en forma póstuma. Su obra lírica más excelsa es *El libro de la eternidad* (1932). Se lo considera el más grande de los poetas del s. XX que escribió en urdu.

iqṭāʿ Sistema de tenencia de la tierra practicado en las primeras sociedades islámicas. Bajo este sistema, iniciado en el s. IX, los líderes políticos cedían el derecho de usufructo sobre la tierra a un individuo (generalmente a cambio de sus servicios militares) por un tiempo limitado. Se diferenciaba del sistema FEUDAL DE TENENCIA DE LA TIERRA practicado en Europa, en que la tierra continuaba siendo de propiedad del dueño original, y no de quien la recibía en usufructo. La puesta en práctica del sistema variaba según la región y sufrió modificaciones con el tiempo.

IRA ver EJÉRCITO REPUBLICANO IRLANDÉS

IRAK

▸ **Superficie:** 434.128 km² (167.618 mi²)

▸ **Población:** 27.818.000 hab. (est. 2005)

▸ **Capital:** BAGDAD

▸ **Moneda:** dinar iraquí

Irak *o* **Iraq** *ofic.* **República de Irak** País del Medio Oriente, ubicado al noroeste del golfo PÉRSICO. La población consiste principalmente en una mayoría árabe y una minoría de KURDOS. Lengua: árabe (oficial). Religión: Islam (oficial); 66% de chiitas, 33% de sunníes. El país puede dividirse en cuatro regiones principales: la cuenca fluvial del Tigris-Éufrates en el centro y sudeste de Irak; la región de Al-Jazīrah, altiplanicie ubicada en el norte, entre los ríos TIGRIS y ÉUFRATES; la región desertica en el oeste y sur que cubre cerca de 40% del país; y la zona montañosa en el nordeste. Irak tiene la segunda reserva de petróleo comprobada más grande del mundo y tiene importantes reservas de gas natural. La agricultura emplea un 12,5% de la fuerza laboral. Irak es una república bicameral; su jefe de Estado es el presidente. Conocida antiguamente como MESOPOTAMIA, la región dio origen a las primeras civilizaciones del mundo, entre ellas, SUMER, ACAD y BABILONIA. Conquistada por ALEJANDRO MAGNO en 330 AC, se convirtió luego en campo de batalla entre romanos y partos, y, más adelante, entre sasánidas y bizantinos. Los árabes musulmanes la conquistaron en el s. VII DC y varias dinastías musulmanas la gobernaron hasta que los mongoles la conquistaron en 1258. El Imperio OTOMANO tomó el control en el s. XVI y gobernó hasta que los británicos ocuparon el país durante la primera guerra mundial (1914–18). Los británicos crearon el reino de Irak en 1921 y ocuparon nuevamente el país durante la segunda guerra mundial (1939–45). La monarquía fue restaurada después de la guerra, pero una revolución provocó su caída en 1958. Después de una serie de golpes militares, el PARTIDO BAATH de tendencia socialista, tomó el control y estableció un régimen totalitario en 1968. El partido terminó siendo dirigido por SADDAM HUSSEIN. La guerra de IRÁN-IRAK en la década de 1980 y la primera guerra del GOLFO PÉRSICO de 1990–91 causaron muchas muertes y gran destrucción. La economía languideció bajo el em-

Puerta de Ishtar, en la ciudad histórica de Babilonia, en el sur de Bagdad, Irak.
FOTOBANCO

bargo económico impuesto al país por la ONU en la década de 1990. El embargo comenzó a debilitarse a principios del s. XXI, pero en 2003 una invasión anglo-norteamericana expulsó al Partido Baath del poder.

IRÁN

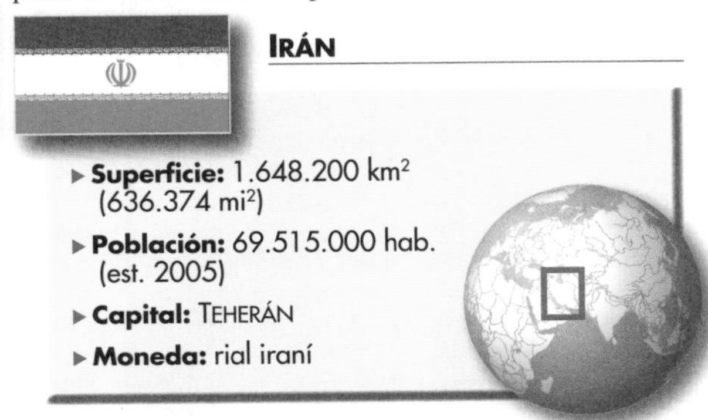

- **Superficie:** 1.648.200 km² (636.374 mi²)
- **Población:** 69.515.000 hab. (est. 2005)
- **Capital:** TEHERÁN
- **Moneda:** rial iraní

Irán *ofic.* **República Islámica de Irán** *ant.* **Persia** País del Medio Oriente. Los persas constituyen cerca de la mitad de la población; otros grupos étnicos son los KURDOS, los lurs, los bajtiyari y los baluchis. Idioma: persa o farsi (oficial). Religión: Islam (oficial); en su mayoría son chiitas. Irán está ubicado en una meseta que se levanta a más de 460 m (1.500 pies) sobre el nivel de mar y está en gran parte rodeado por montañas. Más de la mitad de la superficie del país está constituida por desiertos salinos y páramos. Cerca de 10% del suelo es cultivable y otro 25% es apto para el pastoreo. Sus ricos depósitos de petróleo representan cerca de 10% de las reservas mundiales y son la base de su economía. Es una república islámica unicameral, pero también con varios organismos de vigilancia dominados por el clero. El jefe de Estado y de Gobierno es el presidente, aunque la autoridad suprema reside en el líder religioso de mayor jerarquía (*rahbar*). El poblamiento humano de Irán se inició hace unos 100.000 años, pero la historia registrada comenzó con los elamitas c. 3000 AC. Los medos florecieron c. 728 AC, pero fueron desplazados del poder por los persas (550 AC), que a su vez fueron conquistados por ALEJANDRO MAGNO en el s. IV AC. Los partos (ver PARTIA) crearon un imperio que se prolongó desde 247 AC hasta 226 DC, cuando la dinastía SASÁNIDA tomó el control. Varias dinastías musulmanas gobernaron a partir del s. VII. En 1502 comenzó a regir la dinastía SAFAWÍ, que duró hasta 1736. La dinastía QAJAR gobernó a partir de 1779, pero en el s. XIX el país fue controlado económicamente por los imperios ruso y británico. REZA KAN PAHLAVI tomó el poder por medio de un golpe de Estado (1921). Su hijo, el sha MUHAMMAD REZA PAHLAVI, se ganó la enemistad de los líderes religiosos con un programa de modernización y occidentalización y fue destituido en 1979; el ayatolá chiita RUHOLÁ JOMEINI instauró entonces una república islámica y se eliminó toda influencia occidental. En la década de 1980, la destructiva guerra de IRÁN-IRAK terminó en un punto muerto. Durante la década de 1990, el gobierno adoptó gradualmente una política más liberal en los asuntos internos. A comienzos del s. XXI el gobierno anunció la intención de fortalecer en el país una sociedad islámica modelo y desarrollar un programa de energía nuclear, el que ha sido objeto de controversias con Occidente.

Irán, crisis de los rehenes en (1979–81). Crisis política debida a la detención de diplomáticos estadounidenses en Irán. Los sentimientos contrarios a EE.UU. en ese país, exacerbados en parte por los estrechos lazos entre EE.UU. y el impopular líder sha MUHAMMAD REZA PAHLAVI, culminaron cuando Pahlavi huyó de Irán durante la revolución iraní de 1979. Ese mismo año, cuando el monarca fue admitido en EE.UU. para someterse a tratamiento médico, militantes islámicos asaltaron la embajada de EE.UU. en Teherán y detuvieron a 66 estadounidenses. Con el apoyo tácito del nuevo régimen iraní del ayatolá RUHOLÁ JOMEINI, los asaltantes exigieron la extradición del sha a Irán, pero el pdte. JIMMY CARTER no aceptó y congeló todos los bienes iraníes en EE.UU. El 19 y 20 de noviembre de 1979, los iraníes dejaron en libertad a 13 mujeres y a los afroamericanos, y otro rehén quedó libre en julio de 1980. Una tentativa de rescatarlos en abril de 1980 fracasó. Cuando el sha murió, en julio de 1980 se iniciaron negociaciones por el retorno de los rehenes, pero los 52 restantes permanecieron cautivos hasta el 20 de enero de 1981, cuando quedaron en libertad pocos momentos después de la investidura de RONALD REAGAN. La crisis contribuyó a la derrota de Carter en su intento de ser reelegido. Ver también IRANGATE.

Irán, sha de ver Reza Kan y Muhammad Reza PAHLAVI

Irangate Escándalo político estadounidense. En 1985, Robert McFarlane, jefe del CONSEJO NACIONAL DE SEGURIDAD (NSC), autorizó la venta de armas a Irán con miras a obtener la liberación de rehenes estadounidenses que grupos terroristas pro iraníes mantenían en el Líbano. La medida contrariaba la política establecida, referida a los tratos con los terroristas y a la asistencia militar a Irán. A instancias de Oliver North, miembro del NSC, y con la aprobación de John M. Poindexter, una parte de los US$ 48 millones que Irán pagó por las armas se traspasó a los CONTRAS nicaragüenses, en abierta violación de una ley de 1984 que prohibía esa asistencia. Una investigación del Senado culminó en la condena de North y Poindexter por obstrucción a la justicia y otros delitos, aunque posteriormente los fallos fueron revocados debido a que los testimonios que se dieron en sus juicios habían estado influidos por informaciones que los acusados entregaron al congreso, en virtud de un acuerdo parcial de inmunidad. El pdte. RONALD REAGAN aceptó la responsabilidad por el intercambio de armas por rehenes, pero negó todo conocimiento del traspaso de dinero.

Escalera restaurada del palacio de Darío I (s. VI–V AC), Persépolis, Irán.
ROBERT HARDING/ROBERT HARDING WORLD IMAGERY/GETTY IMAGES

iranias, lenguas *o* **lenguas iraníes** Subgrupo principal de la rama indoirania de la familia de lenguas INDOEUROPEAS. Las lenguas iranias son habladas probablemente por más de 80 millones de personas en Asia meridional y sudoccidental. Se conocen sólo dos lenguas iranias antiguas, el AVÉSTICO y el persa antiguo. Se conoce un número mayor de lenguas iranias del período medio (c. 300 AC–950 DC); estas se dividen en un grupo occidental y otro oriental. Las lenguas iranias modernas se clasifican en cuatro grupos. El grupo del sudoeste incluye el PERSA moderno (farsi), el dari (en el norte de Afganistán), el tayik (en Tayikistán y otras repúblicas de Asia central), el lurí y el bajtiyarí (en el sudoeste de Irán) y el tat. El grupo del noroeste abarca el kurdo (hablado en KURDISTÁN) y el beluchistaní o baluchi (en el sudoeste de Pakistán, sudeste de Irán y sur de Afganistán). El grupo del sudeste comprende el pashto (en Afganistán y noroeste de Pakistán) y las diez o más lenguas pamir (en el este de Tayikistán y lugares adyacentes de Afganistán y China). El grupo del nordeste abarca el oseta (u oseto), hablado por los osetos en los montes del Cáucaso central, y el yagnobi, hablado antiguamente en uno de los valles del PAMIR. Casi todas las lenguas iranias modernas han utilizado –si tienen versiones escritas– adaptaciones del alfabeto ÁRABE.

iranias, religiones Antiguas religiones de los pueblos de la meseta iraní. Los medos y persas estaban dominados por una poderosa tribu sacerdotal, los magos. Estos eran los encargados de cantar relatos sobre el origen y descendencia de los dioses y fueron probablemente la fuente del DUALISMO que después caracterizó al ZOROASTRISMO, la más conocida de las religiones iranias. El dios supremo del panteón prezoroastriano era AHURA MAZDA, el creador del universo y el que mantiene el orden social y cósmico. MITRA era la segunda deidad más importante y el protector de los pactos. Otras deidades principales eran Anahita, diosa de la guerra; Rashnu, dios de la justicia; y deidades astrales como Tishtrya, identificado con la estrella Sirio. Los antiguos iranios no construían templos ni fabricaban imágenes de sus dioses, prefiriendo el culto al aire libre. El ritual central era la *yazna*, que consistía en una comida festiva en la que los adoradores hacían sacrificios de animales e invitaban a la deidad a que asistiera como comensal. El fuego era considerado un elemento sagrado. La bebida sagrada *hauma*, que contenía una droga alucinógena, se usaba para que los cultores se compenetraran de la verdad y estimular a los guerreros que iban a batalla.

Irán-Irak, guerra de (1980–90). Conflicto bélico prolongado y estéril iniciado por la invasión iraquí a su vecino oriental. Después de la revolución iraní de 1979, el gobierno de Irak trató de aprovechar el caos político y militar iraní con el propósito de resolver las disputas fronterizas, obtener el control de la provincia occidental de Irán (en gran parte árabe y rica en petróleo) y lograr la hegemonía en el golfo Pérsico. Al principio las fuerzas iraquíes obtuvieron éxito (1980–82), pero después comenzó a perder terreno, por lo que intentó negociar la paz. Irán rechazó la posibilidad y la guerra llegó a un sangriento estancamiento; durante este episodio se incursionó por primera vez en la GUERRA QUÍMICA desde la primera guerra mundial (1914–18). Después de nuevos avances iraquíes, Irán acordó un cese el fuego en 1988. La paz sólo fue alcanzada cuando Irak invadió a otro país vecino, Kuwait, en 1990. Ver también ṢADDĀM ḤUSSEIN; RUHOLÁ JOMEINI.

Iraq ver IRAK

Irawadi, río Río de Myanmar (Birmania). Fluye a lo largo de 2.170 km (1.350 mi), por el centro del país y desemboca en el golfo de BENGALA. Es la vía fluvial de mayor importancia comercial de Myanmar. Se forma por la confluencia de los ríos Nmai y Mali y en la zona central se le une su principal afluente, el río CHINDWIN. Sus puertos principales son MANDALAY, Chauk, Prome (Pyè) y Henzada.

Irbid Ciudad (pob., 1994: 208.329 hab.) del norte de Jordania. Construida sobre asentamientos de la edad del bronce temprana, es posible que corresponda a la ciudad bíblica de Bet Arbel y a la Abila de la antigua DECÁPOLIS. La actual Irbid es una de las localidades industriales de Jordania y un centro agrícola. Los numerosos manantiales de la zona, además del río YARMUK, proveen aguas para regadío. Es la sede de la Universidad de Yarmuk.

Iredell, James (5 oct. 1751, Lewes, Sussex, Inglaterra–20 oct. 1799, Edenton, N.C., EE.UU.). Jurista estadounidense. Su familia emigró a Carolina del Norte, donde fue designado administrador de aduana a la edad de 17 años. Ayudó a redactar y revisar las leyes del nuevo estado de Carolina del Norte y se desempeñó como fiscal general del estado (1779–81). Llevó a los federalistas del estado a apoyar la ratificación de la Constitución de los ESTADOS UNIDOS DE AMÉRICA y se dice que sus cartas en defensa de la misma (firmadas "Marcus") decidieron al pdte. GEORGE WASHINGTON a nombrarlo para un cargo en la Corte Suprema de los ESTADOS UNIDOS DE AMÉRICA (1790). Dictó notables sentencias, entre ellas, la de Chisholm v. Georgia (1793, donde afirmó la subordinación de los estados al gobierno federal) y el de Ware v. Hylton (1796, en apoyo de la primacía de los tratados de EE.UU. sobre las leyes de los estados). Su opinión en CalderBull (1798) ayudó a establecer el principio del CONTROL DE LA CONSTITUCIONALIDAD cinco años antes de que efectivamente se pusiera a prueba en el caso MARBURY V. MADISON.

Ireneo, san (c. 120/140, Asia Menor–c. 200/203, probablemente en Lyon; festividad en Occidente: 28 de junio; en Oriente: 23 de agosto). Obispo y teólogo. Hijo de padres griegos, fue misionero en Galia antes de ser nombrado obispo de Lugdunum (actual Lyon, Francia). Todas sus obras principales, como *Tratado contra las herejías*, fueron escritas contra el GNOSTICISMO. Para contrarrestar esta influencia, promovió la elaboración de un cánon fehaciente del Nuevo Testamento. Su defensa de la creencia que el Dios cristiano y el Dios del Antiguo Testamento eran idénticos llevó al desarrollo del Credo de los Apóstoles. Sus escritos contra los gnósticos apoyaron además la autoridad de los obispos y sostuvo que la antigüedad de los obispos de varias ciudades se remontaba a los APÓSTOLES (ver sucesión APOSTÓLICA). Sus obras han demostrado ser una valiosa fuente de información sobre los gnósticos, pues proporcionó resúmenes precisos acerca de sus creencias antes de refutarlas.

Ireton, Henry (1611, Attenborough, Nottinghamshire, Inglaterra–28 nov. 1651, Limerick, cond. Limerick, Irlanda). Político inglés, líder de la causa parlamentaria en las guerras civiles INGLESAS. Cuando estalló el conflicto, se unió al ejército parlamentario y participó de muchas victorias. Fue elegido al parlamento en 1645 y se casó con la hija de OLIVER CROMWELL en 1646. En 1647 propuso un proyecto de monarquía constitucional; después de que este fue rechazado por CARLOS I, elaboró las bases ideológicas para la arremetida contra la monarquía. Ayudó a someter a juicio a Carlos y fue uno de los que firmaron su sentencia de muerte. Recibió el mando del ejército en 1650, luchó contra los rebeldes católicos y murió después del sitio de Limerick.

Irgún Tzevaí Leumí (hebreo: "Organización militar nacional"). Movimiento judío clandestino del ala derecha que defendía el uso de la fuerza para establecer un estado judío en ambos márgenes del río Jordán. Se oponía a los británicos y a los árabes. Entre sus acciones se cuenta un atentado en 1946 al Hotel King David que dejó 91 muertos, y un ataque en 1947 a una aldea árabe en el que murieron 254 de sus habitantes. En 1943 MENAHEM BEGIN se convirtió en líder del movimiento. Con la independencia israelí, sus unidades se dispersaron. El Partido Herut de Israel fue su brazo político. Ver también HAGANÁ; LIKUD.

Irian ver isla NUEVA GUINEA

Irian Jaya ver PAPÚA

Iridáceas Familia que se compone de unas 1.700 especies de plantas herbáceas perennes y unos cuantos arbustos, distribuidos en unos 80 géneros. Se las conoce por ser plantas ornamentales como los lirios (género *Iris*), GLADIOLOS, FRESIAS, y especies del género *Crocus*. Los lirios tienen hojas ensiformes y lisas, y dan flores llamativas de una gran variedad de colores y tamaños en un tallo liso. En África se encuentran en mayor abundancia y diversidad, pero se distribuyen por casi todo el mundo en las zonas templadas, subtropicales y tropicales. Los tallos subterráneos pueden ser RIZOMAS (p. ej., especies del género *Iris* del Nuevo Mundo), BULBOS (p. ej., especies del género *Iris* de Europa sudoccidental) o CORMOS (p. ej., *Gladiolus*).

Iris germanica.

iridio ELEMENTO QUÍMICO metálico, uno de los elementos de TRANSICIÓN, de símbolo Ir y número atómico 77. Es un METAL muy raro, precioso, blanco plateado, duro, quebradizo, que resiste a la mayoría de los ÁCIDOS; es una de las sustancias más densas que se conocen en la Tierra. Es probable que no exista sin combinar en la naturaleza pero se encuentra en ALEACIONES naturales con otros metales nobles (i.e., metal químicamente inactivo o inerte). El metal puro es demasiado duro para trabajarlo como para que tenga algún uso significativo; las aleaciones con platino se utilizan en joyería, para puntas de lapiceras, agujas y ejes quirúrgicos, contactos eléctricos y electrodos de chispa y para matrices de extrusión. El kilogramo prototipo internacional, patrón primario para el peso (ver PESOS Y MEDIDAS), está compuesto por una aleación que comprende 90% de platino y 10% de iridio. El descubrimiento de cantidades bastante altas de iridio en rocas que datan del límite de los períodos CRETÁCICO y TERCIARIO condujo a una hipótesis muy debatida, según la cual un ASTEROIDE que contenía iridio habría impactado la Tierra, produciendo una cadena catastrófica de acontecimientos que incluyen la extinción de los DINOSAURIOS y de muchas otras formas de vida.

Irigaray, Luce (n. ¿1932?, Bélgica). Filósofa francesa y psicoanalista del feminismo. Examinó los usos y abusos del lenguaje en relación con la mujer en obras como *Speculum: espéculo de la otra mujer* (1974), donde sostiene que la historia y la cultura están escritas en un lenguaje patriarcal y centradas en la figura masculina, y que el pensamiento de SIGMUND FREUD estaba basado en la misoginia. Otros libros de Irigaray son *Éthique de la différence sexuelle* [Ética de las diferencias sexuales] (1984) y *Yo, tú, nosotras* (1990).

Irigoyen, Hipólito *o* **Hipólito Yrigoyen** (12 jul. 1852, Buenos Aires, Argentina–3 jul. 1933, Buenos Aires). Estadista y presidente argentino (1916–22, 1928–30). Abogado, profesor, ganadero y político, se convirtió en líder del partido radical en 1896. Trabajando sin cesar por la reforma electoral, logró en 1912 asegurar la votación secreta. Cuando fue elegido presidente en 1916, impulsó medidas para regular las condiciones laborales, pero no consiguió ponerlas en práctica, y una grave huelga fue violentamente reprimida en 1919. Debido a la corrupción y al hecho de que no pudo implementar las reformas democráticas, perdió el apoyo luego de su regreso al poder en 1928 y se debilitó aún más por la GRAN DEPRESIÓN. Un golpe de Estado militar casi sin derramamiento de sangre terminó con su carrera.

irish terrier *o* **terrier irlandés** Raza de TERRIER que se desarrolló en Irlanda, una de las más antiguas de los terrier. Su alzada es 41,5–46 cm (16–18 pulg.), pesa 10–12 kg (22–26 lb) y tiene el pelo duro, color rojo dorado a marrón rojizo. Apodado el temerario, se dice que es adaptable, leal, animoso y muy valiente. Sirvió de mensajero y centinela en la primera guerra mundial y se ha usado para cazar y cobrar presas.

Irish terrier.
SALLY ANNE THOMPSON

Irkutsk Ciudad (pob., est. 2001: 587.200 hab.) del centro-este de Rusia. Situada a orillas del río ANGARÁ, fue fundada en 1652 como campamento militar de invierno. Pronto se convirtió en un centro del comercio de pieles y base de operaciones de la ruta comercial rusa hacia China y Mongolia. En 1898 creció en importancia después de la inauguración del ferrocarril TRANSIBERIANO. Constituye un centro industrial y cultural, sede de la Universidad Estatal de Irkutsk y de varios institutos científicos.

IRLANDA

- **Superficie:** 70.273 km² (27.133 mi²)
- **Población:** 4.152.000 hab. (est. 2005)
- **Capital:** DUBLÍN
- **Moneda:** euro

Irlanda *irlandés* **Eire** República que ocupa la mayor parte de la isla situada al oeste de Gran Bretaña. Limita con IRLANDA DEL NORTE, que ocupa la parte nororiental de la isla. Pese a que fue invadida y colonizada por celtas, vikingos, normandos, ingleses y escoceses, en esta república no existen diferencias étnicas. Idiomas: irlandés, inglés (ambos oficiales). Religiones: catolicismo (95%), episcopalismo irlandés, presbiterianismo, metodismo, judaísmo. El relieve de Irlanda está formado principalmente por extensas tierras bajas avenadas por ríos, entre ellos el SHANNON, y un litoral bordeado por montañas. Cerca de 60% de la población es urbana y la agricultura ocupa sólo un pequeño porcentaje de la fuerza de trabajo. Entre las industrias destacan la minería, manufactura, construcción, servicios públicos, alta tecnología y turismo. Es una república bicameral; el jefe de Estado es el presidente y el de Gobierno, el primer ministro. El poblamiento de Irlanda comenzó c. 6000 AC y la migración celta data de c. 300 AC. A san PATRICIO se le atribuye la evangelización del país en el s. V. La dominación vikinga se inició en 795 y terminó en 1014, cuando fueron derrotados por BRIAN BORU. En 1171, el rey inglés ENRIQUE II se autoproclamó señor de la isla. A partir del s. XVI, los terratenientes irlandeses católicos escaparon de la persecución religiosa de los ingleses y fueron reemplazados por inmigrantes protestantes de origen inglés y escocés. En 1801 se estableció el Reino Unido de Gran Bretaña e Irlanda. La gran hambruna de la década de 1840 provocó la emigración de más de dos millones de personas e impulsó el GOBIERNO AUTÓNOMO DE IRLANDA. Tras el levantamiento de PASCUA (1916) se produjo una guerra civil (1919–21) entre la mayoría católica del sur, partidaria de la independencia y la mayoría protestante del norte que prefería mantener la unión con Gran Bretaña. En 1921 se le concedió autonomía a Irlanda del Sur, que se convirtió en el Estado Libre de Irlanda. En 1937 adoptó el nombre de Eire y pasó a ser un país soberano independiente. Fue neutral durante la segunda guerra mundial. Gran Bretaña reconoció el estatus de Irlanda en 1949, pero declaró que para cederle los seis condados septentrionales (Irlanda del Norte) necesitaba autorización del Parlamento de Irlanda del Norte. En 1973, Irlanda ingresó a la Comunidad Económica Europea (más tarde COMUNIDAD EUROPEA) y en la actualidad pertenece a la UNIÓN EUROPEA. Las últimas décadas del s. XX estuvieron marcadas por el sectarismo entre los católicos y los protestantes de la isla. El gobierno irlandés desempeñó un papel fundamental en las negociaciones para obtener el respaldo público del Acuerdo de Belfast o Stormont (1998), en virtud del cual se le otorgó al país un rol consultivo en los asuntos de Irlanda del Norte y se excluyó de la constitución irlandesa para la reclamación de derecho territorial sobre toda la isla.

Irlanda del Norte Parte del REINO UNIDO, situado en la zona nororiental de la isla de IRLANDA. Superficie: 14.144 km² (5.461 mi²). Población (2001): 1.685.267 hab. Capital: BELFAST. Limita con la República de Irlanda, el mar de Irlanda, el canal del Norte y el océano Atlántico. A menudo se la denomina Ulster. La población desciende de irlandeses autóctonos e inmigrantes de Inglaterra y Escocia. Idioma: inglés (oficial). Religiones: protestantismo (mayoritario) y catolicismo (minoritario). Moneda: libra esterlina. Entre sus actividades industriales se cuentan la ingeniería, construcción naval (en franca decadencia), fabricación de automóviles, textiles, elaboración de alimentos y bebidas y el vestuario. Los servicios ocupan cerca de 75% de la fuerza de trabajo y la manufactura, menos de 20%. También es importante la agricultura, cuyos ingresos provienen principalmente de la ganadería. Irlanda del Norte comparte gran parte de su historia con la República de Irlanda, aunque la mayoría de los protestantes ingleses y escoceses que inmigraron en los s. XVI–XVII se establecieron en Ulster. En 1801, la ley de la UNIÓN ACT creó el Reino Unido de Gran Bretaña e Irlanda. Como respuesta a las crecientes demandas de este último por el GOBIERNO AUTÓNOMO DE IRLANDA, se aprobó la ley de Gobierno de Irlanda en virtud de la cual se crearon dos regiones parcialmente autónomas: los seis condados septentrionales constituyeron Irlanda del Norte y los condados meridionales, la República de Irlanda. En 1968, las protestas de los católicos a favor de sus derechos civiles desencadenaron violentos conflictos con los protestantes y condujeron a la ocupación de la provincia por tropas británicas a comienzos de la década de 1970. El EJÉRCITO REPUBLICANO IRLANDÉS (IRA) organizó una prolongada campaña de violencia a fin de forzar la retirada de las tropas británicas, como paso previo de la unificación de Irlanda del Norte con Irlanda. En 1972 se suspendió la vigencia de la constitución y se disolvió el Parlamento de Irlanda del Norte, con lo cual la provincia quedó bajo control directo de los británicos. La violencia se prolongó durante tres décadas antes de decaer a mediados de la década de 1990. En 1998, las negociaciones entre el gobierno británico y el IRA culminaron con un acuerdo de paz que contemplaba una amplia autonomía para la provincia. En 1999 se devolvió el poder a una asamblea elegida, cuyo desempeño se vio entorpecido por desacuerdos entre las facciones. A comienzos del s. XXI, las manifestaciones de sectarismo continuaron en forma esporádica mientras el IRA efectuaba gradualmente el decomiso (desarme) acordado.

Irlanda, mar de Brazo del océano Atlántico norte que separa las islas de Irlanda y Gran Bretaña. Está conectado al Atlántico por el canal del Norte y el canal de San Jorge y mide unos 210 km (130 mi) de largo y 240 km (150 mi) de ancho. Su superficie total es de 100.000 km² (40.000 mi²) aprox. Tiene una profundidad máxima de 175 m (576 pies). MAN y ANGLESEY son sus islas principales.

irlandés *o* **lengua gaélica** Lengua CELTA de Irlanda, escrita en el alfabeto LATINO introducido con el cristianismo en el s. V. En la evolución del irlandés suelen distinguirse tres períodos: irlandés antiguo (600–c. 950), irlandés medio (c. 950–1200) e irlandés moderno (desde c. 1200). La escritura OGHAM es anterior al irlandés antiguo. El irlandés antiguo y medio transmitieron una literatura rica en relatos de prosa y poesía. El irlandés moderno clásico fue el único medio literario hasta los tiempos modernos en Irlanda y la zona gaélica de Escocia (ver GAÉLICO ESCOCÉS). La capacidad de leer y escribir en irlandés declinó durante el dominio inglés; en 1800 el irlandés prácticamente había dejado de ser una lengua escrita. Las muertes y las migraciones causadas por la HAMBRUNA IRLANDESA DE LA PATATA y, posteriormente, el cambio masivo al inglés redujeron en forma drástica el número de hablantes del irlandés. Este idioma resurgió como lengua literaria a fines del s. XIX y comienzos del s. XX, y con la independencia de Irlanda (1921) se hizo oficial. Aun cuando el irlandés es la lengua comunitaria de sólo un pequeño número de personas en la costa occidental de Irlanda en los denominados Gaeltachts, cientos de miles de ciudadanos irlandeses y sus descendientes tienen cierto nivel de conocimiento de la lengua.

IRM ver imágenes por RESONANCIA MAGNÉTICA

IRO ver ORGANIZACIÓN INTERNACIONAL DE REFUGIADOS

ironía Recurso lingüístico en el cual la verdadera intención está oculta o en contradicción con el significado literal de las palabras o del contexto. La ironía verbal, sea hablada o escrita, surge de una conciencia del contraste entre lo que es y lo que debería ser. La ironía dramática, incongruencia en una obra teatral entre lo que se espera que ocurra y lo que ocurre en realidad, depende de la estructura de la obra y no del uso que esta hace del lenguaje y a menudo es producto de la conciencia que tienen los espectadores de un destino que aguarda a los personajes que ellos mismos no sospechan. Ver también FIGURA RETÓRICA.

Irons, Jeremy (n. 19 sep. 1948, Cowes, isla de Wight, Inglaterra). Actor británico. Su debut teatral en Londres fue con la comedia musical *Godspell* (1973) y después actuó en Broadway en *Algo de verdad* (1984, premio Tony). Su debut cinematográfico fue en *Nijinsky* (1980), se hizo conocido por su actuación en *La mujer del teniente francés* (1981) y logró una gran popularidad en la serie de televisión inglesa *Retorno a Brideshead* (1980–81). Son memorables sus actuaciones por su delicadeza y sofisticación, y deleitó con sus exquisitas y perversas mutaciones de carácter en *Mortalmente parecidos* (1988) y *El misterio von Bulow* (1990, premio de la Academia). Entre sus siguientes películas se cuentan *Obsesión* (1992), *El rey león* (1994) y *Lolita* (1997).

Jeremy Irons, actor británico. FOTOBANCO

iroqués Uno de los seis pueblos norteamericanos de la Confederación IROQUESA que viven mayormente en el sur de Ontario y en Quebec, Canadá, así como en Nueva York, Wisconsin, Ohio y Oklahoma, EE.UU. El nombre iroqués es una derivación francesa de *irinakhoiw*, que significa "serpientes de cascabel", epíteto debido a su enemigo algonquino. Ellos se autodenominan *hodenosaunee*, que significa "gente de la casa larga". Eran semisedentarios, practicaban la agricultura, empalizaban sus aldeas y habitaban en viviendas que albergaban a muchas familias. Las mujeres trabajaban la tierra; cuando eran ancianas ayudaban a determinar la composición de los consejos aldeanos. Los hombres construían las viviendas, cazaban, pescaban y guerreaban. Su mitología se ocupaba mayormente de la agresión y crueldad sobrenaturales, hechicería, tortura y canibalismo. Su ceremonial religioso consistía en festivales agrícolas. Fue una sociedad muy marcada por la guerra y sus prisioneros eran frecuentemente torturados durante días o bien convertidos en esclavos. En conjunto las tribus iroquesas suman unos 70.000 miembros, de los cuales los MOHAWKS constituyen más de la mitad de esa cifra.

iroquesa, Confederación *o* **Liga de los iroqueses** Confederación de cinco (luego seis) tribus indígenas que ocupaban un vasto territorio en el actual estado de Nueva York y que en los s. XVII–XVIII desempeñó un papel estratégico en la lucha entre los franceses y los ingleses por la supremacía en América del Norte. Las cinco naciones fundadoras eran la MOHAWK, ONEIDA, onondaga, cayuga y SENECA; la tuscarora, miembro sin derecho a voto, se sumó en 1722. Según la tradición, la confederación fue fundada entre 1570 y 1600 por Dekanawidah, HURÓN de nacimiento, que materializó las ideas originales de HIAWATHA, onondaga. Cimentada en el deseo de resistir mancomunadamente la invasión, las tribus se unieron en un consejo común compuesto de 50 caciques (sachems); cada tribu fundadora tenía un voto, y se decidía por unanimidad. Al comienzo la confederación apenas soportó los ataques de los hurones y los MOHICANOS, pero hacia 1628 estos últimos habían sido derrotados por los mohawks, quienes se establecieron como la tribu dominante en la región. Cuando los iroqueses aniquilaron a los hurones en 1648–50, fueron atacados por los aliados franceses de estos. Durante la guerra de independencia de los ESTADOS UNIDOS DE AMÉRICA, los oneidas y los tuscaroras se alinearon con los colonos, mientras los demás miembros de la liga, bajo el mando de JOSEPH BRANT, pelearon del lado de los ingleses. La derrota de los iroqueses leales a la Corona británica en 1779, cerca de Elmira, N.Y., fue el fin de la confederación.

iroquesas, lenguas Familia compuesta por unas 16 lenguas indígenas de América del Norte, habladas alrededor de los Grandes Lagos del este y en lugares de los estados de Nueva York, Nueva Jersey y Pensilvania y el sur de EE.UU. Con excepción de las lenguas de la Confederación IROQUESA (mohawk, oneida, onondaga, cayuga y seneca, todas habladas originalmente en Nueva York, junto con el tuscarora, hablado en su origen en Carolina del Norte) y el cherokee (hablado inicialmente en los Apalaches del sur), las lenguas iroquesas están extinguidas y, con excepción del hurón y el wyandot, existen escasos antecedentes de ellas. Las lenguas iroquesas son notables por su complejidad gramatical. Gran parte del contenido semántico de una oración se construye en torno a una base verbal, de manera que una sola palabra muy larga puede constituir un enunciado bastante complejo.

Irtish, río *kazako* **Ertis** Río que nace en los montes ALTÁI, en la región autónoma de XINJIANG, China. Fluye primero hacia el oeste hasta cruzar la frontera china y luego hacia el noroeste a través de KAZAJSTÁN, hasta llegar a SIBERIA, donde se transforma en el principal afluente del río OBI. Tiene 4.248 km (2.640 mi) de longitud y es navegable en su mayor parte. Entre sus principales puertos están Tobolsk, Tara, Omsk, Pavlodar, Semey y Öskemen.

Iruña ver PAMPLONA

Irving, John (Winslow) (n. 2 mar. 1942, Exeter, N.H., EE.UU.). Novelista estadounidense. Fue docente en varias universidades antes de dedicarse por completo a la literatura a fines de la década de 1970. Su novela, best seller *El mundo según Garp* (1978; película, 1982) se destaca, al igual que el resto de su obra, por su trama seductora, las caracterizaciones coloridas, el humor macabro y la forma en que aborda temas contemporáneos. Entre sus novelas destacan *El hotel New Hampshire* (1981; película, 1984), *Las normas de la casa de sidra* (1985; película, 1999) y *Oración por Owen* (1989).

Irving, Washington (3 abr. 1783, Nueva York, N.Y., EE.UU.–28 nov. 1859, Tarrytown, N.Y.). Escritor estadounidense, llamado "el primer hombre de letras estadounidense". Comenzó trabajando como abogado; sin embargo, al poco tiempo se convirtió en el líder del grupo que publicaba *Salmagundi* (1807–08), periódico que contenía poemas y ensayos de corte fantástico. Después de su hilarante *Historia de Nueva York por Knickerbocker* (1809), no escribió gran cosa hasta la publicación del *Libro de los bocetos* (1819–20), que lo hizo famoso, donde se incluyen sus relatos más conocidos, "La leyenda de Sleepy Hollow" y "Rip Van Winkle". La obra tuvo una continuación titulada *Bracebridge Hall* (1822). Desempeñó cargos diplomáticos en Madrid, España, país cuyo pasado le inspiró obras como *Cuentos de la Alhambra* (1832).

Washington Irving, pintura de J.W. Jarvis, 1809; colección del Historic Hudson Valley.

GENTILEZA DEL HISTORIC HUDSON VALLEY

Isaac II Ángelo (c. 1135–feb. 1204). Emperador bizantino (1185–95). Proclamado emperador por una turba de Constantinopla que había asesinado a su primo ANDRÓNICO I COMNENO, expulsó a los normandos de Grecia (1185), pero no logró reconquistar Chipre de manos de los rebeldes. Se vio obligado a ayudar a FEDERICO I Barbarroja en la tercera CRUZADA. Derrotó a los serbios (1190), pero antes de que pudiera llevar a cabo una proyectada expedición en contra de los búlgaros, fue derrocado por su hermano, que lo encarceló y lo hizo cegar (1195). Su hijo Alejo logró que la cuarta cruzada se desviara de su objetivo original para restaurarlo en el poder (1203). Padre e hijo gobernaron por un corto tiempo como coemperadores antes de ser destronados y asesinados en una revuelta.

Isaac de Stella (c. 1100, Inglaterra–c. 1169, Étoile, cerca de Poitiers, Aquitania). Monje, filósofo y teólogo. Se unió a los CISTERCIENSES durante las reformas llevadas a cabo por san BERNARDO DE CLARAVAL. Sus trabajos académicos utilizan la argumentación lógica y reciben la influencia del NEOPLATONISMO de san AGUSTÍN. Su obra más destacada, *Letter to Alcher on the Soul* [Epístola a Alcher acerca del alma] (1162), integra teorías psicológicas aristotélicas y neoplatónicas con el misticismo cristiano. Isaac de Stella, figura esencial del humanismo de su época, sugiere que el intelecto permite al hombre comprender las ideas eternas y que la inteligencia permite al ser humano intuir la realidad de Dios.

Isaac, Heinrich (c. 1450, Brabante–1517, Florencia). Compositor flamenco. Aunque permaneció gran parte de su carrera en Italia, especialmente en Florencia, fue reconocido como uno de los representantes principales del estilo francoflamenco. Como compositor de la corte del emperador MAXIMILIANO I (desde 1497) pudo viajar. Tuvo muchos discípulos, entre ellos, Ludwig Senfl, y, como difusor principal del estilo progresivo del norte tiene importancia histórica en Alemania. La belleza y la calidad de sus obras, con más de 100 misas, decenas de MOTETES y canciones profanas, han hecho que algunos lo consideren el compositor más importante después de JOSQUIN DES PREZ entre sus contemporáneos.

Isaacs, Jorge (1 abr. 1837, Cali, Colombia–17 abr. 1895, Ibagué, Tolima). Escritor colombiano. Provenía de una familia judeobritánica, poseedora de propiedades, las que perdió en las luchas civiles de 1860–63, en las cuales Isaacs participó. Desde entonces vivió en la pobreza, en Bogotá, consagrado a la creación literaria o desempeñando en forma ocasional algunos cargos gubernamentales, entre ellos el de cónsul en Chile. Como escritor dejó un volumen de *Poesías* (1864), de tono marcadamente romántico, y una novela que fue por décadas la más popular en Hispanoamérica, *María* (1867). En ella convergen rasgos del ROMANTICISMO (sentimentalismo, exaltación de la naturaleza y de la vida primitiva, desenlace luctuoso) y del REALISMO (interés por la realidad regional y social).

Isabel *llamada* **Sisí** (24 dic. 1837, Munich, Baviera–10 sep. 1898, Ginebra, Suiza). Emperatriz consorte de Austria (1854–98) y reina de Hungría (1867–98). Considerada la princesa más bella de Europa, se casó con su primo, el emperador FRANCISCO JOSÉ, en 1854. Fue popular entre sus súbditos, pero ofendió a la alta sociedad vienesa con su impaciencia frente a la rígida etiqueta de la corte. Los húngaros la admiraron, especialmente por sus esfuerzos para que se lograra el COMPROMISO DE 1867. Durante una visita a Suiza, fue asesinada por un anarquista italiano.

Isabel *o* **Isabel Estuardo** (19 ago. 1596, Palacio Falkland, Fifeshire, Escocia–13 feb. 1662, Westminster, Londres, Inglaterra). Reina nominal de Bohemia desde 1619. Hija del rey escocés Jacobo VI (posteriormente JACOBO I de Inglaterra), llegó a la corte real inglesa en 1606. Célebre por su belleza y encanto, se convirtió en el tema favorito de los poetas. En 1613 se casó con Federico V, el elector palatino, quien se convirtió en rey de Bohemia (como Federico I) en 1619. Después de su derrota ante la Liga CATÓLICA en 1620, marcharon al exilio, en las Provincias Unidas, donde Isabel vivió durante los siguientes 40 años. En 1661 su sobrino CARLOS II le permitió con desgano regresar a Inglaterra. Su hijo más famoso fue el príncipe RUPERTO.

Isabel *ruso* **Yelizaveta Petrovna** (18 dic. 1709, Kolómenskoie, cerca de Moscú, Rusia–25 dic. 1761, San Petersburgo). Emperatriz de Rusia (1741–61). Hija de PEDRO I y CATALINA I, fue proclamada emperatriz después de organizar un golpe de Estado y arrestar a IVÁN VI, a su madre y a sus principales consejeros. Fomentó el desarrollo de la educación y las artes, y dejó la mayor parte de los asuntos de Estado en manos de sus consejeros y favoritos. Su reinado se caracterizó por las intrigas de la corte, una situación financiera en deterioro y la obtención de privilegios por la clase alta a expensas del campesinado. Sin embargo, aumentó el prestigio de Rusia como una gran potencia europea. Rusia siguió una política exterior proaustríaca y antiprusiana, se anexó una parte del sur de Finlandia después de librar una guerra contra Suecia, mejoró sus relaciones con Gran Bretaña y combatió contra Prusia en la guerra de los SIETE AÑOS. Fue sucedida por su sobrino PEDRO III.

Isabel I *llamada* **Isabel la Católica** (22 abr. 1451, Madrigal de las Altas Torres, Castilla–26 nov. 1504, Medina del Campo, España). Reina de Castilla (1474–1504) y de Aragón (1479–1504). Hija de Juan II de Castilla y León, se casó con FERNANDO II en 1469. Su reinado comenzó con una guerra civil provocada por su ascensión al trono (1474–79), pero en 1479 los reinos de Castilla y Aragón se unieron en las personas de sus gobernantes, aunque continuaron siendo gobernados en forma separada. Tras una larga campaña (1482–92), Isabel y Fernando lograron conquistar Granada, el último baluarte musulmán en España. En 1492 prestó apoyo financiero a la expedición de CRISTÓBAL COLÓN que culminaría con el descubrimiento de América. Ese mismo año ordenó la expulsión de los judíos durante la INQUISICIÓN. Junto con sus asesores espirituales, reformó la iglesia española.

Isabel la Católica, retrato de un artista desconocido, Madrid.
ARCHIVO MÁS, BARCELONA

Isabel I (7 sep. 1533, Greenwich, cerca de Londres, Inglaterra–24 mar. 1603, Richmond, Surrey). Reina de Inglaterra (1558–1603). Hija de ENRIQUE VIII y de su segunda esposa, ANA BOLENA. Durante su niñez demostró una precoz seriedad y recibió una educación rigurosa normalmente reservada para los herederos varones. Su situación fue precaria durante los reinados de sus hermanastros EDUARDO VI y MARÍA I TUDOR. Después de la rebelión de Sir Thomas Wyatt en 1554, la encarcelaron, pero luego fue liberada. Su ascensión al trono tras la muerte de María fue recibida con gran júbilo por su pueblo. Reunió a un grupo de experimentados consejeros, entre ellos WILLIAM CECIL y FRANCIS WALSINGHAM, pero conservó celosamente su autoridad para tomar las decisiones finales. Entre los hechos importantes de su reinado estuvieron el regreso de Inglaterra al protestantismo; la ejecución de MARÍA I ESTUARDO, y la victoria inglesa sobre la ARMADA INVENCIBLE española. Vivió bajo la constante amenaza de conspiraciones urdidas por sectores católicos británicos. Con el tiempo llegó a ser conocida como la "Reina Virgen", desposada con su reino. Tuvo muchos pretendientes importantes y mostró indicios de atracción romántica hacia el conde de LEICESTER, pero permaneció soltera, debido quizás a que estuvo poco dispuesta a transigir en su poder; otro pretendiente, el conde de ESSEX, fue ejecutado en 1601 por traición. Aunque sus últimos años fueron testigos de la decadencia económica del país y de los desastrosos intentos militares de someter Irlanda, durante su reinado Inglaterra surgió como potencia mundial y su presencia ayudó a unificar la nación en contra de los enemigos extranjeros. De gran inteligencia y obstinación, inspiró fervientes expresiones de lealtad; en el período el país experimentó un gran florecimiento en las artes, en especial de la literatura y la música. Después de su muerte, la sucedió en el trono JACOBO I.

Isabel II (10 oct. 1830, Madrid, España–9 abr. 1904, París, Francia). Reina de España (1833–68). Hija de FERNANDO VII, el problema de su sucesión al trono precipitó la primera guerra carlista (ver CARLISMO). Durante su minoría de edad (1833–43), su madre y BALDOMERO ESPARTERO actuaron como regentes. En 1843 Espartero fue depuesto por oficiales militares e Isabel fue declarada mayor de edad. La oposición liberal al autoritarismo del régimen, los escandalosos informes acerca de su vida privada y su arbitraria interferencia política provocaron la revolución de 1868, que la forzó a marchar al exilio. Abdicó en favor de su hijo, ALFONSO XII.

Reina Isabel II, 1985.
FOTOBANCO

Isabel II *p. ext.* **Isabel Alejandra María** (n. 21 abr. 1926, Londres, Inglaterra). Soberana del Reino Unido desde 1952. Se convirtió en heredera presunta al trono cuando su tío, EDUARDO VIII, abdicó y su padre se convirtió en rey como JORGE VI. En 1947 se casó con su primo lejano FELIPE, duque de Edimburgo, con quien tuvo cuatro hijos, entre ellos CARLOS, príncipe de Gales. Ascendió al trono a la muerte de su padre en 1952. Cada vez más consciente del moderno papel de la monarquía, fomentó la vida sencilla en la corte y participó de manera informada en los asuntos de gobierno. En la década de 1990 la monarquía enfrentó dificultades debido a los muy publicitados problemas matrimoniales de dos de los hijos de la reina y a la muerte de DIANA, princesa de Gales. En 2002 murieron la madre y la hermana de la reina con una diferencia de dos meses.

Isabel Ana Seton, santa *orig.* **Elizabeth Ann Bayley** *llamada* **Madre Seton** (28 ago. 1774, Nueva York, N.Y.–4 ene. 1821, Emmitsburg, Md., EE.UU.; canonizada el 14 sep. 1975; festividad: 4 de enero). Líder religiosa y educadora norteamericana, primera estadounidense canonizada por la Iglesia católica. Nacida en el seno de una familia de clase alta, se casó con William Magee Seton en 1794. En 1797 fundó la Sociedad de socorro de viudas pobres con hijos pequeños y en 1803 enviudó con cinco hijos. Después de convertirse del episcopalismo al catolicismo en 1805, abrió una escuela primaria católica gratuita en Baltimore, Md., en 1809. En 1813 fundó las Hermanas de la caridad, la primera orden religiosa estadounidense, de la cual fue superiora hasta su muerte. A menudo es considerada la madre del sistema escolar parroquial en EE.UU.

Isabel de Hungría, santa (1207, probablemente Pressburgo, Hungría–17 nov. 1231, Marburgo, Turingia; canonizada en 1235; festividad: 17 de noviembre). Princesa de Hungría canonizada por su dedicación a los pobres. Se casó con Luis IV de Turingia, que murió de peste en 1227 en camino a la sexta CRUZADA. Se incorporó entonces a la Tercera Orden de San Francisco y dedicó su vida a los pobres y los enfermos, para los cuales construyó un hospicio. Se dice que en su juventud robaba pan para dárselo a los pobres, y más tarde distribuyó grano durante las hambrunas. Según la leyenda más conocida, que ha sido tema frecuente en la pintura, se encontró en forma inesperada con su esposo en una de sus obras de caridad; las hogazas de pan que llevaba se convirtieron milagrosamente en rosas. Esta transformación convenció a su esposo de lo meritorio de su generoso empeño, por el cual antes la había regañado.

Isabel la Católica ver ISABEL I

Isabela, isla Isla de las GALÁPAGOS, Ecuador. Es la más grande de estas islas, situadas en el océano Pacífico oriental, al oeste de Ecuador continental. Isabela cubre una superficie de 4.274 km² (1.650 mi²) y la línea del ecuador cruza su punta septentrional, Albemarle. Posee especies únicas de pingüinos y cormoranes no voladores, así como gran cantidad de iguanas y flamencos.

isabelina, literatura Corpus de obras escritas durante el reinado de ISABEL I de Inglaterra (1558–1603). Tal vez la época más ilustre en la historia de la literatura inglesa. En la era isabelina floreció la poesía, el drama tuvo su edad dorada y la prosa brilló por su gran variedad y esplendor. El período abarca las obras de Sir PHILIP SIDNEY, EDMUND SPENSER, CHRISTOPHER MARLOWE y WILLIAM SHAKESPEARE, y otros. A pesar de que algunos modelos y temáticas perduraron, el tono de la mayoría de las formas de expresión literaria, especialmente el drama, se volvió de súbito algo sombrío en los inicios del s. XVII. Ver también literatura JACOBEA.

Isaías (c. siglo VIII AC, Jerusalén). PROFETA del antiguo Israel a quien se le atribuye el libro bíblico que lleva su nombre. Se cree que escribió sólo algunos de los primeros 39 capítulos del libro; los restantes pertenecen a uno o más autores desconocidos. Comenzó a profetizar c. 742 AC, cuando Asiria estaba iniciando su expansión hacia el oeste que más tarde arrasó a Israel. Contemporáneo de AMÓS, denunció la injusticia económica y social entre los israelitas y los instó a obedecer la Ley y a no exponerse a que se rompiera a la ALIANZA con Dios. Predijo correctamente la destrucción de Samaria (norte de Israel), en 722 AC, y declaró que los asirios eran el instrumento de la ira de Dios. Los evangelios cristianos se apoyan en el libro de Isaías más que en cualquier otro texto profético y su pasaje de las "espadas convertidas en arados" tiene un atractivo universal.

ISBN *sigla de* **International Standard Book Number** Número de diez dígitos que se le asigna a un libro o a una edición de este antes de su publicación. El ISBN identifica varios elementos de la obra, agrupándola dentro de una categoría nacional, geográfica o idiomática, u otra categoría conveniente; el número también permite identificar el título, la edición y el número del volumen. El ISBN forma parte de las Normas internacionales de descripción bibliográfica (ISBD), que fueron prescritas por la Organización Internacional de Normalización (ISO); los delegados adoptaron el sistema numérico en 1969. Los números son asignados por los editores y administrados por las oficinas nacionales de estandarización que han sido designadas, como R.R. Bowker Co. en EE.UU., y la Standard Book Numbering Agency Ltd. en Gran Bretaña.

Ischia, isla de Isla en el sur de Italia. Situada en el mar Tirreno entre el golfo de Gaeta y la bahía de Nápoles, tiene una superficie de 47 km² (18 mi²) y se compone casi totalmente de roca volcánica. Alcanza 788 m (2.585 pies) de altura en el monte Epomeo, un volcán inactivo del cual proviene el nombre de un conocido vino de la isla. Es una zona de balnearios famosa por su clima templado y sus fuentes minerales. Las principales ciudades, entre ellas Ischia, se encuentran en el norte de la isla.

Ise, santuario de *p. ext.* **Gran santuario de Ise** *japonés* **Ise-daijingū** Santuario sintoísta (ver SINTOÍSMO) más famoso de Japón, ubicado en Ise, sur de Honshu. El santuario interior (fundado en el s. IV AC) está dedicado a la diosa del sol AMATERASU. El santuario exterior (s. V), ubicado a 6 km (4 mi) de distancia, está dedicado a Toyouke Ōkami, dios de los alimentos, la vestimenta y el hogar. En ambos santuarios, el edificio principal es el templo construido en madera de ciprés japonés al antiguo estilo nipón, sin pintar (*hinoki*). Una característica distintiva de la arquitectura sintoísta es el *chigi*, decoración en forma de tijera que se ubica en ambos extremos del caballete. Desde el s. VII, los edificios del santuario se han reconstruido cada 20 ó 21 años.

Iseo, lago de *o* **lago Sebino** Lago en el norte de Italia, situado en la base meridional de los ALPES. Recibe las aguas del río Oglio, que desaguan al lago por el extremo norte, cerca de Lovere, y continúa su curso en el extremo sur, en Sarnico. Mide 25 km (15,5 mi) de largo y cubre una superficie de 62 km² (24 mi²). En el monte Isola, una gran isla que se encuentra en el centro del lago, existe una capilla.

Isère, río Río del sudoeste de Francia. Nace en los Alpes de Saboya, en la frontera italiana, y fluye por 290 km (180 mi) en dirección sudoeste hasta confluir con el río RÓDANO al norte de Valence. No es navegable, pero se utiliza para obtener energía hidroeléctrica.

El río Isère a su paso por Grenoble, Francia.
SHOSTAL–EB INC.

Isfahán *persa* **Eşfahān** Ciudad (pob., est. 1996: 1.266.072 hab.) del centro-oeste de Irán. En la antigüedad era un poblado medo conocido como Aspadana, y luego una ciudad importante de la dinastía SELYÚCIDA (s. XI–XIII DC) y de la dinastía SAFAWÍ de Irán (s. XVI–XVIII). Su edad de oro comenzó en 1598, cuando el sha 'ABBĀS I hizo de ella su capital y la reconstruyó hasta convertirla en una de las ciudades más grandes del s. XVII. En su centro estableció la gigantesca plaza real Maydan-i Shah, un gran jardín rectangular que rodeaba la mezquita real MASJID-I SHAH. Los afganos la capturaron en 1722 y la ciudad comenzó a decaer. Su recuperación se inició en el s. XX, y en la actualidad es un importante centro de industria textil, así como de siderurgia y refinación de petróleo.

Isfahán, gran mezquita de *persa* **Masjed-e Jāmi'** Complejo de edificios, principalmente del período de la dinastía SELYÚCIDA, en Isfahán, Irán. La MEZQUITA (terminada c. 1130) tiene un patio central enmarcado por cuatro enormes *eyvāns*, o nichos abovedados. Es famosa por su fina albañilería, por sus cúpulas y sus dos santuarios abovedados. La bóveda de ladrillo del santuario principal (c. 1070–75) es sostenida por pilares gruesos. El compartimento abovedado más pequeño (1088) se distingue por la belleza de sus proporciones. Su cúpula, que se apoya sobre una serie de arcos, es una obra maestra estructural. La bóveda y la planta de las cuatro *eyvān* se convirtieron en modelos para las mezquitas selyúcidas.

Isherwood, Christopher *orig.* **Christopher William Bradshaw** (26 ago. 1904, High Lane, Cheshire, Inglaterra–4 ene. 1986, Santa Mónica, Cal., EE.UU.). Escritor estadounidense de origen inglés. Isherwood estudió en la Universidad de Cambridge, donde trabó una estrecha amistad con W.H. AUDEN, con quien viajó y colaboró en la composición de tres dramas en verso, incluido *El despegue del F6* (1936). Vivió en Berlín de 1929 a 1933; sus dos novelas inspiradas en este período, que luego fueron publicadas en conjunto como *Los relatos de Berlín* (1946), constituyeron el germen de la obra teatral *Soy una cámara* (1951; película, 1955) y del musical *Cabaret* (1966; película, 1972). Fue pacifista y cuando comenzó la segunda guerra mundial se trasladó al sur de California, donde se dedicó a escribir guiones cinematográficos y a la docencia. En sus últimas obras de ficción y sus memorias se manifiesta su homosexualidad. Fue un seguidor del Swami Prabhavananda, además de escribir y traducir obras sobre el VEDANTA indio.

Ishiguro Kazuo (n. 8 nov. 1954, Nagasaki, Japón). Escritor inglés de origen japonés. Se trasladó a Inglaterra junto con su familia en 1960. Estudió en las universidades de Anglia Oriental y Kent. Desde 1982, año en que publicó su primera novela, *Pálida luz en las colinas*, se ha dedicado por completo a la literatura. Al año siguiente fue nominado por la prestigiosa revista *Granta* como uno de los 20 mejores escritores jóvenes de Inglaterra, lo que propició el despegue definitivo de su carrera literaria. Alcanzó fama mundial con su tercera novela, *Los restos del día* (Premio Broker, 1989; película, 1993), donde narra la historia de un anciano mayordomo inglés que enfrenta sus carencias afectivas, al tiempo que recuerda una vida dedicada a servir a otros. Entre sus últimas novelas se cuentan *Cuando fuimos huérfanos* (2000), ambientada en Shanghai a comienzos del s. XX, y *Nunca me abandones* (2006).

Ishikari, río Río de la isla HOKKAIDO, Japón. Nace cerca del centro de los montes KITAMI, fluye hacia el sudoeste y desemboca en la bahía de Ishikari, en el mar de JAPÓN (mar Oriental). Con 442 km (275 mi) de longitud, es el segundo río más largo del país. Su nombre deriva de *ishikaribetsu*, expresión AINU que significa "río muy serpenteante".

Ishim, río *kazako* **Esil** Río que cruza el centro-norte de Kazajstán y las provincias de Tiumen y Omsk, en el centro-sur de Rusia. Afluente del río IRTISH, nace en los montes Niiaz al norte de las tierras altas kazakas y fluye hacia el noroeste antes de su confluencia con el Irtish en Ust-Ishim. Tiene 2.450 km (1.522 mi) de longitud.

Ishmael ben Elisha (c. s. II DC). Sabio judío. Nacido en el seno de una acaudalada familia sacerdotal, fue llevado en cautiverio por las legiones romanas que saquearon JERUSALÉN en 70 DC, pero su antiguo maestro pagó el rescate y lo enviaron de regreso a Palestina, donde se dedicó al estudio. Fundó una escuela rabínica y escribió comentarios sobre la TORÁ, aplicando 13 reglas de exégesis basadas en las siete reglas de HILLEL. Conocido por su enfoque simple y literal del saber bíblico, procuró aligerar la carga de los judíos observantes en cuanto a la interpretación de la Ley. A menudo se hace mención a su disputa con AKIBA BEN YOSEF por lo que consideraba las excesivas interpretaciones de este último acerca de palabras o frases bíblicas superficiales.

Ishtar En las religiones MESOPOTÁMICAS, diosa de la guerra y el amor sexual. Conocida como Ishtar en Acadia, fue llamada ASTARTÉ por los pueblos semíticos occidentales e identificada con Inanna en Sumeria. En la antigua Sumeria era tanto la diosa de los almacenes como de la lluvia y las tempestades de truenos. Diosa de la fertilidad en una época, se convirtió en una deidad de cualidades contradictorias, de la alegría y el pesar, del juego limpio y la enemistad. En Acadia se la asoció

Ishtar, con su animal de culto, el león, y un devoto, sello cilíndrico, c. 2300 AC; Instituto Oriental, Universidad de Chicago, EE.UU.
GENTILEZA DEL INSTITUTO ORIENTAL, UNIVERSIDAD DE CHICAGO

con el planeta VENUS y era patrona de las prostitutas y de las tabernas. Su popularidad se generalizó en el antiguo Medio Oriente y fue llamada la reina del universo.

Ishtar, puerta de Enorme puerta de ladrillo cocido de doble entrada en la antigua ciudad de BABILONIA, construida c. 575 AC. El portal tenía más de 12 m (38 pies) de altura y estaba decorado con relieves de ladrillo esmaltado. A través de la puerta se entraba a la Vía de las procesiones, pavimentada con piedra y ladrillo. Unos 120 leones de ladrillo bordeaban la calle y unos 575 dragones y toros, en 13 filas, adornaban la puerta.

San Isidoro de Sevilla, detalle de un mural; catedral de Sevilla, España.
MAS, BARCELONA

Isidoro de Sevilla, san (c. 560, Cartagena o Sevilla, España–4 abr. 636, Sevilla; canonizado en 1598; festividad: 4 de abril). Prelado y teólogo español, último de los padres latinos de la Iglesia. Se convirtió en arzobispo de Sevilla hacia 600 y presidió varios concilios que configuraron la política eclesiástica, entre ellos, el cuarto concilio de TOLEDO (633). Promovió además la conversión de los VISIGODOS del ARRIANISMO a la ortodoxia cristiana. Su obra más conocida fue *Etimologías*, enciclopedia que se convirtió en una obra de referencia obligada en la Edad Media. También escribió textos teológicos, biografías y tratados de ciencia natural, cosmología e historia. Fue canonizado en 1598 y declarado doctor de la Iglesia en 1722.

Işik, lago *ruso* **Issik-Kul** Lago del nordeste de Kirguizistán. Ubicado en el norte del sistema montañoso del TIAN SHAN, es uno de los lagos de montaña más grandes del mundo, con una superficie cercana a 6.280 km² (2.425 mi²) y una profundidad máxima de 702 m (2.303 pies). Su nombre (que deriva de un vocablo kirguiz que significa "lago caliente") hace referencia al hecho de que no se congela durante el invierno. A fin de conservar la fauna del lago, en 1948 se fundó la reserva Issik-Kul'.

Isis Una de las diosas principales del antiguo Egipto, esposa de OSIRIS. Cuando este fue muerto por SET, ella recogió los despojos, lloró por él y lo trajo de regreso a la vida. Ocultó a su hijo HORUS de Set hasta que en plena adultez pudo vengar a su padre. Adorada como diosa protectora, tenía grandes poderes mágicos y se la invocaba para sanar a los enfermos o proteger a los muertos. En la época grecorromana fue la más importante de las diosas egipcias y su culto se extendió por gran parte del mundo romano como una de las religiones MISTÉRICAS.

ISKCON ver movimiento HARE KRISHNA

isla Cualquier superficie de tierra más pequeña que un continente y rodeada completamente por agua. Las islas pueden aparecer en océanos, mares, lagos o ríos. Un grupo de islas se denomina archipiélago. Las islas continentales son partes no sumergidas de una masa continental que se encuentran enteramente rodeadas de agua; Groenlandia, la mayor isla del mundo, es de tipo continental. Las islas oceánicas se producen por la actividad volcánica, cuando la lava se acumula en un enorme espesor hasta que por fin emerge sobre la superficie del océano. Las acumulaciones de lava que forman el territorio de Hawai se elevan 9.700 m (32.000 pies) sobre el suelo oceánico.

Isla de Pascua ver isla de PASCUA

Islam Importante religión mundial fundada por MAHOMA en Arabia a principios del s. VII DC. La palabra árabe *islam* significa "sumisión", específicamente, sumisión a la voluntad del único Dios, llamado ALÁ en árabe. Es una religión estrictamente monoteísta y sus adherentes, llamados musulmanes, consideran al profeta Mahoma el último y más perfecto de los mensajeros divinos, como ADÁN, ABRAHAM, MOISÉS, JESÚS y otros. Su escritura sagrada es el CORÁN, que contiene las revelaciones de Dios a Mahoma. Los dichos y hechos del Profeta relatados en la SUNNA también constituyen una fuente importante de las creencias y prácticas islámicas. Las obligaciones religiosas de todo musulmán están resumidas en los cinco pilares del Islam, que comprenden la creencia en Dios y su Profeta y las obligaciones de oración, caridad, peregrinación y ayuno. Su concepto fundamental es la SHARĪʿĀH o Ley, que abarca en su totalidad la forma de vida ordenada por Dios. Los musulmanes observantes oran cinco veces al día y se unen en culto colectivo los viernes en la MEZQUITA, donde un IMÁN lo conduce. Todo creyente está obligado a efectuar una peregrinación a La MECA, la ciudad más sagrada, al menos una vez en la vida, salvo por razones de pobreza o incapacidad física. El mes de RAMADÁN está dedicado al ayuno. La ingesta de alcohol y cerdo están prohibidos a perpetuidad, así como los juegos de azar, la usura, el fraude, la calumnia y la fabricación de imágenes. Además de celebrar el fin del ayuno de Ramadán, celebran el aniversario de Mahoma y su ascensión al cielo (ver MI'RAJ). El festival ʿĪd al-Aḫḥā inaugura la temporada de peregrinación a La Meca. Los musulmanes están obligados a defender el Islam contra los infieles mediante la YIHAD. En los inicios de esta religión se produjeron divisiones, ocasionadas por disputas sobre la sucesión al califato (ver CALIFA). Cerca del 90% de los musulmanes pertenecen a la rama SUNNÍ. Los CHIITAS se separaron en el s. VII y más tarde dieron origen a otras sectas, como los ISMAILÍ. Otro elemento importante en el Islam es el misticismo conocido como SUFISMO. A contar del s. XIX, el concepto de la comunidad islámica ha inspirado a los pueblos musulmanes a liberarse del dominio colonial de Occidente y a fines del s. XX los movimientos fundamentalistas (ver FUNDAMENTALISMO ISLÁMICO) amenazaron o derrocaron a varios gobiernos seculares del Medio Oriente. A principios del s. XXI, existen más de 1.200 millones de musulmanes en el mundo.

Miniatura mongola profana del arte indio islámico; c. 1605.
FOTOBANCO

Islam, Nación del ver NACIÓN DEL ISLAM

Islam, pilares del Cinco deberes obligatorios para todo musulmán. El primero es la profesión de fe en el único Dios y en MAHOMA su Profeta. Los otros son orar cinco veces al día, dar limosnas a los pobres, ayunar durante el mes de RAMADÁN y la HAJJ o peregrinación a La MECA.

Islamabad Capital (pob., 1998: 524.500 hab.) de Pakistán, al nordeste de RAWALPINDI. Fundada en 1959 para reemplazar a KARACHI como capital del país, en su diseño se combinan la arquitectura moderna y la islámica tradicional. La ciudad en sí es pequeña, con una superficie de 65 km^2 (25 mi^2), pero el territorio planificado para constituir la capital cubre 910 km^2 (350 mi^2) de terrazas naturales y praderas que rodean la ciudad. Es la sede de la Universidad de Islamabad (fundada en 1965).

Islāmbūlī, Khālid al- *o* **Khaled Islambouli** (1958, cerca de Al-Minyā, Egipto–15 abr. 1982, Egipto). Extremista egipcio, asesino de ANWAR EL-SĀDĀT. Nacido en el seno de una importante familia rural, asistió a la academia militar de Egipto y fue asignado al cuerpo de artillería como teniente. Furioso por el arresto de su hermano, un líder de la oposición islámica a Sādāt, se unió al extremista Grupo yihad islámico (Jamāʿat al-Jihād al-Islāmī), y conjuntamente con un grupo de cómplices, asesinó a Sādāt durante un desfile en 1981. Fue ejecutado después de un juicio público.

islámica, ley ver SHARĪʿA

islámico, arte Artes visuales, literarias y escénicas de los pueblos que adoptaron el ISLAM desde el s. VII. Las artes visuales islámicas son decorativas, coloridas, y en el arte religioso, no figurativas. La decoración islámica característica es el ARABESCO. Desde el año 750 DC hasta mediados del s. XI florecieron la cerámica, el vidrio, el trabajo de metalistería, los textiles, los manuscritos iluminados y el trabajo en madera. El vidrio esmaltado se convirtió en la mayor contribución del arte islámico a la cerámica. La iluminación de manuscritos pasó a ser un arte importante y muy respetado, y la pintura miniaturista prosperó en Irán después de las invasiones de los mongoles (1220–60). La caligrafía, un aspecto esencial de la escritura ÁRABE, se desarrolló en manuscritos y en la decoración arquitectónica. La arquitectura islámica encontró su máxima expresión en la mezquita y otros edificios religiosos. La arquitectura islámica temprana recurrió a ciertas características arquitectónicas cristianas como las cúpulas, los arcos de columnas y los mosaicos, pero también incluyó grandes atrios para oraciones. La arquitectura religiosa floreció en el período de los califatos con la creación de la mezquita hipóstila en Irán y Egipto. La literatura islámica se ha escrito en cuatro idiomas principales: árabe, persa, turco y urdu. El árabe es de gran importancia como lengua de la revelación del Islam y del CORÁN. Los persas incorporaron los géneros, formas y reglas de la poesía árabe en su idioma, pero agregando su propia elaboración en ellos. También desarrollaron un nuevo género, el *maṡnavī*, compuesto por una serie de dos versos pareados que riman, y que utilizaron para la poesía épica. A su vez, la literatura persa influenció tanto la literatura urdu como la turca, especialmente en relación con el vocabulario y la métrica. En el ámbito de la literatura popular, la obra más conocida es *Las mil y una noches*, rica colección de historias de diferentes partes del mundo musulmán. La música islámica es monofónica, desprovista de armonía y caracterizada por distintivos sistemas de ritmos y melodías, extensa ornamentación de la línea melódica única e improvisaciones virtuosas. Generalmente es tocada por un pequeño conjunto, un cantante y varios instrumentistas que alternan solos vocales y pasajes instrumentales. Aun cuando el teatro no se ha desarrollado como un arte mayor bajo el islamismo –de hecho, los musulmanes conservadores lo han desaprobado firmemente–, existen tradiciones de bailes folclóricos, bailes como espectáculo de entretención y bailes artísticos en la mayoría de los países islámicos. Una notable forma de danza religiosa es la de los DERVICHES. También han persistido tradiciones populares como los mimos y el teatro de sombras con marionetas. El drama popular en vivo tiene una fuerte tradición en Persia, donde se arraigaron las obras de teatro religiosas. Ver también sala HIPÓSTILA; arte MOZÁRABE.

islandés Lengua nacional de Islandia, perteneciente al grupo de lenguas GERMÁNICAS. Evolucionó de la lengua nórdica llevada a Islandia por colonos del oeste de Noruega en los s. IX–X. El islandés antiguo (ver NÓRDICO ANTIGUO) es la lengua de las SAGAS y otros poemas medievales. El islandés moderno constituye la más conservadora de las lenguas escandinavas en cuanto a gramática, vocabulario y ortografía, de manera que los islandeses modernos pueden incluso leer las sagas del nórdico antiguo. Otrora, el islandés incorporó palabras del danés, latín y lenguas celtas y romances. Sin embargo, un movimiento purista que empezó a principios del s. XIX ha reemplazado la mayoría de estas voces extranjeras por otras formadas solamente con elementos islandeses.

ISLANDIA

- **Superficie:** 102.928 km² (39.741 mi²)
- **Población:** 295.000 hab. (est. 2005)
- **Capital:** REYKJAVÍK
- **Moneda:** corona islandesa

Islandia *ofic.* **República de Islandia** País insular del océano Atlántico norte, entre Noruega y Groenlandia. La gran mayoría de la población es de origen escandinavo. Idioma: islandés (oficial). Religión: luteranismo evangélico (oficial). Una de las regiones con mayor actividad volcánica del mundo, posee cerca de 200 volcanes y un tercio del total de flujos de lava de la Tierra. Una décima parte de su superficie está cubierta de mantos de lava fría y glaciares, entre ellos el VATNAJÖKULL. Su escarpado litoral tiene 6.000 km (3.700 mi) de longitud. La economía se basa principalmente en la pesca y los productos pesqueros, pero también abarca la producción de energía hidroeléctrica, la ganadería y la fabricación de aluminio. Es una república unicameral; el jefe de Estado es el presidente y el jefe de Gobierno, el primer ministro. Islandia fue poblada por navegantes noruegos en el s. IX y evangelizada en el s. X. Su órgano legislativo, el Althingi, creado en 930, da cuenta de una de las asambleas legislativas más antiguas del mundo. Islandia se unió a NORUEGA en 1262 y a DINAMARCA en 1380. En 1918 se convirtió en un estado independiente de Dinamarca, pero en 1944 rompió lazos para convertirse en una república independiente. En 1980, VIGDIS FINNBOGADÓTTIR se transformó en la primera mujer del mundo en ser elegida presidente.

Embarcadero de Húsavik, lugar turístico de Islandia, entre cuyas atracciones se cuenta el avistamiento de ballenas.

PEARL BUCKNELL/ROBERT HARDING WORLD IMAGERY/GETTY IMAGES

Islands, bahía de Ensenada del océano Pacífico sur, en la costa nororiental de la isla del NORTE, Nueva Zelanda. La bahía se formó cuando el mar inundó un antiguo valle fluvial. Tiene 800 km (500 mi) de costa y cerca de 150 islas. Se abre al océano por un paso entre los cabos Brett y Wiwiki. El capitán JAMES COOK fue el primer europeo en penetrar la bahía (1769). En 1840, Gran Bretaña y el pueblo MAORÍ firmaron en el lugar el tratado de Waitangi. Actualmente es una popular zona de balnearios.

Islas del Pacífico, Territorio Fiduciario de las Ex territorio fiduciario de las NACIONES UNIDAS, administrado de 1947 a 1986 por EE.UU. Estaba conformado por más de 2.000 islas diseminadas en unos 7.770.000 km² (3.000.000 mi²) del océano Pacífico occidental, al norte de la línea ecuatorial. Cubría la región conocida como MICRONESIA y comprendía tres grupos principales de islas: las MARIANAS, las CAROLINAS y las MARSHALL. La sede de gobierno era SAIPAN, situada en las MARIANAS DEL NORTE. En 1986, EE.UU. declaró prescritos los acuerdos de administración fiduciaria del territorio. Los Estados Federados de Micronesia y la República de las Islas Marshall pasaron a ser Estados soberanos, y las Marianas del Norte se convirtieron en *commonwealth* de EE.UU. La República de PALAU es un Estado soberano desde 1994.

Isle Royale, parque nacional Isla y parque nacional de la zona noroccidental del lago SUPERIOR, en el noroeste del estado de Michigan, EE.UU. Creado en 1931, tiene una superficie de 231.575 ha (571.790 acres); comprende la isla Royale, la mayor del lago Superior, de 72 km (45 mi) de longitud por 14 km (9 mi) de ancho. Sus bosques naturales con corrientes de agua y lagos interiores albergan más de 200 especies de aves. Sólo se puede recorrer a pie o en canoa y cuenta con un servicio de transbordador desde el continente, en los estados de Michigan y Minnesota.

Ismāʿīl I (17 jul. 1487, Ardabīl, Azerbaiyán–23 may. 1524, Ardabīl, Irán safawí). Sha de Irán (1501–24) y fundador de la dinastía SAFAWÍ. Nacido en el seno de una familia chiita de estrechos lazos con la tradición sunní sufí, a los 14 años de edad se convirtió en jefe de una fuerza militar chiita, Kizilbash. Capturó Tabrīz en 1501 y se autoproclamó sha de Irán, logrando controlar toda la zona y partes del actual Irak. En 1510, sus tropas derrotaron a los uzbekos sunníes. Proclamó el chiismo como el credo oficial, provocando que el sultán del Imperio OTOMANO, leal al sunnismo, ordenara la invasión de Irán en 1514. Ismāʿīl perdió la batalla de Chaldiran, pero las tropas otomanas se amotinaron y debieron retirarse. El conflicto entre los safawíes y sus vecinos sunníes continuó por más de un siglo.

Ismāʿīl Bajá (31 dic. 1830, El Cairo, Egipto–2 mar. 1895, Estambul, Imperio otomano). Virrey de Egipto (1863–79) bajo el Imperio OTOMANO. Después de ser educado en París y cumplir misiones diplomáticas en otras partes de Europa, fue nombrado virrey y se involucró en la construcción del canal de SUEZ (1859–69). Fracasó en su plan de unificar el valle del Nilo mediante la creación de una nueva provincia egipcia meridional en el Sudán. Fue destituido por el sultán debido a su mala administración fiscal; dejó una enorme deuda al país que llevó a los británicos a la ocupación de Egipto en 1882.

Ismail Samani, pico *ant.* **pico Comunismo** *o* **pico Stalin** Cumbre de las tierras altas de PAMIR, en el nordeste de Tayikistán. Está situado en la cordillera de Akademiya Nauk; se eleva a 7.495 m (24.590 pies) de altura y es el punto más alto de Tayikistán, así como de la cadena montañosa del mismo nombre. Una expedición rusa alcanzó su cima por primera vez en 1933.

ismailí Miembro de una secta de la rama CHIITA del Islam. Surgió después de la muerte del sexto IMÁN, JA'FAR IBN MUHAMMAD, en 765. Su hijo Ismāʿīl fue aceptado como su sucesor sólo por una minoría, quienes se hicieron conocidos como ismailíes. Su doctrina, formulada a fines del s. VIII y principios del IX, hizo una distinción entre los creyentes musulmanes comunes y los elegidos, quienes compartían una sabiduría secreta. La subsecta qaramita fue popular en Irak, Yemen y Bahrein en los s. IX–XI, y la subsecta fatimí conquistó Egipto en 969, estableciendo la dinastía FATIMÍ. Un subgrupo de los fatimíes fueron los nizaríes, quienes obtuvieron el control de varias fortalezas en Irán y Siria a fines del s. XI y fueron conocidos como ASESINOS. El principal linaje nizarí sobrevivió hasta los tiempos modernos bajo el liderazgo del AGA KAN, mudándose de Irán a India en 1840. Los DRUSOS se separaron de los ismailíes a principios del s. XI y formaron una sociedad cerrada por su cuenta.

Ismay (de Wormington), Hastings Lionel Ismay, barón (21 jun. 1887, Naini Tal, India–17 dic. 1965, Broadway, Worcestershire, Inglaterra). Militar británico. Oficial de ejército de carrera, sirvió en India y en África. Como jefe de estado mayor de WINSTON CHURCHILL (1940–46), de quien fue su más estrecho asesor militar, participó en la mayor parte de las principales decisiones políticas de las potencias aliadas durante la segunda guerra mundial, especialmente en la decisión de hacer de Alemania el objetivo prioritario de los aliados y en la planificación de la invasión de Francia en 1944. Después de la guerra se desempeñó como secretario general de la OTAN (1952–57).

isnad En el Islam, lista de autoridades que han transmitido relatos de las enseñanzas o acciones de MAHOMA, de un miembro de los COMPAÑEROS DEL PROFETA o de una autoridad posterior. Cada uno de estos relatos, llamados hadices (ver HADIZ), comprende una *isnad*, que aporta la cadena de autoridades por la cual ha sido transmitido, usando la fórmula: "Me ha sido relatado por A bajo la autoridad de B, bajo la autoridad de C, bajo la autoridad de D que Mahoma dijo…". Ver también ʿILM AL-HADIZ.

ISO ver ORGANIZACIÓN INTERNACIONAL DE NORMALIZACIÓN

Isócrates (436, Atenas–338 AC, Atenas). Escritor, retórico y maestro ateniense. Su escuela, a diferencia de la Academia de PLATÓN de carácter más filosófico, proporcionaba enseñanzas para las necesidades prácticas de la sociedad y estaba dedicada casi por completo al estudio de la RETÓRICA. Promovió la unidad política y la superioridad cultural de Grecia sobre la base de la monarquía, y propició un ataque griego conjunto contra Persia, bajo el liderazgo de FILIPO II de Macedonia, para lograr la unidad y la paz en Grecia. Cuando esta perdió su independencia después de la batalla de QUERONEA, desesperado, se dejó morir por inanición.

Huida de Darío III y su hueste durante la batalla de Isos; detalle de un mosaico.
FOTOBANCO

isoleucina Uno de los AMINOÁCIDOS esenciales presente en la mayoría de las PROTEÍNAS comunes. Fue aislado por primera vez en 1904 a partir de la fibrina, proteína involucrada en la COAGULACIÓN. Se utiliza en la investigación médica y bioquímica, y como suplemento nutricional.

isomerismo Existencia de conjuntos de dos o más sustancias con fórmulas moleculares idénticas (ver FÓRMULA QUÍMICA). pero diferentes CONFIGURACIONES y, por lo tanto, con propiedades distintas. JÖNS JACOB BERZELIUS fue el primero en reconocer y nombrar este hallazgo (1830). En el isomerismo constitucional (estructural), la fórmula y el peso molecular de las sustancias son iguales, pero sus ENLACES difieren. Por ejemplo, C_2H_6O constituye la fórmula molecular tanto para el ETANOL (CH_3CH_2OH) como para el ÉTER de metilo (CH_3OCH_3). Los isómeros constitucionales que pueden convertirse fácilmente de uno al otro se denominan tautómeros (ver TAUTOMERISMO). En el estereoisomerismo, las sustancias con los mismos átomos se unen en formas iguales, pero difieren en sus configuraciones tridimensionales. Ver también ISÓMERO.

isómero Una de dos o más sustancias con fórmulas moleculares idénticas, pero de CONFIGURACIONES diferentes, distintas sólo en la disposición de sus átomos componentes. Normalmente se refiere a los estereoisómeros (más que a los isómeros constitucionales o tautómeros; ver ISOMERISMO, TAUTOMERISMO). Hay dos tipos de estereoisómeros: los isómeros ópticos, o enantiómeros (ver ACTIVIDAD ÓPTICA), que se presentan en parejas que constituyen imágenes especulares una de otra; y los isómeros geométricos. Estos últimos son a menudo el resultado de una rigidez en la estructura molecular; en los compuestos orgánicos, esto responde en general a un doble ENLACE o a una estructura de anillo. En el caso de un doble enlace entre dos átomos de carbono, si cada uno tiene otros dos grupos ligados a él y están todos rígidamente en el mismo plano, los grupos correspondientes pueden estar, uno respecto al otro, en el mismo lado del enlace C=C (*cis*) o a través del enlace C=C (*trans*). Una distinción análoga puede realizarse para las estructuras de anillo que se encuentran todas en un plano, entre isómeros cuyos grupos sustituyentes están en el mismo lado del plano e isómeros cuyos grupos sustituyentes se encuentran en ambos lados del plano. Los estereoisómeros ópticos que no son enantiómeros, llamados diastereómeros, también caen dentro de esta categoría. La mayoría de los isómeros cistrans son compuestos orgánicos.

Isonzo, batallas de (1915–17). Doce batallas libradas a lo largo del río Isonzo en el sector oriental del frente italiano durante la primera GUERRA MUNDIAL. El río, que corre justo dentro de territorio austríaco, está flanqueado por escarpadas montañas que los austríacos habían fortificado antes de que Italia entrara en la guerra en 1915. Luigi Cadorna (n. 1850–m. 1928) dirigió los ataques contra Austria, pero los italianos no pudieron penetrar las formidables barreras naturales. Finalmente atacaron con 51 divisiones y lograron desalojar a los austríacos, aunque los alemanes enviaron refuerzos y tomaron la ofensiva, que finalizó en la batalla de CAPORETTO.

isoprenoide *o* **terpeno** Clase de compuestos orgánicos integrada por dos o más unidades estructurales derivadas del isopreno. El isopreno es un HIDROCARBURO de cinco carbonos con una estructura de cadena ramificada, dos dobles ENLACES y de fórmula molecular C_5H_8. En los isoprenoides, las unidades de isopreno (con uno o ninguno de sus dobles enlaces) están ligadas en moléculas más grandes que tienen desde dos hasta miles de unidades de cinco carbonos, que pueden tomar la forma de estructuras lineales y anulares. Muchas de estas moléculas desempeñan una amplia variedad de funciones en procesos de fisiología vegetal y animal, y como intermediarias en la síntesis biológica de otras moléculas importantes. Contribuyen fuertemente a los sabores y fragancias de los ACEITES ESENCIALES y de otras sustancias derivadas de las plantas. El geraniol (un contribuyente a los perfumes de rosa que se obtiene a partir del aceite de geranio), el mentol (a partir del aceite de menta), el citral (del aceite de limoncillo), el limoneno (de los aceites de limón y naranja), el pineno (de la TREMENTINA) y el ALCANFOR poseen cada uno dos unidades de isopreno. Entre los ejemplos con más unidades de isopreno se encuentran el fitol, precursor de la CLOROFILA; el escualeno, precursor del COLESTEROL y de otros ESTEROIDES; el licopeno, que es el pigmento rojo en los tomates y fitoquímico importante, y el CAROTENO, el pigmento en las zanahorias y precursor de la VITAMINA A. Los relacionados CAUCHO natural y gutapercha son poliisoprenos que constan de muchos miles de unidades de isopreno.

Isos, batalla de (333 AC). Batalla librada en el llano de Isos, cerca del golfo de Iskandar (en el sur de la actual Turquía), en la que ALEJANDRO MAGNO derrotó a Darío III, último rey de la dinastía AQUEMÉNIDA. Se dice que los macedonios perdieron sólo 450 hombres. Aunque Darío escapó, este triunfo permitió a Alejandro obtener nuevas victorias en Fenicia y Egipto.

isospín *o* **espín isobárico** *o* **espín isotópico** Propiedad característica de familias de PARTÍCULAS SUBATÓMICAS relacionadas que difieren principalmente en los valores de su CARGA ELÉCTRICA. Estas familias se conocen como multipletes de isospín. Los componentes de los núcleos atómicos, el NEUTRÓN y el PROTÓN, forman un doblete de isospín, ya que sólo difieren en carga eléctrica y propiedades subsidiarias. Se consideran versiones diferentes del mismo objeto, llamado nucleón. El isospín de un nucleón tiene valor de ½.

isostacia Teoría que describe el equilibrio de masa en la CORTEZA terrestre, la cual considera que todas las porciones grandes de la corteza flotan sobre una capa subyacente más densa, ubicada aprox. a 110 km (70 mi) bajo la superficie. Según esta teoría, una masa que se alza por encima del nivel del mar es sostenida bajo el nivel del mar, de modo que las montañas altas deben corresponder a regiones donde la corteza es muy gruesa, con profundas raíces que se extienden hacia abajo en el MANTO. Se plantea como análogo a un iceberg flotando en el agua, en que la mayor parte del iceberg está sumergida.

isótopo Una de dos o más especies de ÁTOMOS de un ELEMENTO QUÍMICO que tiene núcleos con el mismo número de PROTONES pero diferente número de NEUTRONES. Poseen el mismo NÚMERO ATÓMICO (igual al número de protones) y por lo tanto casi idéntico comportamiento químico, pero diferentes MASAS atómicas. La mayor parte de los elementos que se encuentran en la naturaleza constituyen mezclas de varios isótopos; el estaño, por ejemplo, tiene diez isótopos naturales. En la mayoría de los casos, sólo los isótopos estables de los elementos se hallan en la naturaleza. Las formas radiactivas se desintegran espontáneamente formando elementos diferentes (ver RADIACTIVIDAD). Los isótopos de todos los elementos de masa atómica más pesada que la del bismuto son radiactivos; algunos se encuentran de manera natural, debido a que tienen un período de VIDA MEDIA muy largo.

Isozaki Arata (n. 23 jul. 1931, Ōita, Kyushu, Japón). Arquitecto vanguardista japonés. Estudió en la Universidad de Tokio y abrió su propio estudio en 1963. Su primer edificio destacado es la biblioteca de la prefectura de Ōita (1966), el cual muestra influencias de la escuela METABOLISTA. En sus trabajos posteriores, que a menudo sintetizan elementos orientales y occidentales, utilizó formas geométricas audaces y con frecuencia realizó alusiones históricas. Entre sus estructuras innovadoras destacan el Museo de Arte Contemporáneo de Los Ángeles (1986) y la Torre del Arte (1990) en Mito, Japón.

ISP ver PROVEEDOR DE SERVICIOS DE INTERNET

isquémica del corazón, enfermedad ver CARDIOPATÍA CORONARIA

ISRAEL

- **Superficie:** 21.671 km² (8.367 mi²)
- **Población:** 6.677.000 hab. (est. 2005)
- **Capital:** JERUSALÉN
- **Moneda:** nuevo sheqel

Israel *ofic.* **Estado de Israel** País del extremo oriental del mar Mediterráneo. Las cifras de superficie y población excluyen a CISJORDANIA y la franja de GAZA e incluyen la población de los Altos del GOLÁN y de Jerusalén oriental. Los judíos constituyen 80% de la población y los árabes cerca del 20%. Lenguas: hebreo, árabe (ambas oficiales). Religiones: judaísmo, Islam (principalmente sunní), cristianismo. Israel puede ser dividido en cuatro regiones principales: la llanura costera mediterránea en el oeste; una región montañosa que se extiende desde la frontera septentrional hasta el centro del país; el valle del RIFT, que comprende el mitad meridional del país. Su principal sistema de drenaje es la cuenca interior formada por el río Jordán; el lago TIBERÍADES (mar de Galilea) abastece de agua a casi la mitad de la tierra cultivable del país. Israel tiene una economía mixta basada en gran parte en los servicios y la industria manufacturera; las exportaciones abarcan maquinaria y electrónica, diamantes, productos químicos, frutos cítricos, verduras y textiles. El 90% de su población es urbana y se concentra en gran medida en la llanura costera del Mediterráneo y en torno a Jerusalén. Es una república unicameral, el KNESSET; el jefe de Estado es el presidente y el jefe de Gobierno, el primer ministro. Existe evidencia de asentamientos humanos en Israel (ver PALESTINA) de al menos 100.000 años de antigüedad. Los esfuerzos judíos por establecer en la región un Estado nacional comenzaron a fines del s. XIX. Los británicos apoyaron el SIONISMO y en 1923 asumieron la responsabilidad política de lo que entonces era Palestina. La migración de judíos, que se incrementó durante el período de persecución nazi (ver PARTIDO NAZI), provocó el deterioro de las relaciones con los árabes. En 1947, la ONU aprobó la división de la región en dos estados separados, uno judío y otro árabe. El Estado de Israel fue proclamado en 1948 y Egipto, Transjordania, Siria, Líbano e Irak le declararon inmediatamente la guerra. Israel salió vencedor (ver guerras ÁRABE-ISRAELÍES), así como en la guerra de los SEIS DÍAS de 1967, en la que ocupó Cisjordania, la franja de Gaza, los Altos del Golán y la parte oriental de Jerusalén. Posteriores reclamaciones de Israel declarando a Jerusalén como su capital no han recibido un amplio reconocimiento internacional. En 1973 estalló una nueva guerra con sus vecinos árabes, pero los acuerdos de CAMP DAVID permitieron firmar un tratado de paz entre Israel y Egipto en 1979. Israel invadió el Líbano en 1982 para expulsar a la OLP (Organización para la Liberación de Palestina) de ese país. A fines de 1987 estalló una sublevación de los palestinos de los territorios ocupados en Cisjordania y la franja de Gaza (ver *INTIFADA*). En 1992 se iniciaron las negociaciones de paz entre Israel, los estados árabes y palestinos. Israel y la OLP acordaron en 1993 un plan de cinco años para establecer el autogobierno de los palestinos en los territorios ocupados. En 1994, Israel firmó un tratado de paz con Jordania. Durante la década de 1990, soldados israelíes se enfrentaron repetidamente con la milicia libanesa HEZBOLÁ. En 2000, las tropas israelíes se retiraron abruptamente del Líbano. Poco después, ese mismo año, nuevas negociaciones entre Israel y los palestinos fracasaron en medio de una espiral de violencia que costó la vida de cientos de personas.

Israel, tribus de En la Biblia, los 12 clanes del antiguo pueblo hebreo, los cuales recibieron el nombre de los hijos de JACOB (Rubén, Simón, LEVI, Judá, Isacar, Zebulón, José, Benjamín, Gad, Asher, Dan y Neftalí) y de sus esposas Lía y Raquel, y concubinas Bilhah y Zilpah. La tribu de Levi no recibió tierras cuando se estableció en CANAÁN, pero se le otorgó a cambio el oficio sacerdotal. Para mantener el número tradicional de 12 tribus, el linaje de José fue dividido en las tribus de Efraín y Manasés. En la historia posterior de Israel, las tribus de Judá y Benjamín formaron un reino meridional llamado JUDÁ con su capital en JERUSALÉN, mientras que las diez tribus del norte formaron el reino de Israel. Después de ser conquistadas por Asiria en 721 AC, las tribus del norte fueron exiliadas del reino y asimiladas por otros pueblos. Al desaparecer de la historia, llegaron a ser conocidas como las diez tribus perdidas de Israel y se convirtieron en parte del folclore y las creencias escatológicas judías. Las tribus de Judá y Benjamín sobrevivieron hasta la conquista de Judá por NABUCODONOSOR II en 586 AC, cuando muchos de sus habitantes fueron exiliados a Babilonia.

israelí, derecho Instituciones y prácticas legales del Israel moderno. El antiguo pueblo de Israel creó el derecho de la TORÁ y la MISHNÁ (esta última fue incorporada posteriormente en el TALMUD). El derecho contemporáneo israelí es reflejo de un doble legado: se basa en el derecho histórico hebreo y en el derecho de los países en que los judíos vivieron durante generaciones. Deriva de la legislación y la jurisprudencia otomana y británica, de las opiniones de los tribunales religiosos, y de las leyes emanadas del Parlamento israelí. Los tribunales se componen únicamente de jueces profesionales y no se utilizan jurados. El derecho israelí como tal continúa aplicándose por los tribunales rabínicos en el ámbito de su jurisdicción, cuando se trata de cuestiones relacionadas con la condición jurídica de las personas, y también lo aplican los tribunales civiles cuando deben resolver esta clase de materias en relación con judíos.

Israeli, Isaac ben Solomon (832/855, Egipto–932/955, Al-Qayrawān, Túnez). Médico y filósofo judeoegipcio. Comenzó su carrera médica como oculista en El Cairo y más tarde se convirtió en médico de la corte de al-Mahdī, fundador de la dinastía FATIMÍ en África del norte. Escribió varios tratados de medicina en árabe que más tarde fueron traducidos al latín y circularon en Europa. Instruido en los clásicos, compuso obras filosóficas, como su *Libro de las definiciones*, en el que analizó los cuatro tipos de preguntas aristotélicas y luego entregó las definiciones de sabiduría, intelecto, alma, naturaleza, amor y tiempo. Su interpretación de los temas escatológicos a la luz del misticismo neoplatónico fue muy influyente en filósofos judíos posteriores.

israelita A principios de la historia hebraica, miembro de las 12 tribus de ISRAEL. Después del establecimiento (930 AC) de dos reinos judíos (Israel y Judá) en Palestina, sólo las diez tribus del norte, que constituían el reino de Israel, fueron llamadas israelitas. Cuando Israel fue conquistado por los asirios (721 AC), su población fue absorbida por otros pueblos y el término israelita comenzó a designar a quienes todavía eran claramente judío, los descendientes del reino de Judá. En el uso litúrgico, un israelita es un judío que no es cohen (sacerdote) ni levita (ver LEVI).

Istria, península de Península en el nordeste del mar Adriático. Tiene una superficie de 3.160 km² (1.220 mi²). El norte forma parte de Eslovenia, mientras el centro y el sur pertenecen a Croacia. En una pequeña franja costera al noroeste, se encuentra la ciudad italiana de TRIESTE. En 177 AC, los romanos derribaron a los ilirios, antiguos habitantes de Istria, y los eslavos se establecieron en esta península desde el s. VII DC. Estuvo en manos de varias potencias mediterráneas hasta que Austria se impuso en 1797 y fomentó el desarrollo de Trieste como puerto. En 1919, Italia tomó Istria; en 1947, Yugoslavia ocupó casi toda la península. La zona yugoslava pasó a formar parte de Croacia y Eslovenia en 1991, cuando ambos estados se independizaron.

Itagaki Taisuke (17 abr. 1837, Kōchi, Japón–11 jul. 1919, Tokio). Fundador del primer partido político de Japón, el Partido Liberal (Jiyūtō). En la década de 1860 se convirtió en jefe militar del feudo de TOSA, y bajo su mando, las tropas de Tosa participaron en la restauración MEIJI. Sirvió esporádicamente en el nuevo gobierno, pero su descontento lo llevó a fundar primero un club político y luego una "Sociedad nacional de patriotas", en busca de un mayor grado de democracia. En 1881 fundó el Partido Liberal. Aunque se retiró en 1900, continuó siendo su líder simbólico. Ver también ITŌ HIROBUMI; constitución MEIJI; era MEIJI.

Gran escalinata de la Plaza de España concurrida por turistas, Roma, Italia.
ARCHIVO EDIT. SANTIAGO

ITALIA

- **Superficie:** 301.336 km² (116.346 mi²)
- **Población:** 57.989.000 hab. (est. 2005)
- **Capital:** ROMA
- **Moneda:** euro

Italia *ofic.* **República Italiana** País de Europa meridional. Comprende la península Itálica, con forma de bota, que se extiende hacia el mar Mediterráneo, además de SICILIA, CERDEÑA y una cantidad de islas más pequeñas. Pese a la migración interna, existen diferencias regionales, especialmente entre el norte y el sur. Religión: catolicismo. Más del 75% de Italia es montañoso o de tierras altas. Los ALPES se extienden de este a oeste a lo largo de la frontera norte del país, mientras los APENINOS atraviesan la península hacia el sur. La mayoría de sus tierras bajas se encuentran en el valle de su principal río, el PO. En el sur de Italia y Sicilia convergen tres placas tectónicas que generan una intensa actividad geológica. Los montes VESUBIO y ETNA se cuentan entre los cuatro volcanes activos de esta parte del país. La economía se basa principalmente en los servicios y la manufactura; exporta maquinaria y equipos de transporte, productos químicos, textiles, vestuario y calzado, y productos alimentarios (aceite de oliva, vino, fruta y tomates). Es una república bicameral: el jefe de Estado es el presidente y el jefe de Gobierno, el primer ministro. Italia estuvo poblada desde el paleolítico. La civilización etrusca (ver ETRUSCO), que se desarrolló en el s. IX AC, fue derribada por los romanos en los s. IV–III AC (ver República e Imperio de ROMA). Las invasiones bárbaras de los s. IV–V DC destruyeron el Imperio romano de Occidente. La fragmentación política de Italia se prolongó por varios siglos, pero no debilitó sus efectos sobre la cultura europea, especialmente durante el RENACIMIENTO. Entre los s. XV–XVIII, el territorio italiano fue dominado por Francia, el SACRO IMPERIO ROMANO, España y Austria. Cuando terminó el régimen napoleónico en 1815, Italia se transformó nuevamente en un conjunto de estados independientes. Con el RISORGIMENTO se unificó gran parte de Italia, incluidas Sicilia y Cerdeña en 1861, completándose el proceso de unificación de la península en 1870. Durante la primera GUERRA MUNDIAL se unió a los aliados, pero la inestabilidad social de la década de 1920 llevó al poder al movimiento fascista de BENITO MUSSOLINI, que durante la segunda GUERRA MUNDIAL se alió con la Alemania nazi. Derrotada por los aliados en 1943, se proclamó república en 1946. Fue miembro fundador de la OTAN (1949) y de la COMUNIDAD EUROPEA. Después de la segunda guerra mundial experimentó frecuentes cambios de gobierno, pero socialmente se mantuvo estable. En 1970, Italia culminó el proceso de creación de legislaturas regionales con autonomía parcial. Junto a otros estados europeos, contribuyó a establecer la UNIÓN EUROPEA.

italianas, guerras (1494–1559). Serie de violentas guerras por el control de Italia. Libradas en gran parte por Francia y España, aunque afectaron a gran parte de Europa, dieron como resultado el dominio de los Habsburgo españoles sobre Italia y cambiaron el eje del poder desde Italia hacia Europa noroccidental y el Atlántico. Las guerras comenzaron con la invasión a Italia del rey francés CARLOS VIII en 1494. Este se apoderó de Nápoles, pero una alianza entre MAXIMILIANO I, España y el papa lo expulsó de Italia. En 1499, LUIS XII invadió Italia y capturó Milán, Génova y Nápoles, pero fue desalojado de Nápoles en 1503 por España bajo FERNANDO II. El papa JULIO II organizó la Liga de CAMBRAI (1508) para atacar a Venecia y luego formó la Santa Liga (1511) para expulsar a Luis de Milán. En 1515 FRANCISCO I obtuvo la victoria en la batalla de Marignano y en 1516 se alcanzó un acuerdo de paz por el cual Francia quedó con el control de Milán y España conservó Nápoles. La lucha comenzó nuevamente en 1521 entre el emperador CARLOS V y Francisco I. Este último fue capturado y obligado a firmar el tratado de Madrid (1526), por el cual renunció a todas sus pretensiones en Italia, pero una vez liberado lo repudió y formó una nueva alianza con ENRIQUE VIII de Inglaterra, el papa CLEMENTE VII, Venecia y Florencia. Carlos saqueó Roma en 1527 y obligó al papa a llegar a un acuerdo; Francisco renunció a todas sus demandas en Italia en el tratado de Cambrai (1529). Las guerras llegaron finalmente a su término mediante el tratado de CATEAU-CAMBRESIS (1559).

italiano Lengua ROMANCE hablada en Italia (también en Sicilia y Cerdeña) y en partes de Suiza y Francia (incluida Córcega). Sus 66 millones de hablantes de todo el mundo incluyen a muchos inmigrantes y sus descendientes en América. El italiano escrito data del s. X. La forma literaria estándar se basa en el dialecto de Florencia, pero muchos italianos no lo emplean y lo reemplazan por dialectos regionales. Estos comprenden el alto italiano (galo-italiano), el veneciano en el nordeste de Italia, el toscano, los dialectos de las Marcas, Umbría y Roma, de Abruzos (Abruzzi), Apulia, Nápoles, Campania y Lucania, y los de Calabria, Otranto y Sicilia. Ver también lenguas ITÁLICAS.

itálica, guerra ver guerra SOCIAL

itálicas, lenguas Lenguas INDOEUROPEAS habladas en la península apenina (Italia) durante el primer milenio AC, después del cual sólo sobrevivió el LATÍN. Tradicionalmente se estima que constituyen una subfamilia de lenguas emparentadas, que comprende el latín, el falisco, el osco-umbro, el piceno del sur y el véneto. El latín, lengua del Lacio y Roma, comenzó a emerger como la lengua predominante ya en el s. III AC. Alrededor de 100 DC había reemplazado todos los dialectos (excepto el griego) entre Sicilia y los Alpes. Hasta entonces, los dialectos oscos se hablaban en una extensa zona; el umbro, en la Italia central, estaba estrechamente relacionado con el osco. El véneto se hablaba en la región de Venecia. Estas lenguas se escribían en diversos alfabetos, como el GRIEGO y el LATINO, además de versiones modificadas del etrusco.

ítalo-turca, guerra (1911–12). Guerra emprendida por Italia para conquistar las provincias turcas de Tripolitania y Cirenaica (actual Libia) con el fin de establecer colonias en África del norte. El conflicto trastornó el precario equilibrio del poder internacional poco antes de la primera guerra mundial al hacer evidente la debilidad de Turquía. Dentro de Italia desencadenó los sentimientos nacionalistas-expansionistas que orientaron las políticas gubernamentales durante las siguientes décadas. Turquía cedió sus derechos sobre las provincias en disputa en los acuerdos de paz.

Itami Juzo *orig.* **Yoshihiro Ikeuchi** (15 may. 1933, Kioto, Japón–20 dic. 1997, Tokio). Director de cine y guionista japonés. Durante veinte años fue un exitoso actor en películas como *55 días en Pekín* (1963). Debutó como director con la aclamada película *El funeral* (1984), una sátira sobre las costumbres sociales, tema nunca antes visto en el cine japonés. Se consagró internacionalmente con las graciosas e ingeniosas *Tampopo* (1986) y *A Taxing Woman* (1987). Su sátira del hampa japonesa *Mimbo no onna* (1992), casi le provoca la muerte en un atentado a manos de la mafia nipona.

Itanagar Capital (pob., est. 2001: 34.970 hab.) del estado de ARUNACHAL PRADESH, en el nordeste de India y al oeste del río BRAHMAPUTRA. El gobierno estatal ha instalado un parque industrial en la ciudad con el fin de fomentar la industria. Es la sede de la Universidad de Arunachal.

ITAR-TASS *ant.* **TASS** *p. ext.* **Telegrafnoe Agentsvo Sovetskovo Soyuza** (ruso: "Agencia telegráfica de la Unión Soviética"). Con el nombre de TASS, la agencia noticiosa oficial de la Unión Soviética desde 1925 hasta 1991. Se la rebautizó ITAR-TASS en 1992. Constituyó la principal fuente de información y noticias para todos los periódicos, radios y estaciones de televisión soviéticas, y también una importante agencia cablegráfica internacional. Después de la desaparición de la Unión Soviética, TASS fue reorganizada como la Agencia de información telegráfica de Rusia (ITAR), que se dedica a reportar noticias internas de Rusia, y la Agencia de la COMUNIDAD DE ESTADOS INDEPENDIENTES (TASS) que informa sobre noticias de sus estados. Los despachos de ITAR-TASS acerca de las políticas públicas y los asuntos internacionales reflejan la posición oficial del Estado ruso.

Itasca, lago Lago en el noroeste del estado de Minnesota, EE.UU. Ocupa una superficie de 4,7 km^2 (1,8 mi^2) y se ubica a 450 m (1.475 pies) sobre el nivel del mar. La teoría de HENRY ROWE SCHOOLCRAFT de que el lago Itasca nace en el río MISSISSIPPI cuenta con gran aceptación. Si bien el nombre del lago se suele atribuir a Rowe, las leyendas indígenas mencionan a I-tesk-ka, la hija de HIAWATHA, cuyas lágrimas de angustia al desaparecer en el averno dieron origen al Mississippi.

Iténez, río ver río GUAPORÉ

Ithnā ʻasariyá *o* **imamíes** *español* **duodecimanos** La escuela más grande del Islam CHIITA, que cree en una sucesión de 12 IMANES, que comienza con ʻALĪ, el cuarto califa y yerno de MAHOMA. El último de los 12 imanes reconocidos por la escuela fue Muḥammad al-Mahdī al-Ḥujjah, quien desapareció en 873 y a quien los creyentes creen vivo y oculto, listo para regresar en el Juicio Final. Los Ithnā ʻasariyá creen que los imanes son los preservadores de la fe y los únicos intérpretes de los significados esotéricos de la ley y la teología. Piensan que los imanes pueden influir en el futuro del mundo y que las peregrinaciones a sus tumbas permiten obtener recompensas especiales. Esta escuela se convirtió en la religión oficial de Irán bajo la dinastía SAFAWÍ (1501–1736). También constituyen una mayoría en Irak y Bahrein, con minorías importantes en otros países musulmanes. Ver también ISMAILÍ.

Itō Hirobumi (14 oct. 1841, provincia de Suō, Japón–26 oct. 1909, Harbin, Manchuria, China). Estadista y primer ministro japonés, redactor de la constitución MEIJI. Desempeñó un papel menor en la restauración MEIJI, durante la cual estableció relaciones con KIDO TAKAYOSHI y ŌKUBO TOSHIMICHI. Cuando Ōkubo fue asesinado en 1878, Itō fue su sucesor como ministro del interior. Convenció al gobierno para que adoptara una constitución y luego viajó al exterior para investigar otras cartas constitucionales. El documento resultante fue promulgado por el emperador en 1889. Más tarde, como primer ministro, negoció el fin de la extraterritorialidad con Gran Bretaña; otras naciones occidentales lo imitaron, señal de que Occidente estaba comenzando a tratar a Japón como un igual. Frustrado por la capacidad de los partidos políticos para impedir la aprobación de los programas de gobierno en la Dieta, fundó en 1900 su propio partido, el RIKKEN SEIYŪKAI. Aunque esta decisión le significó perder el control del GENRO (estadistas ancianos), hizo posible la cooperación entre los burócratas de alto rango y los partidos políticos. En 1906 se convirtió en presidente general en Corea; fue asesinado en 1909 por un nacionalista coreano.

Itō Jinsai (30 ago. 1627, Kioto, Japón–4 abr. 1795, Kioto). Sabio confuciano japonés (ver CONFUCIANISMO). Hijo de un leñador, se consagró a la erudición. Se opuso al NEOCONFUCIANISMO autoritario del sogunado Tokugawa (ver período de los TOKUGAWA) y abogó por un regreso a las auténticas enseñanzas de CONFUCIO y MENCIO. Contribuyó a establecer la escuela Kogaku de neoconfucianismo y fundó, con su hijo, la academia Kogi-dō en Kioto, que fue dirigida por sus descendientes hasta 1904. Entre sus escritos destaca *Gōmōjigi* (1683), un comentario sobre el confucianismo, en el que intentó desarrollar una base racional de la moralidad y la búsqueda de la felicidad.

Iturbide, Agustín de *o* **Agustín I** (27 sep. 1783, Valladolid, virreinato de Nueva España–19 jul. 1824, Padilla, México). Líder de las facciones conservadoras del movimiento independentista mexicano y, por poco tiempo, emperador de México (1822–23). Como oficial del ejército al iniciarse el movimiento de independencia en 1810, luchó por los realistas, pero en 1820, en reacción a un golpe liberal en España, los conservadores hicieron un cambio radical de postura y llamaron de inmediato a la independencia. Se unió a las fuerzas de los insurgentes y ganó la independencia de México en 1821. En 1822 se autoproclamó emperador, pero por sus formas arbitrarias y extravagantes perdió apoyo. Su abdicación en 1823 no lo salvó de la ejecución. Los conservadores de México lo consideran el principal héroe de la independencia mexicana.

IVA ver impuesto al VALOR AGREGADO

Iván III *llamado* **Iván el Grande** (22 ene. 1440, Moscú–27 oct. 1505, Moscú). Gran príncipe de Moscú (1462–1505). Decidido a extender el territorio que había heredado de su padre, emprendió con éxito diversas campañas militares contra los TÁRTAROS en el sur (1458) y en el este (1467–69). Sometió Nóvgorod (1478) y logró dominar la mayor parte del resto de la Gran Rusia en 1485. Asimismo, desconoció la sujeción de Moscú al kan de la HORDA DE ORO (1480), y en 1502 logró una victoria final sobre los hijos del kan. Al despojar a los BOYARDOS de gran parte de su autoridad, sentó las bases administrativas del estado ruso centralizado. Fue abuelo de IVÁN IV el Terrible.

Iván IV *ruso* **Ivan Vasílievich** *llamado* **Iván el Terrible** (25 ago. 1530, Kolomenskoie, cerca de Moscú–18 mar. 1584, Moscú). Gran príncipe de Moscú (1533–84) y primer ZAR de Rusia (1547–84). Coronado en 1547 después de una larga regencia (1533–46), emprendió amplias reformas, entre ellas una administración centralizada, concilios eclesiásticos que sistematizaron los asuntos de la Iglesia y la primera asamblea nacional (1549). Estableció además reformas para limitar el poder de los BOYARDOS. Después de conquistar KAZÁN (1552) y ASTRACÁN (1556), se empeñó en una infructuosa guerra para obtener el control de LIVONIA, luchando contra Suecia y Polonia (1558–83). Tras la derrota y la sospechada traición de varios boyardos rusos, formó una *oprichnina*, territorio separado del resto del Estado y bajo su control personal. Protegido por su numerosa guardia, se recluyó dentro de su propio séquito y dejó el gobierno de Rusia en otras manos. Estableció al mismo tiempo un reinado del terror, ejecutando a miles de boyardos y saqueando la ciudad de NÓVGOROD. Durante la década de 1570 se casó con cinco esposas en nueve años y, en un arranque de ira, asesinó a su hijo Iván, su único heredero viable, en 1581.

Iván IV, icono, fines del s. XVI.
GENTILEZA DEL NATIONALMUSEET, COPENHAGUE

Iván V *ruso* **Ivan Alexséievich** (6 sep. 1666, Moscú, Rusia–8 feb. 1696, Moscú). Zar nominal de Rusia (1682–96). Cuando su hermano el zar FIÓDOR III murió, Iván, inválido crónico y deficiente mental, fue proclamado cogobernante junto a su medio hermano PEDRO I, bajo la regencia de SOFÍA, hermana de Iván. Tras el derrocamiento de Sofía en 1689, se le permitió a Iván conservar su posición oficial, aunque nunca participó en los asuntos de gobierno; dedicó la mayor parte de su tiempo a la oración, el ayuno y la peregrinación.

Iván VI *ruso* **Ivan Antónovich** (23 ago. 1740, San Petersburgo, Rusia–16 jul. 1764, Fortaleza Schlüsselburg, cerca de San Petersburgo). Emperador niño de Rusia (1740–41). Sobrino nieto de la emperatriz ANA, fue proclamado heredero y luego emperador, bajo la regencia de su madre, cuando tenía sólo ocho semanas de edad. En 1741 ambos fueron depuestos por ISABEL, hija de PEDRO I, y durante los siguientes 20 años permaneció en confinamiento solitario en diversas prisiones. En 1764, cuando un oficial del ejército intentó liberarlo para restablecerlo en el poder y destituir a CATALINA II, que se había apoderado del trono en 1762, fue asesinado por sus carceleros.

Ivánov, Lev (Ivánovich) (18 feb. 1834, Moscú, Rusia–24 dic. 1901, San Petersburgo). Bailarín y coreógrafo ruso. Se incorporó al Ballet del Teatro Imperial de San Petersburgo en 1852 y llegó a ser primer bailarín en 1869. En 1885 lo nombraron ayudante del maestro de ballet MARIUS PETIPA. Se hizo conocido por su coreografía de *Cascanueces* (1892) y de algunas partes de *El lago de los cisnes* (1895), que se basaron más en la estructura y el contenido emocional de la música que en la excelencia técnica.

Ivánov, Viacheslav Ivánovich (28 feb. 1866, Moscú–16 jul. 1949, Roma, Italia). Filósofo, intelectual y poeta ruso. Estudió en Berlín y pasó gran parte de su vida en el extranjero, especialmente en Italia, donde se convirtió al catolicismo. Su primer volumen de poesía lírica, *Pilot Stars* [Estrellas piloto] (1903), lo erigió de inmediato como una de las figuras clave del movimiento SIMBOLISTA ruso, posición que se vio fortalecida por sus obras posteriores, como *Cor Ardens* [Corazón ardiente] (1911). También fue autor de dramas poéticos, ensayos, textos críticos y traducciones.

Ives, Burl *orig.* **Charles Icle Ivanhoe Ives** (14 jun. 1909, cond. de Jaspe, Ill., EE.UU.–14 abr. 1995, Anacortes, Wash.). Cantante y actor estadounidense. Comenzó sus actuaciones a la edad de cuatro años y aprendió de su abuela baladas escocesas, inglesas e irlandesas. Abandonó la universidad para viajar por autostop deambulando por EE.UU. y recopilando canciones de vagabundos y desplazados. Poco después de su concierto debut de posguerra en Nueva York, fue aclamado por CARL SANDBURG como "el cantante de baladas más extraordinario de todos los tiempos". Grabó más de 100 álbumes y tuvo éxitos como "I Know an Old Lady (Who Swallowed a Fly)", "The Blue Tail Fly", "Big Rock Candy Mountain", "Frosty the Snowman" y "A Little Bitty Tear". Apareció en muchas películas –como *Al este del paraíso* (1955), *Deseo bajo los olmos* (1958), *La gata sobre el tejado caliente* (1958) y *Horizontes de grandeza* (1958, premio de la Academia)– y en obras de Broadway.

Ives, Charles E(dward) (20 oct. 1874, Danbury, Conn., EE.UU.–19 may. 1954, Nueva York, N.Y.). Compositor estadounidense. Afirmaba ser el producto de la enseñanza impartida por su padre, George, un ex director de bandas del ejército federal muy imaginativo. Recibió una formación clásica consistente y comenzó tanto a componer como a tocar a muy temprana edad. En la Universidad de Yale estudió con el compositor académico Horatio Parker (n. 1863–m. 1919) y compuso su primera sinfonía. Bajo la influencia del TRASCENDENTALISMO, decidió renunciar a la carrera musical y en 1907 fundó una exitosa compañía de seguros. Con la música como "actividad secundaria" no tuvo reparos en perseguir sus insólitos intereses, aunque sufrió por su condición de aficionado y por la carencia de críticas inteligentes. Un infarto cardíaco en 1918 cercenó todas sus actividades y dejó de componer c. 1926. A pesar de mucha disonancia, su música es tonal, atmosférica y nostálgica, y abarca un amplio espectro desde canciones sentimentales o singularmente humorísticas hasta poemas sinfónicos apasionantes (*El cuatro de julio*, 1913) y meditaciones pesadas (*Sonata concordia*, 1915). Al parecer realizó muchas innovaciones tonales notables, aunque han surgido interrogantes respecto de si antedató posteriormente sus obras para aparentar. Su música fue redescubierta en las postrimerías de su vida; la tercera de sus cuatro sinfonías ganó el Premio Pulitzer en 1947.

Ivory, James (Francis) (n. 7 jun. 1928, Berkeley, Cal., EE.UU.). Director de cine estadounidense. En la década de 1960 dirigió un documental sobre la India, lugar donde conoció a Ismail N. Merchant (n. 1936), productor local, encuentro que dio inicio a la sociedad más duradera de la industria del cine. Realizaron varias películas, escritas por Ivory y RUTH PRAWER JHABVALA, antes de lograr su primer éxito internacional, *Shakespeare Wallah* (1965). Continuaron con aplaudidas adaptaciones de conocidas obras literarias, entre las cuales destacan *Los europeos* (1979), *Las bostonianas* (1984), *Una habitación con vistas* (1986, premio de la Academia), *Maurice* (1987), *Regreso a Howards End* (1992) y *Lo que queda del día* (1993). Las películas de Ivory se destacaron por el cuidado que daba a los detalles de época y por sus excelentes actuaciones.

Ivy League Grupo de ocho universidades del nordeste de EE.UU., de gran prestigio académico y social, integrantes de una liga de fútbol americano que data de la década de 1870. Está compuesto por las universidades de HARVARD, YALE, PRINCETON, COLUMBIA, BROWN y CORNELL, la Universidad de PENSILVANIA y el DARTMOUTH COLLEGE.

Iwo Jima Una de las tres islas VOLCANO, Japón. Ubicada en el océano Pacífico occidental, tiene unos 8 km (5 mi) de longitud por 730 m–4 km (800 yd–2.5 mi) de ancho y una superficie de 20 km^2 (8 mi^2). Permaneció bajo control japonés hasta 1945, año en que fue escenario de una de las campañas más duras de la segunda guerra mundial. Después de un intenso bombardeo aéreo perpetrado por aviones estadounidenses (dic. 1944–feb. 1945), fue invadida por infantes de marina hasta su total conquista a mediados de marzo; se transformó en una base estratégica para aviones estadounidenses en ruta al país nipón. Fue devuelta al país nipón en 1968.

Izabal, lago Lago de Guatemala. Localizado en las tierras bajas del nordeste de Guatemala, es el lago más grande del país. Alimentado por el río Polochic, desagua en el mar Caribe a través del río Dulce. Ubicado a sólo 8 m (26 pies) sobre el nivel del mar, cubre una superficie de 590 km^2 (228 mi^2). En sus orillas, el principal poblado es El Estor, que se originó como una pulpería de la UNITED FRUIT CO.

Izanagi e Izanami Hermano y hermana divinos en el mito japonés de la creación. Ambos crearon la primera masa de tierra y su unión sexual produjo muchas islas y deidades. Al dar a luz al dios del fuego, Izanami murió quemada y se fue a la tierra de la oscuridad. Izanagi intentó rescatarla, pero ella había probado la comida del lugar y no pudo salir de allí. Asqueado, abandonó su cadáver putrefacto y se divorció. Cuando más tarde se bañó para purificarse, otras deidades nacieron de él, como la diosa solar AMATERASU, el dios lunar Tsukiyomi y el dios de la tormenta Susanowo. Su baño es la base de los ritos de purificación sintoístas (ver SINTOÍSMO).

Izmir *ant.* **Esmirna** Ciudad (pob., 1997: 2.081.556 hab.) del oeste de Turquía. Ubicada en la costa egea, constituye la tercera ciudad más populosa y uno de los principales puertos de Turquía. Fundada c. 3000 AC y habitada por los griegos antes de 1000 AC, fue capturada por los lidios c. 600 AC y dejó de existir hasta ser refundada por ALEJANDRO MAGNO en el s. IV AC. Llegó a ser una de las principales ciudades de ANATOLIA. Después de ser conquistada primero por los cruzados y luego por TAMERLÁN (Timur), fue anexada al Imperio OTOMANO c. 1425. Pasó a ser parte de la República de Turquía en 1923. Desde 1945 ha experimentado un rápido crecimiento; posee una gran economía industrial y una creciente actividad turística.

izquierda En política, parte del espectro político asociado en general con el igualitarismo y con el control popular o estatal de las principales instituciones de la vida política y económica. El término data de la década de 1790, cuando en el parlamento revolucionario francés los representantes socialistas se sentaban a la izquierda del presidente. Los izquierdistas tienden a ser hostiles a los intereses de las élites tradicionales, como a los ricos y los miembros de la ARISTOCRACIA, y a favorecer los intereses de la clase trabajadora (ver PROLETARIADO). Propenden a considerar la seguridad social el objetivo más importante del Estado. El SOCIALISMO constituye la ideología izquierdista típica en la mayoría de los países del mundo; el COMUNISMO es la ideología izquierdista más radical.

ʻIzrāʼīl En el ISLAM, el ángel de la muerte. Es uno de los cuatro arcángeles (con JIBRĀʼĪL, MĪKĀʼĪL e Isrāfīl) de dimensiones cósmicas, con 4.000 alas y un cuerpo formado por innumerables ojos y lenguas. Fue el único ángel con la suficiente valentía para bajar a la Tierra y enfrentar a IBLĪS con el fin de llevar a Dios los materiales para crear al hombre. Por este servicio fue convertido en el ángel de la muerte y se le entregó un registro de toda la humanidad, con una lista de los benditos y otra de los condenados.

Izu, península de Península de la costa central de HONSHU, Japón. Se extiende 60 km (37 mi) en el océano Pacífico y está formada principalmente por roca volcánica y volcanes muy erosionados. Forma parte del parque nacional Fuji-Hakone-Izu; sus baños termales y su tibio clima invernal constituyen un gran atractivo turístico.

Izumo, templo de El templo sintoísta (ver SINTOÍSMO) más antiguo de Japón (se dice que la actual edificación data de 1346). Situado al noroeste de Izumo, en la isla de Honshu, el complejo cubre 16 ha (40 acres) y contiene una valiosa colección de arte. Cercado por cerros en tres de sus costados, se ingresa a través de una avenida de pinos. La mayoría de los edificios actuales fueron construidos en el s. XIX.

Izvestiya *ant. p. ext.* **Izvestia Sovetov Deputatov Trudiashchikhsia SSSR** (ruso: "Noticias de los concejos de diputados de la clase trabajadora de la U.R.S.S."). Diario ruso editado en Moscú. Fue la publicación nacional oficial del gobierno soviético hasta 1991. Fundado en 1917, pronto alcanzó una gran circulación. Las restricciones impuestas durante la segunda guerra mundial y bajo el gobierno de STALIN frenaron su crecimiento. Sin embargo, el periódico se transformó luego en un diario dinámico y de lectura amena mientras lo dirigió Alexei Adzhubei, el yerno de NIKITA JRUSCHOV, aunque seguía siendo un instrumento del Estado. Después de la desaparición de la Unión Soviética se transformó en un diario independiente, controlado por sus trabajadores, cuya política editorial liberal lo ha puesto en conflicto con los comunistas ortodoxos y los nacionalistas rusos.

Izvolski, Alexandr (Petróvich), conde (18 mar. 1856, Moscú, Rusia–16 ago. 1919, París, Francia). Diplomático ruso. Ocupó el cargo de ministro de asuntos exteriores en 1906. En 1908 consiguió que Austria apoyara el derecho de Rusia a que sus buques de guerra utilizaran el estrecho de los Dardanelos a cambio de la oposición rusa a la anexión austríaca de Bosnia y Herzegovina. Mientras que Austria logró su anexión (ver crisis BOSNIA), Rusia no consiguió tener acceso a los Dardanelos. La responsabilidad de Izvolski en el fracaso diplomático de Rusia aumentó la tensión con Austria-Hungría antes de la primera guerra mundial. Destituido en 1910, fue embajador en Francia hasta 1917.

J.P. Morgan Chase & Co. Sociedad estadounidense de servicios financieros. Se constituyó en 2000 por la fusión del banco de inversiones J.P. Morgan y el banco de personas CHASE MANHATTAN CORP. La empresa resultante es una de las compañías de servicios financieros más grandes de EE.UU.

jabalí Cualquier miembro salvaje de la especie de CERDO *Sus scrofa*, antepasado de los cerdos domésticos. Es originario de los bosques que se extienden desde el norte y oeste de Europa y África del norte hasta India, las islas Andamán y China, y ha sido introducido en Nueva Zelanda y EE.UU. Tiene un pelaje erizado, negruzco o pardo, y una alzada de 90 cm (35 pulg.). Salvo los machos viejos y solitarios, los jabalíes viven en grupos. Son omnívoros y buenos nadadores. Poseen colmillos afilados y, aun cuando normalmente no son agresivos, pueden resultar peligrosos. Debido a su fuerza, velocidad y ferocidad, el jabalí ha sido por largo tiempo un apreciado animal de caza.

jabalí verrugoso Especie de CERDO (grupo de los UNGULADOS, familia Suidae) de cabeza grande (*Phacochoerus aethiopicus*) que habita áreas abiertas y poco boscosas de África. Mide unos 76 cm (30 pulg.) de alto, es de color negruzco o marrón, con una melena tosca que va desde el cuello hasta la mitad del lomo. El macho tiene dos pares de protuberancias (verrugas) en la cara. Ambos sexos poseen colmillos; los de la mandíbula inferior constituyen armas, en tanto los de la mandíbula superior se curvan hacia arriba y adentro en un semicírculo, llegando a medir más de 60 cm (24 pulg.) en algunos machos. Al correr, el animal mantiene levantada su larga cola empenachada. Viven en grupos y se alimentan de hierbas y otros tipos de vegetación.

Jabalí verrugoso (*Phacochoerus aethiopicus*).

jabalina, lanzamiento de la Prueba de ATLETISMO que consiste en arrojar una lanza de madera o metal lo más lejos posible. Se arroja tras una corta carrera y debe caer de punta. La jabalina mide 260 cm (8,5 pies) para los hombres y 220 cm (7,2 pies) para las mujeres. En los Juegos Olímpicos de la Grecia antigua formaba parte del PENTATLÓN, y fue incorporada a los Juegos Olímpicos modernos desde su inicio, en 1896. La prueba para mujeres se incluyó en 1932. Ver también DECATLÓN; HEPTATLÓN.

jabón Cualquiera de un grupo de compuestos orgánicos de SALES de ácidos GRASOS, por lo general ácido esteárico (con 18 átomos de carbono) o ácido palmítico (con 16 átomos de carbono). Cualquier aceite vegetal o grasa animal puede ser su fuente de origen. Los jabones constituyen agentes emulsionantes que a menudo se utilizan para limpiar; por mucho tiempo se han fabricado a partir de LEJÍA y GRASA. Los DETERGENTES pueden o no ser jabones y son enteramente sintéticos. Los jabones de METALES más pesados que el sodio no son muy solubles; el sedimento coagulado producido por el jabón en AGUA DURA es la sal de calcio o de magnesio del ácido graso contenido en el jabón. Los jabones de metal pesado se utilizan en grasas lubricantes, como espesantes de geles y en pinturas. El NAPALM es un jabón de aluminio.

Jabotinsky, Vladimir (1880, Odesa, Imperio ruso–3 ago. 1940, cerca de Hunter, N.Y., EE.UU.). Líder sionista ruso y fundador del movimiento sionista revisionista. Se convirtió en un conocido editor y periodista, y en 1903 ya exponía sobre el SIONISMO. En 1920 organizó y dirigió la HAGANÁ, una milicia judía. Defendió con vehemencia la creación de un estado judío al este y oeste del río Jordán. Ver también IRGÚN TZEVAÍ LEUMÍ.

Jabur, río *turco* **Habur** Río que cruza el sudeste de Turquía y el nordeste de Siria. Nace en las montañas del sudeste de Turquía y discurre en dirección sudeste hasta Siria para confluir con el río Jaghjagh. Después de un recorrido de 320 km (200 mi), sigue un curso sinuoso hacia el sur y desemboca en el río ÉUFRATES. Es una fuente importante de riego para el nordeste de Siria.

jacarandá Cualquier planta del género *Jacaranda* (familia Bignoniaceae), especialmente los dos árboles ornamentales *J. mimosifolia* y *J. cuspidifolia*. Los jacarandás se cultivan extensamente en regiones cálidas del mundo y en invernaderos por sus vistosas flores azules o violetas y sus atractivas hojas compuestas paripinnadas. El género abarca unas 50 especies originarias de América Central, Antillas y América del Sur. El nombre también se aplica a varias especies de árboles de los géneros *Machaerium* y *Dalbergia* de la familia de las Papilionáceas (ver LEGUMINOSA), que son el origen del palo rosa comercial.

Jachaturian, Aram (Ilich) (6 jun. 1903, Tbilisi, Georgia, Imperio ruso–1 may. 1978, Moscú, U.R.S.S.). Compositor soviético (armenio). Estudió con Reinhold Glière (n. 1875–m. 1956) y Nikolái Miaskovski (n. 1881–m. 1950). Cobró renombre internacional cuando SERGUÉI PROKÓFIEV recomendó una de sus piezas para un concierto en París. Miembro activo de la unión de compositores, Jachaturian (junto con DIMITRI SHOSTAKÓVICH y Prokófiev) fue criticado por el gobierno en 1948 a causa de sus "tendencias formalistas", aunque su música fue de hecho siempre conservadora y accesible. Después de la muerte de IÓSIV STALIN (1953), Jachaturian publicó un llamamiento en pro de una mayor libertad artística. Sus partituras para ballet comprenden *Masquerade* (1944) y *Espartaco* (1954); *Gayane* (1943) contiene la conocida "Danza del sable". Entre otras piezas populares destacan sus conciertos para piano y violín.

jacinto Cualquiera de unas 30 especies de plantas herbáceas, bulbosas y ornamentales que constituyen el género *Hyacinthus* (familia de las LILIÁCEAS), primordialmente originarias de la región del Mediterráneo y de África tropical. Los jacintos comunes de jardín provienen de *H. orientalis*. La mayoría de las especies tienen hojas basales angostas, no aserradas y flores fragantes (generalmente azules, pero a veces rosadas, blancas o de otros colores en variedades cultivadas) arracimadas en el ápice de tallos áfilos. Ver también MUSCARI.

Jacinto común (*H. orientalis*).

Jacinto En la mitología GRIEGA, joven de gran belleza del que se enamoró APOLO. El dios lo mató por accidente cuando practicaba el lanzamiento del disco y de su sangre brotó la flor *hyacinthos* (no el actual jacinto), cuyos pétalos quedaron marcados con las palabras AI, AI ("¡Ay de mí!"). Su muerte se conmemoraba en Amicla, su ciudad natal en Esparta, con un festival a principios del verano conocido como la Jacintia. El festival marcaba la transición de la primavera al verano.

jacinto acuático Cualquiera de unas cinco especies de plantas acuáticas que constituyen el género *Eichhornia* (familia Pontederiaceae). Son originarias principalmente de las regiones tropicales del Nuevo Mundo. Algunas especies flotan en aguas someras; otras están arraigadas en bancos fluviales fangosos y playas lacustres. Todas tienen rizomas delgados, raíces plumosas, rosetas de hojas pecioladas y flores dispuestas en espigas o racimos. El jacinto acuático común (*E. crassipes*) es el más difundido. De pecíolo esponjoso e inflado, los lóbulos superiores de sus flores purpúreas poseen marcas azules y amarillas. Se reproduce rápidamente, atascando a menudo las corrientes de agua lentas. Se usa como planta ornamental en estanques y acuarios.

Jack, el destripador Seudónimo del asesino que mató al menos a cinco mujeres, todas prostitutas, en el distrito de Whitechapel, o cerca de él, en Londres, entre el 7 de agosto y el 10 de noviembre de 1888. Las víctimas fueron degolladas y sus cuerpos generalmente mutilados de tal manera que permitían presuponer que el asesino tenía considerables conocimientos de la anatomía humana. Las autoridades recibieron una serie de notas burlonas de una persona que se hacía llamar Jack el destripador y que afirmaba ser el asesino. Aunque se hicieron arduos esfuerzos para identificar y atrapar al asesino, estos fueron infructuosos. El caso no resuelto alimentó la inventiva popular y se convirtió en tema de varias películas y más de 100 libros, así como en una macabra actividad turística en Londres.

Jackson Ciudad (pob., 2000: 184.256 hab.) y capital del estado de Mississippi, EE.UU. Se ubica junto al río PEARL en el centro-oeste del estado. Louis Le Fleur, comerciante franco-canadiense, la estableció en 1792 como factoría llamada *Le Fleur's Bluff* hasta la llegada de los colonizadores en 1820. En 1822 se convirtió en capital del estado y debe su nombre a ANDREW JACKSON. Las fuerzas de la Unión (1863) incendiaron la ciudad durante la guerra de SECESIÓN. Constituye la ciudad más grande del estado, además de ser centro ferroviario y de distribución. Es sede de la Jackson State University (1877) y otras instituciones educacionales.

Jackson, A(lexander) Y(oung) (3 oct. 1882, Montreal, Quebec, Canadá–5 abr. 1974, Kleinburg, Ontario). Paisajista canadiense. Recorrió todo Canadá hasta el Ártico. Desde 1921, cada primavera regresaba a su lugar favorito en el río St. Lawrence, donde hacía bosquejos que luego pintaba. A lo largo de su prolongada carrera, se fue convirtiendo en figura artística emblemática de su país. Su estilo sencillo, que reflejaba ritmos ondulantes y un rico e intenso colorido, ejerció una fuerte influencia sobre la pintura de paisajes canadiense.

Jackson, Andrew (15 mar. 1767, región de Waxhaws, S.C., EE.UU.–8 jun. 1845, the Hermitage, cerca de Nashville, Tenn.). Séptimo presidente de EE.UU. (1829–37). Combatió por corto tiempo en la guerra de independencia de los ESTADOS UNIDOS DE AMÉRICA, cerca del lugar de su residencia en la frontera, donde su familia pereció en el conflicto. En 1788 fue nombrado fiscal en la región oeste de Carolina del Norte. Cuando la región se convirtió en el estado de Tennessee, fue elegido para integrar la Cámara de Representantes (1796–97) y el Senado (1797–98). Se desempeñó en la corte suprema estadual (1798–1804) y en 1802 fue nombrado general de división de la milicia de Tennessee. Al iniciarse la guerra ANGLO-ESTADOUNIDENSE, ofreció a EE.UU. los servicios de su milicia de 50.000 voluntarios. Enviado al Territorio de Mississippi a combatir a los indios creek, que estaban aliados con los británicos, los derrotó tras una breve campaña (1813–14) en la batalla de Horseshoe Bend. Capturó Pensacola, Fla., que se encontraba en manos de los españoles aliados con los británicos, y marchó por tierra a enfrentar a los británicos en Luisiana. Su victoria decisiva en la batalla de NUEVA ORLEANS lo convirtió en héroe nacional; la prensa lo apodó "Old Hickory". Cuando EE.UU. adquirió Florida, fue nombrado gobernador del territorio (1821). Estuvo entre los cuatro candidatos en la elección presidencial de 1824 y aunque ganó la mayoría relativa de los votos electorales, la Cámara de Representantes eligió presidente a JOHN QUINCY ADAMS. Su triunfo sobre Adams en la elección presidencial de 1828 se considera comúnmente como un momento decisivo en la historia de EE.UU. Fue el primer presidente proveniente del oeste de los montes Apalaches, el primero que nació en la pobreza y el primero que resultó elegido gracias a un llamado directo a la masa de votantes y no con el apoyo de una organización política reconocida. La época de su mandato se conoce como "democracia jacksoniana". Cuando asumió el mando reemplazó a muchos funcionarios federales con sus propios partidarios políticos, práctica que se conoció como CLIENTELISMO POLÍTICO. Su gobierno accedió a la toma ilegal de tierras de los cherokees en Georgia y luego expulsó por la fuerza a los indígenas que se negaron a marcharse (ver TRAIL OF TEARS). Cuando Carolina del Sur reclamó el derecho de anular un arancel federal, solicitó y obtuvo del Congreso la facultad de usar las fuerzas armadas para hacer cumplir las leyes federales en dicho estado (ver ANULACIÓN). Su reelección en 1832 fue, en parte, consecuencia del controvertido veto que impuso a un proyecto de ley dirigido a renovar la vigencia del Banco de los ESTADOS UNIDOS DE AMÉRICA, institución impopular entre muchos de sus partidarios (ver guerra de los BANCOS). La intensidad de las luchas políticas durante su mandato determinó la consolidación del PARTIDO DEMÓCRATA y el ulterior desarrollo del sistema bipartidista.

Andrew Jackson, detalle de una pintura al óleo de John Wesley Jarvis, c. 1819; Museo Metropolitano de Nueva York.

Jackson, Charles Thomas (21 jun. 1805, Plymouth, Mass., EE.UU.–28 ago. 1880, Somerville, Mass.). Médico, químico, geólogo y mineralogista estadounidense. Se graduó en la escuela de medicina de Harvard en 1829. Conocido por contencioso y litigante, se atribuyó el mérito de la primera demostración de anestesia quirúrgica con éter hecha por un odontólogo, a quien él había asesorado sobre la materia, y sostuvo haber revelado a SAMUEL F.B. MORSE los principios básicos del telégrafo. Trabajó muchos años como geólogo para la Oficina de levantamiento estratigráfico de EE.UU.

Jackson, Glenda (n. 9 may. 1936, Birkenhead, Cheshire, Inglaterra). Actriz de cine y teatro británica. Descubierta por PETER BROOK, formó parte de su grupo Theatre of Cruelty (ver TEATRO DE LA CRUELDAD) para después interpretar a la enajenada Charlotte Corday en su elogiada producción de *Marat/Sade* de PETER WEISS (1964; película, 1967). Se hizo conocida por sus densos retratos de mujeres complejas y fue aclamada internacionalmente por la película *Mujeres enamoradas* (1969, premio de la Academia) y por los posteriores éxitos *Domingo, maldito domingo* (1971), *Un toque de distinción* (1973, premio de la Academia) y la serie de televisión *Elizabeth R.* Abandonó su carrera cinematográfica en 1992, cuando fue elegida para ocupar un sillón en la Sala de los Comunes del Parlamento británico.

Jackson, Jesse (Louis) *orig.* **Jesse Louis Burns** (n. 8 oct. 1941, Greenville, S.C., EE.UU.). Dirigente estadounidense del movimiento por los derechos civiles. Siendo estudiante universitario participó en el movimiento por los DERECHOS CIVILES. En 1965 partió a Selma, Ala., para marchar con MARTIN LUTHER KING, JR., y comenzó a trabajar con la Conferencia de LÍDERES CRISTIANOS DEL SUR (SCLC), de King. En 1966 colaboró en la fundación de la rama de Chicago de la Operación canasta de pan, brazo económico de la SCLC, y de 1967 a 1971 fue su director nacional. Se ordenó ministro bautista en 1968 y en 1971 fundó la Operación PUSH (sigla en inglés de Pueblo unido para salvar a la humanidad). En 1983 dirigió en Chicago un movimiento de inscripción de votantes que contribuyó a elegir a Harold Washington, primer alcalde afroamericano de dicha ciudad. En 1984–88 tomó parte en la primaria presidencial demócrata y se lo considera el primer afroamericano que aspiró seriamente a la presidencia de EE.UU.; en 1988 obtuvo 6,7 millones de votos. En 1989 se trasladó a Washington, D.C., y la ciudad lo eligió "senador en favor de la condición de estado", cargo sin remuneración, con la misión de presionar al Congreso para que concediera a Washington, D.C., la condición de estado. A partir de fines de la década de 1970, atrajo mucha atención por sus intentos de mediar en diversos conflictos internacionales, entre ellos el del Medio Oriente. A fines de la década de 1990 encaró acusaciones de conducta financiera inapropiada y, en 2001, reconoció que había sido padre de un hijo natural.

Jesse Jackson, 1988.
© DENNIS BRACK/BLACK STAR

Jackson, Joe *p. ext.* **Joseph Jefferson Jackson** *llamado* **Shoeless Joe Jackson** (16 jul. 1888, Greenville, S.C., EE.UU.–6 dic. 1951, Greenville). Beisbolista estadounidense. Comenzó su carrera en 1908 y jugó luego de jardinero en los Chicago White Sox. Extraordinario bateador, su promedio de 0,356 es el tercero más alto de la historia del béisbol (después de TY COBB y Rogers Hornsby). Jackson se vio implicado en el escándalo de los BLACK SOX, de 1919, y pese a ser absuelto en 1921, las autoridades del béisbol lo excluyeron para siempre de la actividad profesional. Ver también KENESAW MOUNTAIN LANDIS.

Jackson, John Hughlings (4 abr. 1835, Green Hammerton, Yorkshire, Inglaterra–7 oct. 1911, Londres). Neurólogo británico. Demostró que la mayoría de las personas diestras con afasia tenían afectado el lado izquierdo del cerebro, confirmando los hallazgos de PAUL BROCA. En 1863 descubrió la epilepsia jacksoniana (convulsiones que progresan a lo largo del cuerpo), atribuyéndola a un daño de la zona motora. La electroencefalografía ha confirmado su definición de epilepsia, hecha en 1873, como "una descarga súbita, excesiva y rápida" de electricidad por las células cerebrales.

Jackson, Mahalia (26 oct. 1911, Nueva Orleans, La., EE.UU.–27 ene. 1972, Evergreen Park, Ill.). Cantante estadounidense de música GOSPEL. De niña cantaba en el coro de la iglesia de Nueva Orleans donde su padre era pastor. Aprendió canciones sacras, pero también conoció las grabaciones de BLUES de BESSIE SMITH e Ida Cox. En Chicago realizó trabajos esporádicos mientras cantaba con un quinteto de gospel itinerante y también abrió varios negocios menores. Su voz poderosa y cálida llamó la atención generalizada del público en la década de 1930, cuando participó en una gira a través del país interpretando canciones como "He's Got the Whole World in His Hands". En estrecha vinculación con THOMAS A. DORSEY interpretó varias de sus canciones. "Move on up a Little Higher" (1948) vendió más de un millón de copias, y fue una de las cantantes más populares de las décadas de 1950–60. En 1950 debutó en el Carnegie Hall. Desde 1955 militó en el movimiento en pro de los derechos civiles y, en 1963, cantó en la emblemática marcha a Washington en favor de los mismos.

Mahalia Jackson, 1961.
THE BETTMANN ARCHIVE

Jackson, Michael (Joseph) (n. 29 ago. 1958, Gary, Ind., EE.UU.). Cantautor estadounidense. A los nueve años de edad, se convirtió en el cantante principal del grupo The Jackson Five, un grupo familiar formado por su padre. Entre sus éxitos en el sello MOTOWN figuran "I Want You Back" y "ABC". Aunque Michael permaneció en el grupo hasta 1984, comenzó a grabar con su propio nombre en 1971. Su álbum *Off the Wall* (1979) registró millones de copias; su siguiente álbum en solitario, *Thriller* (1982), vendió más de 40 millones de copias, convirtiéndose en el album más vendido de la historia. El formato emergente de la música en vídeo fue un aspecto importante de la labor de Jackson; sus vídeos para "Beat It" y "Billie Jean" (ambos de 1983) destacaron su estilo de baile tan influyente (especialmente su característico "moonwalk"). Más tarde lanzó los álbumes *Bad* (1987), *Dangerous* (1991) y *History* (1995). A pesar de sus múltiples intentos por opinar de temas sociales, el estilo de vida excéntrico y apartado de Jackson causó controversia a principios de la década de 1990. En 1993, su reputación quedó muy dañada cuando un niño de 13 años lo acusó de abuso sexual. Varios de sus hermanos, en especial su hermana Janet (n. 1966), también han triunfado como solistas.

Jackson, Reggie *p. ext.* **Reginald Martínez Jackson** (n. 18 may. 1996, Wyncote, Pa., EE.UU.). Beisbolista estadounidense. En la secundaria sobresalió en atletismo, fútbol americano y béisbol. En las grandes ligas, donde jugaba de jardinero y bateaba y lanzaba como zurdo, ayudó a tres equipos (Oakland Athletics, 1968–75; New York Yankees, 1976–81 y California Angels, 1982–87) a ganar cinco Series Mundiales, seis banderines de título de liga y diez eliminatorias de división. Famoso por la facilidad para conectar *home runs*, era apodado "Señor Octubre" por sus habituales proezas en partidos de eliminatorias o de la Serie Mundial. Totalizó 563 *home runs*, lo que lo sitúa entre los diez mejores bateadores de *home runs* de la historia.

Jackson, Robert H(oughwout) (13 feb. 1892, Spring Creek, Pa., EE.UU.–9 oct. 1954, Washington, D.C.). Jurista estadounidense. Defendió su primera causa cuando todavía era menor de edad y se recibió de abogado a los 21 años. Se convirtió en abogado de la corporación municipal de Jamestown, N.Y. En su condición de abogado jefe de la oficina de impuestos internos de EE.UU. (1934), encausó con éxito a ANDREW W. MELLON por evasión tributaria. Se desempeñó como fiscal general adjunto (1938–39) y fiscal general (1940–41). En 1941 fue designado por el pdte. FRANKLIN D. ROOSEVELT para un cargo en la Corte Suprema, donde se desempeñó hasta 1954. Infundió a sus dictámenes, siempre bien redactados, una mezcla de liberalismo y nacionalismo. En 1945–46 ocupó el cargo de fiscal jefe de EE.UU. en los juicios de NUREMBERG.

Jackson, Shirley (Hardie) (14 dic. 1919, San Francisco, Cal., EE.UU.–8 ago. 1965, North Bennington, Vt.). Novelista y cuentista estadounidense. Debe su fama al cuento "La lotería" (1948), un relato espeluznante que provocó escándalo cuando fue publicado por primera vez, y a *La casa encantada* (1959; película, 1963, 1999). Estas obras y sus otras cinco novelas, entre las que figura *Siempre hemos vivido en el castillo* (1962), confirmaron a la autora como una maestra del horror gótico y el suspenso psicológico.

Jackson, Stonewall *orig.* **Thomas Jonathan Jackson** (21 ene. 1824, Clarksburg, Va., EE.UU.–10 may. 1863, Guinea Station, Va.). Oficial del ejército de EE.UU. y de la Confederación. Pese a su escasa educación, logró ingresar a West Point y se distinguió en la guerra MEXICANO-ESTADOUNIDENSE. Al comienzo de la guerra de SECESIÓN organizó a los voluntarios de Virginia en una brigada muy eficaz. En la primera de las batallas de BULL RUN dispuso a sus hombres en una línea fuerte y resistió un asalto de la Unión, hazaña que le valió el ascenso a general de división y el apodo de "Stonewall" (muro de piedra). En 1862 triunfó en campañas en el valle del Shenandoah y luego en las batallas de los Siete Días. ROBERT E. LEE utilizó a sus soldados para rodear a las fuerzas de la Unión y ganar la segunda de las batallas de Bull Run; apoyó a Lee en ANTIETAM y Fredericksburg. En abril de 1863, cuando desplazaba a sus tropas para envolver el flanco del ejército de la Unión, en CHANCELLORSVILLE, sus propios soldados, por accidente, le dispararon y lo hirieron de muerte.

Jackson, William Henry (4 abr. 1843, Keesville, N.Y., EE.UU.–30 jun. 1942, Nueva York, N.Y.). Fotógrafo estadounidense. De niño trabajó para un estudio fotográfico en Troy, N.Y. Después de la guerra de Secesión viajó al Oeste y abrió un taller en Omaha. Fue el fotógrafo oficial de la Geological and Geographical Survey of the Territories de EE.UU. (1870–78). Sus fotografías fueron determinantes en la creación del parque nacional YELLOWSTONE.

Jacksonville Ciudad (pob., 2000: 735.617 hab.) en el nordeste del estado de Florida, EE.UU. Los primeros colonizadores europeos de Florida, los hugonotes franceses, llegaron a este lugar en 1564. Su diseño data de 1822 y recibió su nombre en honor de ANDREW JACKSON; se constituyó como ciudad en 1832. En 1901 resultó casi totalmente destruida por el fuego. En 1968 se unió con la mayor parte del cond. de Duval; ocupa una superficie de 2.178 km² (841 mi²), lo que la convierte en una de las ciudades más grandes de EE.UU. en cuanto a extensión. Es un puerto de aguas profundas con astilleros importantes y constituye el principal centro de transporte y comercio de Florida. Es sede de la Universidad de Jacksonville, la Universidad de Florida del Norte y el Jones College.

El río Saint Johns a su paso por Jacksonville, Florida, EE.UU.

ROBERT HARDING/ROBERT HARDING WORLD IMAGERY/ GETTY IMAGES

Jacob PATRIARCA hebreo, hijo de Isaac y nieto de ABRAHAM, y ancestro tradicional del pueblo de Israel. Su historia es narrada en el Libro del GÉNESIS. Hermano gemelo menor de Esaú, recurrió a un ardid para obtener la bendición de Isaac y el derecho de primogenitura de Esaú. En un viaje a CANAÁN luchó durante toda una noche contra un ángel, quien lo bendijo y le dio el nombre de Israel. Tuvo 13 hijos, diez de los cuales dieron origen a las tribus de ISRAEL. Su hijo favorito, JOSÉ, fue vendido por sus hermanos a unos mercaderes que lo llevaron a Egipto, donde a su vez lo revendieron como esclavo, pero la familia se reunió más tarde cuando una hambruna obligó a los hermanos a viajar a ese país en busca de grano.

Jacob, François (n. 17 jun. 1920, Nancy, Francia). Biólogo francés. Después de obtener un doctorado, trabajó en el Instituto Pasteur en París. A partir de 1958, colaboró con JACQUES MONOD en el estudio de la regulación de la síntesis de enzimas bacterianas. Descubrieron los genes reguladores, llamados así porque controlan las actividades de otros genes. Jacob y Monod propusieron también la existencia de un ARN mensajero, una copia parcial del ADN que lleva la información genética a otras partes de la célula. En 1965 compartió con André Lwoff el Premio Nobel.

jacobea, literatura Corpus de obras escritas durante el reinado de JACOBO I de Inglaterra (1603–25). La literatura jacobea sucedió a la literatura ISABELINA y, por lo general, fue de tono sombrío, cuestionando la estabilidad del orden social. Algunas de las tragedias más famosas de WILLIAM SHAKESPEARE datarían de comienzos de este período, mientras otros dramaturgos, como JOHN WEBSTER, estaban preocupados principalmente del problema del mal. Entre las comedias de la época se cuentan las sátiras acres de BEN JONSON y las diversas obras de FRANCIS BEAUMONT y John Fletcher. La poesía jacobea abarcó tanto el verso grácil de Jonson y los poetas cortesanos como las complejidades intelectuales de la poesía METAFÍSICA de JOHN DONNE y otros. En prosa, escritores como FRANCIS BACON y ROBERT BURTON mostraron una novedosa flexibilidad y cohesión estilística. La principal obra en prosa del período fue la versión de la biblia del rey Jacobo (1611).

jacobino, estilo Período de las artes visuales y literarias durante el reinado de JACOBO I (latín Jacobus) de Inglaterra (r. 1603–25). La arquitectura jacobina combina motivos del gótico tardío con detalles clásicos, arcos ojivales estilo Tudor y paneles interiores. El mobiliario jacobino, fabricado en encina, presentaba formas pesadas y patas bulbosas. INIGO JONES, siguiendo las teorías y obras de ANDREA PALLADIO, introdujo en Inglaterra el estilo clásico de la arquitectura renacentista. La mayoría de los retratistas y escultores jacobinos eran extranjeros o influenciados por estilos foráneos, y sus esfuerzos se debilitaron cuando los pintores flamencos como PETER PAUL RUBENS y ANTHONY VAN DYCK trabajaron en Inglaterra para el sucesor de Jacobo, CARLOS I. Ver también literatura JACOBEA.

jacobinos, Club de los Grupo político de la REVOLUCIÓN FRANCESA identificado con el radicalismo extremo y la violencia. Formado en 1789 como Sociedad de amigos de la constituyente, fue conocido como Club de los jacobinos debido a que se reunía en un ex convento de los dominicos (llamados jacobinos en París). Originalmente fue formado por diputados de la Asamblea Nacional para proteger las conquistas de la Revolución contra una posible reacción aristocrática. Aunque no desempeñó un papel directo en el derrocamiento de la monarquía en 1792, posteriormente pasó a llamarse Sociedad de los jacobinos, amigos de la libertad y la igualdad. Admitió a diputados MONTAÑESES (izquierdistas) de la CONVENCIÓN NACIONAL y se movilizó a favor de la ejecución del rey y del derrocamiento de los GIRONDINOS. En 1793, con aproximadamente 8.000 clubes y 500.000 miembros, los jacobinos se convirtieron en instrumento del TERROR. El club parisiense apoyó a MAXIMILIEN DE ROBESPIERRE, pero se disolvió después de su caída en 1794. Aunque oficialmente proscritos, algunos clubes locales sobrevivieron hasta 1800.

jacobitas En la historia británica, partidarios del exiliado rey Estuardo JACOBO II de Gran Bretaña y de sus descendientes después de la REVOLUCIÓN GLORIOSA de 1688. El movimiento fue poderoso en Escocia, Gales e Irlanda, e incluyó a católicos y anglicanos tories. Los jacobitas, especialmente en tiempos de GUILLERMO III y la reina ANA, podían ofrecer un título alternativo viable a la monarquía y se hicieron varios intentos para restablecer a los Estuardo. En 1689 Jacobo II desembarcó en Irlanda, pero su ejército fue derrotado en la batalla del BOYNE. En la 15ª rebelión (1715), dirigida por John Erskine, sexto conde de Mar (1675–1732), los jacobitas intentaron apoderarse del trono en favor de JACOBO EDUARDO el Viejo Pretendiente. En la 45ª rebelión (1745), CARLOS EDUARDO el Joven Pretendiente conquistó Escocia, pero el ejército jacobita fue aplastado en la batalla de CULLODEN (1746).

Jacobo I (1394–20/21 feb. 1437, Perth, Perth, Escocia). Rey de Escocia (1406–37). Hijo y heredero de Roberto III, fue capturado por los ingleses en 1406 y estuvo prisionero en Londres hasta 1424. Durante los 13 años en que efectivamente gobernó Escocia (1424–37), estableció la primera monarquía fuerte que conocieron los escoceses en casi un siglo. Debilitó a la nobleza, pero no sometió por completo a los señores de las Highlands (Tierras Altas), y mejoró considerablemente la administración de justicia para el ciudadano común. Su asesinato en un convento dominico por un grupo de nobles rivales incitó una rebelión popular en favor de su viuda y de su hijo de seis años, quien lo sucedió como Jacobo II.

Jacobo I (19 jun. 1566, castillo de Edimburgo, Edimburgo, Escocia–27 mar. 1625, Theobalds, Hertfordshire, Inglaterra). Rey de Escocia como Jacobo VI (1567–1625) y primer rey Estuardo de Inglaterra (1603–25). Era hijo de MARÍA I ESTUARDO y de LORD DARNLEY; cuando tenía un año de edad sucedió a su madre en el trono escocés. Controlado por sus sucesivos regentes, se convirtió en el títere de los conspiradores en pugna, católicos, que buscaban restaurar a su madre en el trono, y protestantes. En 1583 comenzó a imponer sus propias políticas como rey, aliándose con Inglaterra. A la muerte de ISABEL I, ascendió al trono inglés como tataranieto de ENRIQUE VII. Rápidamente alcanzó la paz y la prosperidad al poner fin a la guerra de Inglaterra con España (1604). Presidió la conferencia de Hampton Court (1604), en la que rechazó la mayor parte de las demandas de los puritanos para reformar la Iglesia de Inglaterra, pero permitió que se preparara una nueva traducción de la Biblia, popularmente llamada la "Versión del rey Jacobo". Sus políticas hacia los católicos provocaron la conspiración de la PÓLVORA, y su creencia cada vez más fuerte en el absolutismo monárquico, así como los conflictos con un parlamento cada vez más seguro de sí mismo lo llevaron a disolverlo entre 1611 y 1621. Tras la muerte de ROBERT CECIL, cayó bajo la influencia de favoritos incompetentes.

Jacobo II (16 oct. 1430, Edimburgo, Escocia–3 ago. 1460, castillo de Roxburgh, Roxburgh). Rey de Escocia (1437–60). Ascendió al trono tras el asesinato de su padre, JACOBO I de Escocia. Debido a su escasa edad, el fuerte gobierno central que su progenitor había establecido se derrumbó rápidamente y al llegar a la adultez su primera tarea fue restablecer la autoridad monárquica. Luchó afanosamente por controlar a la poderosa familia Douglas y en 1452 mató de una puñalada a William, conde de Douglas, en el castillo de Stirling. Estableció un gobierno central fuerte y mejoró la administración de justicia. Concentró luego su atención en los ingleses, quienes habían renovado sus pretensiones de gobernar Escocia; atacó los puestos de avanzada ingleses en Escocia, pero murió durante un sitio al castillo de Roxburgh.

Jacobo II (14 oct. 1633, Londres, Inglaterra–16/17 sep. 1701, Saint-Germain, Francia). Rey de Inglaterra y de Escocia como Jacobo VII (1685–88). Fue hermano y sucesor de CARLOS II. Durante las guerras civiles INGLESAS escapó a los Países Bajos (1648). Después de la RESTAURACIÓN (1660), regresó a Inglaterra y llegó a ser lord almirante supremo en las guerras ANGLO-HOLANDESAS. Convertido al catolicismo c. 1668, prefirió renunciar al cargo en 1673 antes que prestar el juramento de la llamada ley TEST ACT. En 1678 su catolicismo había generado un clima de gran excitación acerca de un COMPLOT PAPISTA para asesinar a Carlos y para ponerlo a él en su lugar, y sucesivos parlamentos intentaron excluirlo de la sucesión. Cuando Carlos murió (1685), llegó al trono con poca oposición y un fuerte apoyo de los anglicanos. Las rebeliones lo llevaron a designar a católicos en el ejército y en los altos puestos de gobierno, y a suspender un parlamento hostil. El nacimiento de su hijo, un posible heredero católico, provocó la REVOLUCIÓN GLORIOSA en 1688, por lo que huyó a Francia. En 1689 desembarcó en Irlanda para reconquistar el trono, pero su ejército fue derrotado en la batalla del BOYNE y regresó al exilio en territorio francés.

Jacobo II, rey de Gran Bretaña, detalle de una pintura de Sir Godfrey Kneller, c. 1685.

GENTILEZA DE LA NATIONAL PORTRAIT GALLERY, LONDRES

Jacobo III (may. 1452–11 jun. 1488, cerca de Stirling, Stirling, Escocia). Rey de Escocia (1460–88). Sucedió a su padre, JACOBO II. A diferencia de este último, fue incapaz de restablecer un gobierno central fuerte después de su larga minoría de edad. Monarca débil, debió enfrentar dos rebeliones importantes. Ofendió en forma manifiesta a los nobles debido a su interés en las artes y por haber elegido artistas como sus favoritos. En 1488 dos poderosas familias fronterizas se rebelaron y ganaron el apoyo de su hijo, el futuro JACOBO IV; fue capturado y ejecutado cuando tenía 36 años de edad.

Jacobo IV (17 mar. 1473–9 sep. 1513, cerca de Branxton, Northumberland, Inglaterra). Rey de Escocia (1488–1513). Unificó el reino y, en 1493, extendió su autoridad a todo el norte y el oeste del país. Sostuvo escaramuzas fronterizas con Inglaterra (1495–97) en apoyo de un pretendiente al trono inglés. Su matrimonio (1503) con MARGARITA TUDOR, hija de ENRIQUE VII, ayudó a estabilizar las relaciones entre ambos países, pero en 1512 se alió con Francia contra Inglaterra. En 1513 invadió Inglaterra en apoyo de los franceses; su ejército fue derrotado en la batalla de FLODDEN y él resultó muerto.

Jacobo Eduardo el Viejo Pretendiente *orig.* **James Francis Edward Stuart** (10 jun. 1688, Londres, Inglaterra–1 ene. 1766, Roma, Estados Pontificios). Pretendiente a los tronos inglés y escocés. Hijo del exiliado JACOBO II, fue criado en Francia como católico. A la muerte de su padre (1701), fue proclamado rey de Inglaterra por el monarca francés LUIS XIV, pero el Parlamento inglés aprobó una ley según la cual quedó excluido formalmente de la sucesión al trono. Sirvió junto al ejército francés en la guerra de sucesión ESPAÑOLA. En una rebelión JACOBITA (1715) desembarcó en Escocia, pero en dos meses la rebelión fracasó y regresó a Francia. Vivió desde entonces en Roma bajo la protección del papa. Se le conoció como el "Viejo Pretendiente" para distinguirlo de su hijo, CARLOS EDUARDO el Joven Pretendiente.

Jacobs, Jane *orig.* **Jane Butzner** (n. 4 may. 1916, Scranton, Pa., EE.UU.). Urbanista canadiense de origen estadounidense. Comenzó a desplegar una activa labor en trabajos comunitarios urbanos cuando vivía en la ciudad de Nueva York con su esposo arquitecto. Durante diez años fue editora en la revista *Architectural Forum*. Su libro *Muerte y vida de las grandes ciudades* (1961), de enorme influencia, es una reinterpretación temeraria, apasionada y sumamente original de las diversas necesidades de los espacios urbanos modernos. En *La economía de las ciudades* (1969) analizó la importancia de la diversidad para las perspectivas de una ciudad. Entre sus obras posteriores se cuentan *Las ciudades y la riqueza de las naciones* (1984) y *Edge of Empire* [Los confines del imperio] (1996). Ver también PLANIFICACIÓN URBANA.

Jacopo da Pontormo ver Jacopo da PONTORMO

Jacopo della Quercia *orig.* **Jacopo di Piero di Angelo** (c. 1374, Siena–20 oct. 1438, Bolonia, Estados Pontificios). Escultor italiano. Desarrolló su trabajo en Siena. Hijo de un orfebre y tallador de madera, su primera gran obra fue la tumba de Ilaria del Carretto, en la catedral de Lucca (c. 1406–08). Su principal trabajo por encargo, en Siena, fue la llamada

Detalle de uno de los relieves de la Fonte Gaia, obra de Jacobo della Quercia, 1419.
FOTOBANCO

Fonte Gaia (1408–19) en la Piazza del Campo. Trabajó con DONATELLO y LORENZO GHIBERTI en los relieves para la fuente bautismal del baptisterio de Siena (1417–30). Los relieves escultóricos alrededor del portal de San Petronio, en Bolonia (1425–30), se estima su última y más importante obra. En 1435 fue nombrado arquitecto supervisor de la catedral de Siena. Elevó la escultura sienesa a un lugar de importancia e influyó en los pintores sieneses posteriores. Considerado el escultor no florentino más importante del s. XV, ejerció gran influencia sobre el joven MIGUEL ÁNGEL.

Jacquard, Joseph-Marie (7 jul. 1752, Lyon, Francia–7 ago. 1834, Oullins). Inventor francés. En 1801 realizó una demostración de un telar automático que incorporaba una nueva tecnología revolucionaria, que fue declarado propiedad pública en 1806, y Jacquard premiado con una pensión y una regalía por cada máquina. Su telar utilizaba tarjetas perforadas intercambiables que controlaban el tejido de la tela, de modo que cualquier diseño deseado podía ser obtenido en forma automática. La tecnología del telar JACQUARD llegó a ser la base de las modernas máquinas automáticas para tejer y precursora de la computadora moderna. Sus tarjetas perforadas fueron adaptadas por CHARLES BABBAGE como un medio de entrada/salida para su propuesta máquina analítica, y por HERMAN HOLLERITH para ingresar datos a su máquina del censo; las tarjetas perforadas se usaron para el ingreso de datos en las primeras computadoras.

Jacquard, telar TELAR que incorpora un dispositivo especial para controlar individualmente los HILOS de la urdimbre. Permitió la producción de telas con diseños complejos, como los usados en TAPICES, BROCADOS y damascos. También se adaptó a la producción de tejido de punto con motivos. Desarrollado en Francia por JOSEPH-MARIE JACQUARD en 1804–05, el telar utilizaba tarjetas perforadas intercambiables que controlaban la trama del paño, de manera que se podía obtener el diseño deseado en forma automática. El telar Jacquard despertó la enconada hostilidad de los tejedores, que temían que el ahorro de mano de obra implicado los dejase sin trabajo. Los tejedores de Lyon no sólo quemaron las máquinas sino que atacaron a Jacquard. Con el correr del tiempo, las ventajas del telar condujeron a su aceptación general, y c. 1812 había 11.000 de ellos en uso en Francia. El telar se propagó a Inglaterra en la década de 1820 y desde allí se extendió prácticamente a todo el mundo.

Telar Jacquard, grabado, 1874.
THE BETTMANN ARCHIVE

Jacuí, río Río del sur de Brasil. Nace en los montes situados al este de Passo Fundo y fluye primero hacia el sur y luego hacia el este a lo largo de 450 km (280 mi). Al llegar a Pôrto Alegre recibe las aguas de otros cuatro ríos y forma el Guaíba, estuario somero que se vacía en el océano Atlántico. El Jacuí es navegable río arriba hasta Cachoeira do Sul y posee uno de los sistemas fluviales de barcazas con mayor tráfico de Brasil.

jade Cualquiera de dos gemas duras y compactas, comúnmente de color verde, que pueden adquirir un bello pulido. Ambas se han tallado desde el comienzo de la historia como joyas, ornamentos, pequeñas esculturas y objetos utilitarios. La más valorada de las piedras de jade es la JADEÍTA; otra es la NEFRITA. Ambos tipos de piedras pueden ser blancas o incoloras, pero también hay en colores rojo, verde y gris.

jadeíta Mineral de SILICATO con calidad de gema. Perteneciente a la familia de los PIROXENOS, constituye una de las dos formas del JADE. La jadeíta (jade imperial), alumino silicato de sodio ($NaAlSi_2O_6$), puede contener impurezas que le otorgan una variedad de colores: blanco, verde, rojo, marrón y azul. El color más valorado es el verde esmeralda. La jadeíta aparece sólo en rocas metamórficas, con mayor frecuencia en aquellas que han estado sometidas a las altas presiones existentes a grandes profundidades bajo la superficie de la Tierra. El área alrededor de la ciudad de Mogaung, en el norte de Myanmar, ha sido por mucho tiempo la principal fuente de jadeíta con calidad de gema.

Jadeíta en bruto (izquierda) y tallada.
RUNK/SCHOENBERGER–GRANT HEILMAN

Ja'far ibn Muḥammad (699/700, Medina, Arabia–765, Medina). Sexto IMÁN de la rama CHIITA del Islam y el último en ser reconocido por todas las sectas chiitas. Fue bisnieto de 'ALĪ. Como posible pretendiente al califato, se lo consideró una amenaza tanto para la dinastía OMEYA como para la ABASÍ. Viajó a Bagdad en 762 para demostrar al califa que no buscaba el poder, y regresó luego a su Medina natal, donde tenía como uno de sus discípulos a ABŪ ḤANĪFAH. Tras su muerte, los chiitas se dividieron. La secta de los ISMAILÍ se convirtió en seguidora de su hijo, Ismail. Otros, los ITHNĀ 'ASARIYÁ, fueron partidarios de una sucesión que va desde Ja'far hasta el duodécimo imán esperado en el Juicio Final.

Jafaye ver TUTUB

Jagannatha Forma bajo la cual KRISHNA es adorado en Puri, Orissa, un famoso centro religioso de India. Su templo en Puri data del s. XII. El festival del carro o Rathayatra se celebra en su honor cada año en junio o julio. Una imagen del dios es colocada sobre un carro tan pesado que miles de devotos tardan varios días en llevarla a su templo en las afueras de la ciudad. Según la leyenda, los peregrinos a veces se arrojan bajo el carro con la esperanza de alcanzar la salvación inmediata.

Jagellón, dinastía Familia de reyes de Polonia-Lituania, Bohemia y Hungría que se convirtió en una de las más poderosas de Europa centro-oriental en los s. XV–XVI. Fue fundada por Jagellón (o Jogaila), gran duque de Lituania, que se convirtió en LADISLAO II JAGELLÓN de Polonia después de casarse con la reina Eduvigis de Anjou (¿1373?–99) en 1386. Ladislao III Jagellón (1424–44) extendió el poder de la dinastía al asumir también el trono de Hungría (1440). Fue sucedido por CASIMIRO IV, quien colocó a su hijo en los tronos de Bohemia (1471) y Hungría. Durante los reinados de los hijos de Casimiro, Juan Alberto (1459–1501) y Alejandro (1461–1506), la dinastía perdió gran parte de su poder en Polonia a manos de la nobleza. Cuando SEGISMUNDO I sucedió a Alejandro en 1506, fortaleció el gobierno y se hizo testigo de cómo la Orden TEUTÓNICA convirtió sus tierras en el ducado secular de Prusia (1525), feudo polaco. En 1526, la muerte de Luis II puso fin al dominio de los Jagellón en Bohemia y Hungría. En 1561, SEGISMUNDO II AUGUSTO incorporó Livonia a Polonia, pero al morir sin herederos, la dinastía llegó a su fin (1572).

jagirdar, sistema Forma de arriendo de la tierra introducida en India por los primeros sultanes de Delhi a principios del s. XIII. Según este sistema, la tierra, sus rentas y la autoridad para gobernarla eran asignadas a un funcionario del estado. La tierra volvía a poder del gobierno a la muerte del funcionario, pero sus herederos podían renovar la asignación mediante el pago de derechos. Por ser de carácter feudal, el sistema tendió a debilitar el gobierno central al establecer unidades territoriales cuasi independientes. Aunque se abolía periódicamente, siempre se reponía. Después de la independencia india, se tomaron medidas para abolir el latifundio ausentista.

jaguar El FELINO más grande del Nuevo Mundo. Antaño habitaba las regiones boscosas desde la frontera entre EE.UU. y México hasta la Patagonia por el sur; el jaguar (*Panthera onca*) sobrevive, en escaso número, sólo en zonas remotas de América Central y del Sur; la población más numerosa que se conoce está en la selva lluviosa del Amazonas. El macho mide 1,7–2,7 m (5,5–9 pies) de largo, incluida la cola de 60–90 cm (23–35 pulg.), y pesa 100–160 kg (220–350 lb). Su piel es generalmente de color anaranjado tostado con manchas negras, dispuestas en rosetas que tienen una mancha negra en el centro. Predador solitario, suele cazar roedores, ciervos, aves y peces; también ataca el ganado, caballos y perros.

Jaguar o yaguar (*Panthera onca*).

Jaguaribe, río Río del nordeste de Brasil. Formado por la confluencia del Carapateiro y el Trici, fluye hacia el nordeste a lo largo de 560 km (350 mi) hasta vaciar sus aguas en el océano Atlántico por Aracati. Sometido a prolongados períodos de sequía, en ocasiones se seca; estos períodos son seguidos por crecidas catastróficas que inundan los pueblos situados a lo largo de su curso inferior.

Jahāngīr *o* **Yahângîr** (31 ago. 1569, Fatehpur, Sikri, India–28 oct. 1627, en camino a Lahore). Emperador mogol de India (1605–27). Aunque estaba designado como heredero manifiesto al trono, su impaciencia lo llevó a rebelarse en 1599, a pesar de lo cual su padre, AKBAR, lo confirmó como sucesor. Al igual que Akbar, manejó con habilidad las relaciones diplomáticas en el subcontinente indio, fue tolerante con los no musulmanes y un gran mecenas de las artes. Fomentó la cultura persa en la India mogol. Durante el período medio de su reinado, la política estuvo dominada por su esposa persa (Nūr Jahān), el padre de esta y su propio hijo, el príncipe Jurram (el futuro SHAH JAHĀN).

Jahn, Friedrich Ludwig (11 ago. 1778, Lanz, Brandeburgo, Prusia–15 oct. 1852, Friburgo an der Unstrut, Sajonia prusiana). Educador alemán que fundó el movimiento *Turnverein* (club gimnástico) en Alemania. Como profesor en Berlín desde 1809, comenzó un programa de ejercicios al aire libre para estudiantes. Inventó las barras paralelas, los anillos, la viga de equilibrio, el caballete y la barra horizontal, todos los cuales se han convertido en el equipamiento estándar de la GIMNASIA. En 1819 quedó bajo sospecha por su ferviente nacionalismo y su fuerte influencia en la juventud. Arrestado y encarcelado por casi un año, su club gimnástico fue cerrado y se prohibió la gimnasia en toda la nación (medida levantada en 1842). Condecorado con la Cruz de Hierro por su valor militar (1840), se desempeñó en el parlamento nacional (1848–49).

Friedrich Ludwig Jahn, litografía de Georg Engelbach.

jahrzeit ver YAHRZEIT

jai alai (vasco: "fiesta alegre"). Juego de pelota de origen vasco. Se desarrolló a partir de la pelota vasca y recibió su nombre actual cuando llegó a Cuba, en 1900. Se juega entre dos o cuatro jugadores con una pelota y un implemento para lanzarla, que es una cesta de mimbre larga y curva que se amarra a la muñeca, gracias al cual la pelota alcanza velocidades de hasta 240 km/h (150 mi/h). La cancha, de 53,3 m (58,3 yd) de longitud, tiene tres paredes. El objetivo del juego es hacer rebotar la pelota en la pared frontal con tal velocidad y efecto que el oponente no pueda devolverla. En EE.UU. es legal hacer APUESTAS COMBINADAS sobre el resultado del juego.

Jaime I *llamado* **Jaime el Conquistador** (2 feb. 1208, Montpellier, cond. de Tolosa–27 jul. 1276, Valencia). Rey de ARAGÓN y CATALUÑA (1214–76). El más renombrado de los reyes medievales de Aragón, fue educado por los caballeros TEMPLARIOS; su tío abuelo gobernó como regente hasta 1218. Contribuyó a someter a los nobles rebeldes y asumió el gobierno de sus reinos en 1227. Reconquistó las islas Baleares (1229–35) y Valencia (1233–38), pero renunció a sus pretensiones sobre tierras situadas en el sur de Francia. Ayudó además a Alfonso X a sofocar una rebelión mora en Murcia (1266) y emprendió una fallida cruzada a Tierra Santa (1269).

Jaime II *llamado* **Jaime el Justo** (c. 1264, Valencia–3 nov. 1327, Barcelona, Aragón). Rey de ARAGÓN (1295–1327) y rey de Sicilia (como Jaime I, 1285–95). Heredó la corona siciliana a la muerte de su padre (1285); cuando murió su hermano (1291), heredó Aragón. Renunció al trono de Sicilia (1295) y se casó con la hija del rey de Nápoles para hacer las paces con los angevinos. Recibió Cerdeña y Córcega en compensación por Sicilia, pero sólo pudo ocupar la primera (1324).

Jaina vrata En el JAINISMO, cualquiera de los votos tomados por monjes, religiosas o miembros laicos. Los primeros cinco son los *mahavratas* o "votos mayores": no violencia, veracidad, no robar, pureza sexual y renuncia a las posesiones. Sus exigencias son menores para los miembros laicos que para los monjes; los laicos, por ejemplo, sólo necesitan permanecer sexualmente fieles a sus cónyuges, mientras que los monjes deben practicar el celibato. Los demás votos están pensados para facilitar la observancia de los primeros cinco. El voto final es la promesa de morir en meditación durante un régimen de inanición cuando ya no es posible observar por más tiempo los otros.

jainismo Religión de India establecida en el s. VI AC por Vardhamana, también llamado MAHAVIRA. Su principio fundamental es el AHIMSA o el no dañar a ningún ser viviente. Fue fundada como una reacción contra el VEDISMO, que requería de sacrificios animales. El jainismo no cree en un dios creador, aunque existen varias deidades menores para diversos aspectos de la vida. Sus seguidores profesan que su religión es eterna y sostienen que fue revelada en etapas por varios conquistadores, de los cuales Mahavira fue el vigésimo cuarto. Viviendo como un asceta, Mahavira predicó la necesidad de una rigurosa penitencia y del renunciamiento, como medios para perfeccionar la naturaleza humana, y así escapar del ciclo de renacimiento y alcanzar la MOKSHA o liberación. Consideran el KARMA como una sustancia material invisible que obstaculiza la liberación y que sólo puede ser disuelta a través del ascetismo. A fines del s. I DC los jainistas se habían dividido en dos sectas, cada una de las cuales desarrolló más tarde su propio canon de escritos sagrados: los Digambaras, que sostenían que un adherente no debe poseer nada, ni siquiera ropa, y que las mujeres deben renacer como hombres antes de poder alcanzar la moksha; y los Svetambaras más moderados. En consonancia con su principio de respeto por la vida, los jainistas son conocidos por sus obras caritativas, como la construcción de refugios para animales. Predican la tolerancia universal y no buscan hacer conversos.

Jaipur Capital (pob., est. 2001: 2.324.319 hab.) del estado de RAJASTÁN, noroeste de India. Es una ciudad amurallada rodeada de cerros (excepto hacia el sur), fundada en 1727 por el maharajá Sawai Jai Singh para reemplazar a la ciudad de Amber como capital del principado de Jaipur. Famosa por su belleza y el particular trazado en líneas rectas de sus calles y avenidas, la mayoría de sus edificios son de color rosa, por lo que a veces se la llama la "ciudad rosada". Constituye un popular destino turístico; entre sus estructuras históricas destacan el palacio de la ciudad, el palacio de los Vientos, el palacio Rambagh, y el Nahargarh o Fuerte del Tigre.

Jakobson, Roman (Osipovich) (11 oct. 1896, Moscú, Rusia–18 jul. 1982, Boston, Mass., EE.UU.). Lingüista estadounidense de origen ruso. Nacido y educado en Moscú, se trasladó a Checoslovaquia en 1920, donde participó en la fundación del círculo lingüístico de Praga. A diferencia de la teoría clásica de FERDINAND DE SAUSSURE, junto con sus colegas del círculo consideraba que los estudios fonológicos podían aplicarse a una lengua tanto en su evolución (diacronía), como en su estado en un momento dado (sincronía). La situación política europea lo obligó a escapar a Escandinavia en 1938 y a EE.UU. en 1941. Se desempeñó como docente en la Universidad de Harvard (1949–67). Sus intereses abarcaban desde la épica folclórica y la historia cultural de los eslavos hasta la FONOLOGÍA general, la MORFOLOGÍA de las lenguas ESLAVAS y la adquisición del lenguaje. Entre sus obras más importantes destacan *Lenguaje infantil y afasia* (1941), *Fundamento del lenguaje* (1956), y ya retirado de la docencia *The Sound Shape of Language* (1979), en coautoría con Linda R. Waugh.

Jalapa *p. ext.* **Jalapa Enríquez** Ciudad (pob., 2000: 373.076 hab.), capital del estado de VERACRUZ, centro-este de México. Ubicada en la SIERRA MADRE oriental, a unos 1.430 m (4.700 pies) sobre el nivel del mar, es un centro comercial para la producción local de café y tabaco. Durante la colonia fue famosa por sus ferias anuales, donde se comercializaban los bienes traídos por la flota española de la plata a su retorno desde CÁDIZ, España. La imponente arquitectura de la ciudad en que se mezclan lo español y lo morisco, evoca tiempos virreinales.

jalea y mermelada Conservas de consistencia espesa elaboradas con fruta y azúcar. La jalea es semitransparente, y consiste en el zumo colado de diversas frutas (ocasionalmente verduras) separadas o en combinación, que se azucara, se calienta muy lentamente justo bajo el punto de ebullición, y se deja cuajar, frecuentemente con la ayuda de PECTINA o GELATINA. La mermelada difiere de la jalea en la inclusión de pulpa de fruta o de fruta entera; la cocción de fruta entera es a veces llamada conserva. Las jaleas y mermeladas se consumen untando panes de desayuno y en emparedados (*sandwiches*), acompañan los bollos (*scones*) y otros productos horneados de la hora del té. Las jaleas de verduras y hierbas tradicionalmente complementan el cordero y otros platos a base de carne.

Jalīl, al- ver HEBRÓN

Jalisco Estado (pob., 2000: 6.322.002 hab.) del centro-oeste de México. Con una superficie de 80.836 km² (31.211 mi²), su capital es GUADALAJARA. La SIERRA MADRE occidental cruza el estado, separando la costa del océano Pacífico de una altiplanicie. La región de la Sierra Madre es esencialmente de origen volcánico y registra frecuentes terremotos. Entre sus numerosos lagos destaca el CHAPALA, el más grande de México. En 1526 fue invadido por los españoles e incorporado a Nueva Galicia. Su territorio se vio drásticamente reducido en 1889, por la separación del territorio de Tepic (el actual estado de NAYARIT) de su región costera. Su economía se basa en la agricultura, la cría de ganado, los productos forestales y la minería.

JAMAICA

- **Superficie:** 10.991 km² (4.244 mi²)
- **Población:** 2.736.000 hab. (est. 2005)
- **Capital:** KINGSTON
- **Moneda:** dólar jamaicano

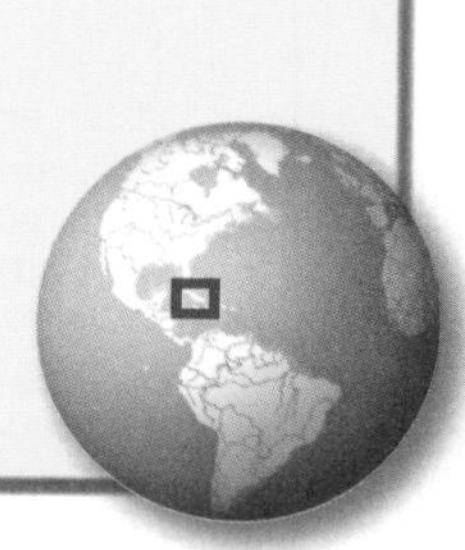

Jamaica País insular de las Antillas. Ubicado al sur de Cuba, tiene una longitud de 235 km (146 mi), una anchura de 56 km (35 mi) y es la tercera isla más grande del Caribe. La población se compone principalmente de descendientes de esclavos africanos. Idiomas: inglés (oficial) y creolé (ver CRIOLLO). Religiones: cristianismo, sectas espiritistas y movimiento RASTAFARI. En Jamaica se distinguen tres regiones principales: las tierras bajas costeras, que circundan la isla, intensamente cultivadas; una meseta calcárea, que abarca la mitad de la isla; y las tierras altas del interior con cadenas montañosas boscosas, entre ellas las BLUE MOUNTAINS. La agricultura ocupa el 25% de la fuerza de trabajo y el principal cultivo de exportación es el azúcar sin refinar, con subproductos como la melaza y el ron. La industria se concentra en la producción de bauxita y alúmina y en la confección de vestuario. El turismo tiene gran importancia y la mitad de la población trabaja en el rubro de servicios. Jamaica es una monarquía constitucional bicameral: el jefe de Estado es el monarca británico, representado por el gobernador general, y el jefe de Gobierno es el primer ministro. Los indígenas arawak ocupaban la isla c. 600 DC. CRISTÓBAL COLÓN la visitó en 1494; España la colonizó a principios del s. XVI, pero luego la dejó de lado debido a la ausencia de recursos auríferos. Pasó a control de Gran Bretaña en 1655 y a fines del s. XVIII se transformó en una cotizada posesión colonial por el volumen de su producción azucarera, gracias a la mano de obra de los esclavos. A fines de la década de 1830 se abolió la esclavitud, lo que alteró la economía; la escasez de mano de obra arruinó el sistema de plantaciones. Jamaica obtuvo su autonomía interna plena en 1959 y pasó a ser un país independiente dentro de la COMMONWEALTH británica en 1962. A fines del s. XX el gobierno de MICHAEL MANLEY nacionalizó varias empresas.

Jamaica Bay Ensenada del océano Atlántico. Ocupa 50 km² (20 mi²) aprox. en la costa sudoccidental de LONG ISLAND, en el sudeste de Nueva York, EE.UU. Forma parte del puerto de Nueva York; se encuentra resguardada en el sur por la península Rockaway y se comunica con el océano a través de la ensenada Rockaway. Cerca del canal de acceso se ubica CONEY ISLAND. En la orilla nororiental, en Idlewild, se sitúa el Aeropuerto Internacional John F. Kennedy.

Jambhat, golfo de *o* **golfo de Cambay** Ensenada del mar de ARABIA en la costa nororiental de la India, al sudeste de la península de KATHIAWAR. Tiene 190 km (120 mi) en su punto más ancho, pero se estrecha abruptamente. Recibe las aguas de muchos ríos, entre ellos el Tapi y el Mahi. Debido a su orientación propensa a los vientos monzones que vienen del sudoeste, los cambios de marea son muy pronunciados. Todos sus puertos se han visto afectados por obstrucciones de légamo causadas por mareas e inundaciones. En su costa oriental se encuentran Bharuch, uno de los puertos indios más antiguos, y SURAT. La ciudad de Jambhat (pob., est. 2001: 80.439 hab.), situada en la cabecera del golfo, fue mencionada por MARCO POLO como uno de los puertos más importantes de India.

James, bahía Extensión de la bahía de HUDSON, al norte de Ontario y Quebec, Canadá. En promedio alcanza menos de 60 m (200 pies) de profundidad; tiene 443 km (275 mi) de longitud y 217 km (135 mi) de ancho. Contiene numerosas islas; la más grande de ellas es la isla Akimiski. Los diversos ríos que desembocan en la bahía, entre ellos el Moose, constituyen la causa de su baja salinidad. HENRY HUDSON la visitó en 1610, y debe su nombre al cap. Thomas James, quien la exploró en 1631.

James, C(yril) L(ionel) R(obert) (4 ene. 1901, Tunapuna, Trinidad y Tobago–31 may. 1989, Londres, Inglaterra). Escritor y activista político trinitario. Siendo joven, se trasladó a Inglaterra, país donde publicó su primera obra, *The Life of Captain Cipriani* [La vida del capitán Cipriani] (1929). Su estudio acerca de TOUSSAINT-LOUVERTURE, *Los jacobinos negros* (1938), es considerado un clásico en el género histórico-biográfico. Durante la primera estadía de James en EE.UU. (1938–53), trabó amistad con PAUL ROBESON. Finalmente fue deportado a Gran Bretaña a causa de su marxismo y activismo laboral. James trabajó también como comentarista de críquet para *The Guardian*. Su obra *Beyond the Boundary* [Más allá de los límites] (1963) combina la autobiografía con comentarios políticos y deportivos. En 1970 volvió a EE.UU., pero finalmente se instaló en forma definitiva en Gran Bretaña.

James Fischer, Robert ver Bobby FISCHER

James, Harry (Haag) (15 mar. 1916, Albany, Ga., EE.UU.–5 jul. 1983, Las Vegas, Nev.). Trompetista estadounidense y director de una de las orquestas más populares de la era del SWING. En 1937 ingresó a la orquesta de BENNY GOODMAN, convirtiéndose en uno de sus solistas principales antes de formar su propio grupo a fines de 1938. La orquesta se volvió muy rentable con grabaciones en que destacaban FRANK SINATRA, composiciones para virtuosos y baladas interpretadas con el característico vibrato amplio de James. En 1943 se casó con la actriz BETTY GRABLE y apareció en varias películas. Improvisador consumado y técnicamente brillante, desde fines de la década de 1940 su música reflejó su renovado interés por el jazz y siguió presentándose con su orquesta por más de 40 años.

Henry James, 1905.
SMITH COLLEGE ARCHIVES/FOTOGRAFÍA DE KATHERINE E. MCCLELLAN

James, Henry (15 abr. 1843, Nueva York, N.Y., EE.UU.–28 feb. 1916, Londres, Inglaterra). Escritor angloestadounidense. Nació en el seno de una distinguida familia y, junto a su hermano WILLIAM JAMES, fue educado en los mejores colegios privados. Desde su infancia realizó frecuentes viajes a Europa, y después de 1876 vivió la mayor parte del tiempo en Inglaterra. Su temática principal habría de ser la inocencia y exuberancia del Nuevo Mundo en contraste con la sabiduría y la corrupción del Viejo Mundo. Su novela *Daisy Miller* (1879) le dio fama internacional. Vinieron después *Los europeos* (1879), *Washington Square* (1880) y *Retrato de una dama* (1881). En *Los bostonianos* (1886) y *La princesa Casamassima* (1886), sus personajes fueron reformistas sociales y muy revolucionarios, mientras que en *El expolio de Poynton* (1897), *Lo que Maisie sabía* (1897) y *Otra vuelta de tuerca* (1898), se sirvió de la compleja ambigüedad psicológica y moral. *Las alas de la paloma* (1902), *Los embajadores* (1903) y *La copa dorada* (1904) se cuentan entre sus grandes novelas de la última etapa de su vida. Su profundo interés en la novela como expresión artística quedó de manifiesto en su ensayo *El arte de la novela* (1884), en sus prólogos a los diversos volúmenes de sus obras completas y sus múltiples ensayos literarios. Tal vez la más importante de sus innovaciones técnicas fue el marcado acento que puso en la conciencia de sus personajes principales, los que reflejaban su propia sensación de la decadencia de los valores públicos y colectivos de su época.

James, Jesse y James, Frank *p. ext.* **Jesse Woodson James y Alexander Franklin James** (5 sep. 1847, cerca de Centerville, Mo., EE.UU.–3 abr. 1882, St. Joseph, Mo.) (10 ene. 1843, cerca de Centerville, Mo., EE.UU.–18 feb. 1915, cerca de Kearney, Mo.). Dúo de hermanos que figuraronn entre los delincuentes más célebres del Oeste estadounidense. Ambos combatieron en la guerra de SECESIÓN como guerrilleros de la Confederación. En 1866, junto con ocho hombres más, asaltaron un banco en Liberty, Mo. Con otros bandoleros que se les unieron en los años posteriores, la pandilla de los James asaltó bancos desde Iowa hasta Alabama y Texas. En 1873, la banda comenzó a asaltar trenes y también diligencias, almacenes y personas. En 1876, Jesse dirigió un intento infructuoso de asaltar un banco en Northfield, Minn., y aunque los hermanos escaparon, los demás miembros murieron o cayeron presos. En 1879, luego de reunir a una nueva pandilla, reanudaron los asaltos y, en 1881, el gobernador de Missouri ofreció una recompensa de US$ 10.000 por su captura, vivos o muertos. En 1882, Jesse recibió un disparo en la nuca y murió instantáneamente a manos de Robert Ford, miembro de la pandilla, quien cobró la recompensa. Algunos meses más tarde, Frank se entregó. Enjuiciado y absuelto tres veces, se retiró a llevar una vida tranquila en la granja de su familia. Las fechorías de los hermanos James han sido idealizadas tanto en la literatura sensacionalista como en el cine.

James, río *o* **río Dakota** Río de EE.UU. que nace en el centro del estado de Dakota del Norte y discurre en dirección sudeste atravesando Dakota del Sur. A unos 8 km (5 mi) al sur de Yankton, confluye con el río MISSOURI después de recorrer 1.140 km (710 mi). Entre las ciudades que se ubican en su ribera destacan JAMESTOWN, N.D. y Huron, S.D.

James, William (11 ene. 1842, Nueva York, N.Y., EE.UU.–26 ago. 1910, Chocorua, N.H.). Filósofo y psicólogo estadounidense. Hijo del escritor filosófico Henry James (n. 1811–m. 1882) y hermano del novelista HENRY JAMES, estudió medicina en Harvard, donde enseñó a partir de 1872. Su primera obra importante, *Principios de psicología* (1890), trató el pensamiento y el conocimiento como instrumentos en la lucha por la vida. Su obra más famosa es *Las variedades de la experiencia religiosa* (1902). En *Pragmatismo: un nombre nuevo para viejas formas de pensar* (1907), generalizó las teorías de CHARLES SANDERS PEIRCE en pos de afirmar que el significado de cualquier idea debe ser analizado en términos de la sucesión de consecuencias experienciales a las cuales conduce, y que la verdad y el error dependen únicamente de tales consecuencias (ver PRAGMATISMO). Aplicó esta doctrina al aná-

William James, filósofo y psicólogo estadounidense.
GENTILEZA DEL HARVARD UNIVERSITY NEWS SERVICE

lisis del cambio y el azar, la libertad, la variedad, el PLURALISMO y la innovación. Su pragmatismo sirvió también de base para su polémica contra el MONISMO, la doctrina idealista de las relaciones internas y de todas las concepciones que presentaban la realidad como un todo estático. Encabezó también el movimiento psicologista conocido como FUNCIONALISMO.

Jameson, Sir Leander Starr (9 feb. 1853, Edimburgo, Escocia–26 nov. 1917, Londres, Inglaterra). Administrador británico en África del sur. Como representante de CECIL RHODES, obtuvo por negociación concesiones mineras en Matabeleland y Mashonaland (actual Zimbabwe) para luego convertirse, en 1893, en el primer administrador de la nueva colonia de RHODESIA. En 1895, Rhodes y Jameson conspiraron con los líderes *uitlander* (británicos) del Transvaal para derrocar al gobierno bóer de PAUL KRUGER; el plan original fue aplazado, pero Jameson llevó a cabo su propia invasión y rápidamente fue capturado junto con todos sus hombres. Después de permanecer en prisión en Inglaterra, regresó a Sudáfrica para participar en política.

Jamestown Primer asentamiento británico permanente en América del Norte. Fue fundado en mayo de 1607, en la península de la isla Jamestown del río James, en Virginia. Recibió su nombre en honor del rey James I (ver JACOBO I). En este lugar se inició el cultivo de tabaco y se estableció el primer gobierno representativo del continente (1619). Comenzó a decaer cuando Williamsburg la reemplazó como capital del estado de Virginia en 1699. A mediados del s. XIX, la erosión transformó la península en una isla. En 1936 se incorporó al parque histórico nacional Colonial.

Jāmī *orig.* **Mawlānā Nūr al-Dīn 'Abd al-Raḥmān ibn Aḥmad** (7 nov. 1414, distrito de Jām–9 nov. 1492, Herāt, Timurid, Afganistán). Erudito, místico y poeta persa. A pesar de las variadas ofertas de mecenazgo que le hicieron diversos monarcas islámicos, llevó una vida sencilla, la que pasó principalmente en Herāt. Su prosa va desde el comentario coránico hasta tratados sobre sufismo y música. Su poesía presenta perspectivas éticas y filosóficas expresadas mediante un lenguaje fresco y colorido. Su volumen de poesía más conocido es *Ursa Major* [Osa Mayor]. Muchos lo consideran el último gran poeta místico de Irán.

Jamison, Judith (n. 10 may. 1943, Filadelfia, Pa., EE.UU.). Bailarina y coreógrafa estadounidense. En 1965 se integró al American Dance Theatre de ALVIN AILEY; se hizo famosa por su gracia enérgica y su presencia cautivadora en el escenario. Inspiró muchas de las danzas nuevas de Ailey, especialmente *Cry* (1971). Dejó la compañía en 1980 para ser estrella de un musical de Broadway llamado *Sophisticated Ladies*. En la década de 1980 realizó giras mundiales, compuso coreografías para diversos elencos y fundó su propia compañía, la Jamison Project (1988), pero después de la muerte de Ailey en 1989, regresó al American Dance Theatre como directora artística, siendo la primera mujer afroamericana en dirigir una gran compañía de danza moderna.

Jammu Ciudad (pob., est. 2001: 378.431 hab.) y capital de invierno del estado de JAMMU Y CACHEMIRA, noroeste de India. Ubicada a orillas del río Tavi, al sur de SRINAGAR, fue la capital de la dinastía dogra rajputa, y durante el s. XIX formó parte de los dominios de Ranjit Singh. En la actualidad es un centro ferroviario y manufacturero. Entre los sitios de interés destacan un fuerte, el palacio de los rajás y la Universidad de Jammu (fundada en 1969).

Jammu y Cachemira Estado (pob., est. 2001: 10.069.917 hab.) del noroeste de India. Con una superficie de 101.387 km² (39.146 mi²), ocupa la parte meridional de la región de CACHEMIRA, en el noroeste del subcontinente indio; limita con la zona de Cachemira administrada por PAKISTÁN, el TÍBET (China) y los estados indios de HIMACHAL PRADESH y PANJAB. El territorio es predominantemente montañoso y comprende segmentos de

Templos Raghuvir en Jammu, estado de Jammu y Cachemira, India.
VIDYAVRATA

la cordillera KARAKORAM y los HIMALAYA. La mayor parte de la región de LADAKH pertenece al estado. Hay dos grandes zonas de tierras bajas: la llanura de Jammu y el valle de Cachemira, fértil y densamente poblado. La mayoría de la población del estado es musulmana, aunque los hindúes predominan en la región de Jammu, al sudeste, y los budistas en Ladakh, al nordeste. Jammu y Cachemira fueron un principado creado en la década de 1840, que en 1947 se transformó en un estado de India, cuando esta última y Pakistán luchaban por el control de toda la región de Cachemira. Una línea de tregua, establecida en 1949, ha sido la frontera del estado con la región que está bajo administración pakistaní. Se ha mantenido una gran tensión en la zona y en forma periódica han estallado conflictos fronterizos.

jamón Corte de carne de CERDO, particularmente del muslo de un PUERCO, casi siempre conservado a través de un proceso de curado que involucra salado y ahumado o secado. Además de conservar la carne, el curado le proporciona sabores adicionales. A veces se agregan azúcar o miel y especias para realzar aún más el sabor. Producido en todo el Viejo Mundo, excepto donde estaba prohibido por edicto religioso (principalmente por musulmanes y judíos observantes), llegó a ser una comida favorita en las granjas de América del Norte. Las calidades distintivas de los jamones de diversas regiones del mundo son el resultado de una combinación muy especial de técnicas de crianza de cerdos y de procesamiento de carne. Los jamones de Virginia, EE.UU., por ejemplo, provienen de puercos semisalvajes locales (*razorback hogs*), alimentados con cacahuete y duraznos, y ahumados en fogatas de maderas de manzano y nogal americano. El jamón es una fuente de proteína animal de alta calidad, de tiamina y hierro.

Janáček, Leoš (Eugen) (3 jul. 1854, Hukvaldy, Moravia, Imperio austríaco–12 ago. 1928, Ostrava, Checoslovaquia). Compositor checo (moravo). Hijo de un músico eclesiástico, fue profesor y director coral hasta los 40 años de edad. En 1887, cuando terminó su matrimonio, comenzó a trabajar en su primera ópera y al año siguiente se dedicó a recopilar canciones folclóricas. En 1894 comenzó a componer su primera ópera madura, *Jenufa*, con un estilo de influencia folclórica, y la completó casi una década más tarde, con un estreno triunfal en Brno (1904). Se retiró para dedicarse exclusivamente a la composición, transformándose en el talento de florecimiento tardío más extraordinario de la música. Las obras más importantes de sus dos últimas décadas son la *Misa glagolíti-*

Leoš Janáček.
EASTFOTO

ca (1927) y las óperas *Kát'a Kabanová* (1921), *La zorrita astuta* (1924), *El caso Makropulos* (1925) y *De la casa muerta* (1928). Un amor otoñal le inspiró los cuartetos para cuerdas *Kreutzer* y *Páginas íntimas* (1923, 1928).

Jangdi *o* **Yang-ti** *orig.* **Yang Guang** (569, China–618, Jiangdu, provincia Jiangsu). Segundo gobernante de la dinastía SUI de China. Bajo su mandato se construyeron canales y se levantaron grandes palacios. En 608 edificó un gran canal que unió las áreas productoras de arroz del sur con el norte densamente poblado. Extendió este sistema en 610, contribuyendo a la construcción de lo que llegó a ser la red fluvial del GRAN CANAL. Emprendió campañas militares en Vietnam y en el interior de Asia. Tres expediciones a Corea resultaron tan desastrosas que el pueblo chino se volvió en su contra; fue asesinado en el sur de China. Uno de sus antiguos oficiales reunificó el imperio y estableció la dinastía TANG. Ver también WENDI.

Dios Jano imberbe, moneda romana; Bibliothèque Nationale, París.
LAROUSSE

Jano Dios romano de los portales y arcadas que dio nombre al mes de enero (latín: Januaris). A menudo representado con una cabeza de doble cara, era una deidad muy antigua. Su culto se remonta a los primeros años de Roma cuando la ciudad tenía muchos portales ceremoniales independientes llamados *jani*, que se usaban como símbolos de entradas o salidas auspiciosas. La más famosa fue Janus Geminus, cuyas puertas dobles se dejaban abiertas en tiempos de guerra y cerradas cuando Roma estaba en paz. El festival de Jano, el Agonium, se celebraba el 9 de enero.

Jansen, Cornelius Otto (28 oct. 1585, Acquoi, cerca de Leerdam, Holanda–6 may. 1638, Ypres, Flandes, Países Bajos españoles). Líder flamenco del movimiento católico reformista conocido como JANSENISMO. Estudió en la Universidad de Lovaina, donde asimiló profundamente las enseñanzas de san AGUSTÍN, en especial aquellas relativas al pecado original y la necesidad de la gracia. Entre 1611 y 1614 vivió en Bayona, Francia, donde dirigió el colegio episcopal. Después de estudiar teología otros tres años, regresó a Lovaina. Fue designado rector de la universidad en 1635 y un año después fue nombrado obispo de Ypres. En 1638 murió de peste. Su obra principal, *Augustinus*, fue publicada en 1640; en 1642, el papa Urbano VIII prohibió la lectura del libro.

jansenismo Movimiento católico reformista inspirado en los escritos de CORNELIUS JANSEN. Influido por las obras de san AGUSTÍN y especialmente por sus ataques contra el PELAGIANISMO y la doctrina del libre albedrío, Jansen adoptó las doctrinas de Agustín sobre la PREDESTINACIÓN y la necesidad de la GRACIA de Dios, postura considerada incómodamente cercana al CALVINISMO por las autoridades católicas, que prohibieron su libro *Augustinus* en 1642. Después de la muerte de Jansen en 1638, sus seguidores se establecieron en la abadía de Port-Royal, Francia. BLAISE PASCAL, el jansenista más famoso, defendió sus enseñanzas en sus *Provinciales* (1656–57). En 1709, LUIS XIV ordenó que la abadía de Port Royal fuese demolida. En 1723, los jansenistas establecieron una iglesia que perduró hasta fines del s. XX.

Jansky, Karl (Guthe) (22 oct. 1905, Norman, Okla., EE.UU.–14 feb. 1950, Red Bank, N.J.). Ingeniero estadounidense. Se graduó en la Universidad de Wisconsin y trabajó para los laboratorios de la empresa Bell Telephone, donde se le asignó estudiar las fuentes de estática que podrían interferir con las comunicaciones radiofónicas; en 1931 descubrió la primera fuente de ondas de radio extraterrestre, que emanaban de la constelación de Sagitario en dirección al centro de la VÍA LÁCTEA. El descubrimiento constituyó la primera evidencia de que los cuerpos celestes pueden emitir ondas de radio, marcando de este modo el comienzo de la radioastronomía.

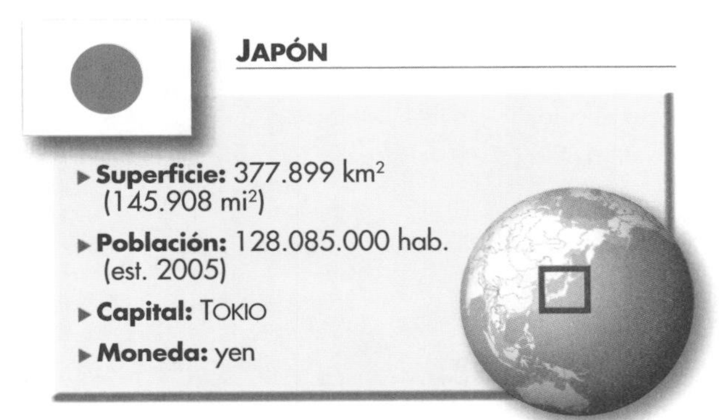

JAPÓN

- **Superficie:** 377.899 km² (145.908 mi²)
- **Población:** 128.085.000 hab. (est. 2005)
- **Capital:** TOKIO
- **Moneda:** yen

Japón País insular que se extiende frente a la costa oriental de Asia, en la zona occidental del océano Pacífico. Está conformado por cuatro islas principales: HOKKAIDO, HONSHU, SHIKOKU y KYUSHU. El mar de CHINA oriental lo separa de China, y el mar de JAPÓN (mar Oriental) de Corea del Sur, Corea del Norte y Rusia. Casi la totalidad de los japoneses pertenecen a un único grupo étnico asiático. Idioma: japonés (oficial). Religiones: SINTOÍSMO, BUDISMO y cristianismo. Situado en una de las zonas geológicas más activas del mundo, el país suele experimentar erupciones volcánicas y terremotos. Cadenas montañosas cubren más del 80% de su superficie; la montaña más alta es el monte FUJI. Su economía, una de las más importantes del mundo, se basa principalmente en la actividad manufacturera y de servicios; las exportaciones comprenden equipos eléctricos y electrónicos, vehículos motorizados, además de productos químicos, siderúrgicos y de acero. La participación gubernamental en la banca ha redundado en una cooperación excepcional entre los sectores público y privado. Japón constituye una de las principales naciones marítimas del mundo, con una importante industria pesquera. Conforma una monarquía constitucional bicameral; el jefe de Estado es el emperador, y el jefe de Gobierno, el primer ministro. Su historia comenzó con el ascenso del legendario primer emperador, JIMMU, en 660 AC. La corte de Yamato estableció el primer estado japonés unificado en los s. IV–V DC; en ese período llegó el budismo al país a través de Corea. Durante siglos, los japoneses estuvieron fuertemente influidos por la cultura china, pero en el s. IX comenzaron a romper sus vínculos con el continente. La familia FUJIWARA dominó el territorio durante el s. XI. En 1192, MINAMOTO YORITOMO estableció el primer BAKUFU, o sogunado, de Japón (ver período KAMAKURA). El período MUROMACHI (1338–1573) estuvo marcado por las guerras entre familias poderosas. La unificación se alcanzó a fines del s. XVI, bajo el liderazgo de ODA NOBUNAGA, TOYOTOMI HIDEYOSHI y TOKUGAWA IEYASU. Durante el período TOKUGAWA, que comenzó en 1603, el gobierno impuso una política de aislamiento. Bajo la conducción del emperador MEIJI (1868–1912), se adoptó una constitución (1889) y comenzó un programa de modernización y occidentalización. El imperialismo japonés llevó a una guerra con China (1894–95) y con Rusia (1904–05), así como a la anexión de Corea (1910) y Manchuria (1931). Durante la segunda GUERRA MUNDIAL, Japón atacó a las fuerzas estadounidenses en Hawai y Filipinas (dic. 1941), y ocupó las posesiones coloniales europeas en Asia sudoriental. En 1945, EE.UU. lanzó BOMBAS ATÓMICAS sobre HIROSHIMA y NAGASAKI, y Japón se rindió ante las potencias aliadas. En la posguerra, la ocupación estadounidense condujo a la adopción de una nueva constitución democrática, en 1947. En la reconstrucción de la devastada base industrial japonesa se incorporó nueva tecnología en todas las ramas importantes de la industria. A partir de ello tuvo lugar una extraordinaria recuperación, y el país se transformó en uno de los más ricos del mundo. Ha sido capaz de mantener

Temporada de cerezo en flor en Japón; contemplar su floración es una costumbre sagrada entre los nipones.
ARCHIVO EDIT. SANTIAGO

una balanza comercial favorable a pesar de una recesión económica que se inició a comienzos de la década de 1990.

Japón, mar de *o* **mar Oriental** Brazo del océano Pacífico occidental bordeado por Japón, la isla Sajalín, Rusia y Corea en el continente asiático. Tiene una superficie de 978.000 km^2 (377.600 mi^2) aprox., una profundidad promedio de 1.752 m (5.748 pies) y una profundidad máxima de 3.742 m (12.276 pies). La tibieza de sus aguas contribuye bastante al clima templado de Japón. Su uso como vía marítima comercial se ha incrementado a causa del aumento del comercio entre los países del Asia oriental.

Japón, ocupación de (1945–52). Ocupación militar de Japón por las Potencias Aliadas después de su derrota en la segunda guerra mundial. En teoría una ocupación internacional, en los hechos fue articulada casi íntegramente por las tropas de EE.UU. al mando del gral. Douglas MacArthur. Durante el período de ocupación, los militares y civiles japoneses en el exterior fueron repatriados a Japón, se desmantelaron las industrias de armamento y se liberaron a los prisioneros políticos. Quienes habían sido jefes durante la contienda armada fueron enjuiciados por Crímenes de guerra y siete de ellos, ejecutados. La constitución Meiji fue reemplazada por una nueva carta fundamental, que otorgó el poder al pueblo; en ella, Japón renunció a su derecho a hacer la guerra, el rol del emperador se redujo a un estatus ceremonial y las mujeres obtuvieron el derecho a voto. Además, el gobierno de ocupación impulsó una reforma agraria que redujo el número de granjeros arrendatarios de un 46% a un 10%, y comenzó la disolución de los zaibatsu (conglomerados empresariales). En un comienzo se impulsaron los sindicatos, pero cuando creció el temor a las organizaciones de izquierda con el comienzo de la Guerra Fría, se respaldó un control gubernamental más fuerte sobre los trabajadores. El sistema educacional, considerado elitista, fue reformado para asemejarlo al sistema estadounidense. Aunque EE.UU. quiso poner fin a la ocupación en 1947, la Unión Soviética vetó un acuerdo de paz con Japón. Finalmente, se firmó un tratado en 1951 y la ocupación llegó a su término al año siguiente.

japonés Lengua hablada por unos 125 millones de personas en las islas de Japón, incluidas las Ryukyu. La única otra lengua del archipiélago japonés es el ainu, que hoy lo habla un grupo pequeño de personas en Hokkaido, aunque alguna vez su uso fue mucho más difundido. El japonés no se relaciona estrechamente con ninguna otra lengua, pese a que algunos expertos estiman que existe un probable parentesco genético distante con el coreano y una posible relación todavía más remota con las lenguas altaicas. Los primeros testimonios del japonés datan del s. VIII DC, cuando se utilizaban caracteres del sistema de escritura china del período medio, exclusivamente por su valor fonético para escribir palabras japonesas. El japonés conserva un amplio inventario de préstamos léxicos del chino medio, adaptados hace mucho tiempo a la fonética vernácula.

japonés, derecho Derecho que se ha desarrollado en Japón como consecuencia de la combinación de dos tradiciones jurídicas y culturales, la japonesa autóctona y la occidental. En el s. VIII, Japón recurrió al sistema legal chino de la dinastía Tang adaptándolo a sus propias circunstancias. Al surgir la clase guerrera, los clanes desarrollaron códigos aplicables a la conducta y actividades de las familias guerreras. Tras la restauración Meiji (1868), Japón comenzó a tomar en préstamo muchos de los sistemas legales europeos, particularmente del código civil alemán. Después de la segunda guerra mundial, en gran medida debido a la ocupación del país por las fuerzas militares estadounidenses, y a contactos posteriores con juristas de EE.UU., Japón adoptó algunos aspectos del sistema legal de ese país, entre ellos, diversos procedimientos civiles y elementos de derecho laboral y comercial. Los métodos tradicionales de solución extrajudicial de las controversias conservan su vigor y las causas judiciales tienen menos relevancia que en EE.UU.

japonesa, sistema de escritura Sistema de caracteres chinos modificados que se utiliza para escribir el japonés. Los japoneses crearon un sistema mixto, en parte logográfico (basado en el sistema de escritura china) y en parte silábico. En los s. IX–X se desarrollaron dos grupos de signos silábicos: *hiragana*, versiones cursivas simplificadas de caracteres chinos; y *katakana*, basados en elementos de los caracteres chinos. El japonés moderno se escribe con estos dos silabarios y con caracteres chinos.

Japurá, río Río del noroeste de América del Sur. Nace con el nombre de Caquetá en la cordillera central de los Andes, en el sudoeste de Colombia. Fluye hasta la frontera con Brasil, donde se le une el río Apaporis y toma el nombre de Japurá; sigue hacia el este hasta unirse al Amazonas. Su longitud total, incluido el Caquetá, es de unos 2.820 km (1.750 mi). Tiene una fuerte corriente y, en el sector brasileño, es apta para la navegación de embarcaciones pequeñas.

jaqueca ver migraña

Jaques-Dalcroze, Émile (6 jul. 1865, Viena, Austria–1 jul. 1950, Ginebra, Suiza). Maestro y compositor de música suizo. Estudió composición con Anton Bruckner, Gabriel Fauré y Léo Delibes y en 1892 fue nombrado maestro de armonía en el conservatorio de Ginebra. A principios del s. XX experimentó con nuevos métodos de educación musical, los que evolucionaron hacia la euritmia, sistema en el cual los movimientos corporales se usan para representar ritmos musicales. En 1914, habiendo dejado el conservatorio, fundó el Instituto Jaques-Dalcroze en Ginebra para enseñar y promover su nuevo método.

jardín Porción de terreno donde se cultivan hierbas, frutas, flores, hortalizas o árboles. El plano detallado más antiguo que se conserva de un jardín es egipcio y data de c. 1400 AC; muestra avenidas flanqueadas de árboles y estanques rectangulares. Los jardines mesopotámicos se caracterizaron por ser lugares en que se podía disfrutar de sombra y agua fresca; los helenísticos eran conspicuamente suntuosos en su exhibición de materiales preciosos, una tradición que perduró en los jardines bizantinos. Los islámicos se servían del agua, a menudo en albercas alimentadas por canales estrechos semejantes a canales de regadío. En la Europa renacentista, los jardines reflejaban la confianza en la capacidad humana para imponer el orden en el mundo externo; los jardines italianos enfatizaban la unidad de casa y jardín. Los jardines franceses del s. XVII se presentaban rígidamente simétricos y la dominación cultural francesa en Europa popularizó este estilo hasta entrado el siglo siguiente. En la Inglaterra del s. XVIII, la creciente concienciación del mundo natural condujo al desarrollo de jardines "naturales" que utilizaban trazados irregulares y no simétricos. Los jardines chinos estaban generalmente en armonía con el paisaje natural y empleaban rocas traídas desde grandes distancias como rasgo decorativo universal. Los primeros jardines japoneses imitaban los principios chinos; tendencias posteriores fueron el jardín abstracto, en el que era posible encontrar sólo arena y rocas, y los jardines en miniatura hechos en macetas (ver BONSÁI).

jardín botánico Originalmente, colección de plantas vivientes diseñada para ilustrar las relaciones existentes entre grupos de ellas. La mayoría de los jardines botánicos modernos se ocupan sobre todo de exponer plantas ornamentales dentro de un esquema que enfatiza las relaciones naturales. Un jardín de exhibición constituido mayormente por plantas leñosas (arbustos y árboles) suele llamarse un ARBORETO. El jardín botánico, como institución, se remonta a la antigua China y a muchos países del Mediterráneo, en los que tales jardines eran a menudo centros para cultivar plantas que se usaban como alimento y medicinas. Los jardines botánicos son también reservas de valiosas características hereditarias, potencialmente importantes para la crianza de nuevas variedades de plantas. Otra función complementaria es la capacitación de jardineros. El jardín botánico más famoso del mundo es el KEW GARDENS.

jardín infantil *o* **kindergarten** Institución o nivel educacional para niños de cuatro a seis años de edad, que constituye una parte importante de la EDUCACIÓN PREESCOLAR. El kindergarten se originó a inicios del s. XIX, como resultado de las ideas y prácticas de ROBERT OWEN en Gran Bretaña, JOHANN HEINRICH PESTALOZZI en Suiza y su pupilo FRIEDRICH FROEBEL (que acuñó el término) en Alemania, y MARÍA MONTESSORI en Italia. En los jardines infantiles suele darse énfasis al desarrollo emocional y social del niño, estimulando el conocimiento de sí mismo a través de actividades lúdicas y de expresión creativa.

El parque Ritsurin Koen, jardín japonés clásico, en Takamatsu, Shikoku, Japón.
ARCHIVO EDIT. SANTIAGO

jardinería Actividad consistente en plantar y cuidar un JARDÍN. Aunque en el pasado existían jardines palaciegos, los pequeños jardines caseros sólo se masificaron en el s. XIX. La jardinería, como pasatiempo, se expandió conforme aumentaban la propiedad de casas y el tiempo libre. Un jardín de flores bien diseñado exhibe mezclas y contrastes de formas y colores, y toma en cuenta el efecto causado por el cambio de las estaciones. Entre las labores esenciales figuran el mantenimiento del suelo, la regulación del riego, el control de malezas y la protección de las plantas contra pestes y enfermedades. Pese a que el uso de abonos, pesticidas y herbicidas químicos está bastante extendido, cada vez son más populares los suplementos orgánicos y los controles de pestes menos tóxicos, así como el uso de insectos depredadores y el desmalezamiento a mano.

jardinería ornamental ver PAISAJISMO

Jari, río Río del norte de Brasil. Discurre hacia el sudeste a lo largo de unos 560 km (350 mi) hasta unirse con el AMAZONAS en Bôca do Jari. El Jari marca el límite entre los estados de Pará y Amapá; su curso inferior es navegable. En el valle del Jari se ha llevado a cabo, desde fines de la decada de 1960, un proyecto de explotación maderera a gran escala.

jariyí Miembro de la secta islámica más antigua, que surgió a mediados del s. VII durante los conflictos por la sucesión del califato (ver CALIFA). Los jariyí ("separatistas") tomaron partido contra ʿALĪ, el yerno del Profeta (cuyos seguidores formaron más tarde la rama CHIITA del Islam), y encabezaron una serie de rebeliones, asesinando a ʿAlī y hostigando a su rival MU'AWIYAH I. Más tarde provocaron nuevos desórdenes en contra de los califas omeyas. Sus constantes ataques a los gobiernos musulmanes respondían a su creencia de que el califa debía ser elegido por toda la comunidad musulmana. Abogaron por una interpretación literal del CORÁN y fueron severos y puritanos en el ejercicio de su religión. La subsecta ʿIbādiyyah subsistió hasta el s. XX en el norte de África, Omán y Zanzíbar.

Járkov *o* **Kharkov** Ciudad (pob., 2001: 1.470.000 hab.) del nordeste de Ucrania. Fundada en 1655 como una fortaleza para proteger las zonas fronterizas del sur de Rusia, en 1732 se transformó en sede del gobierno provincial. Fue capital de la República Socialista de Ucrania (1921–34). En la actualidad es la segunda ciudad de Ucrania, centro industrial especializado en la producción de maquinaria agrícola y equipos electrónicos.

Jarrell, Randall (6 may. 1914, Nashville, Tenn., EE.UU.–14 oct. 1965, Chapel Hill, N.C.). Poeta y crítico estadounidense. Fue docente en la Universidad de Carolina del Norte (Greensboro) desde 1947 hasta su muerte. Como crítico, contribuyó a revitalizar la reputación de poetas como ROBERT FROST, WALT WHITMAN y WILLIAM CARLOS WILLIAMS en la década de 1950. Su obra crítica está recopilada en *Poetry and the Age* [La poesía y su época] (1953), *A Sad Heart at the Supermarket* [Un corazón triste en el supermercado] (1962) y el escrito póstumo *Third Book of Criticism* [Tercer libro de críticas] (1969). Entre sus poemarios se cuentan *Amiguito, amiguito* (1945) y *Pérdidas* (1948), volúmenes inspirados en sus propias experiencias bélicas, y en las antologías tardías *The Seven-League Crutches* [Las muletas de siete leguas] (1951) y *La mujer del zoológico de Washington* (1960). Murió atropellado.

Jarretera, Orden de la Orden de caballería inglesa fundada por EDUARDO III en 1348, considerada el más alto honor británico. Según la leyenda, fue instituida después de un incidente ocurrido mientras Eduardo bailaba con la condesa de Salisbury y una de las ligas o jarreteras de esta cayó al piso. Mientras los demás reían con disimulo, Eduardo recogió galantemente la liga y se la puso en su propia pierna, amonestando en francés a los cortesanos con lo que actualmente es el lema de la orden, "Honni soit qui mal y pense" (Vergüenza para quien piense mal). La orden está integrada por el soberano británico y el príncipe de Gales, cada uno con 25 "compañeros caballeros".

Jarrett, Keith (n. 8 may. 1945, Allentown, Pa., EE.UU.). Pianista, compositor y director de orquesta de JAZZ estadounidense. Tocó con ART BLAKEY (1965–66) y con el grupo de jazz-rock de Miles Davis (1970–71) antes de realizar una serie de grabaciones como solista que le dieron gran popularidad. Su trío (a partir de 1966) con el bajista Charlie Haden (n. 1937) y el baterista Paul Motian (n. 1931), que más tarde se amplió a un cuarteto (1971–76), alcanzó gran reputación. En la década de 1980 sus presentaciones en público se habían centrado principalmente en recitales clásicos.

Jarry, Alfred (8 sep. 1873, Laval, Francia–1 nov. 1907, París). Escritor francés. Se trasladó a París a los 18 años de edad para vivir de su herencia. Después de dilapidarla llevó una vida de estudiada bufonería. Su farsa *Ubu rey* (1896), considerada precursora del TEATRO DEL ABSURDO y del SURREALISMO, introdujo al grotesco Père Ubu, quien se convierte en rey de Polonia. Jarry escribió dos continuaciones de esta obra, una de las cuales se publicó póstumamente. La brillante fantasía e ingenio de sus cuentos, novelas y poemas suelen caer en la incoherencia y en un simbolismo ininteligible. Murió alcohólico a los 34 años de edad.

Jartum Ciudad (pob., 1993: 924.505 hab.), capital de Sudán. Ubicada al sur de la confluencia de los ríos NILO Azul y Nilo Blanco, fue originalmente un campamento militar egipcio (1821). En 1885, los mahdistas sitiaron y destruyeron el pueblo, y dieron muerte al gobernador general británico CHARLES GEORGE GORDON. Reocupada por los británicos en 1898, sirvió como sede del gobierno angloegipcio hasta 1956, cuando se convirtió en la capital de la independizada República de Sudán. Es un importante centro de comunicaciones y sede de varias universidades.

Jaruzelski, Wojciech (Witold) (n. 6 jul. 1923, Kurów, Polonia). General del ejército polaco, jefe de Estado (1981–89) y presidente (1989–90) de Polonia. Ascendió en el ejército y en el Partido Comunista hasta ser elegido primer ministro y primer secretario del partido en 1981, cuando el régimen polaco estaba bajo la creciente presión del movimiento SOLIDARIDAD. Declaró la ley marcial (1981–83) y efectuó masivos arrestos de disidentes. Incapaz de superar el estancamiento económico del país, inició negociaciones en 1988 con Solidaridad, que culminaron en acuerdos para reformar el sistema político polaco. Elegido pdte. en 1989, renunció a sus cargos en el Partido Comunista. En 1990, con la elección de LECH WAŁĘSA como pdte., cedió la última cuota de poder comunista en Polonia.

Jary, Al- Oasis del centro-este de ARABIA SAUDITA. Ubicado al sudeste de RIYAD, es administrado en conjunto con esta ciudad. Situado en una zona de fuentes de aguas subterráneas, en 1938 fue escogido como sede de una granja experimental del gobierno. Su industria de lácteos tradicionales se expandió significativamente en 1981 gracias a la inauguración de un complejo productor de carne y lácteos.

Jasón En la mitología griega, el líder de los ARGONAUTAS. Era hijo de Esón, rey de Yolco en Tesalia. Criado por QUIRÓN después de que Pelias, medio hermano de su padre, se apoderara de Yolco, regresó en su adultez y se le prometió la sucesión si podía traer el vellocino de oro. Después de un viaje aventurado, lo obtuvo con ayuda de MEDEA. Se casó con ella y ambos regresaron a Yolco, donde Medea asesinó a Pelias. Expulsados por el hijo de Pelias, buscaron refugio con el rey Creón de Corinto. Cuando Jasón abandonó a Medea por la hija de Creon, Medea dio muerte a los hijos que habían tenido.

jaspe Variedad de grano fino o denso de PEDERNAL, mineral de SÍLICE que exhibe diversos colores, pero generalmente de rojo ladrillo a rojo marrón. Usado desde hace mucho tiempo en joyería y ornamentación, posee un lustre opaco, pero puede adquirir un delicado pulido; sus propiedades físicas son las del CUARZO. El jaspe es común y está extensamente distribuido. Aparece en los montes Urales, el norte de África, Sicilia, Alemania y otros lugares. Por miles de años, el jaspe negro se utilizó para probar el contenido de oro en las aleaciones de oro-plata. Al frotar la aleación en la piedra, llamada piedra de toque, se produce una raya cuyo color determina el contenido de oro con una precisión de una parte en cien.

Jasper, parque nacional de Parque nacional en el oeste de la provincia de Alberta, Canadá. Ubicado en las laderas orientales de las montañas ROCOSAS, se estableció en 1907. Ocupa una superficie de 10.878 km² (4.200 mi²) que abarca el valle del río ATHABASCA y las montañas circundantes. Comprende parte del gran campo de hielo de Columbia, cuyas aguas de deshielo alimentan los ríos que desembocan en los océanos Atlántico, Pacífico y Ártico. La fauna del parque comprende osos, alces, caribúes y pumas.

Valle del Athabasca, en el parque nacional de Jasper, Alberta, Canadá.
HANS PETER MERTEN/ROBERT HARDING WORLD IMAGERY/GETTY IMAGES

Jaspers, Karl (Theodor) (23 feb. 1883, Oldenburgo, Alemania–26 1969, Basilea, Suiza). Filósofo y psiquiatra alemán. Como psiquiatra investigador, contribuyó a establecer la psicopatología sobre una base rigurosa, científicamente descriptiva, en especial su *Psicopatología general* (1913). Enseñó filosofía en la Universidad de Heidelberg en 1921–37, después de lo cual el régimen nazi le prohibió trabajar. Desde 1948 vivió en Suiza, donde enseñó en la Universidad de Basilea. En su obra magna, *Filosofía* (3 vol., 1969), sostuvo que el objetivo de la filosofía es práctico; su propósito es la realización de la existencia humana (*Existenz*). Para Jaspers, la iluminación filosófica se alcanza en la experiencia de situaciones límite, como el conflicto, la culpa y el sufrimiento, que definen la condición humana. En su confrontación con los extremos, el ser humano alcanza su humanidad existencial. Jaspers es una de las figuras más importantes del EXISTENCIALISMO.

Jassy ver IASI

Jatami, Mohamed *o* **Muḥammad Khātamī** (n. 29 sep. 1943, Ardakán, Irán). Presidente de Irán (1997–2005). Tras estudiar en una madrasa tradicional en la ciudad santa de Qom, comenzó a realizar actividades políticas mientras estudiaba filosofía en la Universidad de Isfahán. Encabezó un centro islámico en Alemania durante la revolución iraní (1979) y regresó a su país a fin de presentarse en las elecciones al Majles (parlamento) en 1980. Desempeñó cargos gubernamentales durante la guerra de IRÁN-IRAK (1980–90) y fue consejero cultural del pdte. Alí Akbar Hashemi Rafsanyani lo nombró su asesor político y jefe de la Biblioteca Nacional (1992–97), antes de ganar la presidencia con un programa de reformas económicas y sociales. Fue reelecto por aplastante mayoría en 2001.

Jaurès, (Auguste-Marie-Joseph-) Jean (3 sep. 1859, Castres, Francia–31 jul. 1914, París). Dirigente socialista francés. Se desempeñó como diputado (1885–89, 1893–98, 1902–14) y en un principio adhirió a las ideas de ALEXANDRE MILLERAND. Al dividirse los socialistas en dos grupos después de 1899, encabezó el PARTIDO SOCIALISTA FRANCÉS y propició la reconciliación con el Estado. En el periódico *L'Humanité*, que cofundó en 1904, abrazó el socialismo democrático, pero cuando la SEGUNDA INTERNACIONAL (1904) rechazó su postura, acató la decisión. En 1905, los dos partidos socialistas franceses se unieron y la influencia de Jaurès continuó aumentando. En vísperas de la primera guerra mundial, abogó por la paz mediante el arbitraje y por el acercamiento franco-alemán, lo que le ganó el odio de los nacionalistas franceses. Fue asesinado en 1914 por un joven fanático nacionalista. Escribió varios libros, entre ellos la influyente *Histoire socialiste de la Révolution française* (1901–07).

Jean Jaurès.
H. ROGER-VIOLLET

Java Lenguaje modular de PROGRAMACIÓN ORIENTADO A OBJETOS, desarrollado por Sun Microsystems en 1995, específicamente para INTERNET. Java se basa en la idea de que el mismo SOFTWARE puede operar en muchas clases diferentes de computadoras, aparatos de consumo y otros dispositivos; su código se traduce de acuerdo a las necesidades de la máquina en la cual está instalado. Los ejemplos más visibles del *software* de Java son los programas interactivos, llamados *Applets*, que animan los sitios en la WWW, donde Java es una herramienta creativa estándar. Java provee una interfaz para HTML.

Java, hombre de Nombre común asignado a los restos fosilizados de un *Homo erectus* encontrados en 1891 en Trinil, Java. Los restos, que consisten en una bóveda craneana y un fémur, corresponden a los primeros fósiles conocidos de *H. erectus* (aunque originalmente se los llamó *Pithecanthropus erectus*), los cuales, junto con numerosos hallazgos posteriores a lo largo del río Solo, indican que el *H. erectus* vivió en Asia oriental c. 1.000.000 de años atrás y que permaneció allí durante al menos 500.000 años o posiblemente hasta 800.000 años. El hombre de Java es anterior a los hallazgos de ZHOUKOUDIAN (hombre de Pekín), en China, y se lo considera en cierta medida más primitivo.

Java, isla *indonesio* **Djawa** Isla (pob., est. 2000: 121.352.608 hab.) en Indonesia. Situada al sudeste de SUMATRA, es la cuarta isla más grande de Indonesia y alberga a más de la mitad de la población del país. Su territorio, que abarca la cercana isla de Madura, tiene una superficie de 127.499 km² (49.228 mi²). La capital de Java e Indonesia es YAKARTA. El punto más alto de la isla lo constituye el monte Semeru, volcán activo de 3.676 m (12.060 pies) de altura. Tres grandes grupos étnicos la habitan: los javaneses (que conforman el 70% de la población), los sondaneses y los madureses. Los restos fósiles del *Homo erectus*, también conocido como "hombre de Java", indican que la isla ya estaba habitada hace 800.000 años. Los mercaderes indios comenzaron a llegar en el s. I DC, trayendo consigo el influjo hindú. En 1293 se fundó en Java oriental la dinastía Majapahit, que cayó a principios del s. XVI con el surgimiento de los reinos musulmanes. En 1619, la COMPAÑÍA HOLANDESA DE LA INDIAS ORIENTALES asumió el control de Batavia (Yakarta) y extendió su influencia en la región. Gobernada por los holandeses hasta comienzos de la década de 1940, tiempo en que fue ocupada por Japón; en 1950 pasó a formar parte de la nueva República independiente de Indonesia.

Java, mar de Mar del océano Pacífico occidental situado entre las islas de JAVA y BORNEO. Con 1.450 km (900 mi) de longitud y 420 km (260 mi) de ancho, cuenta con una superficie total de 433.000 km² (167.000 mi²). Es un mar poco hondo, de una profundidad media de 46 m (151 pies). Fue escenario de una batalla naval en la segunda guerra mundial (1942), en la que Japón derrotó a los aliados, hecho que le permitió invadir Java.

javanés Miembro del grupo étnico mayoritario de la isla de JAVA, Indonesia. Hablantes de una lengua AUSTRONESIA, los javaneses son musulmanes, aunque pocos estrictamente observantes. La organización social tradicional javanesa se caracterizaba por la existencia, en un extremo, de aldeas relativamente igualitarias y, en el otro, de la sociedad sumamente estratificada de las ciudades, diferencias que se manifiestan en los numerosos estilos de habla aún en uso. Las aldeas están constituidas por grupos compactos de casas unifamiliares, generalmente de bambú, que rodean una plaza central. El arroz es el principal cultivo alimenticio. El crecimiento de las grandes ciudades ha dado origen a una clase urbana marginal que habita en casuchas improvisadas en barrios aislados.

JavaScript LENGUAJE DE PROGRAMACIÓN de computadoras desarrollado por Netscape en 1995 para el uso en páginas HTML. Es un lenguaje de escritura (o lenguaje interpretado), menos veloz que un lenguaje compilado (como JAVA o C++), pero más fácil de aprender y usar. Está sólo ligeramente relacionado con Java y no constituye un verdadero lenguaje orientado a objetos (ver PROGRAMACIÓN ORIENTADA A OBJETOS). JavaScript puede agregarse rápidamente a una página HTML limpia para proveer características dinámicas, como cálculo automático de la fecha actual o la activación de una acción. El código JavaScript debe ser interpretado y ejecutado por un NAVEGADOR a medida que lee la página web o por un servidor de web antes de entregar la página al navegador o browser.

Jawlensky, Alexéi von *orig.* **Aleksei Iavlenskii** (13 mar. 1864, Torzhok, Rusia–15 mar. 1941, Wiesbaden, Alemania). Pintor alemán de origen ruso. Abandonó la carrera militar para estudiar pintura. En 1896 se mudó a Munich, donde se afilió a Der BLAUE REITER (El jinete azul). En Francia, en 1905, trabajó con HENRI MATISSE. De regreso a Munich realizó obras que presentaban áreas planas de vibrante color fauvista, con contornos simples y gruesos. En Suiza, durante la primera guerra mundial, pintó una serie de "variaciones" de la vista que tenía desde su ventana. El carácter meditativo de estas pinturas culminó en los rostros semiabstractos, como los de *Mirando en la noche* (1923), cuya intensidad mística evoca la pintura de iconos rusa. En 1924 se unió a VASILI KANDINSKY, PAUL KLEE y LYONEL FEININGER, para formar Der Blaue Vier ("Los cuatro azules") y juntos expusieron hasta que la artritis lo forzó a abandonar la pintura.

Jaxartes ver SYR DARYÁ

John Jay, jurista estadounidense.
FOTOBANCO

Jay, John (12 dic. 1745, Nueva York, N.Y., EE.UU.–17 may. 1829, New Bedford, N.Y.). Jurista estadounidense, primer presidente de la Corte Suprema de los ESTADOS UNIDOS DE AMÉRICA. Ejerció como abogado en Nueva York. Al comienzo lamentó el creciente conflicto entre Gran Bretaña y las colonias, pero una vez que se inició la revolución, apoyó firmemente la independencia. Colaboró en asegurar la aprobación de la Declaración de INDEPENDENCIA (1776) en Nueva York, a cuyo congreso provincial pertenecía. Al año siguiente colaboró en la redacción de la primera constitución de Nueva York y fue el primer presidente de la Corte Suprema del estado; luego, en 1778, presidió el Congreso CONTINENTAL. En 1782 se reunió en París con BENJAMIN FRANKLIN para negociar las condiciones de paz con Gran Bretaña. Al regresar del extranjero, se enteró de que el congreso lo había elegido ministro de asuntos exteriores (1784–90). Convencido de la necesidad de contar con un gobierno centralizado más fuerte, instó a ratificar la constitución de EE.UU. Con el seudónimo *Publius* escribió cinco de los ensayos que más adelante se conocieron como los documentos federalistas (JAMES MADISON y ALEXANDER HAMILTON escribieron los demás); publicados en 1787–88 en periódicos de Nueva York, los ensayos constituyeron una defensa magistral de la constitución y del gobierno republicano. En su calidad de primer presidente de la Corte Suprema de EE.UU. (1789–95), sentó un precedente jurídico cuando afirmó que los estados estaban subordinados al gobierno federal. En 1794, el gobierno lo envió a Gran Bretaña a negociar un tratado relativo a numerosos conflictos comerciales. El tratado Jay contribuyó a evitar la guerra, pero sus detractores opinaron que era demasiado favorable a Gran Bretaña. Renunció a la corte y fue elegido gobernador de Nueva York (1795–1801).

Jaya, monte *indonesio* **Puncak Jaya** *ant.* **monte Sukarno** Monte de la provincia de PAPÚA (Irian Jaya o Irian Occidental), Indonesia. Ubicado en la isla de NUEVA GUINEA, y con una altura de 5.030 m (16.500 pies), no sólo es la cumbre más alta del Pacífico sur, sino de todos los situados en islas del mundo.

Jayavarman VII (c. 1120/25–c. 1215/19). Rey del imperio jmer (camboyano) de Angkor (r. 1181–c. 1215). Nacido en el seno de la familia real de Angkor, en sus primeros años de adultez se estableció en el reino de CHAMPA (en el centro del Vietnam actual) y participó en campañas militares. Poco antes de cumplir 60 años de edad, dirigió a su pueblo en la lucha por la independencia después de haber sido sometido por los cham. Una vez reconstituido el Imperio jmer, fue coronado rey a los 61 años. Gobernó durante más de30 años y llevó al imperio a su apogeo en términos de extensión territorial, construcción y arquitectura real. Champa, el sur de Laos y partes de la península de Malaca y Myanmar (Birmania) quedaron bajo su dominio. Construyó templos, hospitales y casas de reposo, y realizó en Angkor la ciudadela de Angkor Thom. Su compromiso con las necesidades espirituales y físicas del pueblo lo ha convertido en héroe nacional para los camboyanos modernos.

Jayewardene, J(unius) R(ichard) (7 sep. 1906, Colombo, Ceilán–1 nov. 1996, Colombo, Sri Lanka). Primer ministro (1977–78) y presidente (1978–89) de Sri Lanka. Hijo de un juez del Tribunal Supremo, se convirtió en ministro de finanzas en 1948, cuando Ceilán (Sri Lanka desde 1972) alcanzó la independencia. Como primer ministro, reformó la constitución para darle al país un régimen presidencial, y en 1978 se convirtió en el primer presidente elegido. Su gobierno apartó al país del socialismo, al revitalizar el sector privado y reducir la burocracia estatal. Cuando estalló el conflicto étnico entre la mayoría cingalesa budista de la isla y la minoría tamil hindú, fue incapaz de poner fin a la violencia, que continuó después de su retiro y muerte.

Jayyam, Omar *seudónimo de* **Ghiyāth al-Dīn Abū al-Fatḥ ʿUmar ibn Ibrāhīm al-Neyshābūrī al-Khayyāmī** (18 may. 1048, Nichapur, Korasán–4 dic. 1131, Nichapur). Poeta, matemático y astrónomo persa. Educado en las ciencias y la filosofía, fue un hombre respetado en su país y en su época por sus conocimientos científicos; sin embargo, muy poco se conserva de sus escritos en prosa. En cuanto a su obra poética, apenas habría trascendido de no mediar la traducción bastante libre al inglés de sus *Rubaiyat* (o Robbaiyat, "cuartetas") por EDWARD FITZGERALD en 1859. Cada una de las cuartetas o rubai constituye un poema independiente y la mayoría son de dudosa atribución. Los estudiosos concuerdan en la autenticidad de unas 50 de ellas, lo que deja unas 200 sujetas a controversia.

jázaro Miembro de una confederación de tribus de habla turca que a fines del s. VI estableció un imperio comercial en la Rusia europea. Este pueblo de la región septentrional del Cáucaso se alió con los bizantinos para enfrentar a los persas en el s. VII; hasta mediados del s. VIII los jázaros estuvieron en guerra con los árabes. Su imperio se extendió hacia el oeste en todo el mar Negro; controlaron las rutas comerciales e impusieron tributos a sus vecinos. La clase gobernante abrazó el judaísmo y mantuvo estrechas relaciones con los emperadores bizantinos. El Imperio de los jázaros comenzó a declinar en el s. X y fue aplastado por Kíev en 965.

Jazeera, al- *o* **al-Jazīrah** Cadena noticiosa de televisión por cable del mundo árabe. Fundada por el emir de QATAR en 1996, transmite desde Doha, la capital, con enlaces en sus oficinas de prensa ubicadas alrededor del mundo. Su programación continua comenzó en 1999 y la libertad editorial que ejerció su redacción fue única en el Medio Oriente, lo que provocó ocasionales cortes de transmisión en otros estados árabes. Fue la única red que transmitió en vivo desde Kabul durante la guerra en AFGANISTÁN, encabezada por EE.UU. en 2001.

jazmín Cualquiera de unas 300 especies tropicales y subtropicales de arbustos trepadores, leñosos, florales y fragrantes que constituyen el género *Jasminum* (familia de las Oleáceas) (ver OLIVO), originarias de todos los continentes, salvo América del Norte. El jazmín que se usa en perfumería y aromaterapia proviene de las fragantes flores blancas del jazmín común o jazmín del poeta (*J. officinale*), originario de Irán. Con las flores secadas del jazmín árabe (*J. sambac*) se hace el té de jazmín. Muchas plantas de flores fragantes de otras familias también se llaman comúnmente jazmín.

Jazmín de invierno (*J. nudiflorum*).
VALERIE FINNIS

jazmín del Cabo ver GARDENIA

jazz Forma musical basada a menudo en la improvisación, creada por las comunidades afroamericanas e influida tanto por la estructura armónica europea como por los ritmos africanos. Aunque su origen concreto es desconocido, se desarrolló principalmente como una amalgama entre la cultura musical de Nueva Orleans de fines del s. XIX y la de principios del s. XX. Se combinaron elementos del BLUES y del RAGTIME, en particular, para formar estructuras rítmicas y armónicas a partir de las cuales se improvisaba. Las funciones sociales de la música desempeñaron un rol en esta convergencia: bien sea para bailar o marchar, en celebraciones o ceremonias, la música se adaptaba a las circunstancias. La técnica instrumental combinaba valores tonales occidentales con la emulación de la voz humana. Surgido de las rutinas colectivas del jazz de Nueva Orleans (ver DIXIELAND), el trompetista LOUIS ARMSTRONG fue el primer gran solista del jazz; en lo sucesivo, la música se convirtió sobre todo en un vehículo de expresión profundamente personal mediante la IMPROVISACIÓN y la composición. La elaboración del papel del solista en conjuntos pequeños y grandes ocurrió durante la era del SWING (c. 1930–45), y fue la música del pianista y director de orquesta DUKE ELLINGTON, en particular, la que demostró la combinación de elementos compuestos e improvisados. A mediados de la década de 1940, el saxofonista CHARLIE PARKER fue pionero de las complejidades técnicas del BEBOP, como consecuencia del refinamiento del *swing*: su tempo y su sofisticación armónica llevados al extremo desafiaron tanto al intérprete como al oyente. El trompetista MILES DAVIS encabezó grupos que establecieron un fraseo relajado, estético y lírico que en la década de 1950 pasó a llamarse "cool jazz", que incorporó más tarde elementos modales y electrónicos. La música del saxofonista JOHN COLTRANE exploró muchas de las orientaciones que adoptaría el jazz en la década de 1960, como la extensión de las progresiones de los acordes del bebop y la improvisación libre experimental.

Jeans, Sir James (Hopwood) (11 sep. 1877, Londres, Inglaterra–16 sep. 1946, Dorking, Surrey). Físico y matemático británico. Después de enseñar en Cambridge y Princeton, trabajó como investigador asociado en el Observatorio de Monte Wilson (1923–44). Propuso que la materia del universo está siendo creada permanentemente (ver TEORÍA DEL ESTADO ESTACIONARIO). Escribió sobre una amplia variedad de fenómenos, pero es quizás más conocido como escritor de libros de divulgación de la astronomía.

jeep Vehículo liviano que se destacó en la segunda guerra mundial, desarrollado por el Cuerpo de abastecimientos del ejército de EE.UU. Pesaba 1,25 t, tenía un motor de cuatro cilindros, podía subir pendientes de 60° y operar en terreno irregular debido a su tracción en las cuatro ruedas y a su altura de ejes. El origen del nombre es incierto; una teoría lo atribuye a la denominación militar "vehículo, GP" (sigla de *General Purpose*: todo terreno). Después de la guerra, el *jeep* se adaptó para uso civil, aunque fue reemplazado en las fuerzas armadas estadounidenses por el *High Mobility Multipurpose Wheeled Vehicle* (vehículo a ruedas multipropósito de alta movilidad) o *Hummer*.

jefatura Tipo de organización sociopolítica en que el poder político y económico es ejercido por una sola persona (o grupo) sobre varias comunidades. Representa la centralización del poder y la autoridad a expensas de las agrupaciones locales y autónomas. En los sistemas de jefatura, como los que se encuentran en África occidental o en la Polinesia, la autoridad política es inseparable del poder económico e incluye el derecho de los gobernantes a exigir tributos e impuestos. Una de las principales actividades económicas de los jefes consiste en estimular la producción de excedentes económicos, que redistribuyen después entre sus súbditos en diferentes ocasiones. Ver también EVOLUCIÓN SOCIOCULTURAL.

Jeffers, (John) Robinson (10 ene. 1887, Pittsburgh, Penn., EE.UU.–20 ene. 1962, Carmel, Cal.). Poeta estadounidense. Nacido en el seno de una acaudalada familia, estudió literatura, medicina y silvicultura. Sus versos expresan desprecio por la humanidad, y un amor por las violentas y eternas maravillas de la naturaleza, especialmente las de la costa californiana cercana a Carmel, hacia donde se trasladó en 1916. Su tercer libro, *Tamar y otros poemas* (1924), cimentó su reputación y reveló el estilo singular y las ideas excéntricas que desarrolló después en *Cawdor* (1928), *El aterrizaje de Thurso* (1932) y *Be Angry at the Sun* [Enójate con el sol] (1941).

Jefferson, Thomas (13 abr. 1743, Shadwell, Va., EE.UU.–4 jul. 1826, Monticello, Va.) Tercer presidente de EE.UU. (1801–09). En 1767 se tituló de abogado. Como dueño de una plantación, también tuvo esclavos, aunque se oponía a la esclavitud. Mientras perteneció a la Cámara de los BURGUESES (1769–75), inició el comité de correspondencia de Virginia (ver COMITÉS DE CORRESPONDENCIA (1773) con RICHARD HENRY LEE y PATRICK HENRY. En 1774 escribió una obra de gran influencia, *Summary View of the Rights of British America* [Breve panorama de los derechos de la América británica] en la que sostenía que el Parlamento británico carecía de autoridad para legislar sobre las colonias. Como delegado ante el segundo Congreso CONTINENTAL, formó parte del comité que redactó la Declaración de INDEPENDENCIA y fue su autor principal. Fue elegido gobernador de Virginia (1779–81), pero no logró organizar una resistencia eficaz cuando las fuerzas británicas invadieron la colonia (1780–81). Ante las críticas por su desempeño, renunció, jurando que se mantendría como un particular. Volvió a ser miembro del Congreso continental (1783–85) y redactó la primera de las ordenanzas (ver ORDENANZAS DE 1784, 1785 Y 1787) para dividir y colonizar el Territorio del Noroeste. En 1785 sucedió a BENJAMIN FRANKLIN en el cargo de representante diplomático de EE.UU. en Francia. GEORGE WASHINGTON lo nombró primer secretario de Estado (1790–93); pronto se vio enredado en un enconado conflicto con ALEXANDER HAMILTON por la política exterior del país y por sus interpretaciones opuestas de la constitución. Sus diferencias originaron facciones políticas y, por último, partidos políticos. Se desempeñó como vicepresidente (1797–1801) junto a JOHN ADAMS, pero se opuso a que este firmara las leyes de EXTRANJERÍA Y SEDICIÓN (1798); junto con JAMES MADISON escribió las resoluciones de VIRGINIA Y KENTUCKY, que el poder legislativo de cada uno de dichos estados adoptó en 1798 y 1799, respectivamente, en protesta contra dichas leyes. En la elección presidencial de 1800, Jefferson y AARON BURR obtuvieron la misma cantidad de votos en el colegio electoral y la decisión pasó a la Cámara de Representantes, siendo elegido en la trigésimo sexta votación. Como presidente, procuró reducir la autoridad del incipiente gobierno federal y eliminar la deuda nacional; además, se deshizo de buena parte de la formalidad y el trato ceremonioso que hasta entones había rodeado a la presidencia. En 1803 dirigió la adquisición de LUISIANA, que elevó al doble la superficie del país, y autorizó la expedición de LEWIS Y CLARK. Con miras a obligar a Gran Bretaña y Francia a dejar de hostigar a los buques mercantes estadounidenses durante las guerras NAPOLEÓNICAS, firmó la ley de EMBARGO. En 1809 se retiró a su plantación, MONTICELLO, donde cultivó su interés por la ciencia, filosofía y arquitectura. Fue presidente de la Sociedad estadounidense de filosofía (1797–1815), y en 1819 fundó y diseñó la Universidad de VIRGINIA. En 1812, después de un prolongado distanciamiento, él y Adams se reconciliaron e iniciaron una larga correspondencia que ilustró sus filosofías políticas contrapuestas. Murieron, con pocas horas de diferencia, el 4 de julio de 1826, en el quincuagésimo aniversario de la firma de la Declaración de Independencia. En enero de 2000 la Fundación Thomas Jefferson aceptó la conclusión, respaldada por pruebas de ADN, de que había engendrado por lo menos un hijo con Sally Hemings, una de sus esclavas domésticas.

Jefferson (de pie) y parte del comité que redactó la Declaración de Independencia de EE.UU.

FOTOBANCO

Jeffreys, Sir Harold (22 abr. 1891, Fatfield, Durham, Inglaterra - 18 mar. 1989, Cambridge, Cambridgeshire). Astrónomo y geofísico británico. En astronomía, estableció que los cuatro grandes planetas exteriores (Júpiter, Saturno, Urano y Neptuno) eran extremadamente fríos; ideó modelos de su estructura planetaria y estudió el origen del sistema solar. En geofísica, investigó la historia termal de la Tierra; fue coautor (1940) de las tablas estándar de tiempos de recorrido para ondas sísmicas y el primero en plantear la hipótesis de que el núcleo de la Tierra es líquido. Explicó el origen de los monzones y brisas marinas y mostró cómo los ciclones resultan vitales para la circulación general de la atmósfera. Jeffreys también trabajó en la teoría de probabilidades y en métodos de física matemática general.

Jefté Uno de los jueces del antiguo Israel. Según el Libro de los Jueces, era hijo de un galaadita y una prostituta. Después de ser expulsado por los hijos legítimos de su padre, se unió a una banda de aventureros. Cuando los galaaditas fueron oprimidos por el ejército ammonita, le pidieron ayuda. Los llevó a la victoria, habiendo inicialmente prometido a Dios sacrificar lo primero que viera al salir de su casa; sucedió que lo primero que vio fue su hija. Su relevancia en el Libro de los Jueces es servir de modelo de la fidelidad de Israel a Dios.

Jehová, Testigos de ver TESTIGOS DE JEHOVÁ

jején Cualquier miembro de la familia Simuliidae de insectos, que comprende 300 especies de pequeños DÍPTEROS jorobados de presencia mundial. Por lo general de color negro o gris oscuro, el jején tiene piezas bucales cortas adaptadas para succionar sangre. Las hembras muerden y a veces son tan abundantes que matan gallinas, e incluso, ganado bovino. Algunas especies son portadoras de lombrices, capaces de causar enfermedades humanas como la ONCOCERCOSIS. Los jejenes pueden abundar en las regiones subárticas donde el ser humano le resulta imposible habitar.

Jekyll, Gertrude (29 nov. 1843, Londres, Inglaterra–8 dic. 1932, Londres). Arquitecta y paisajista británica. Se dedicó a la pintura hasta 1891, después de lo cual viró hacia el paisajismo. Colaboró con el paisajista William Robinson (n. 1838–m. 1935) en sus escritos acerca del jardín natural, y fue autora de varios libros exitosos, entre los que figuran *Madera y jardín* (1899) y *Hogar y jardín* (1900). Gustaba de la simplicidad y del desorden ordenado de los jardines campestres. Posteriormente trabajó junto a EDWIN LUTYENS, con quien desarrolló un estilo de jardines modernos e informales, marcado por el uso rítmico de color y forma.

Jellicoe, John Rushworth Jellicoe, 1er conde (5 dic. 1859, Southampton, Hampshire, Inglaterra–20 nov. 1935, Londres). Almirante británico. Ingresó a la Real Armada en 1872 y ascendió hasta convertirse en comandante de la flota durante la primera guerra mundial (1914–16). Obtuvo una victoria crucial en la batalla de JUTLANDIA (1916), después de la cual fue ascendido a primer lord del almirantazgo (1916–17) y a almirante de la flota (1919). Fue gobernador de Nueva Zelanda (1920–24).

Jellinek, Elvin M(orton) (15 ago. 1890, Nueva York, N.Y., EE.UU.–22 oct. 1963, Palo Alto, Cal.). Fisiólogo estadounidense. Estudió en la Universidad de Leipzig y trabajó en Budapest, Sierra Leona y Honduras antes de regresar a EE.UU., donde estudió el ALCOHOLISMO. Fue un precoz defensor de la teoría de tratar el alcoholismo como una enfermedad. Recopiló y resumió sus investigaciones, y las de otros, en obras autorizadas como *Alcohol Explored* [El alcohol explorado] (1942) y *The Disease Concept of Alcoholism* [El concepto del alcoholismo como enfermedad] (1960).

Jemison, Mae (Carol) (n. 17 oct. 1956, Decatur, Alabama, EE.UU.). Médico y astronauta estadounidense. Se graduó en medicina en la Universidad Cornell, para después trabajar en el Cuerpo de paz en África. En 1988 fue aceptada en el programa para astronautas de la NASA y se transformó en la primera mujer astronauta afroamericana. En 1992 pasó más de una semana a bordo del transbordador espacial Endeavour. Después de dejar la NASA en 1993, enseñó ciencias ambientales en el Darmouth College, EE.UU.

jen *o* **ren** En el CONFUCIANISMO, la más básica de todas las virtudes, traducida indistintamente como "humanidad" o "benevolencia". En su origen significaba la bondad de los gobernantes hacia sus súbditos. CONFUCIO identificaba a *jen* como la virtud perfecta y MENCIO la convirtió en la característica distintiva de la humanidad. En el NEOCONFUCIANISMO era una cualidad moral impartida por el cielo.

Jena y Auerstedt, batallas de (1806). Combates militares librados durante las guerras NAPOLEÓNICAS entre tropas francesas y efectivos prusianos y sajones. En 1806, FEDERICO GUILLERMO III de Prusia firmó una alianza secreta con Rusia y se unió a la Tercera Coalición en contra de NAPOLEÓN I. Al marchar el ejército prusiano a través de Sajonia para reunirse con sus aliados rusos, fue forzado a enfrentar un ataque francés por la retaguardia. Los prusianos dividieron sus fuerzas entre Auerstedt y Jena, y el 14 de octubre Napoleón barrió con las tropas prusianas en Jena. Al mismo tiempo, en Auerstedt, una fuerza francesa secundaria al mando de LOUIS DAVOUT derrotó a un ejército prusiano, que era más del doble de su tamaño. Napoleón completó su conquista de Prusia en seis semanas.

Jengibre (*Zingiber officinale*).
ENCYCLOPÆDIA BRITANNICA, INC.

jengibre Planta herbácea perenne (*Zingiber officinale*; familia Zingi-beraceae), probablemente originaria de Asia meridional, o su RIZOMA aromático acre, que se usa como especia, condimento, alimento y medicina. La especia tiene un gusto ligeramente penetrante y se emplea por lo general secada y molida, para sazonar panes, salsas, alimentos con curry, confituras, encurtidos y *ginger ale*. El rizoma fresco sirve para cocinar. Los tallos foliares de la planta llevan flores en espigas coniformes apretadas. El aceite destilado del rizoma se usa en alimentos y perfumes.

Jenízaro, detalle de una miniatura turca de Breve relato de los turcos, sus reyes, emperadores o grandes señores; Biblioteca Británica (Ms. Add 23880).
REPRODUCCIÓN CON AUTORIZACIÓN DE LA BIBLIOTECA BRITÁNICA

jenízaro *turco* **yeniçeri ("nueva tropa")** Unidades de elite del ejército del Imperio OTOMANO desde fines del s. XIV hasta principios del s. XIX. Sus primeros soldados eran prisioneros de guerra, pero pronto se desarrolló un sistema (el *devşirme*) en el que jóvenes cristianos eran reclutados entre los vasallos de los Balcanes, convertidos al Islam y, aunque remunerados con un salario regular, se incorporaban a las filas de esclavos del sultán. La mayoría de ellos correspondían a soldados de infantería reclutados para reemplazar a la caballería tribal turca (*spahi*), que solía ser poco confiable. Sus primeras reglas estrictas de conducta, como el celibato, fueron abandonadas con posterioridad, y los jenízaros llegaron a tener un activo papel en la política de la corte. En 1826 se rebelaron antes que aceptar la reforma del ejército según los modelos europeos. La revuelta fue sofocada violentamente y la mayoría de los jenízaros perdieron la vida.

Jenkins (de Hillhead), Roy (Harris) Jenkins, barón (11 nov. 1920, Abersychan, Monmouthshire, Inglaterra–5 ene. 2003, Oxfordshire). Político británico. Elegido al parlamento en 1948, participó en gobiernos laboristas (1964–70, 1974–76). Fuerte partidario de la OTAN y de la Comunidad Europea, fue presidente de la rama ejecutiva de esta última (1976–81). Renunció al Partido Laborista y en 1981, junto a otros disidentes laboristas, formó el Partido Social Demócrata, el cual encabezó en 1982–83. Después de aceptar el nombramiento de par vitalicio (1987), se convirtió en líder del Partido Social y Liberal Demócrata en la Cámara de los Lores. Luego fue rector de la Universidad de Oxford.

Jenner, Edward (17 may. 1749, Berkeley, Gloucestershire, Inglaterra–26 ene. 1823, Berkeley). Cirujano inglés, descubridor de la vacuna de la viruela. Aprendiz de cirujano a los 13 años de edad, a los 21 llegó a ser alumno residente de JOHN HUNTER, quien lo perfeccionó y le recalcó la necesidad de experimentar y observar. Jenner había observado en su juventud que quienes se habían contagiado con la enfermedad relativamente inocua de la vacuna (pústulas de las vacas), no contraían VIRUELA. En 1796 inoculó a un niño pequeño con el material obtenido de lesiones frescas de vacuna de una lechera. El niño se enfermó de vacuna, pero, al inocularle posteriormente viruela, no la contrajo. A pesar de dificultades iniciales, el procedimiento se extendió y la mortalidad por viruela descendió. Jenner recibió el reconocimiento mundial (aunque también fue víctima de ataques y calumnias). Se retiró de la vida pública en 1815, después de la muerte de su esposa.

Jenócrates (m. 314 AC, Atenas). Filósofo griego. Discípulo de PLATÓN, sucedió a Espesipo (m. 339/338 AC) en la dirección de la Academia de Platón. Excepto por unos pocos fragmentos, sus escritos se han perdido, pero sus doctrinas, como relató ARISTÓTELES, parecen similares a las de Platón. Dividió el conjunto de la realidad en tres ámbitos: lo sensible u objetos de la sensación; lo inteligible u objetos del conocimiento verdadero, como las formas de Platón (ver FORMA), y los cuerpos celestes, que median entre lo sensible y lo inteligible y son, por lo tanto, objetos de "opinión". Una segunda división tripartita separaba a los dioses, los hombres y los "demonios". Sostuvo que el origen de la filosofía estaba en el deseo del hombre de ser feliz, donde la felicidad era definida como la adquisición de la perfección, peculiar y propia del ser humano (ver EUDEMONISMO).

Jenófanes de Colofón (c. 560, Colofón, Jonia–c.478 AC). Poeta y pensador religioso griego, considerado el precursor de la filosofía eleática (ver ELEATICISMO). Aunque algunos críticos consideran a PARMÉNIDES el fundador de la escuela eleática, la filosofía de Jenófanes encontró primero expresión en la poesía que recitaba en sus viajes, y probablemente se adelantó a las concepciones de Parménides. Los fragmentos de sus épicas reflejan su desprecio por el antropomorfismo y por la aceptación popular de la mitología homérica.

Jenofonte (431, Ática, Grecia–poco antes de 350 AC, Ática). Historiador griego. Nacido en el seno de una familia ateniense acomodada, criticó la democracia llevada al extremo, lo que le valió ser exiliado por un tiempo acusado de traición. Cumplió su condena junto a un grupo de mercenarios griegos del príncipe persa Ciro, experiencia en la cual se basa su obra más célebre, la *Anábasis*. Su prosa, muy admirada en la antigüedad, tuvo gran influencia en la literatura latina. Entre sus otros escritos destacan *De la equitación*; *El Cinegético*; *Ciropedia*, novela histórica acerca de CIRO II EL GRANDE; *Económica*, tratado sobre la administración de propiedades; además de la conclusión de una obra del historiador TUCÍDIDES.

Jensen, Georg (31 ago. 1866, Raadvad, Dinamarca–2 oct., 1935, Copenhague). Platero y diseñador danés. A los 14 años de edad trabajo como aprendiz de orfebre. En 1904 abrió su propio taller en Copenhague. Al exhibir su platería y sus joyas en grandes exposiciones internacionales, se ganó la reputación de platero sobresaliente y original. Fue el primero en obtener ganancias de la fabricación de platería moderna, y estuvo entre los primeros en utilizar el acero para elegantes y prácticos cubiertos. En 1935, su firma ya tenía tiendas en todo el mundo y contaba con más de tres mil diseños. Después de su muerte, su hijo Søren Georg Jensen (n. 1917) continuó con el negocio.

Jensen, Johannes V(ilhelm) (20 ene. 1873, Farsø, Dinamarca–25 nov. 1950, Copenhague). Novelista, poeta y ensayista danés. Estudió medicina, pero pronto se volcó a la literatura. En un comienzo causó impresión como escritor de cuentos; publicó más de un centenar bajo el título recurrente de *Myths* [Mitos]. Entre sus primeros trabajos también figura una trilogía histórica, *Caída del rey* (1900–01), sobre CRISTIÁN II de Dinamarca. Su obra más conocida, *El largo viaje* (1908–22), es una serie de seis novelas que relata la historia de la humanidad desde los tiempos primitivos hasta la época de CRISTÓBAL COLÓN y su llegada a América. Obtuvo el Premio Nobel de Literatura en 1944.

jeque Entre las tribus de lengua árabe, en especial los BEDUINOS, el jefe de la familia, como asimismo el jefe de cada una de las unidades sociales, ordenadas por tamaño en forma creciente, y que configura la estructura tribal. Por lo general, el jeque es asistido por un consejo tribal informal de ancianos. Más allá de la estructura tribal, el término también puede ser empleado en la sociedad árabe como un título o forma respetuosa de dirigirse a alguien o para designar a una autoridad religiosa. Su significado puede variar según la región.

jerbo Cualquiera de las casi 100 especies (subfamilia Gerbillinae) de ROEDORES minadores, similares al ratón, que viven en África y Asia, por lo general en zonas secas, arenosas, aunque también en praderas, campos cultivados o bosques. Los jerbos tienen ojos y orejas grandes, y pelaje suave de color pardo o grisáceo. La mayoría mide 10–15 cm (4–6 pulg.) de largo, excluida su cola larga y velluda. Muchas especies tienen patas traseras largas que usan para saltar. Los jerbos se alimentan principalmente de semillas, raíces y otros vegetales. La especie (*Meriones unguiculatus*) es una mascota popular. El gran jerbo (*Rhombomys opimus*) daña a veces los cultivos y terraplenes en Rusia, y los miembros de un género africano (*Tatera*) son posibles portadores de la PESTE bubónica.

Jeremías (probablemente después de 650, Anatot, Judá–c. 570 AC, Egipto). PROFETA y reformador hebreo, autor del Libro de Jeremías. Nacido en el seno de una familia sacerdotal en una aldea cercana a Jerusalén, comenzó a predicar en c. 627 AC, acusando a sus compatriotas de injusticia y de falsa adoración, y llamándolos a reformarse. Predijo con exactitud la destrucción de JUDÁ por Babilonia. Tras la caída de Jerusalén en 586, con gran parte de su población llevada al exilio, se quedó en la ciudad bajo la protección de su nuevo gobernador. Cuando a este lo asesinaron, Jeremías fue llevado a Egipto por judíos temerosos de represalias, y permaneció allí hasta su muerte. Su profecía más importante anunció la época en que Dios establecería una nueva alianza con Israel.

El profeta Jeremías es apedreado hasta morir en Egipto, tras partir al exilio después de la caída de Jerusalén.
FOTOBANCO

jerez VINO blanco y refinado de origen español. Toma su nombre de la provincia de Jerez de la Frontera, España. La acción de la "flor", crecimiento de un moho alentado por una ligera exposición al aire luego de la FERMENTACIÓN, es esencial para su sabor. El sistema solera, en que se mezclan vinos provenientes de las vendimias de muchos años, resulta único. El jerez es fortificado después de la fermentación con BRANDY de alta graduación, para alcanzar 16–18% de alcohol. Se sirve primordialmente como aperitivo, aunque el jerez más dulce y denso se estila como vino de postres.

jerga Variedad de la lengua general expresada en un código especial empleado por personas de distintos ámbitos. No es fácil determinar sus límites, pues constituye un tipo de habla que afecta al léxico y en menor grado a la MORFOLOGÍA, no así a la SINTAXIS. Incluye palabras de reciente acuñación, formas abreviadas y palabras normales usadas lúdicamente fuera de su contexto habitual. Muchas palabras de una jerga resultan tan útiles que quedan aceptadas como vocablos normales o informales, o, al contrario, pasan de moda con tanta rapidez que no llegan a integrarse en la lengua común. La palabra jerga tiene para muchas personas una connotación peyorativa, pues la consideran un mal uso del idioma. Es parte esencial de la red de ocupaciones y actividades que conforman la sociedad y constituye un fenómeno universal. Todas las disciplinas, oficios y profesiones tienen un elemento de jerga; quienes desempeñan esas tareas la aprenden a medida que perfeccionan sus conocimientos. Cada segmento de la sociedad –abogados, médicos, ingenieros, electricistas, mecánicos y jóvenes, así como los deportes y juegos– cuenta con su propia jerga; el hampa también posee la suya, cuya habla se conoce como germanía.

Jericó *árabe* **Ariha** Ciudad (pob., 1997: 14.674 hab.) de CISJORDANIA. Habitada c. 9000 AC, es famosa en la tradición bíblica por constituir el primer poblado que atacaron los israelitas al mando de Josué después de cruzar el río JORDÁN. Fue abandonada y destruida varias veces y reconstruida en la misma zona. Capturada en 1918 por los británicos, pasó a formar parte del mandato británico de PALESTINA. Después de su incorporación a Jordania en 1950, se convirtió en sede de dos enormes campamentos de refugiados árabes desplazados por la primera guerra ÁRABE-ISRAELÍ (1948). El poblado resultó ocupado por fuerzas israelíes durante la guerra de los SEIS DÍAS (1967), y gran parte de los refugiados se dispersaron. En virtud de un acuerdo de autonomía firmado entre israelíes y palestinos, Jericó pasó a manos de la Autoridad Nacional Palestina en 1994.

Jerjes I *persa* **Jshayarsha** (c. 519 AC–465 AC, Persépolis). Rey persa (486–465 AC) de la dinastía AQUEMÉNIDA. Hijo de DARÍO I, fue gobernador de Babilonia antes de ascender al trono. Sofocó con ferocidad rebeliones en Egipto (484) y Babilonia (482). Para vengar la derrota de Darío a manos de los griegos en la batalla de MARATÓN, se dedicó durante tres años a reunir un ejército y una flota de gran magnitud. Cuando una tormenta destruyó los puentes que había hecho construir para cruzar el Helesponto, los hizo reconstruir y durante siete días supervisó el cruce de su ejército, que según estimaciones modernas ascendía a 360.000 hombres, apoyado por más de 700 naves. Los persas lograron vencer la resistencia griega en la batalla de las TERMÓPILAS y saquearon Atenas, pero luego perdieron su flota en la batalla de SALAMINA (480). Jerjes regresó a Asia dejando su ejército atrás, que se retiró después de ser derrotado en la batalla de PLATEA (479). En Persia inició un amplio plan de construcciones en PERSÉPOLIS. Envuelto inadvertidamente en intrigas palaciegas, dio muerte a la familia de su hermano por exigencia de la reina. Fue asesinado por miembros de la corte. Su revés en Grecia es considerado el comienzo del declive de la dinastía aqueménida.

Jerjes I, detalle de un bajorrelieve del patio norte del tesoro en Persépolis, fines del s. VI o principios del s. V AC; Museo arqueológico de Teherán, Irán.

DEL INSTITUTO ORIENTAL, UNIVERSIDAD DE CHICAGO, EE.UU.

jeroglífico Carácter de índole pictórico en cualquiera de los diferentes sistemas de ESCRITURA, aunque su lectura no implique necesariamente la forma pictórica. En su origen, el término se aplicó al sistema de escritura más arcaico del Egipto antiguo (ver EGIPCIO). Los jeroglíficos egipcios podían leerse icónicamente (la figura de una casa representaba la palabra *pr*, "casa"), fonéticamente (el signo "casa" podía tener el valor fonético *pr*) o por asociación (un signo que denotaba una cosa podía representar un homófono con otro significado). A diferencia de la escritura CUNEIFORME contemporánea, los jeroglíficos fonéticos denotaban consonantes, no sílabas, de manera que no había una forma regular de escribir las vocales. De forma convencional, los egiptólogos insertan la vocal "*e*" entre consonantes para pronunciar las palabras egipcias. La ortografía estandarizada del Imperio Medio (2050–1750 AC) empleaba alrededor de 750 jeroglíficos. En los primeros siglos DC declinó el empleo de los jeroglíficos –el último texto fechado es de 394 DC– y el significado de los signos se perdió hasta que fueron descifrados a comienzos del s. XIX (ver JEAN-FRANÇOIS CHAMPOLLION; piedra de ROSETTA). El término *jeroglífico* se ha aplicado a sistemas de escritura similares, en particular al utilizado en la escritura de la antigua lengua ANATOLIA luvita y en la escritura de los mayas (ver escritura jeroglífica MAYA).

Jerome, Chauncey (10 jun. 1793, Canaan, Conn., EE.UU.–20 abr. 1868, New Haven, Conn.). Inventor y fabricante de relojes estadounidense. En 1824 diseñó un popular reloj de bronce con espejo y formó una compañía que pronto llegó a ser la empresa fabricante de relojes líder de EE.UU. Inventó el mecanismo de relojería de latón con cuerda para un día, un progreso respecto del reloj de madera. Aplicando técnicas de producción en serie, Jerome inundó EE.UU. con relojes de latón de bajo precio, los cuales se propagaron rápidamente a Europa; asombraron tanto a los ingleses que la expresión "ingenio yanqui" se transformó en un dicho.

Jerónimo *o* **Gerónimo** (jun. 1829, cañón de No-Doyohn, México–17 feb. 1909, Fort Sill, Okla., EE.UU.). Líder APACHE chiricahua. En la década de 1870 encabezó una revuelta de 4.000 apaches que habían sido desplazados por autoridades estadounidenses a una reserva de tierras estériles en el centro-oriente de Arizona. A este hecho le siguieron años de agitación y derramamiento de sangre. Finalmente se rindió, en 1884, para luego escapar con un grupo de seguidores. Bajo una falsa promesa de retorno seguro a Arizona, se entregó a las autoridades; fue arrestado (1886) y sometido a trabajos forzados. Posteriormente obtuvo para su tribu una reserva en Fort Sill, Okla., donde dictó su autobiografía, *Geronimo: His Own Story* [Jerónimo: su propia historia].

Jerónimo, san (c. 347, Estridón, Dalmacia–419/420, Belén, Palestina). Padre de la Iglesia y traductor bíblico. Nacido en el seno de una acaudalada familia cristiana en Dalmacia, se educó allí y en Roma. Bautizado c. 366, pasó viajando la mayor parte de los 20 años siguientes. Vivió dos años como ermitaño en el desierto de Calcis. Entre 377 y 379 estuvo en Antioquía, donde estudió textos bíblicos y tradujo las obras de ORÍGENES y EUSEBIO DE CESAREA. Vivió en Roma (382–385), pero la controversia teológica y la oposición a su visión ascética lo llevó a Tierra Santa y se estableció en Belén, donde vivió hasta su muerte. Considerado tradicionalmente como el más erudito de los padres latinos, escribió numerosos comentarios bíblicos y opúsculos teológicos sobre el PELAGIANISMO y otras herejías. En 406 completó su traducción de la Biblia al latín, incluida su propia traducción de la versión hebrea del Antiguo Testamento. Su biblia latina es conocida como la Vulgata.

Jersey Raza lechera de GANADO BOVINO de talla pequeña y de cuernos cortos. Originada en la isla de Jersey, en el canal de la Mancha, se cree que desciende de ganado francés. Los ejemplares de la raza Jersey suelen ser de color leonado o crema, aunque los tonos más oscuros son comunes. Fueron introducidos en gran número en Inglaterra c. 1811 y en EE.UU. en 1850. Adaptable a una gran variedad de condiciones, la raza se encuentra en todo el mundo; su leche es muy rica en materia grasa y primordial dondequiera que se produzca mantequilla (como en Nueva Zelanda y Dinamarca).

Jersey La más grande y austral de las islas ANGLONORMANDAS, en el canal de la Mancha. Superficie: 116,2 km^2 (44,9 mi^2). Población (est. 2002): 87.400 hab. Capital: St. Helier (pob., 2001: 28.310 hab.). Cuando se separó de NORMANDÍA en 1204, conservó sus leyes y costumbres normandas, pero era administrada por un representante del rey de Inglaterra. En 1771 se le otorgaron facultades legislativas. Actualmente la gobierna una asamblea elegida en forma democrática, presidida por un administrador designado por la corona. También cuenta con un vicegobernador que representa al monarca británico. Tanto la tela como el ganado JERSEY adoptaron el nombre de esta isla.

Jersey City Ciudad (pob., 2000: 240.055 hab.) del nordeste del estado de Nueva Jersey, EE.UU. Ubicada frente a la ciudad de NUEVA YORK, sus primeros colonizadores fueron tramperos holandeses (1618). Conocida como Paulus Hook, los indios delaware la vendieron y en 1660 se estableció como asentamiento permanente. En 1779, durante la guerra de independencia de los ESTADOS UNIDOS DE AMÉRICA, el gral. HENRY LEE obtuvo ahí una victoria sobre los británicos. En 1836 fue rebautizada como Jersey City y hoy es un centro industrial.

Jerusalén *hebreo* **Yerusalaym** *árabe* **Al-Quds** Ciudad (pob., est. 1999: 633.700 hab.), capital de ISRAEL. En el corazón de la PALESTINA histórica, está ubicada entre CISJORDANIA e Israel. La Ciudad Antigua es un típico recinto amurallado del Medio Oriente; la ciudad moderna constituye una aglomeración urbana de edificaciones en altura y complejos habitacionales. Considerada sagrada para el judaísmo, ya que es el lugar donde se emplazaba el templo de JERUSALÉN; también lo es para el cristianismo, debido a su asociación con la Pasión y Resurrección de JESÚS, y para el Islam por su conexión con la MI'RĀJ (la ascensión al paraíso del profeta Mahoma). Las reliquias del judaísmo comprenden el MURO OCCIDENTAL; lugar santo del cristianismo es el Santo Sepulcro, y entre los lugares sagrados islámicos está la CÚPULA DE LA ROCA. En 1000 AC, DAVID la convirtió en capital de Israel. Arrasada por los babilonios en el s. VI AC, de ahí en adelante disfrutó sólo de breves períodos de independencia. Los romanos la destruyeron en los s. I–II DC, deportando a la población. Desde 637 fue gobernada por varias dinastías musulmanas, excepto por cortos períodos durante las CRUZADAS. El dominio del Imperio OTOMANO concluyó en 1917 y la ciudad se convirtió en la capital del mandato británico de PALESTINA. Desde entonces fue objeto de disputa entre las aspiraciones nacionalistas palestinas y sionistas. Israel proclamó la ciudad como su capital después de la guerra ÁRABE-ISRAELÍ de 1948 y se apoderó de ella durante la guerra de los SEIS DÍAS de 1967. Su estatus como capital de Israel sigue siendo objeto de controversia: el reconocimiento oficial ha sido negado por gran parte de la comunidad internacional hasta no alcanzar un acuerdo definitivo sobre los respectivos derechos sobre el territorio.

Jerusalén, concilio de Conferencia de los APÓSTOLES cristianos en Jerusalén c. 50 DC, que decretó que los cristianos gentiles no tenían que observar la ley mosaica de los judíos. Fue motivado por la controversia sobre si la CIRCUNCISIÓN era necesaria para los gentiles que se convertían al cristianismo. Encabezado por san PEDRO y Santiago el Menor, el concilio zanjó el problema en favor de san PABLO y de los cristianos gentiles, con lo que contribuyó a separar el cristianismo primitivo del judaísmo.

Jerusalén, templo de Cualquiera de los dos templos que constituyeron el centro del culto y de la identidad nacional del antiguo Israel. Cuando DAVID capturó Jerusalén, trasladó el ARCA DE LA ALIANZA a la ciudad. Como sitio para el templo escogió el monte Moriah o monte del templo, donde se creía que ABRAHAM había construido su altar para sacrificar a Isaac. El primer templo fue construido bajo el reinado del hijo de David, SALOMÓN, y terminado en 957 AC. Tenía tres salas: un vestíbulo, la sala principal para los servicios religiosos y el SANCTASANCTÓRUM. A contar de la época de JOSÍAS, fue designado como el único lugar para el sacrificio en JUDÁ. Resultó destruido durante la conquista babilonia en 586 AC. Cuando los judíos regresaron del exilio en 538, construyeron el Segundo templo (terminado en 515). Su profanación por ANTÍOCO IV en 167 AC hizo estallar la rebelión de los MACABEOS, tras la cual fue purificado y consagrado nuevamente. En 54 AC, MARCO LICINIO CRASO saqueó el templo. Reconstruido y ampliado por HERODES el Grande, la construcción duró 46 años. La rebelión judía en 66 DC provocó su destrucción por las legiones romanas en 70 DC. Lo único que queda en pie es parte del MURO OCCIDENTAL, lugar de peregrinación. El monte del Templo está ocupado actualmente por una mezquita musulmana, Al-Aqṣā, y la CÚPULA DE LA ROCA.

Jerusalén, Universidad Hebrea de Universidad independiente con sede en Jerusalén, Israel, fundada en 1925. Es la principal universidad del país y recibe a muchos estudiantes judíos del extranjero; también asisten allí estudiantes árabes. Cuenta con facultades de humanidades, ciencias, ciencias sociales, derecho, agronomía, odontología y medicina, como asimismo escuelas de educación, trabajo social, farmacia, economía del hogar, y ciencia y tecnología aplicadas, además de una escuela de biblioteconomía de posgrado.

La Cúpula de la Roca, en el monte del templo de Jerusalén, sitio donde se cree que Abraham habría construido su altar para sacrificar a Isaac.
FOTOBANCO

Jervis, bahía de *inglés* **Jervis Bay** Ensenada del océano Pacífico sur, en NUEVA GALES DEL SUR, Australia. Ocupa una superficie de 73 km² (28 mi²). Fue descubierta en 1770 por el capitán JAMES COOK, quien le dio el nombre de Long Nose, pero en 1791 se le puso el nombre actual en honor del almte. John Jervis. En 1915 su jurisdicción fue transferida de Nueva Gales del Sur a la Commonwealth de Australia, con el fin de darle acceso marítimo al Territorio de la Capital de AUSTRALIA. La bahía es una zona de balnearios y sede de la Escuela de la Marina Real Australiana (fundada en 1915).

Jespersen, (Jens) Otto (Harry) (16 jul. 1860, Randers, Dinamarca–30 abr. 1943, Roskilde). Lingüista danés. Encabezó un movimiento que se basaba en la enseñanza de las lenguas extranjeras desde un enfoque comunicativo más que en textos de estudio de gramática y vocabulario, política que contribuyó a revolucionar la enseñanza de las lenguas en Europa. Una autoridad en gramática inglesa, aportó de manera significativa al desarrollo de la fonética y la teoría lingüística. Entre sus muchas publicaciones se cuentan *Modern English Grammar* [Gramática inglesa moderna], 7 vol. (1909–49), *Language: Its Nature, Development and Origin* [El lenguaje: su naturaleza, desarrollo y origen] (1922), y *The Philosophy of Grammar* [La filosofía de la gramática] (1924). Creó además el novial, lengua internacional.

Jesucristo ver JESÚS

jesuita Miembro de la orden católica de religiosos llamada Compañía de Jesús. Fundada por san IGNACIO DE LOYOLA en 1534 en la Universidad de París, la orden fue aprobada por el papa Pablo III en 1540. Desechó muchas prácticas de la vida religiosa medieval, como las penitencias y los ayunos obligatorios y un uniforme común, concentrándose en cambio en una movilidad y adaptabilidad de estilo militar. Su organización se caracterizó por una autoridad centralizada, muchos años de prueba antes de tomar los votos finales y una especial obediencia al papa. Sus miembros constituyeron una compañía dedicada a la predicación, la enseñanza y el trabajo misionero, promoviendo activamente la CONTRARREFORMA, y cuando Ignacio murió en 1556, ya desarrollaban sus labores a nivel mundial. El éxito alcanzado y su defensa del papa le ganaron gran hostilidad tanto de enemigos religiosos como políticos. Bajo la presión de Francia, España y Portugal, el papa Clemente XIV disolvió la orden en 1773, pero fue restablecida por Pío VII en 1814. Desde entonces, se han convertido en la orden religiosa masculina de mayor envergadura.